수제비 2025

수험생 입장에서 **제**대로 쓴 **비**법서

#기출문제
#두음법칙
#커뮤니티

제4판

정보처리 산업기사 실기 Vol.1

NCS 기반으로 재구성한 합격비법서

윤영빈·서용욱·김학배·박인상 공저

Society커뮤니티: 집필진과 12만 명 회원이 함께하는 커뮤니티!
Special문제: 기출 문제(2017~2024), 예상문제 수록
Study암기 비법: 두음 기법을 통한 효율적 암기
Strategy학습 전략: 수험생들에 의해 입증된 학습 플랜 제공

비전공자를 위한 최고의 수험서!!

★ IT 수험서 ★
Best Seller 1
교보·예스24·알라딘·인터파크

2024 기출문제 수록

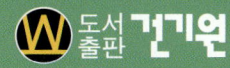
도서출판 건기원

학습지원센터 가기
cafe.naver.com/soojebi

감수

- **안경환 기술사**(NCS 정보통신분야 집필위원, 정보관리기술사, 한국정보통신기술사회 홍보소통 부위원장, 정보시스템 수석감리원, (주)파인트리커뮤니케이션즈 수석연구원)
- **배홍진 기술사**(정보관리기술사, 삼성SDS, HR SaaS 구축 및 확산)
- **문광석 기술사**(정보관리기술사, 코리안리 IT파트, ISMS-P인증심사원, 과기정통부 사이버보안전문단)
- **양해용 기술사**(정보관리기술사, 삼성SDS 데이터센터 보안그룹)
- **조동섭**(이화여자대학교)

집필진

- **윤영빈 기술사**
  (정보관리기술사, 정보시스템 수석감리원, 정보처리기사, 정보보안기사, 전자계산기조직응용기사, 전자계산기기사, 정보통신기사, 무선설비기사, 임베디드기사, 품질경영기사, 전기공사기사, 수제비 시리즈 대표 저자)
- **서용욱 기술사**
  (빅데이터 분야 개인정보보호 전문가, 정보관리기술사, 수제비 시리즈 대표 저자)
- **김학배 기술사**
  (NCS 정보통신 분야 검토위원, 컴퓨터시스템응용기술사, 정보통신기사, 수제비 시리즈 대표 저자)
- **박인상 기술사**
  (정보관리기술사, 정보시스템 수석감리원, 정보보안기사, 한이음 ICT 멘토, 정보통신기획평가원(IITP) 평가위원)

수제비 2025 수험생 입장에서 제대로 쓴 비법서

정보처리산업기사 실기

2025년 2월 10일 제4판 제1쇄 발행
2024년 3월 29일 제3판 제1쇄 발행
2023년 3월 6일 제2판 제1쇄 발행
2022년 3월 30일 제1판 제1쇄 발행

지은이 | 윤영빈 · 서용욱 · 김학배 · 박인상 공저
발행인 | 차승녀
편집 · 제작 | 웅보출판사
표지디자인 | 웅보출판사
공급처 | 도서출판 건기원(https://www.kkwbooks.com)
주 소 | 경기도 파주시 연다산길 244(연다산동 186-16)
전 화 | 02)2662-1874~5   **팩 스** | 02)2665-8281
등 록 | 제11-162호, 1998. 11. 24

저자와의
협의하에
인지생략

- 건기원은 여러분을 책의 주인공으로 만들어 드리며 출판 윤리 강령을 준수합니다.
- 본 수험서를 복제 · 변형하여 판매 · 배포 · 전송하는 일체의 행위를 금하며, 이를 위반할 경우 저작권법 등에 따라 처벌받을 수 있습니다.

ISBN 979-11-5767-876-1 14000 (1권)
     979-11-5767-877-8 14000 (2권)
     979-11-5767-875-4 14000 (전 2권)

정가 33,000원

'수제비' 정보처리산업기사를 소개합니다.

정보처리산업기사는 IT 전공자뿐만 아니라 비전공자 응시비율이 높아 오랫동안 사랑받는 대표 IT 자격증의 하나입니다. 한국산업인력관리공단에서 공지되어 2022년부터 시행되는 정보처리산업기사 문제 출제 기준을 보면 국가직무능력표준(NCS) 기반으로 대폭 개편됩니다. 출제 기준을 보면 기존 정보처리산업기사 내용은 30%에 불과하고, NCS 기반의 소프트웨어 개발 실무 내용이 70%에 해당합니다. 따라서 비전공자가 자격증을 취득하기 위한 과정이 매우 험난할 것으로 예상됩니다. 익숙하지 않은 용어와 개념들을 이해하며 학습하는 것은 정말 어려운 일이니까요!

수험생 입장에서 **제**대로 쓴 정보처리산업기사 **비**법서(수제비) 는 IT 비전공자를 위해 만들어진 책입니다. 어려운 실무적 용어와 IT 신기술들을 쉽게 풀어쓰고 암기하기 위한 여러 장치를 마련했습니다.

 최단기 합격을 위해 꼭 필요한 내용만을 담백하게!

IT 분야의 최고 전문가 집단의 오랜 연구를 통한 정보처리산업기사 합격까지의 최단기 솔루션을 제안합니다. NCS 모듈 제작에 참여한 경험을 기반으로, 다양한 모듈에서 시험 출제 빈도를 분석하여 출제 비중이 높은 내용 위주로 구성했습니다. 출제 비중이 낮고 이해하기 어려운 개념들은 과감하게 제외함으로써 꼭 필요한 내용만을 수록했습니다.

 정보처리산업기사 합격을 위한 다양한 솔루션 제공!

책의 목적인 정보처리산업기사 합격을 위한 다양한 방안을 제공합니다.
중요도에 따른 별점 체크, 두음 쌤을 통한 암기 비법, 학습의 맥락을 알 수 있는 학습 Point, 핵심만 뽑은 지피지기 기출문제, NCS 천기누설 예상문제, NCS 선견지명 단원종합문제, NCS 명견만리 최종모의고사 등을 수록하였습니다.

 IT 비전공자 입장에서 제대로 쓴 책!

IT 비전공자가 정보처리산업기사를 보는 이유는 대부분 각종 채용 시험의 가산점을 받기 때문일 것입니다. 시간은 항상 모자라고 이번에 따지 못하면 다가오는 기업/공무원 채용 시험의 가산점을 받지 못해 결국 시험에서 떨어지는 악순환! 벼랑 끝의 심정으로 공부에 매진하는 수험생 여러분들의 마음을 최대한 이해하고 좀 더 친절하게 설명할 수 있도록 집필하였습니다.

 집필진이 상주하는 수제비 학습지원센터(cafe.naver.com/soojebi)

책으로 학습하는 데 잘 이해가 되지 않거나 궁금한 사항이 있을 때, 수제비 학습지원센터를 이용해보세요! 집필진은 수험생의 궁금한 점을 풀어주기 위해 커뮤니티에 상주합니다.

또한, 커뮤니티에서는 수험생들을 위한 공부비법, 합격생들의 합격 비법이 압축되어 있는 수험생 Tip, 시험을 통해 검증된 수제비 족보, 공부하는 습관을 길러주는 명품 Daily 문제 등을 제공하고 있습니다.

매회 수제비의 꽃, 두음쌤과 예상 문제(족보 및 Daily 문제)가 다수 출제되고 있으며, 시험 당일 학습지원센터를 통해 가장 빠른 기출문제 복원 및 총평, 향후 공부 방향의 제시 등 10만 명 이상의 수험생들이 함께 공부하고, 정보를 공유하는 집단지성의 커뮤니티가 여러분의 합격을 견인할 것입니다.

 2024년 정보처리산업기사 실기시험을 통해 수험생들의 입소문으로 검증된 책

2025년 시험 대비를 위하여 개정된 본 도서는 2024년 제1회~제3회차 실기 시험문제를 완벽하게 분석하고 적용하여 최적의 수험서로 업그레이드하였습니다.

그동안 카페를 통해 수집된 수험생들이 어려워하는 이론들을 '수험생의 궁금증'이라는 코너를 통해서 명쾌하게 풀어드리고, 2025년 시험 대비를 위한 최신 경향의 NCS 천기누설 예상문제를 수록했습니다.

끝으로 이 책을 통해 학습하는 모든 수험생 여러분이 급변하는 출제기준에도 당당히 최단기 합격을 할 수 있도록 서포트하겠습니다.

저자 일동

서정훈

대한민국 대표 IT 자격증인 정보처리산업기사가 2022년부터 NCS 기반으로 대폭 개편되어 이전의 수험서로는 준비가 어려운 시점에 수험자들에게 단비와 같은 책이 나왔습니다.

과거에는 기출문제를 몇 개월 동안 달달 외워서 합격할 수 있었다면 이제는 최신 트렌드를 반영하고 시험문제가 더 어려워진다고 하니 비전공자들에게는 합격률이 낮아질 수 있습니다.

『수제비 정보처리산업기사』는 비전공자까지도 쉽게 이해할 수 있도록 탄탄하게 구성되어 있으며 쉽게 암기할 수 있는 비법까지 제공하니 수험생 여러분에게 큰 도움이 될 것입니다.

IT 분야에서 경험을 갖춘 정보관리기술사와 전문가들이 오랜 기간 심혈을 기울인 역작임에 틀림없어 수험자분에게 이 책으로 공부하시면 실력 향상과 합격에 도움이 될 것으로 추천합니다.

– 서정훈 (정보관리기술사, 엔씨소프트 퍼블리싱 플랫폼 PM 리더, PMP Agile 바이블 저자)

 김유성

제4차 산업혁명으로 기존의 많은 산업이 IT 중심으로 재편되고 있다. 신입사원의 IT 역량을 판단하는 것에는 많은 기준이 있지만, 기본 조건 중 하나가 정보처리산업기사입니다.

NCS 기반으로 출제되는 정보처리산업기사 자격증을 취득하기 위해서는 SW 개발에 대한 정확한 식과 함께 블록체인, 인공지능 등 최신 ICT 기술에 대한 이해가 필요합니다.

다년간 NCS 정보처리기술사 연구회에서 활동하는 저자들이 NCS 학습 모듈을 정보처리산업기사 시험에 맞도록 재구성한 "수제비" 수험서는 비전공자도 쉽게 자격증을 취득할 수 있도록 친절하게 구성된 비법서입니다.

정보통신 분야의 취준생이나 전산직 공무원을 준비하는 수험생 등 자격증 취득이 목표인 많은 이들에게 도움이 되는 지침서가 될 것이라고 확신합니다.

– 김유성 (NCS 정보통신분야 집필위원, 정보관리기술사, KT IT기획실, 정보통신기획평가원 평가위원)

 이경미

한국산업인력공단에서 시행되는 정보처리산업기사 출제 범위가 2022년부터 변경되었습니다. 기존 기출문제 위주의 정보처리산업기사 출제 범위에서 탈피하여 NCS 정보통신 분야 학습 모듈을 기반으로 대폭 개편되었으며, 특히 소프트웨어 엔지니어링 분야나 보안 분야, 최신의 ICT 트렌드가 반영된 시

추천하는 글

힘으로 완전히 바뀐 형태로 변경될 예정입니다.

이러한 경향에 발맞춰 NCS 정보처리기술사 연구회의 저자들이 수험생들의 올바른 학습 방향을 가이드하기 위해서 쉽고, 편하게 학습할 수 있는 수제비 수험서를 집필하였습니다.

이 책은 비전공자들이 쉽고 편하게 학습할 수 있도록 구성이 되어있으며, NCS 선견지명 단원종합문제나 NCS 명견만리 최종모의고사를 수록하여 학습효과를 극대화하기 위해 노력하였습니다.

또한 기억력 학습의 최고봉인 두음 쌤을 활용하여 시간이 없는 수험생의 단기 합격 비법을 제공해 줄 것이라고 확신합니다.

비전공자이지만 빠르게 정보처리산업기사 자격증을 취득하고 싶은 수험생에게 적극적으로 추천하고 싶습니다.

- 이경미 (NCS 정보통신분야 집필위원, 컴퓨터시스템응용기술사, 현 삼성전자 재직/전 한국정보통신기술협회(TTA) 재직)

권영근

제4차 산업혁명으로 촉발된 지능화된 지식정보화사회로 급속하게 전환되는 지금 이를 선도해야 하는 IT인의 필수 자격으로 정보처리산업기사는 각광받고 있다. 이번 NCS 기반 정보처리산업기사의 개편은 이런 시대의 자연스러운 흐름입니다.

이에 급변하는 IT 산업의 트렌드를 따라가고 관련 지식을 습득하여야 하기에 『수제비 정보처리산업기사』는 IT 산업의 전문가 집단인 기술사들이 모여 오랜 기간 연구 끝에 내놓은 책이다. ICT 최전선에서 활동한 풍부한 경험을 수험생 입장에서 풀어 쓰려는 노력의 정수를 담은 이 책을 통해 많은 이들이 정보처리산업기사 자격을 취득하여 IT 산업을 선도하는 핵심 인재가 될 것으로 기대합니다.

- 권영근 (정보관리기술사, 삼성SDS/부장, 118회 정보관리기술사 동기회장)

공수재

본 수험서의 특징은 수험자에게 친근하게 다가가고 최대한 효율적으로 학습할 수 있도록 높은 가독성을 갖고 있는 본문, NCS 출제 범위 대응, 이해를 돕는 쉬운 해설, 두음 기반의 암기 비법이라고 할 수 있습니다. 정보처리산업기사 자격을 취득하려고 도전하는 수많은 수험생에게 이 책이 쉽고 빠르게 자격증을 취득할 수 있도록 큰 도움을 줄 것으로 기대합니다.

- 공수재 (NCS 정보통신분야 검토위원, 컴퓨터시스템응용기술사, 이랜드시스템스 과장)

NCS 알아보기!

1. NCS 개념

- 국가직무능력표준(NCS, National Competency Standards)은 산업현장에서 직무를 수행하기 위해 요구되는 지식·기술·태도 등의 내용을 국가가 체계화한 것이다.

2. NCS 분류

- 국가직무능력표준의 분류는 한국고용직업분류(KECO: Korean Employment Classification of Occupations) 등을 참고하여 분류하였으며 '대분류(24) → 중분류(79) → 소분류(253) → 세분류(1,001개)'의 순으로 구성되어 있다.
- 국가직무능력표준 분류에서 정보통신 분야는 3개의 중분류(정보기술, 통신기술, 방송기술), 15개의 소분류, 88개의 세분류로 구성되어 있다.

3. NCS 능력 단위 개념

- 직무는 국가직무능력표준 분류의 세분류를 의미하고, 원칙상 세분류 단위에서 표준이 개발된다.
- 능력 단위는 국가직무능력표준 분류의 하위단위로서 국가직무능력 표준의 기본 구성요소에 해당한다.
- 능력 단위란 특정 직무에서 업무를 성공적으로 수행하기 위하여 요구되는 능력을 교육훈련 및 평가 가능한 기능 단위로 개발한 것이다.
- 능력 단위 요소란 해당 능력 단위를 구성하는 중요한 핵심 하위능력으로서 능력 단위 범위 안에서 수행하는 기능을 도출한 것이다.

4. NCS 수준체계

- 국가직무능력표준의 수준체계는 산업현장 직무의 수준을 체계화한 것으로, '산업현장·교육훈련·자격' 연계, 평생학습능력 성취 단계 제시, 자격의 수준체계 구성에서 활용된다.
- 국가직무능력표준 개발 시 8단계의 수준체계에 따라 능력 단위 및 능력 단위 요소별 수준을 평정하여 제시한다.

5. NCS 학습 모듈의 개념 및 정보처리산업기사 출제기준 분석

- 국가직무능력표준(NCS)이 현장의 '직무 요구서'라고 한다면, NCS 학습 모듈은 NCS의 능력 단위를 교육훈련에서 학습할 수 있도록 구성한 '교수·학습 자료'이다.
- NCS 학습 모듈은 NCS 능력 단위 1개당 1개의 학습 모듈 개발을 원칙으로 해서 개발했다.
- NCS 능력 단위 및 NCS 학습 모듈과 정보처리산업기사 출제기준과의 관계는 아래와 같다.

NCS 능력 단위	NCS 학습 모듈	정보처리산업기사 출제기준(실기)
1. NCS 능력 단위	1. NCS 학습 모듈	1. 정보처리산업기사 실기시험 주요 항목
2. NCS 능력 단위요소	2. NCS 학습	2. 정보처리산업기사 실기시험 세부 항목
3. NCS 능력 단위요소별 수행 준거	3. NCS 학습 내용	3. 정보처리산업기사 실기시험 세세 항목

- 주의할 점은 정보처리산업기사 실기시험 세세 항목과 NCS 학습 내용이 정확하게 일치하지는 않는다. 그 이유는 정보처리산업기사가 NCS 학습 모듈을 기반으로 하여 구성하였지만, 기존의 정보처리산업기사 시험 범위 내용을 일부 반영함으로써 발생된 사항이다.
- 본 수험서에서는 그러한 의도를 파악하여 NCS 학습 모듈 기반으로 새롭게 추가된 사항은 최근 트렌드에 맞도록 재구성하였으며, 기존 정보처리산업기사에서 다뤄지던 핵심 내용은 기존 출제 유형을 NCS 기반으로 재구성하여 집필하였다.

수제비 학습 전략

정보처리산업기사의 대부분 수험생은 IT 비전공자입니다. 특히 시간이 없는 비전공 수험생을 위한 '**수제비 공식 스터디**'에 참여하여 학습하는 전략을 제안합니다!

학습 기간: 6주 기준

▶ **1~2주차**
- 이론 및 문제 학습: 3과목 프로그래밍 언어 활용(C 언어, 자바, 파이썬) 확실하게 끝내기

▶ **3~4주차**
- 이론 및 문제 학습: 4과목 데이터 입출력 구현, 5과목 SQL 응용, 1과목 응용 SW 기초 기술 활용

▶ **5주차**
- 이론 및 문제 학습: 2과목 화면 설계, 6과목 애플리케이션 테스트 관리, 7과목 제품 소프트웨어 패키징, 기출문제 전체

▶ **6주차 최종 정리[1주간]**
- 이론: 중요 부분 위주로 빠르게 확인
- 문제: 모든 틀린 문제 다시 확인, Daily 문제 전체 다시 보기

▶ **카페를 활용한 최강 학습법[매일]**
- 매일 방문해서 Daily 문제, 수험생 질문, FAQ 확인하기

▶ **자투리 시간 활용하기[매일]**
- 이동 중에 두음쌤 PDF 파일 및 수제비 TV 유튜브를 이용해서 공부하기

※ 합격자들의 공통된 의견은 책을 통해 1~7과목에 대한 흐름을 잡고, 이론을 단단히 하고, 매일 Daily 문제나 두음쌤을 공부한 것이 합격의 Point라고 했습니다.

정보처리산업기사의 대부분 수험생은 IT 비전공자입니다. 특히 시간이 없는 비전공 수험생을 위한 '**수제비 공식 스터디**'에 참여하여 학습하는 전략을 제안합니다!

학습 기간: 15일 기준

▶ **1회독[4일간]**
- 이론: 모르는 부분은 넘어가고 최대한 가볍고 빠르게 1회독
- 문제: 단원별 기출문제, 예상문제 풀어보기

▶ **2회독[8일간]**
- 이론: 좀 더 꼼꼼하게 2회독
  (이론 꼼꼼하게 보기, 잠깐 알고 가기 확인, 중요 부분 체크하기)
- 문제: 단원별 기출문제 / 예상문제 틀린 것 위주로 풀어보기, 필기 책 단원종합문제, 모의고사 1·2회 풀어보기(문제에서 틀린 부분 이론 다시 확인)

▶ **최종정리[3일간]**
- 이론: 중요 부분 위주로 빠르게 확인
- 문제: 모든 틀린 문제 다시 확인, Daily 문제 전체 다시 보기

▶ **카페를 활용한 최강 학습법[매일]**
- 매일 방문해서 Daily 문제, 수험생 질문, FAQ 확인하기

▶ **자투리 시간 활용하기[매일]**
- 이동 중에 두음쌤 PDF 파일 및 수제비 TV 유튜브를 이용해서 공부하기

※ 합격자들의 공통된 의견은 책을 통해 1~7과목에 대한 흐름을 잡고, 이론을 단단히 하고, 매일 Daily 문제나 두음쌤을 공부한 것이 합격의 Point라고 했습니다.

이 책의 활용 방법

1. 각 과목의 인트로(Intro)

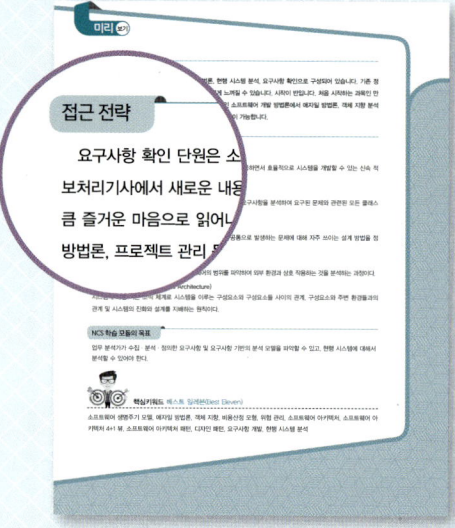

- **접근 전략** : 해당 과목의 공부 방향성을 제시합니다.
- **미리 알아두기!** : 해당 과목을 학습하기 전에 필요한 기초지식을 제공합니다.
- **규칙 이해하기!** : 해당 과목의 표기법 등에 대한 가이드라인 입니다.
- **NCS 학습 모듈의 목표** : NCS 기반의 실기 과목별 학습 목표를 제시하는 학습 방향성 가이드라인입니다.
- **핵심 키워드 베스트 일레븐(Best Eleven)** : 출제 가능성이 높은 11개의 핵심 키워드입니다.

2. 학습 중요도(★~★★★) 구분

- 수험생의 학습의 우선순위를 별점 기준으로 가이드 합니다.
- ★★★ : 반드시 이해하고 넘어가야 하는 빈출 개념입니다. 시험 전날 꼭 보세요!! 60점 이상을 맞고 싶다면 반드시 알아두시길 추천해요!
- ★★ : 매번 나오진 않지만 자주 출제되는 개념입니다. 시간이 부족해도 이것만은 꼭 짚고 넘어가세요!
- ★ : 드문드문 나오는 개념입니다. 하지만 기본이 되는 개념이에요!

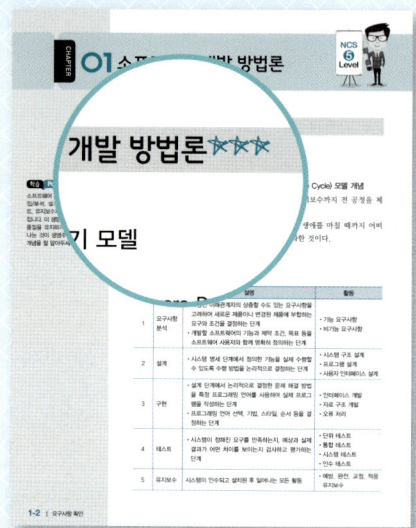

3. 잠깐! 알고가기

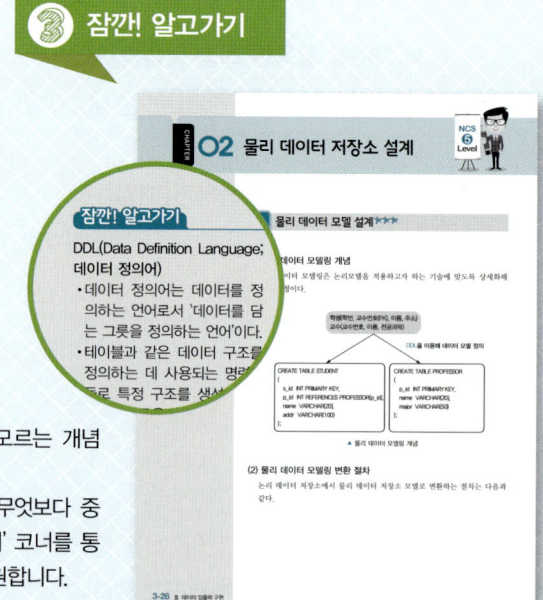

- 학습을 하면서 제일 힘든 점은 모르는 개념이 처음 나왔을 때입니다.
- 개념을 이해하고 넘어가는 것이 무엇보다 중요합니다. 이럴 때 '잠깐! 알고가기' 코너를 통해 개념을 확실히 이해하도록 지원합니다.

수험생 입장에서 **제**대로 쓴 정보처리산업기사 **비**법서

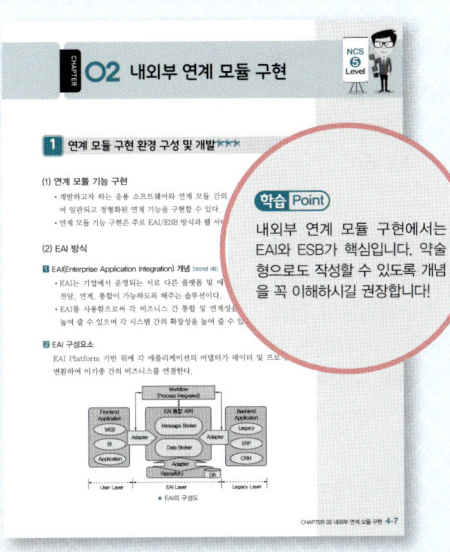

- 본 책의 학습 방향을 제시하고 시험을 위해 반드시 알아야 할 개념들을 가이드합니다.
- 출제 배경과 학습 강도를 제안하여 불필요한 학습시간을 최소화할 수 있도록 지원합니다.

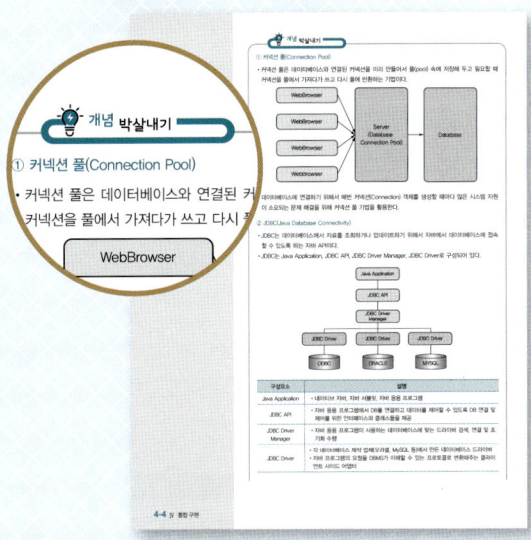

- [개념 박살내기]는 좀 더 깊은 이해가 필요로 하는 개념이나, 기출문제 중에 심도 있게 다뤄야 할 개념을 스스로 쉽게 선별하여 학습할 수 있도록 수록하였습니다.

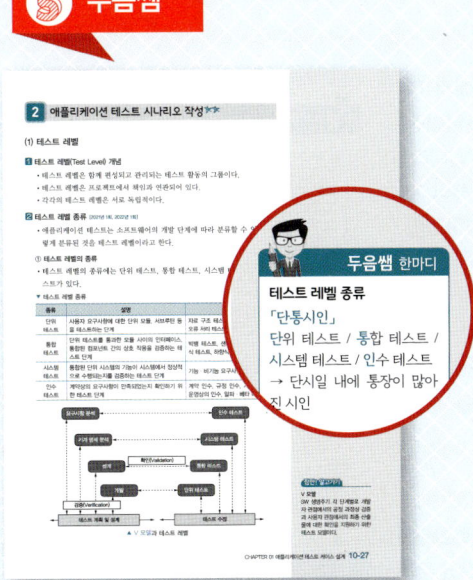

- 시험에 자주 나오는 빈출 문제를 대상으로 반드시 암기해야 할 필수 요소에 대해 두음으로 쉽게 암기할 수 있도록 '핵심 키워드'만을 엄선하여 정리하였습니다.
- 기억력 학습법에 기반한 '두음 암기법'을 통해 정보처리산업기사를 누구보다 빨리 합격할 수 있도록 지원합니다.
- 두음 암기를 좀 더 효율적으로 할 수 있도록 '스토리텔링'을 가미하여 머리에 쏙쏙 들어오도록 구성 하였습니다.

이 책의 활용 방법 **11**

이 책의 활용 방법

1/ 문제 활용 방법

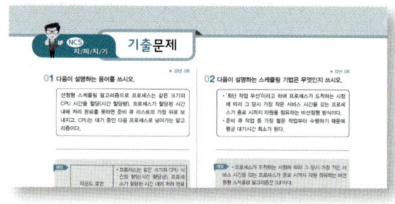

▶ '지피지기 기출문제'는 최근 다년간의 기출문제를 심도있게 분석하여 엄선된 빈출 문제를 제공합니다. (정보처리산업기사, 정보처리기사, 전자계산기조직응용기사, 정보보안기사 기준)

▶ 'NCS 천기누설 예상문제'는 국가직무능력표준(NCS)에 기반한 새로운 항목을 정보처리 분야 전문위원들이 집중 분석하여 정보처리산업기사 시험에 최적화된 문제로 재편집하여 구성하였습니다.

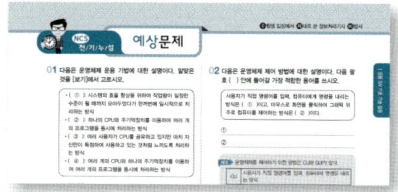

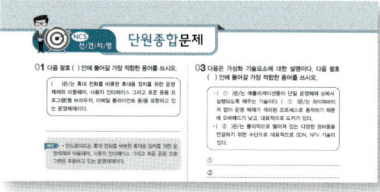

▶ 'NCS 선견지명 단원종합문제'는 각 단원의 핵심이 되는 개념을 시험에 대비하여 실전처럼 풀어보고, 보충이 필요한 문제를 인지하여 재학습할 수 있도록 구성하였습니다.

▶ '유비무환 특별문제'는 본문에서 다루기에는 범위가 깊거나 동떨어진 내용을 별도로 다루는 파트입니다. 기출되었던 문제이니 문제와 해당 개념만을 익힐 수 있도록 구성하였습니다.

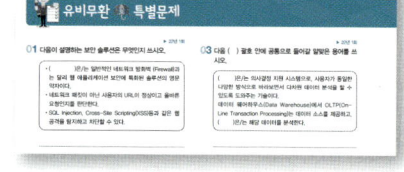

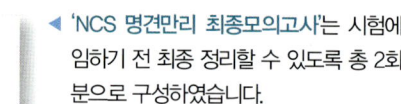

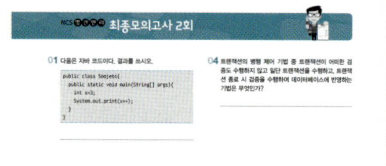

▶ 'NCS 명견만리 최종모의고사'는 시험에 임하기 전 최종 정리할 수 있도록 총 2회분으로 구성하였습니다.

▶ '백전백승 기출문제(2024년 제1회~제3회)'는 수험생분들이 실전과 같이 문제를 풀어보고 정답을 확인할 수 있도록 깔끔하고 정확하게 구성하였습니다.

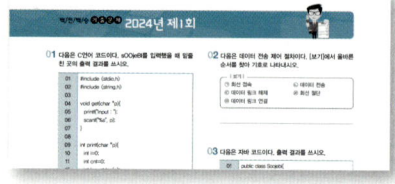

2 / 카페 활용 방법

수제비 학습지원센터(cafe.naver.com/soojebi)를 이용하세요!

- 합격 수기, 시험 후기, 그것이 알고 싶다(FAQ), 시험 일정 및 원서접수 Tip, 각종 자료실, 수험생 Tip, Daily 문제, 베스트 합격 수기, 수제비 족보 문제, NCS 관련 소개 등 다양한 콘텐츠를 제공합니다.

- 질의응답을 올려주시면 최대한 빨리 답변을 드리는 One-Stop 수험자 맞춤 서비스를 지원합니다.

- 우수회원(VIP)에게는 다양한 혜택을 제공합니다.
  (자세한 사항은 커뮤니티 참고)

3 / 수제비 유튜브 이용방법

수제비는 Youtube 채널(https://www.youtube.com/@soojebi)을 통해 '두음쌤', '합격 수기'를 포함한 다양한 영상을 제공하고 있습니다.

- 등교 시간, 쉬는 시간, 자기 전 시간 등 '자투리 시간'을 최대한으로 활용할 수 있는 학습 방법을 추천합니다!

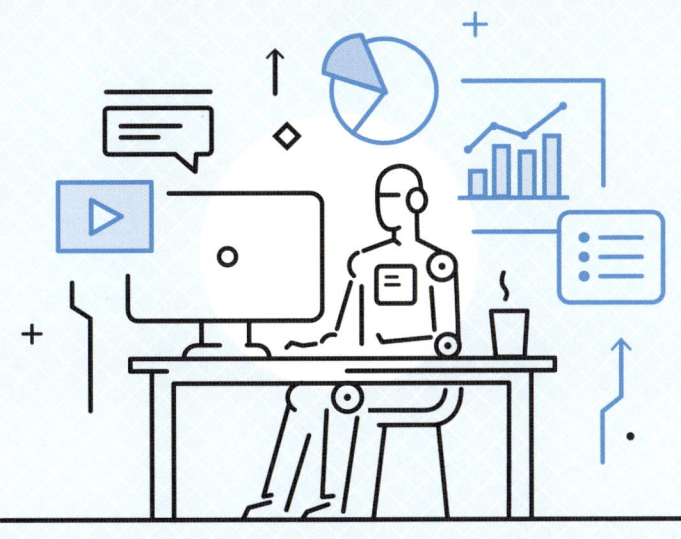

이 책의 목차

1권

 I. 응용 SW 기초 기술 활용

01 운영체제의 특징 1-2
- 1. 운영체제 종류 1-2
- 2. 운영체제 기본 명령어 활용 1-6
- 3. 운영체제 핵심 기능 파악 1-10
- NCS 지피지기 기출문제 1-32
- NCS 천기누설 예상문제 1-36

02 네트워크 기초 활용하기 1-40
- 1. 네트워크 계층 구조 파악 1-40
- 2. 네트워크 프로토콜 파악 1-45
- 3. 네트워크 전달 방식 1-69
- 4. 네트워크 구조 1-72
- 5. 네트워크 용어 1-76
- NCS 지피지기 기출문제 1-79
- NCS 천기누설 예상문제 1-92

03 기본 개발환경 구축 1-94
- 1. 개발 인프라 구축 1-94
- 2. 신기술 용어 1-100
- NCS 지피지기 기출문제 1-103
- NCS 천기누설 예상문제 1-104
- NCS 선견지명 단원종합문제 1-107

II. 화면 설계

01 UI 요구사항 확인 2-2
- 1. UI 요구사항 확인 2-2
- 2. UI 지침 2-4
- 3. UI ,프로토타입 제작 및 목업 2-8
- NCS 지피지기 기출문제 2-9
- NCS 천기누설 예상문제 2-10
- NCS 선견지명 단원종합문제 2-12

프로그래밍 언어 활용

01 프로그래밍을 위한 기본 사항 3-2
1. 진수 3-2

02 C언어 3-5
1. C언어 기본 3-5
2. 자료형 3-6
3. 식별자 3-7
4. 변수 3-8
5. 표준 입출력 함수 3-13
6. 연산자 3-19
7. 조건문 3-30
8. 반복문 3-33
9. 배열 3-40
10. 문자열 3-43
11. 구조체 3-46
12. 공용체 3-48
13. 함수 3-49
14. 포인터 3-69
15. 메모리 할당/해제 3-82
NCS 지피지기 기출문제 3-87
NCS 천기누설 예상문제 3-120

03 자바 3-128
1. 자바 기본 구조 3-128
2. 자료형 3-128
3. 변수 3-129
4. 배열 3-132
5. 표준 입출력 함수 3-134
6. 문자열 3-136
7. 반복문 -for each 문 3-140
8. 메서드 3-141
9. 클래스 3-143
10. 클래스 상속 3-147
11. 추상 클래스 3-155
12. 인터페이스 3-156
NCS 지피지기 기출문제 3-158
NCS 천기누설 예상문제 3-168

04 파이썬 3-172
1. 파이썬 기본 구조 3-172
2. 자료형 3-173
3. 입출력 함수 3-190
4. 연산자 3-192
5. 조건문 -if 문 3-195
6. 반복문 3-196
7. 함수 3-200
8. 클래스 3-204
9. 클래스 상속 3-209
NCS 지피지기 기출문제 3-213
NCS 천기누설 예상문제 3-216
NCS 선견지명 단원종합문제 3-219

접근 전략

응용 S/W 기초 기술 활용 단원은 개정 전 정보처리기사 출제 문제였던 운영체제 / 네트워크 기초 활용과 기본 개발환경 구축이 포함됩니다. 중요한 개념들이 대거 포진되어 있어서 빈출되는 과목입니다.

운영체제, 네트워크는 상세하게 학습하시고 신기술 용어는 개념 위주로 학습하시길 권장합니다!

미리 알아두기

★ **운영체제(OS; Operating System)**
사용자가 컴퓨터의 하드웨어를 쉽게 사용할 수 있도록 인터페이스를 제공해 주는 소프트웨어이다.

★ **가상화**
물리적인 리소스들을 사용자에게 하나로 보이게 하거나, 하나의 물리적인 리소스를 여러 개로 보이게 하는 기술이다.

★ **클라우드 컴퓨팅(Cloud Computing)**
인터넷을 통해 가상화된 컴퓨터 시스템 리소스(IT 리소스)를 제공하고, 정보를 자신의 컴퓨터가 아닌 클라우드(인터넷)에 연결된 다른 컴퓨터로 처리하는 기술이다.

★ **네트워크(Network)**
원하는 정보를 원하는 수신자 또는 기기에 정확하게 전송하기 위한 기반 인프라이다.

★ **OSI(Open System Interconnection) 7계층**
국제 표준화 기구인 ISO(International Standardization Organization)에서 개발한 컴퓨터 네트워크 프로토콜 디자인과 통신을 계층으로 나누어 설명한 개방형 시스템 상호 연결 모델이다.

★ **TCP(Transmission Control Protocol)**
전송 제어 프로토콜은 인터넷 프로토콜 스위트의 핵심 프로토콜 중 하나로, IP와 함께 TCP/IP라는 명칭으로 사용된다.

NCS 학습 모듈의 목표

응용 소프트웨어 개발을 위하여 운영체제, 네트워크의 기초 기술을 이해하고 응용 소프트웨어 개발에 필요한 환경을 구축할 수 있어야 한다.

핵심키워드 베스트 일레븐(Best Eleven)

윈도, 유닉스, 리눅스, 메모리관리, 프로세스관리, OSI 7 layer, 스위칭, 라우터, 클라우드 개발환경, 가상화, TCP/IP

응용 SW 기초 기술 활용

Chapter 01　운영체제의 특징
Chapter 02　네트워크 기초 활용하기
Chapter 03　기본 개발환경 구축

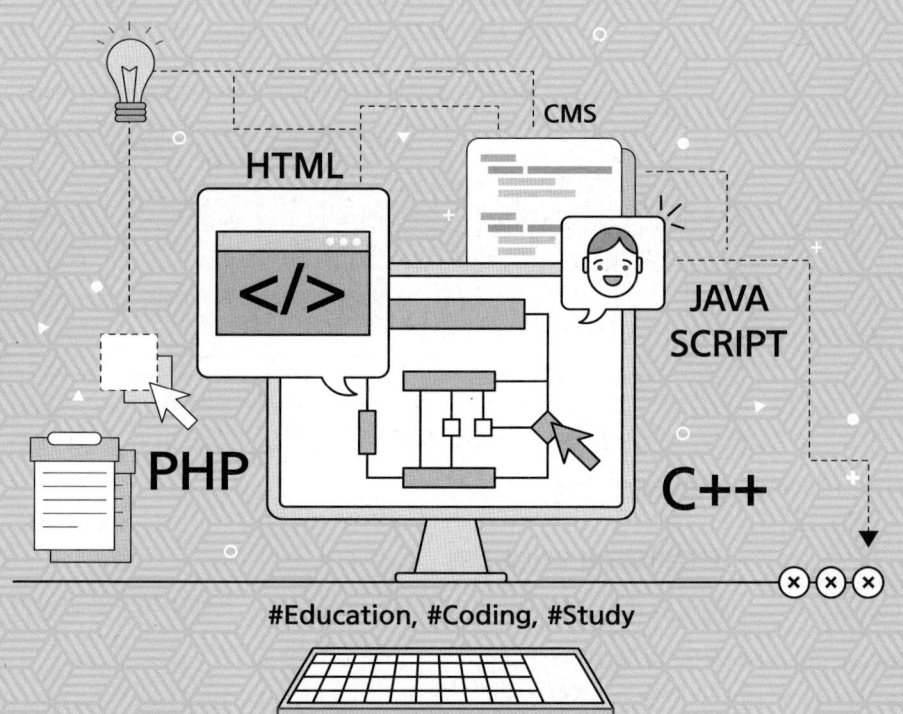

CHAPTER 01 운영체제의 특징

> **학습 Point**
> 운영체제는 가장 핵심이 되는 개념입니다. 출제 가능성이 있으므로 개념과 특징을 특히 잘 봐주시길 당부 드립니다!

1 운영체제 종류 ★★★

(1) 운영체제(OS; Operating System)의 개념

1 운영체제의 개념
- 운영체제는 사용자가 컴퓨터의 하드웨어를 쉽게 사용할 수 있도록 인터페이스를 제공해 주는 소프트웨어이다.
- 운영체제는 한정된 시스템 자원을 효과적으로 사용할 수 있도록 관리 및 운영함으로써 사용자에게 편리성을 제공한다.
- 운영체제는 컴퓨터 시스템과 사용자 간의 인터페이스 기능을 담당한다.

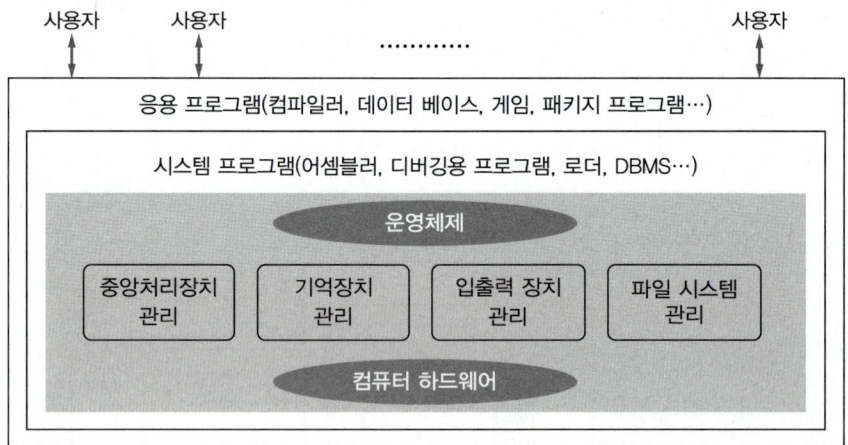

▲ 운영체제의 개념도

2 운영체제의 특징

① 운영체제의 일반적 특징

운영체제는 사용자 편리성, 인터페이스, 스케줄링, 자원관리, 제어 기능의 특징이 있다.

▼ 운영체제 특징

특징	설명
사용자 편리성 제공	한정된 시스템 자원을 효과적으로 사용할 수 있도록 관리 및 운영함
인터페이스 기능을 담당	컴퓨터 시스템과 사용자를 연결함
스케줄링 담당	다중 사용자와 다중 응용 프로그램 환경하에서 자원의 현재 상태를 파악하고 자원 분배를 위한 스케줄링을 담당
자원 관리	CPU, 메모리 공간, 기억장치, 입출력 장치 등의 자원을 관리함
제어 기능	입출력 장치와 사용자 프로그램을 제어

② 운영체제에서 커널의 기능

- 운영체제는 크게 인터페이스(쉘) + 커널의 구조이다.
- 운영체제의 핵심적인 기능들이 커널에 모여있다면, 인터페이스(쉘)는 이러한 커널을 사용자가 보다 편리하게 사용할 수 있게 해준다.

> **잠깐! 알고가기**
>
> **커널(Kernel)**
> 운영체제의 핵심이 되는 기능들이 모여 있는 컴퓨터 프로그램이다.

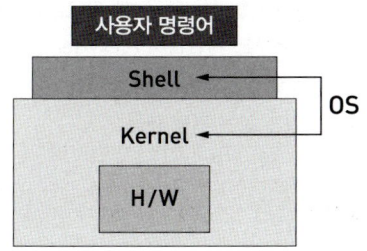

㉮ 쉘(Shell)
- 쉘은 사용자가 입력시킨 명령어 라인을 읽어 필요한 시스템 기능을 실행시키는 명령어 해석기이다.
- 시스템과 사용자 간의 인터페이스를 제공한다.
- 여러 가지의 내장 명령어를 가지고 있다.

㉯ 커널(Kernel)
- 커널은 운영체제의 핵심이 되는 기능들이 모여 있는 컴퓨터 프로그램이다.
- 컴퓨터가 부팅될 때 주기억 장치에 적재된 후 상주하면서 실행하며, 프로그램과 하드웨어 간의 인터페이스 역할을 담당한다.

▼ 커널의 기능

기능	설명
프로세스 관리	• 프로세스 스케줄링 및 동기화 관리 담당 • 프로세스 생성과 제거, 시작과 정지, 메시지 전달 등의 기능 담당
기억장치 관리	• 프로세스에게 메모리 할당 및 회수 관리 담당
주변장치 관리	• 입·출력 장치 스케줄링 및 전반적인 관리 담당
파일 관리	• 파일 관리 파일의 생성과 삭제, 변경, 유지 등의 관리 담당

(2) 운영체제의 종류

1 윈도즈(Windows) 운영체제

- 윈도즈는 MS-DOS의 멀티태스킹 기능과 GUI 환경을 제공하는 마이크로소프트사가 개발한 운영체제이다.
- 윈도즈 95를 발표한 이후에 98, ME, XP, 7, 8, 10, 11 등의 버전으로 지속적으로 출시되고 있다.

▼ 윈도즈 운영체제 특징

특징	설명
그래픽 사용자 인터페이스 (GUI) 제공	키보드 없이 마우스로 아이콘이나 메뉴를 선택하여 작업을 수행하는 그래픽 기반의 인터페이스 방식
선점형 멀티태스킹 방식 제공	동시에 여러 개의 프로그램을 실행하면서 운영체제가 각 작업의 CPU 이용 시간을 제어
자동감지 기능 제공	하드웨어를 설치했을 때 필요한 시스템 환경을 운영체제가 자동으로 구성해주는 자동감지 기능 제공
OLE (Object Linking and Embedding) 사용	개체를 현재 작성 중인 문서에 자유롭게 연결 또는 삽입하여 편집할 수 있게 하는 기능 제공

두음쌤 한마디
윈도즈 계열 운영체제 특징
「지선자 오」
GUI(그래픽 사용자 인터페이스) 제공 / **선**점형 멀티태스킹 방식 제공 / **자**동감지 기능(Plug and Play) 제공 / **O**LE 사용
→ 지선자씨의 오빠

2 유닉스(Unix) 계열 운영체제

- 유닉스는 데니스 리치와 켄 톰슨(Ken Thompson) 등이 함께 벨 연구소를 통해 만든 운영체제이며, 90% 이상 C 언어로 구현되어 있는 운영체제로 범용 다중 사용자 방식의 시분할 운영체제이다.
- 유닉스는 처음부터 다양한 시스템에 서로 인식할 수 있고, 멀티 태스킹을 지원하도록 설계되었다.

잠깐! 알고가기
프롬프트(Prompt)
컴퓨터 터미널에서 CLI(커맨드라인 인터페이스)의 명령 대기 모드이다.

▼ 유닉스 계열 운영체제 특징

특징	설명
대화식 운영체제 기능 제공	프롬프트가 나타난 상태에서 사용자가 명령을 입력하면 시스템은 그 명령을 수행하는 사용자 명령 기반의 대화식 운영체제 기능을 제공
다중 작업 기능 제공	다수의 작업(프로세스)이 중앙처리장치(CPU)와 같은 공용자원을 나누어 사용하여 한 번에 하나 이상의 작업을 수행하는 기능 제공
다중 사용자 기능 제공	여러 대의 단말(키보드와 모니터)이 하나의 컴퓨터에 연결되어서, 여러 사람이 동시에 시스템을 사용하여 각각의 작업을 수행할 수 있는 기능 제공
이식성 제공	90% 이상 C 언어로 구현되어 있고, 시스템 프로그램이 모듈화되어 있어서 다른 하드웨어 기종으로 쉽게 이식 가능
계층적 트리 구조 파일 시스템 제공	유닉스는 계층적 트리 구조를 가짐으로써 통합적인 파일 관리가 용이

두음쌤 한마디
유닉스 계열 운영체제 특징
「대다 사이계」
대화식 운영체제 기능 제공 / **다**중 작업 기능 제공 / 다중 **사**용자 기능 제공 / **이**식성 제공 / **계**층적 트리 구조 파일 시스템 제공
→ 대다수는 사이다를 계속 좋아한다.

① 리눅스(Linux) 운영체제
- 리눅스는 유닉스를 기반으로 개발되고, 소스 코드가 공개된 오픈 소스 기반의 운영체제이다.
- 리눅스는 데비안, 레드햇, Fedora, Ubuntu, CentOS와 같이 다양하게 출시되고 있다.
- 유닉스 계열의 운영체제이므로 대화식 운영체제, 다중 작업 기능, 다중 사용자 기능, 이식성, 계층적 트리 구조 파일 시스템을 갖는다.

② 맥(Mac) 운영체제
- 맥 운영체제는 애플이 유닉스를 기반으로 개발한 그래픽 사용자 인터페이스 기반의 운영체제이다.
- 애플사는 1999년 OS X로 업데이트를 하였고, 이후에는 클라이언트 버전, 서버 제품 등으로 제품군을 확대하였으며, 2017년 OS X 시에라, 2018년 모하비 등을 지속적으로 발표하고 있다.

③ 안드로이드(Android) 운영체제

안드로이드는 휴대 전화를 비롯한 휴대용 장치를 위한 운영체제와 미들웨어, 사용자 인터페이스 그리고 표준 응용 프로그램(웹 브라우저, 이메일 클라이언트 등)을 포함하고 있는 운영체제이다.

▼ 안드로이드 특징

특징	설명
리눅스 기반	• 안드로이드는 리눅스 커널 위에서 동작
자바와 코틀린 언어	• 고수준 언어를 사용해 응용 프로그램을 작성 • 생산성이 높으며 전문 지식이 없어도 개발 가능
런타임 라이브러리	• 컴파일된 바이트 코드 구동 가능
안드로이드 소프트웨어 개발 키트(SDK)	• 응용 프로그램을 개발하는 데 필요한 각종 도구와 API를 제공

학습 Point
맥 운영체제와 안드로이드 운영체제는 상대적으로 중요도가 낮으므로 가볍게 읽어주셔도 좋습니다.

(3) 운영체제 발달 과정 [23년 1회]

일괄 처리 시스템, 시분할 시스템, 다중 처리 시스템, 범용 시스템, 분산처리 시스템 순으로 시스템이 발전하였다.

두음쌤 한마디

운영체제 발달 과정
일시다범분
일괄 처리 시스템 / **시**분할 시스템 / **다**중 처리 시스템 / **범**용 시스템 / **분**산 처리 시스템

잠깐! 알고가기

시분할 시스템(Time Sharing System)
CPU 스케줄링과 다중 프로그래밍을 이용해서 각 사용자들에게 컴퓨터 자원을 시간적으로 분할하여 사용할 수 있게 해 주는 대화식 시스템이다.

▼ 운영체제 발달 과정

세대	시스템	설명
1세대	일괄 처리 시스템	하나의 작업이 끝나기 전까지는 다른 작업을 할 수 없는 시스템
2세대	시분할 시스템	여러 명의 사용자가 사용하는 시스템에서 컴퓨터가 사용자들의 프로그램을 번갈아가며 처리하는 시스템
2세대	다중 처리 시스템	컴퓨터 시스템 한 대에 둘 이상의 중앙처리장치(CPU)를 이용하여 병렬로 처리하는 시스템
3세대	범용 시스템	특별히 정해진 용도로만 사용되는 것이 아니라 메모리에 적재되어 실행되는 프로그램에 따라 여러 가지 용도로 사용하는 시스템
4세대	분산 처리 시스템	서로 다른 장소에 위치한 컴퓨터 시스템에 기능과 자원을 분산시켜 상호 협력할 수 있는 시스템

2 운영체제 기본 명령어 활용★★★

(1) 운영체제 제어

운영체제를 제어하기 위한 방법은 CLI와 GUI가 있다.

▼ 운영체제 제어 방법

유형	설명
CLI	• Command Line Interface • 사용자가 직접 명령어를 입력, 컴퓨터에 명령을 내리는 방식
GUI	• Graphic User Interface • 마우스로 화면을 클릭하여 그래픽 위주로 컴퓨터를 제어하는 방식

(2) 윈도즈 운영체제의 기본 명령어

- 윈도즈 운영체제에서 CLI 명령어를 입력하기 위해서는 명령 창이 필요하다.
- Help를 명령 창에 입력함으로써 검색이 가능하다.
- 윈도즈 내에서는 파일을 이동하고 프로그램을 실행하는 것과 같은 행동을 GUI 명령으로 제어할 수 있다.

▼ 윈도즈 운영체제의 기본 명령어

명령어	설명
ATTRIB	파일 속성을 표시하거나 바꿈
CALL	한 일괄 프로그램에서 다른 일괄 프로그램을 호출

명령어	설명
CD	현재 디렉터리 이름을 보여주거나 바꿈
CHKDSK	디스크를 검사하고 상태 보고서를 표시
CLS	화면을 지움
CMD	Windows 명령 프롬프트 창을 열어줌
COMP	두 개 이상의 파일을 비교
DISKPART	디스크 파티션 속성을 표시하거나 구성
ECHO	메시지를 표시하거나 ECHO를 사용 또는 사용하지 않음
ERASE	하나 이상의 파일을 지움
EXIT	CMD.EXE 프로그램(명령 인터프리터)를 마침

(3) 리눅스/유닉스 계열의 기본 명령어

- 리눅스와 유닉스 명령어는 쉘에서 입력할 수 있다.
- 리눅스는 최상위 유저를 CLI 환경에서 #으로 표시하며 일반 유저를 $로 표시한다.
- 명령어에 대한 도움말은 --help, -h를 명령어 뒤에 붙임으로써 확인할 수 있다.

1 리눅스/유닉스 운영체제의 기본 명령어 [24년 2회]

▼ 리눅스/유닉스 운영체제의 기본 명령어

구분	명령어	설명
시스템 관련	uname -a	• 시스템의 모든 정보를 확인하는 명령어 • 시스템 이름, 사용 중인 운영체제와 버전, 호스트명, 하드웨어 정보 등을 표시
	uname -r	• 운영체제의 배포버전을 출력하는 명령어
	cat	• 파일의 내용을 화면에 출력하는 명령어
	uptime	• 시스템의 가동 시간과 현재 사용자 수, 평균 부하량 등을 확인하는 명령어
사용자	id	• 사용자의 로그인명, id, 그룹 id 등을 출력하는 명령어
	last	• 시스템의 부팅부터 현재까지의 모든 사용자의 로그인과 로그아웃에 대한 정보를 표시하는 명령어
	who	• 현재 접속 사용자 정보를 표시하는 명령어
파일 처리	ls	• 자신이 속해있는 폴더 내에서의 파일 및 폴더들을 표시하는 명령어
	pwd	• print working directory의 약자 • 현재 작업 중인 디렉토리의 절대 경로를 출력하는 명령어
	rm	• 파일 삭제 명령어
	cp	• 파일 복사 명령어
	mv	• 파일 이동 명령어

> **잠깐! 알고가기**
>
> **쉘(Shell)**
> 컴퓨터 내부를 관리하는 커널(Kernel)과 사용자 간을 연결하는 명령어(Command) 창이다.
>
> **학습 Point**
> 리눅스/유닉스 명령어는 실무에서 자주 활용되기 때문에 이번 기회를 통해서 주요 기능에 대해서는 정확하게 알고 가세요!

구분	명령어	설명
프로세스	ps	• 현재 실행되고 있는 프로세스 목록을 출력하는 명령어
	pmap	• 프로세스 ID를 기준으로 메모리 맵 정보를 출력하는 명령어
	kill	• 특정 PID 프로세스 종료 명령어
파일 권한	chmod	• 특정 파일 또는 디렉토리의 퍼미션 수정 명령어
	chown	• 파일이나 디렉토리의 소유자, 소유 그룹 수정 명령어
네트워크	ifconfig	• 네트워크 인터페이스를 설정하거나 확인하는 명령어
	host	• 도메인(호스트)명은 알고 있는데 ip 주소를 모르거나 혹은 그 반대의 경우에 사용하는 명령어
압축	tar	• 여러 개의 파일을 하나의 파일로 묶거나 풀 때 사용하는 명령어(압축은 불가)
	gzip	• 파일을 묶거나 풀 수는 없지만 압축을 담당하는 명령어
검색	grep	• 입력으로 전달된 파일의 내용에서 특정 문자열을 찾고자할 때 사용하는 명령어
	find	• 특정한 파일을 찾는 명령어
파일 이동	cp	• 디렉토리를 복사할 때 사용하는 명령어
	rsync	• 로컬 또는 원격에 파일과 디렉토리를 복사하고 동기화하는 명령어
디스크 사용	df	• 시스템에 마운트된 하드디스크의 남은 용량을 확인할 때 사용하는 명령어
	du	• 파일 사이즈를 킬로 바이트 단위로 보여주는 명령어
디렉터리 이동	cd	• 디렉토리를 이동하는 명령어

> **학습 Point**
> Windows 운영체제의 명령어 중에서 네트워크 경로의 속도를 측정하고, 데이터가 목적지까지 도달하는 데 거치는 각 네트워크 노드의 IP 주소와 응답시간을 파악하는 tracert라는 명령어도 기억해 두세요.

> **잠깐! 알고가기**
> **i-node**
> 유닉스 계통 파일 시스템에서 사용하는 자료구조이다.

2 리눅스/유닉스 운영체제의 파일 접근 권한 관리

① 리눅스/유닉스 운영체제의 파일 접근제어 개요

- 리눅스/유닉스 시스템에서 사용자 혹은 프로세스가 파일을 읽거나 실행하면 open(), read(), write()와 같은 시스템 호출이 수행되고, 각 파일의 정보가 저장된 i-node 값을 읽게 된다.
- i-node에는 각 파일의 물리적 위치, 생성·수정·사용 날짜 등의 정보와 더불어 파일 소유자·그룹, 접근 권한 등의 파일 접근제어와 관련된 정보가 수록되며, 해당 정보를 이용하여 DAC 기반 접근제어를 수행한다.

② 리눅스/유닉스 파일 접근제어 매커니즘

▼ 접근 권한 유형(설정 명령어: chown, chgrp)

접근 권한	설명
User	파일을 소유하고 있는 사용자(Owner)
Group	소유자를 제외하고 파일과 같은 그룹에 속해있는 모든 사용자 모임
Other	그 밖의 사용자

▼ 파일 접근 모드(설정 명령어: chmod)

User			Group			Other		
R	W	X	R	W	X	R	W	X
4	2	1	4	2	1	4	2	1

- Read, Write, eXcute로 파일을 읽거나(r), 쓰거나(w), 실행(x)할 수 있는 3가지 모드로 구분한다.
- 즉, 파일이 'rwx' 모드를 지원한다면 그 파일을 읽고, 쓰고, 실행할 수 있다는 것을 의미한다.

③ **접근 권한 변경(chmod)**

㉮ 명령어

```
chmod [-R] permission file_name1 ¦ directory_name1 [file_name2 ¦ directory_name2..]
```

- chmod 명령은 기존 파일 또는 디렉토리에 대한 접근 권한을 변경할 때 사용한다.

명령어	설명
옵션 -R	하위 디렉토리와 파일의 권한까지 변경
permission	기호나 8진수로 접근 권한을 지정

사례

chmod o-w yoom.c	yoom.c에 대한 other의 쓰기 권한을 제거
chmod 664 yoom.c	yoom.c의 접근 권한은 664(rw-rw-r--)

- chmod 명령은 해당 파일의 소유주나 슈퍼 유저 root만이 실행할 수 있다.

㉯ 접근 권한을 기호로 기술하는 방법

구분	기술 방법
대상	u(user), g(group), o(other), a(all)
연산자	+(추가), -(제거), =(지정)
접근 권한	r(읽기), w(쓰기), x(실행)

사례

chmod go-w yoom.c	yoom.c의 group, others에 w(쓰기) 권한 제거
chmod a=rw yoom.c	yoom.c의 모든 사용자에 rw 권한 설정
chmod g+w, o-x yoom.c	yoom.c의 group에 w 권한을 추가하고 others에 x 권한 제거

㉣ 접근 권한을 숫자로 기술하는 방법

파일의 접근 권한을 세 개의 8진수로 기술한다.

구분	기술 방법
r(읽기)	4
w(쓰기)	2
x(실행)	1

사례

chmod 777 yoom.c	모든 사용자에 rwx 권한 설정
chmod 664 yoom.c	user, group에 rw(6) 권한, others에 r(4) 권한 설정
chmod 600 yoom.c	user에 rw 권한 설정

3 운영체제 핵심 기능 파악 ★★★

(1) 메모리 관리 기법

1 메모리 관리 개념

메모리 관리는 프로그램의 실행이 종료될 때까지 메모리를 가용한 상태로 유지 및 관리하는 방법이다.

2 메모리 관리 기법

메모리 관리 기법에는 반입 기법, 배치 기법, 할당 기법, 교체 기법이 있다.

▼ 메모리 관리 기법

기법	설명	세부 기법
반입 기법	• 주기억장치에 적재할 다음 프로세스의 반입 시기를 결정하는 기법 • 메모리로 적재 시기 결정(When)	• 요구 반입 기법 • 예상 반입 기법
배치 기법	• 디스크에 있는 프로세스를 주기억장치의 어느 위치에 저장할 것인지 결정하는 기법 • 메모리 적재 위치 결정(Where)	• 최초 적합(First-fit) • 최적 적합(Best-fit) • 최악 적합(Worst-fit)
할당 기법	• 실행해야 할 프로세스를 주기억장치에 어떤 방법으로 할당할 것인지 결정하는 기법 • 메모리 적재 방법 결정(How)	• 연속 할당 기법 • 분산 할당 기법

두음쌤 한마디

메모리 관리 기법의 종류
「반배할교」
반입 기법 / 배치 기법 / 할당 기법 / 교체 기법
→ 반배치 시 인원 할당은 교칙이다.

기법	설명	세부 기법
교체 기법	• 재배치 기법으로 주기억장치에 있는 프로세스 중 어떤 프로세스를 제거할 것인지를 결정하는 기법 • 메모리 교체 대상 결정(Who)	• 프로세스의 Swap In/Out • FIFO, Optimal, LRU, LFU, 시계 알고리즘, MFU

3 메모리 배치 기법

메모리 배치 기법에는 최초 적합, 최적 적합, 최악 적합이 있다.

▼ 메모리 배치 기법

기법	설명
최초 적합 (First Fit)	• 프로세스가 적재될 수 있는 가용 공간 중에서 첫 번째 분할에 할당하는 방식
최적 적합 (Best Fit)	• 가용 공간 중에서 가장 크기가 비슷한 공간을 선택하여 프로세스를 적재하는 방식 • 공백 최소화 장점이 있음
최악 적합 (Worst-Fit)	• 프로세스의 가용 공간 중에서 가장 큰 공간에 할당하는 방식

> **학습 Point**
> 메모리 배치 기법에 대한 적용방식은 정확한 이해 기반의 학습을 통해서 계산 문제 대응이 필요합니다.

> **두음쌤 한마디**
> **배치 기법의 유형**
> 「초적악」
> 최초 적합(First-fit) / 최적 적합(Best-fit) / 최악 적합(Worst-fit)
> → 초저녁(적)의 악당

개념 박살내기

■ 메모리 배치 기법

150MB	360MB	400MB	700MB	200MB

• 위와 같이 공간이 있을 때, 프로세스 A(215MB) → 프로세스 B(171MB) → 프로세스 C(86MB) 적재 시 다음과 같이 적재된다.

① 최초 적합(First Fit)

150MB	360MB	400MB	700MB	200MB
프로세스 C	프로세스 A	프로세스 B		

② 최적 적합(Best Fit)

150MB	360MB	400MB	700MB	200MB
프로세스 C	프로세스 A			프로세스 B

③ 최악 적합(Worst-Fit)

150MB	360MB	400MB	700MB	200MB
	프로세스 C	프로세스 B	프로세스 A	

4 메모리 할당 기법

프로세스를 실행시키기 위해 주기억장치에 어떻게 할당할 것인지에 대한 내용이며, 연속 할당 기법과 분산 할당 기법으로 분류할 수 있다.

▼ 주기억장치 할당 기법의 종류

종류	설명	기법
연속 할당 기법	• 실행을 위한 각 프로세스를 주기억장치 공간 내에서 인접되게 연속하여 저장하는 방법 • 프로세스를 주기억장치에 연속으로 할당하는 기법	• 단일 분할 할당 기법(오버레이, 스와핑) • 다중 분할 할당 기법(고정 분할 할당 기법, 동적 분할 할당 기법)
분산 할당 기법	• 하나의 프로세스를 여러 개의 조각으로 나누어 주기억장치 공간 내 분산하여 배치하는 기법 • 주로 가상기억장치에서 사용	• 페이징 기법 • 세그먼테이션 기법 • 페이징/세그먼테이션 기법

두음쌤 한마디

주기억장치 할당 기법의 종류
「연단다 분페세」
(연속 할당 기법) 단일 분할 할당 기법 / 다중 분할 할당 기법, (분산 할당 기법) 페이징 기법 / 세그먼테이션 기법 / 페이징-세그먼테이션 기법
→ 이따가 문을 연단다. 분리함에 페 식용유랑 세제를 버리렴

① 페이징 기법(Paging)
• 페이징 기법은 가상기억장치 내의 프로세스를 일정하게 분할하여 주기억장치의 분산된 공간에 적재시킨 후 프로세스를 수행시키는 기법이다.

② 세그먼테이션 기법(Segmentation)
• 세그먼테이션 기법은 가상기억장치 내의 프로세스를 가변적인 크기의 블록으로 나누고 메모리를 할당하는 기법이다.
• 분할 형태가 배열이나 함수와 같은 논리적인 다양한 크기의 가변적인 크기로 관리한다.

③ 페이징/세그먼테이션 혼용기법
• 외부 단편화 및 내부 단편화 최소화를 위하여 세그먼테이션 기법과 페이징 기법을 결합한 페이징/세그먼테이션 기법이 개발되었다.

5 교체 기법

① 교체 기법 개념
• 교체 기법은 주기억 장치에 있는 프로세스 중 어떤 프로세스를 제거할 것인지 결정하는 기법이다.
• 새로운 페이지를 할당하기 위해 현재 할당된 페이지 중 어느 것과 교체할지를 결정하는 방법이다.

② 교체 기법 유형
교체 기법의 대표적인 알고리즘은 FIFO, LRU, LFU, OPT, NUR, SCR 등이 있다.

▼ 교체 기법 유형

세부 기법	설명
FIFO (First In First Out)	• 각 페이지가 주기억장치에 적재될 때마다 그때의 시간을 기억시켜 가장 먼저 들어와 가장 오래 있던 페이지를 교체하는 기법(선입선출)
LRU (Least Recently Used)	• 사용된 시간을 확인하여 가장 오랫동안 사용되지 않은 페이지를 선택하여 교체하는 기법 • 프로그램의 지역성의 원리에 따라서 최근에 참조된 페이지는 앞으로도 참조될 가능성이 크고, 최근에 참조되지 않은 페이지는 앞으로도 참조되지 않을 가능성이 크다는 전제로 구현된 알고리즘
LFU (Least Frequently Used)	• 사용된 횟수를 확인하여 참조 횟수가 가장 적은 페이지를 선택하여 교체하는 기법 • 기억장치에 저장된 페이지 중에서 사용한 횟수가 가장 적은 페이지를 교체하는 알고리즘
OPT (OPTimal Replacement)	• 앞으로 가장 오랫동안 사용하지 않을 페이지를 교체하는 기법 • 페이지 부재 횟수가 가장 적게 발생하는 가장 효율적인 알고리즘
NUR (Not Used Recently)	• LRU와 비슷한 알고리즘으로, 최근에 사용하지 않은 페이지를 교체하는 기법 • 최근에 사용되지 않은 페이지는 앞으로도 사용되지 않을 가능성이 크다는 것을 전제로, LRU에서 나타나는 시간적인 오버헤드를 줄일 수 있음 • 최근의 사용 여부를 확인하기 위해서 페이지마다 참조 비트와 변형 비트 사용
SCR (Second Chance Replacement)	• 가장 오랫동안 주기억장치에 있던 페이지 중 자주 사용되는 페이지의 교체를 방지하기 위한 기법으로 FIFO 기법의 단점을 보완하는 기법 • 페이지마다 참조 비트를 두고, FIFO 기법을 이용하여 페이지 교체 수행 중 참조 비트가 0일 경우에 교체를 수행하는 기법

6 교체 기법 알고리즘 계산

① FIFO(First-In-First-Out; 선입선출) 알고리즘

FIFO는 주기억장치 페이지에 순차적으로 참조 스트링이 들어오고, 페이지 교체는 가장 먼저 들어온 페이지부터 교체하는 알고리즘이다.

■ FIFO 알고리즘 계산

- 프로세스에 3개의 페이지 프레임이 고정으로 할당되어 있고, 초기에 3개의 페이지 프레임들이 모두 비어 있다고 가정한다.
- 다음의 참조 스트링을 처리하는 동안 알고리즘별 페이지 부재가 몇 회 발생하는지 계산한다.

ω = 0 1 2 3 0 1 4 0 1 2 3 4

참조 스트링	0	1	2	3	0	1	4	0	1	2	3	4
주기억 장치 상태 (페이지 프레임)	0	1	2	3	0	1	4	4	4	2	3	3
		0	1	2	3	0	1	1	1	4	2	2
			0*	1*	2*	3*	0	0	0*	1*	4	4
페이지 부재 Page Fault	f	f	f	f	f	f	f			f	f	

주기억장치에 참조 스트링이 없으면 페이지 부재가 일어나고 새로운 값이 들어온다.

이 시점에 1이 없으므로 페이지 부재가 일어나고, 가장 먼저 들어온 2가 빠지고, 1이 들어온다.

※ 페이지 부재: 9회

- 별표 표기(*)는 교체 대상 페이지이다.

② LRU(Least Recently Used) 알고리즘

LRU는 사용된 시간을 확인하여 가장 오랫동안 사용되지 않은 페이지를 선택하여 교체하는 알고리즘이다.

■ LRU 알고리즘 계산

- 프로세스에 3개의 페이지 프레임이 고정으로 할당되어 있고, 초기에 3개의 페이지 프레임들이 모두 비어 있다고 가정한다.
- 다음의 참조 스트링을 처리하는 동안 알고리즘별 페이지 부재가 몇 회 발생하는지 계산한다.

ω = 2 3 2 1 5 2 3 5

참조 스트링	2	3	2	1	5	2	3	5
주기억 장치 상태 (페이지 프레임)	2	3	2	1	5	2	3	5
		2	3	2	1	5	2	3
				3*	2	1*	5	2
페이지 부재 Page Fault	f	f		f	f		f	

※ 페이지 부재: 5회

- 별표 표기(*)는 교체 대상 페이지이다.
- 5가 들어오는 시점에 5가 없으므로 페이지 부재가 일어나고, 사용된 시간을 확인했을 때 가장 오랫동안 사용하지 않은 3 (1, 2, 3을 비교할 때 3이 가장 오래전에 사용됨)이 빠지고, 5가 들어온다.

③ LFU(Least Frequently Used) 알고리즘

LFU는 사용된 횟수를 확인하여 참조 횟수가 가장 적은 페이지를 선택하여 교체하는 알고리즘이다.

> **■ LFU 알고리즘 계산**
>
> - 프로세스에 4개의 페이지 프레임이 고정으로 할당되어 있고, 초기에 4개의 페이지 프레임들이 모두 비어 있다고 가정한다.
> - 다음의 참조 스트링을 처리하는 동안 알고리즘별 페이지 부재가 몇 회 발생하는지 계산한다.
>
> ω = 2 3 1 3 1 2 4 5
>
> | 참조 스트링 | 2 | 3 | 1 | 3 | 1 | 2 | 4 | 5 |
> |---|---|---|---|---|---|---|---|---|
> | 주기억 장치 (페이지 프레임) | 2 | 3 | 1 | 1 | 1 | 1 | 4* | 5 |
> | | | 2 | 3 | 3 | 3 | 3 | 1 | 1 |
> | | | | 2 | 2 | 2 | 2 | 3 | 3 |
> | | | | | | | | 2 | 2 |
> | 페이지 부재 Page Fault | f | f | f | | | | f | f |
>
> - 별표 표기(*)는 교체 대상 페이지이다.   ※ 페이지 부재: 5회
> - 5가 들어오는 시점에 5가 없으므로 페이지 부재가 일어나고, 가장 참조 횟수가 적은 4가 빠지고, 5가 들어온다.
> - 이 시점 참조 횟수를 보면 1은 2번, 2는 2번, 3은 2번, 4는 1번 이기 때문에 4가 교체 대상으로 선정 된다.

7 메모리 단편화

- 메모리 단편화란 분할된 주기억장치에 프로세스를 할당, 반납 과정에서 사용되지 못하고 낭비되는 기억장치가 발생하는 현상이다.
- 유형으로는 내부 단편화와 외부 단편화가 있다.

① 내부 단편화

㉮ 내부 단편화 개념

- 내부 단편화는 분할된 공간에 프로세스를 적재한 후 남은 공간이다.
- 내부 단편화는 고정 분할 할당 방식 또는 페이징 기법 사용 시 발생하는 메모리 단편화이다.

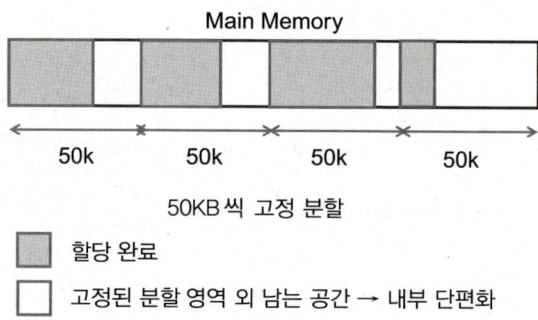

50KB씩 고정 분할

　▨ 할당 완료
　▢ 고정된 분할 영역 외 남는 공간 → 내부 단편화

▲ 내부 단편화

④ 내부 단편화 해결 방안

해결 방안	설명
슬랩 할당자 (Slab Allocator)	페이지 프레임을 할당받아 공간을 작은 크기로 분할하고(캐시 집합) 메모리 요청 시 작은 크기로 메모리를 할당/해제하는 동적 메모리 관리 기법
통합 (Coalescing)	인접한 단편화 영역을 찾아 하나로 통합하는 기법
압축 (Compaction)	메모리의 모든 단편화 영역을 하나로 압축하는 기법

② 외부 단편화

㉮ 외부 단편화 개념

- 외부 단편화는 할당된 크기가 프로세스 크기보다 작아서 사용하지 못하는 공간이다.
- 외부 단편화는 가변 분할 할당 방식 또는 세그먼테이션 기법 사용 시 발생하는 메모리 단편화이다.

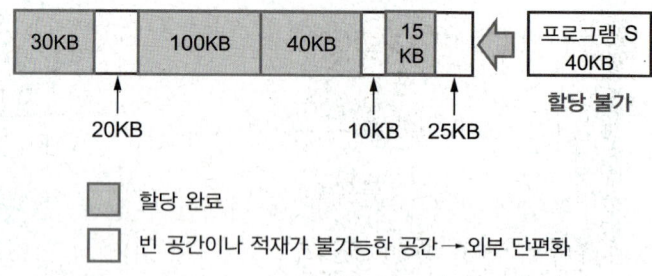

　▨ 할당 완료
　▢ 빈 공간이나 적재가 불가능한 공간 → 외부 단편화

▲ 외부 단편화

④ 외부 단편화 해결 방안

해결 방안	설명
버디 메모리 할당 (Buddy Memory Allocation)	요청한 프로세스 크기에 가장 알맞은 크기를 할당하기 위해 메모리를 2^n의 크기로 분할하여 메모리를 할당하는 기법

잠깐! 알고가기

Slab Allocator
페이지 프레임을 할당받아 공간을 작은 크기로 분할하고(캐시 집합) 메모리 요청 시 작은 크기로 메모리를 할당/해제하는 동적 메모리 관리 기법이다.

통합(Coalescing)
인접한 단편화 영역을 찾아 하나로 통합하는 기법이다.

압축(Compaction)
메모리의 모든 단편화 영역을 하나로 압축하는 기법이다.

해결 방안	설명
통합 (Coalescing)	인접한 단편화 영역을 찾아 하나로 통합하는 기법
압축 (Compaction)	메모리의 모든 단편화 영역을 하나로 압축하는 기법

> **학습 Point**
> 통합/압축 방식은 내부, 외부 단편화 문제 둘 다 해결할 수 있는 방식입니다.

8 페이징 기법의 문제 및 해결방안

① 페이징 기법의 문제점 - 스레싱(Thrashing)

- 스레싱은 어떤 프로세스가 계속적으로 페이지 부재가 발생하여 프로세스의 실제 처리 시간 보다 페이지 교체 시간이 더 많아지는 현상이다.
- 오류율이 클수록 스레싱이 많이 발생한 것이고, 스레싱으로 인해 전체 시스템의 성능 및 처리율은 저하된다.
- 페이지 부재가 계속 증가하여 기억장치 접근 시간이 증가한다.

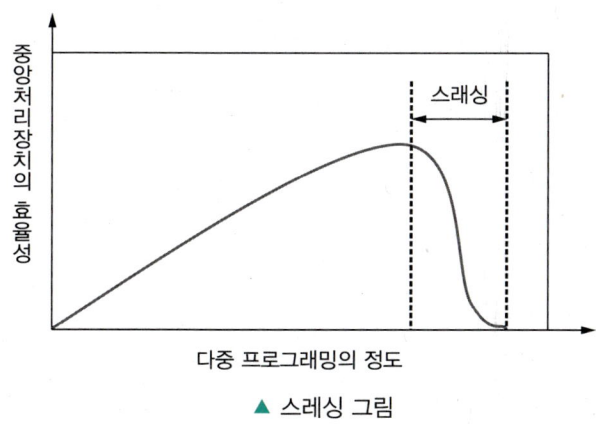

▲ 스레싱 그림

② 페이징 기법의 문제점 해결방안

㉠ 워킹 세트(Working Set)

- 워킹 세트는 각 프로세스가 많이 참조하는 페이지들의 집합을 주기억장치 공간에 계속 상주하게 하여 빈번한 페이지 교체 현상을 줄이고자 하는 기법이다.

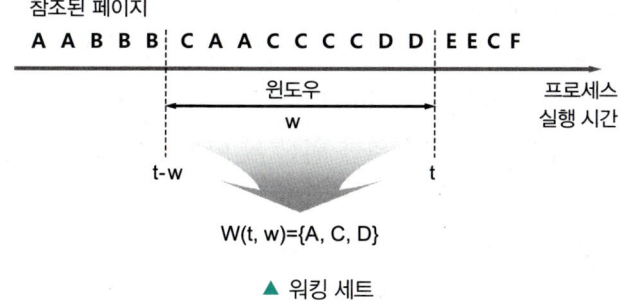

▲ 워킹 세트

- 워킹 세트의 장단점은 다음과 같다.

▼ 워킹 세트 장단점

장점	단점
• 멀티프로그래밍 정도를 높일 수 있고(Page Hit 증가), CPU 활용률을 최적화할 수 있음	• 워킹 세트 추적관리가 복잡하고, 워킹 세트 크기 설정의 모호함이 발생

㉯ 페이지 부재 빈도(PFF; Page-Fault Frequency)
- 페이지 부재 빈도는 페이지 부재율의 상한과 하한을 정해서 직접적으로 페이지 부재율을 예측하고 조절하는 기법이다.
- 페이지 부재 비율에 따라 페이지 프레임 개수를 조절한다.

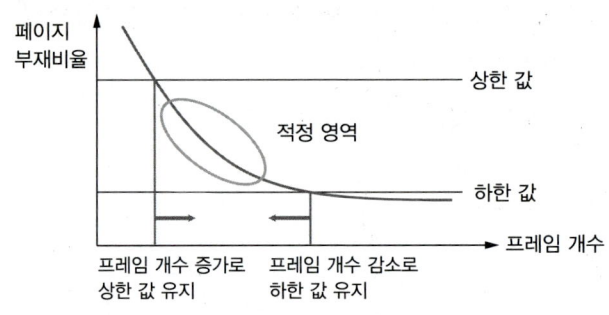

▲ 페이지 부재 빈도

- 페이지 부재 빈도의 장단점은 다음과 같다.

▼ 페이지 부재 빈도 장단점

장점	단점
• 페이지 부재 발생 시 실행하여 부하가 적고, 직접적으로 페이지 부재율 조절이 가능한 기법	• 프로세스를 중지 시키는 과정이 발생하고, 페이지 참조가 새로운 지역성으로 이동할 수 있음

9 지역성

① 지역성(Locality; 국부성, 구역성, 국소성)의 개념
- 지역성은 프로세스가 실행되는 동안 주기억장치를 참조할 때 일부 페이지만 집중적으로 참조하는 특성이다.
- 프로세스가 집중적으로 사용하는 페이지를 알아내는 방법의 하나로, 가상기억장치 관리의 이론적인 근거가 되었다.
- 지역성은 스레싱을 방지하기 위한 워킹 셋 이론의 기반이 되었다.

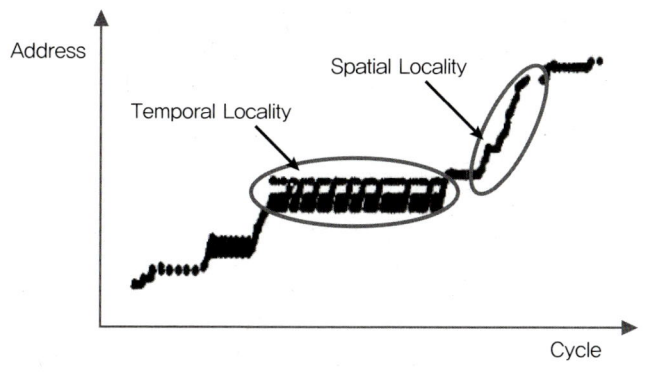

▲ 지역성 개념

- 참조 지역성(Locality of Reference)이라고도 불리며, 3가지 유형이 존재한다.

② **지역성의 유형**

- 지역성의 유형에는 시간 지역성, 공간 지역성, 순차 지역성이 있다.

▼ 지역성의 유형

유형	설명	사례
시간(Temporal) 지역성	• 최근 사용되었던 기억장소들이 집중적으로 액세스하는 현상 • 참조했던 메모리는 빠른 시간에 다시 참조될 확률이 높은 특성	• Loop(반복, 순환), 스택(Stack), 부프로그램(Sub Routine), Counting(1씩 증감), 집계(Totaling)에 사용되는 변수(기억장소)
공간(Spatial) 지역성	• 프로세스 실행 시 일정 위치의 페이지를 집중적으로 액세스하는 현상 • 참조된 메모리 근처의 메모리를 참조하는 특성	• 배열 순회, 프로그래머들이 관련된 변수(데이터 저장 기억장소)들을 서로 근처에 선언하여 할당되는 기억 장소, 같은 영역에 있는 변수 참조
순차(Sequential) 지역성	• 데이터가 순차적으로 액세스 되는 현상 • 프로그램 내의 명령어가 순차적으로 구성된 특성 • 공간 지역성에 편입되어 설명되기도 함	• 순차적 코드 실행

- 지역성을 활용하여 기억·저장 장치의 계층적 구조와 캐시 메모리, 가상 메모리의 기법들로 효율성의 극대화가 가능하다.

(2) 프로세스 관리

1 프로세스(Process) 개념

- 프로세스는 CPU에 의해 처리되는 프로그램이다.
- 실행 중인 프로그램을 의미하며, 작업(Job) 또는 태스크(Task)라고도 한다.

2 프로세스 상태

- 하나의 프로세스는 여러 가지 이벤트에 의해 일련의 서로 구분되는 상태 변화를 겪는다.

두음쌤 한마디

지역성의 유형
「시공순」
시간 지역성 / 공간 지역성 / 순차 지역성

두음쌤 한마디

프로세스 상태
「생준 실대완」
생성 상태 / 준비 상태 / 실행 상태 / 대기 상태 / 완료 상태
→ 생존 준비를 위한 실행을 위해 대두와 완두콩을 준비

- 생성 상태, 준비 상태, 실행 상태, 대기 상태, 완료 상태를 가질 수 있다.

▼ 프로세스 상태

프로세스 상태	설명
생성(Create) 상태	• 사용자에 의해 프로세스가 생성된 상태
준비(Ready) 상태	• CPU를 할당받을 수 있는 상태 • 준비 리스트(Ready List)에 대기
실행(Running) 상태	• 프로세스가 CPU를 할당받아 동작 중인 상태
대기(Waiting) 상태	• 프로세스 실행 중 입출력 처리 등으로 인해 CPU를 양도하고 입출력 처리가 완료까지 대기 리스트에서 기다리는 상태 • 대기 리스트(Waiting List)에 대기
완료(Complete) 상태	• 프로세스가 CPU를 할당받아 주어진 시간 내에 완전히 수행을 종료한 상태

- 완료(Complete) 상태는 종료(Terminated, Exit) 상태라고도 한다.

① 프로세스 상태 전이 [24년 1회]

- 프로세스의 상태 전이는 하나의 작업이 컴퓨터 시스템에 입력되어 완료되기까지 프로세스의 상태가 준비, 실행 및 대기 상태로 변하는 활동을 말한다.

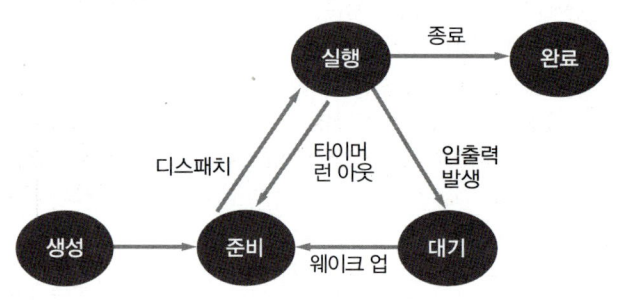

▲ 프로세스 상태 전이

▼ 프로세스 상태 전이

프로세스 상태 전이	설명
디스패치 (Dispatch)	• 준비 상태에 있는 여러 프로세스 중 실행될 프로세스를 선정(Scheduling)하여 CPU를 할당 → 문맥교환 발생 • 프로세스는 준비 상태에서 실행 상태로 전이
타이머 런 아웃 (Timer Run Out) =할당 시간 초과	• CPU를 할당받은 프로세스는 지정된 시간이 초과되면 스케줄러에 의해 PCB를 저장, CPU 반납 후 다시 준비 상태로 전이됨 • 프로세스는 실행 상태에서 준비 상태로 전이 • 타임 슬라이스(Time Slice) 만료, 선점(Preemption) 시 타임아웃 발생
블록 (Block) =입출력 발생	• 실행 상태에 있는 프로세스가 지정된 할당시간을 초과하기 전에 입출력이나 기타 사건이 발생(block)하면 CPU를 스스로 반납하고 입출력이 완료될 때까지 대기 상태로 전이됨 • 프로세스는 실행 상태에서 대기 상태로 전이 • 즉시 실행 불가능한 시스템 콜, I/O 작업 시작, 프로세스간 통신 시 Block 발생

학습 Point

준비 리스트는 각각 우선순위를 부여하여 가장 높은 우선순위를 갖는 프로세스가 다음 순서에 CPU를 할당받습니다. 반면에 대기 리스트는 우선순위가 존재하지 않고, 입출력 등 처리가 끝나면 준비 상태로 바뀌면서 준비 리스트로 이동합니다.

학습 Point

디스패치의 수행은 디스패처(Dispatcher)라는 요소가 수행합니다. 어느 프로세스를 생성 단계에서 준비 단계로 보낼지는 작업 스케줄러(Job Scheduler)가 결정하고, 프로세스에 CPU를 할당하는 결정은 CPU 스케줄러(CPU Scheduler)가 결정합니다. 또한, 교통량 제어기(Traffic Controller)가 프로세스의 상태를 관찰하고, 조사와 통보를 담당합니다.

잠깐! 알고가기

문맥교환(Context switching)
CPU가 현재 실행하고 있는 프로세스의 문맥 상태를 프로세스 제어블록(PCB)에 저장하고 다음 프로세스의 PCB로부터 문맥을 복원하는 작업을 문맥교환이라고 한다.

프로세스 상태 전이	설명
웨이크 업 (Wake-Up) =깨움	• 어느 순간에 입출력이 종료되면 대기 상태의 프로세스에게 입출력 종료 사실을 알려주고, 준비 상태로 전이됨 • 프로세스는 대기 상태에서 준비 상태로 전이

3 프로세스 스케줄링

① 프로세스 스케줄링

- 프로세스 스케줄링은 CPU를 사용하려고 하는 프로세스들 사이의 우선순위를 관리하는 작업이다.
- 스케줄링은 처리율과 CPU 이용률을 증가시키고 오버헤드, 응답시간, 반환시간, 대기시간을 최소화시키기 위한 기법이다.
- 특정 프로세스가 적합하게 실행되도록 프로세스 스케줄링에 의해 프로세스 사이에서 CPU 교체가 일어난다.
- 프로세스 스케줄링을 실행하는 스케줄러의 유형에는 장기, 중기, 단기 스케줄러가 있다.

② 프로세스 스케줄링 주요 용어

▼ 프로세스 스케줄링 주요 용어

용어	설명
서비스 시간 (=수행 시간) (Burst Time)	• 프로세스가 결과를 산출하기까지 소요되는 시간
응답시간 (Response Time)	• 프로세스들이 입력되어 서비스를 요청하고, 반응하기 시작할 때까지 소요되는 시간
반환시간 (Turnaround Time)	• 프로세스들이 입력되어 서비스를 수행하고 결과를 산출하기까지 소요되는 시간 (반환시간) = (대기시간) + (수행시간)
대기시간 (Waiting Time)	• 프로세스가 프로세서에 할당되기까지 큐에 대기하는 시간 • 프로세스가 도착 즉시 프로세서에 할당되면 대기시간은 '0'이 됨
평균 대기시간 (Average Waiting Time)	• 프로세스가 준비 큐에서 대기하는 평균 시간 • 대기시간이 '0'인 프로세스도 평균 대기시간에 합산하여 결과 도출
종료 시간(End Time)	• 프로세스가 요구하는 서비스 시간을 모두 수행하고 종료된 시간
시간 할당량 (Time Quantum 또는 Time Slice)	• 한 프로세스가 프로세서를 독점하는 것을 방지하기 위해 서비스되는 시간 할당량
응답률 (Response Ratio)	(대기시간 + 서비스 시간) / (서비스 시간) • HRN(Highest Response ratio Next) 스케줄링에서 사용 • HRN 스케줄에서 응답률이 높으면 우선순위가 높다고 판단

학습 Point

준비 큐는 CPU 사용을 위해 기다리는 큐이고 대기 큐는 입출력 장치 사용을 위해 기다리는 큐입니다.

③ 프로세스 스케줄링 유형

프로세스 스케줄링 유형에는 선점형 스케줄링과 비선점형 스케줄링이 있다.

▼ 프로세스 스케줄링의 유형

구분	선점형 스케줄링 (Preemptive Scheduling)	비선점형 스케줄링 (Non Preemptive Scheduling)
개념	• 하나의 프로세스가 CPU를 차지하고 있을 때, 우선순위가 높은 다른 프로세스가 현재 프로세스를 중단시키고 CPU를 점유하는 스케줄링 방식	• 한 프로세스가 CPU를 할당받으면 작업 종료 후 CPU 반환 시까지 다른 프로세스는 CPU 점유가 불가능한 스케줄링 방식
개념도	▲ 선점형 스케줄링	▲ 비선점형 스케줄링
장점	• 비교적 빠른 응답 • 대화식 시분할 시스템에 적합	• 응답시간 예상이 용이 • 모든 프로세스에 대한 요구를 공정하게 처리
단점	• 높은 우선순위 프로세스들이 들어오는 경우 오버헤드 초래	• 짧은 작업을 수행하는 프로세스가 긴 작업 종료 시까지 대기
알고리즘	• SRT(Shortest Remaining Time First) • 다단계 큐(Multi-Level Queue) • 다단계 피드백 큐(Multi-Level Feedback Queue) • 라운드 로빈(Round Robin)	• 우선순위(Priority) • 기한부(Deadline) • HRN(High Response Ratio Next) • FCFS • SJF(Shortest Job First)
활용	• 실시간 응답 환경, Deadline 응답 환경	• 처리시간 편차가 적은 특정 프로세스 환경

④ 프로세스 스케줄링 알고리즘 [22년 2회]

㉮ 선점형 스케줄링 알고리즘

▼ 선점형 스케줄링 알고리즘의 유형

유형	설명
SRT (Shortest Remaining Time First)	• 가장 짧은 시간이 소요되는 프로세스를 먼저 수행, 남은 처리시간이 더 짧다고 판단되는 프로세스가 준비 큐에 생기면 언제라도 프로세스가 선점되는 스케줄링 기법 • 비선점 방식의 스케줄링 기법에 선점 방식을 도입한 기법
다단계 큐 (MLQ; Multi Level Queue)	• 작업을 여러 종류 그룹으로 분할하고, 여러 개의 큐를 이용하여 상위단계 작업에 의한 하위단계 작업이 선점 당하는 스케줄링 기법 • 각 큐는 자신만의 독자적인 스케줄링을 가짐

학습 Point

선점 스케줄링 유형과 비선점 스케줄링 유형이 중요도가 높습니다. 유형별 개념을 잘 봐두시고 넘어가세요!

두음쌤 한마디

선점 스케줄링 알고리즘
「SMMR」
SRT / MLQ / MLFQ(MFQ) / RR
→ Show Me the Money 다음 Round에 진출!

유형	설명
다단계 피드백 큐 (MLFQ; Multi Level Feedback Queue)	• 새로운 프로세스는 높은 우선순위가 부여되고, 프로세스의 실행시간이 길어질수록 점점 낮은 우선순위 큐로 이동하고 마지막 단계는 라운드 로빈 방식이 적용되는 스케줄링 기법 • 입출력 위주와 CPU 위주인 프로세스의 특성에 따라 큐마다 서로 다른 CPU 시간 할당량 부여 • FCFS(FIFO)와 라운드 로빈 스케줄링 기법을 혼합한 방식
라운드 로빈 (RR; Round Robin)	• 모든 프로세스에 대해 같은 크기의 CPU 시간을 할당(시간 할당량)하고, 프로세스가 할당된 시간 내에 처리 완료를 못하면 준비 큐 리스트의 가장 뒤로 보내지고, CPU는 대기 중인 다음 프로세스로 넘어가는 스케줄링 기법

잠깐! 알고가기

시간 할당량(Time Quantum)
프로세스가 선점방식의 다중 작업 시스템에서 작업을 실행할 수 있는 시간대를 말한다.

④ 비선점형 스케줄링 알고리즘 [22년 3회, 23년 2회]

▼ 비선점형 스케줄링 알고리즘의 유형

유형	설명
우선순위 (Priority)	• 프로세스 별로 우선순위가 주어지고, 우선순위에 따라 CPU를 할당하는 스케줄링 기법 • 동일 순위는 FCFS 방식 적용 • 주요/긴급 프로세스에 대한 우선 처리 및 설정, 자원 상황 등에 따른 우선순위 선정이 가능한 기법
기한부 (Deadline)	• 작업들이 명시된 시간이나 기한 내에 완료되도록 계획하는 스케줄링 기법 • 요청에 명시된 시간 내 처리를 보장하는 기법
HRN (Highest Response Ratio Next)	• 대기 중인 프로세스 중 현재 응답률(Response Ratio)이 가장 높은 것을 선택하는 스케줄링 기법 • SJF의 약점인 기아 현상을 보완한 기법으로 긴 작업과 짧은 작업 간의 불평등 완화 (HRN의 우선순위) = ((대기시간) + (서비스 시간)) / (서비스 시간)
FCFS (Fist Come First Service)	• 프로세스가 준비 큐에 도착한 순서에 따라 CPU를 할당하는 스케줄링 기법 • FIFO 알고리즘이라고도 함
SJF (Shortest Job First)	• 프로세스가 도착하는 시점에 따라 그 당시 가장 작은 서비스 시간을 갖는 프로세스가 종료 시까지 자원을 점유하는 스케줄링 기법

두음쌤 한마디

비선점 스케줄링 알고리즘
「우기 HFS」
우선순위 / 기한부 / HRN / FCFS / SJF
→ 우리 기업은 홈 패밀리 서비스(HFS)를 제공한다.

잠깐! 알고가기

기아(Starvation) 현상
시스템 부하가 많아서 준비 큐에 있는 낮은 등급의 프로세스가 무한정 기다리는 현상이다.
기아 현상을 해결하기 위해서 오랫동안 기다린 프로세스에게 우선순위를 높여주도록 처리하는 기법인 에이징(Aging)을 활용한다.

두음쌤 한마디

HRN의 우선순위
「대서서」
((대기시간) + (서비스 시간)) / (서비스 시간)

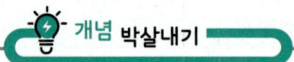 개념 박살내기

■ 프로세스 스케줄링 알고리즘 계산방법

각 프로세스의 평균 대기시간, 평균 반환시간)을 구하려고 한다. (단, 프로세서는 시간 0에 시작한다고 가정하며, 운영체제로 인한 오버헤드는 무시한다.)

① FIFO(First-In-First-Out) 스케줄링(비선점)
- 다음은 P1, P2, P3, P4 4개의 프로세스들에 대하여 준비 상태에서의 도착 시간과 각 프로세스가 필요로 하는 총 실행시간(서비스 시간)을 보여준다.

프로세스	도착 시간	서비스 시간
P1	0	3
P2	1	7
P3	3	2
P4	5	5

- 다음과 같이 프로세스 상태를 통해 종료 시간을 계산한다.

	0	1	2	3	4	5	6	7	8	9	10	11	12	13	14	15	16	17
P1	■	■	■															
P2				■	■	■	■	■	■	■								
P3											■	■						
P4													■	■	■	■	■	

 두음쌤 한마디

반환시간 및 대기시간 계산 방법

「반종도 대반서」
반환시간 = 종료 시간 − 도착 시간 / 대기시간 = 반환시간 − 서비스 시간

순서	시간	사건
1	0	• 0시간에 P1만 도착해서 P1이 자원 점유 • P1이 3시간까지 자원을 점유
2	3	• 3시간에 P1 종료 • P2가 P3보다 먼저 도착했으므로 P2가 자원을 점유
3	10	• 10시간에 P2 종료 • P3가 3시간에 도착, P4가 5시간에 도착해 있어서, 먼저 도착한 P3가 자원을 점유
4	12	• 12시간에 P3 종료 • P3가 종료 후 남은 P4가 자원을 점유하여 17시간까지 서비스를 수행하고 종료

- 먼저 종료 시간을 구한 후, 반환시간과 대기시간을 구한다.

- (반환시간) = (종료 시간) − (도착 시간)
- (대기시간) = (반환시간) − (서비스 시간)

프로세스	도착 시간	서비스 시간	종료 시간	반환시간	대기시간
P1	0	3	3	3(3−0)	0(3−3)
P2	1	7	10	9(10−1)	2(9−7)
P3	3	2	12	9(12−3)	7(9−2)
P4	5	5	17	12(17−5)	7(12−5)

- 평균 반환시간 = (3 + 9 + 9 + 12) ÷ 4 = 8.25
- 평균 대기시간 = (0 + 2 + 7 + 7) ÷ 4 = 4

② SJF(Shortest Job First) 스케줄링(비선점)
- 다음은 P1, P2, P3, P4 4개의 프로세스들에 대하여 준비 상태에서의 도착 시간과 각 프로세스가 필요로 하는 총 실행시간(서비스 시간)을 보여준다.

프로세스	도착 시간	서비스 시간
P1	0	3
P2	1	7
P3	3	2
P4	5	5

- 다음과 같이 프로세스 상태를 통해 종료 시간을 계산한다.

	0	1	2	3	4	5	6	7	8	9	10	11	12	13	14	15	16	17
P1	■	■	■															
P2											■	■	■	■	■	■	■	
P3				■	■													
P4						■	■	■	■	■								

순서	시간	사건
1	0	• 0시간에 P1만 도착해서 자원 점유 • P1이 3시간까지 자원을 점유
2	3	• 3시간에 P1 종료 • 3시간에 P2, P3가 도착했지만, P2는 서비스 시간이 7이고, P3는 서비스 시간이 2이므로 서비스 시간이 가장 짧은 P3가 자원을 점유
3	5	• 5시간에 P3 종료 • 5시간에 이미 도착한 P2와 방금 도착한 P4가 있는데, P2는 서비스 시간이 7이고, P4는 서비스 시간이 5이므로 서비스 시간이 가장 짧은 P4가 자원을 점유
4	10	• 10시간에 P4 종료 • 마지막으로 남아 있는 P2가 자원을 점유하여 17시간까지 서비스를 수행하고 종료

- 먼저 종료 시간을 구한 후, 반환시간과 대기시간을 구한다.

- (반환시간) = (종료 시간) − (도착 시간)
- (대기시간) = (반환시간) − (서비스 시간)

프로세스	도착 시간	서비스 시간	종료 시간	반환시간	대기시간
P1	0	3	3	3(3−0)	0(3−3)
P2	1	7	17	16(17−1)	9(16−7)
P3	3	2	5	2(5−3)	0(2−2)
P4	5	5	10	5(10−5)	0(5−5)

- 평균 반환시간 = (3 + 16 + 2 + 5) ÷ 4 = 6.5
- 평균 대기시간 = (0 + 9 + 0 + 0) ÷ 4 = 2.25

③ SRT(Shortest Remaining Time) 스케줄링(선점) [23년 1회]
- 다음은 P1, P2, P3, P4 4개의 프로세스들에 대하여 준비 상태에서의 도착 시간과 각 프로세스가 필요로 하는 총 실행시간(서비스 시간)을 보여준다.

프로세스	도착 시간	서비스 시간
P1	0	3
P2	2	6
P3	4	4
P4	8	2

- 다음과 같이 프로세스 상태를 통해 종료 시간을 계산한다.

	0	1	2	3	4	5	6	7	8	9	10	11	12	13	14	15	16	17
P1	■	■	■															
P2				■							■	■	■	■	■			
P3					■	■	■	■										
P4									■	■								

순서	시간	사건
1	0	• P1이 도착하고, P1이 자원을 점유
2	2	• P2가 도착 • P1의 남은 서비스 시간은 1, P2의 남은 서비스 시간은 6이므로 남은 서비스 시간이 가장 적은 P1이 계속해서 자원을 점유
3	3	• P1이 종료되고, 남은 서비스 시간이 가장 적게 남은 P2가 자원을 점유
4	4	• P3가 도착 • P2의 남은 서비스 시간은 5, P3의 남은 서비스 시간은 4이므로 P3가 자원을 점유
5	8	• P4가 도착 • P3가 종료되고, 남은 서비스 시간이 가장 적은 P4가 자원을 점유(P2의 남은 서비스 시간은 5, P4의 남은 서비스 시간은 2)
6	10	• P4가 종료되고, 남은 서비스 시간이 가장 적게 남은 P2가 자원을 점유하여 15시간까지 서비스를 수행하고 종료

- 먼저 종료 시간을 구한 후, 반환시간과 대기시간을 구한다.

- (반환시간) = (종료 시간) − (도착 시간)
- (대기시간) = (반환시간) − (서비스 시간)

프로세스	도착 시간	서비스 시간	종료 시간	반환 시간	대기 시간
P1	0	3	3	3(=3−0)	0(=3−3)
P2	2	6	15	13(=15−2)	7(=13−6)
P3	4	4	8	4(=8−4)	0(=4−4)
P4	8	2	10	2(=10−8)	0(=2−2)

- 평균 반환 시간 = (3 + 13 + 4 + 2) ÷ 4 = 5.5
- 평균 대기 시간 = (0 + 7 + 0 +0) ÷ 4 = 1.75

④ RR(Round − Robin) 스케줄링(선점)
- 다음은 P1, P2, P3, P4 4개의 프로세스들에 대하여 준비 상태에서의 도착 시간과 각 프로세스가 필요로 하는 총 실행시간(서비스 시간)을 보여준다.
- 해당 RR에서는 시간 할당량이 2라고 가정한다.

프로세스	도착 시간	서비스 시간
P1	0	3
P2	1	7
P3	3	2
P4	5	5

- 다음과 같이 프로세스 상태를 통해 종료 시간을 계산한다.

	0	1	2	3	4	5	6	7	8	9	10	11	12	13	14	15	16	17
P1	■	■			■													
P2			■	■				■	■			■	■			■		
P3						■	■											
P4										■	■			■	■		■	

순서	시간	사건	상태	
1	0	• P1만 도착하고 시간 할당량 2만큼 할당받아 자원을 점유	큐	−
			프로세스 실행	P1
2	1	• P2가 도착하고, 큐에 맨 뒤에 대기	큐	P2
			프로세스 실행	P1
3	2	• P1은 시간 할당량 2를 채웠기 때문에 큐의 맨 뒤에 대기 • 큐의 맨 앞에 있는 P2가 시간 할당량 2만큼 자원을 점유	큐	P1
			프로세스 실행	P2

순서	시간	사건	상태	
4	3	• P3가 도착하고, 큐의 맨 뒤에 대기	큐	P1, P3
			프로세스 실행	P2
5	4	• P2는 시간 할당량 2를 채웠기 때문에 큐의 맨 뒤에 대기 • 큐의 맨 앞에 있는 P1이 시간 할당량 2만큼 자원을 점유	큐	P3, P2
			프로세스 실행	P1
6	5	• P4가 도착하고, 큐의 맨 뒤에 대기 • P1은 시간 할당량 2시간만큼 자원을 점유할 수 있으나 총 서비스 시간인 3시간을 모두 채웠기 때문에 종료 • 큐의 맨 앞에 있는 P3가 시간 할당량 2만큼 자원을 점유	큐	P2, P4
			프로세스 실행	P3
7	7	• P3는 총 서비스 시간인 2시간을 모두 채웠기 때문에 종료 • 큐의 맨 앞에 있는 P2가 시간 할당량 2만큼 자원을 점유	큐	P4
			프로세스 실행	P2
8	9	• P2는 시간 할당량 2를 채웠기 때문에 큐의 맨 뒤에 대기 • 큐의 맨 앞에 있는 P4가 시간 할당량 2만큼 자원을 점유	큐	P2
			프로세스 실행	P4
9	11	• P4는 시간 할당량 2를 채웠기 때문에 큐의 맨 뒤에 대기 • 큐의 맨 앞에 있는 P2가 시간 할당량 2만큼 자원을 점유	큐	P4
			프로세스 실행	P2
10	13	• P2는 시간 할당량 2를 채웠기 때문에 큐의 맨 뒤에 대기 • 큐의 맨 앞에 있는 P4가 시간 할당량 2만큼 자원을 점유	큐	P2
			프로세스 실행	P4
11	15	• P4는 시간 할당량 2를 채웠기 때문에 큐의 맨 뒤에 대기 • 큐의 맨 앞에 있는 P2가 시간 할당량 2만큼 자원을 점유	큐	P4
			프로세스 실행	P2
12	16	• P2는 시간 할당량 2시간만큼 자원을 점유할 수 있으나 총 서비스 시간인 7시간을 모두 채웠기 때문에 종료 • 큐의 맨 앞에 있는 P4가 자원을 점유하여 17시간까지 서비스를 수행하고 종료	큐	–
			프로세스 실행	P4

• 먼저 종료 시간을 구한 후, 반환시간과 대기시간을 구한다.

- (반환시간) = (종료 시간) − (도착 시간)
- (대기시간) = (반환시간) − (서비스 시간)

프로세스	도착 시간	서비스 시간	종료 시간	반환 시간	대기 시간
P1	0	3	5	5(=5−0)	2(=5−3)
P2	1	7	16	15(=16−1)	8(=15−7)
P3	3	2	7	4(=7−3)	2(=4−2)
P4	5	5	17	12(=17−5)	7(=12−5)

- 평균 반환 시간 = (5 + 15 + 4 + 12) ÷ 4 = 9
- 평균 대기 시간 = (2 + 8 + 2 + 7) ÷ 4 = 4.75

4 프로세스 관리-교착상태 [23년 1회]

① 교착상태(Deadlock) 개념

교착상태는 다중프로세싱 환경에서 두 개 이상의 프로세스가 특정 자원할당을 무한정 대기하는 상태이다.

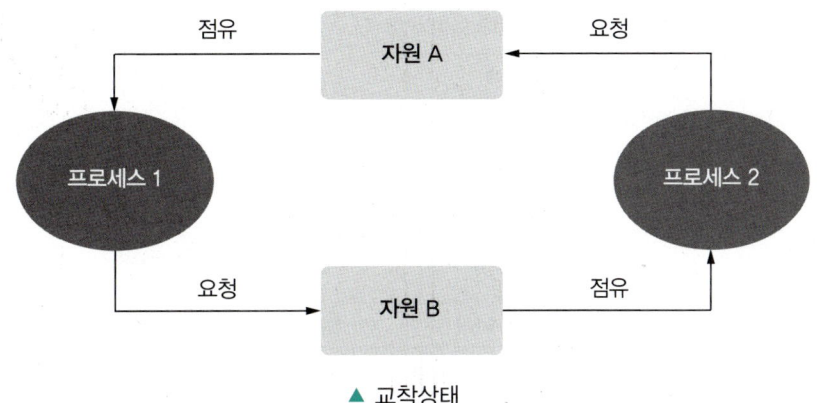

▲ 교착상태

② 교착상태 발생 조건

교착상태 발생 조건에는 상호 배제, 점유와 대기, 비선점, 환형 대기가 있다.

▼ 교착상태 발생 조건

발생 조건	설명
상호 배제 (Mutual Exclusive)	프로세스가 자원을 배타적으로 점유하여 다른 프로세스가 그 자원을 사용할 수 없는 상태
점유와 대기 (Hold & Wait)	한 프로세스가 자원을 점유하고 있으면서 또 다른 자원을 요청하여 대기하고 있는 상태
비선점 (Non Preemption)	한 프로세스가 점유한 자원에 대해 다른 프로세스가 선점할 수 없고, 오직 점유한 프로세스만이 해제 가능한 상태
환형 대기 (Circular Wait)	두 개 이상의 프로세스 간 자원의 점유와 대기가 하나의 원형을 구성한 상태

두음쌤 한마디

교착상태 발생 조건
「상점비환」
상호 배제 / 점유와 대기 / 비선점 / 환형 대기

③ 교착상태 해결 방법

교착상태 해결 방법에는 예방, 회피, 발견, 복구가 있다.

▼ 교착상태 해결 방법

해결 방법	설명	세부 기법
예방 (Prevention)	상호 배제를 제외한 나머지 교착상태 발생 조건을 위배(부정)하는 방안	점유 자원 해제 후 새 자원 요청
회피 (Avoidance)	안전한 상태를 유지할 수 있는 요구만 수락 (프로세스별 자원 최대요구량 확보)	은행가 알고리즘, Wound-Wait, Wait-Die
발견 (Detection)	시스템의 상태를 감시 알고리즘 통해 교착 상태 검사	자원할당 그래프, Wait for Graph
복구 (Recovery)	교착상태가 없어질 때까지 프로세스를 순차적으로 Kill하여 제거, 희생자 선택해야 하고 기아 상태 발생	프로세스 Kill, 자원선점

두음쌤 한마디
교착상태 해결 방법
「예회발복」
예방 / 회피 / 발견 / 복구

💡 개념 박살내기

■ 은행가 알고리즘(Banker's Algorithm)

사용자 프로세스는 사전에 자기 작업에 필요한 자원의 수를 제시하고 운영체제가 자원의 상태를 감시, 안정상태일 때만 자원을 할당하는 교착상태 회피기법이다.

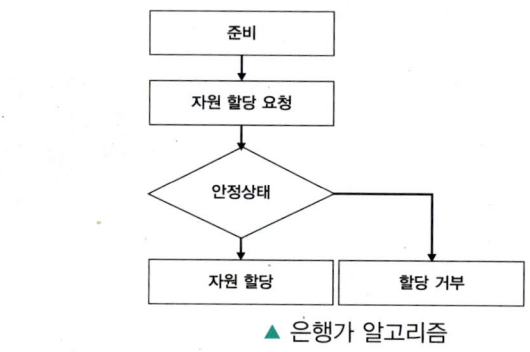

▲ 은행가 알고리즘

5 디스크 스케줄링

① 디스크 스케줄링(Disk Scheduling) 개념
- 디스크 스케줄링은 사용할 데이터가 디스크상의 여러 곳에 저장되어 있을 경우, 데이터를 액세스하기 위해 디스크 헤드를 움직이는 경로를 결정하는 기법이다.
- 디스크 스케줄링은 운영체제(OS)가 담당하고 디스크 스케줄링의 목적은 처리량 최대화, 응답시간 최소화이다.

② 디스크 스케줄링 종류
- 디스크 스케줄링의 종류에는 FCFS, SSTF, SCAN, C-SCAN, LOOK, N-STEP SCAN, SLTF 스케줄링 기법 등이 있다.

▼ 디스크 스케줄링 종류

종류	설명
FCFS (First Come First Served) (=FIFO(First In First Out))	• 디스크 대기 큐에 가장 먼저 들어온 트랙에 대한 요청을 먼저 서비스하는 기법
SSTF (Shortest Seek Time First)	• 현재 위치에서 탐색거리(Seek Distance)가 가장 짧은 트랙에 대한 요청을 먼저 서비스하는 기법 • 일괄처리 시스템에 유용 • 현재 헤드 위치에서 가장 가까운 거리에 있는 트랙으로 헤드를 이동시킴
SCAN	• 현재 헤드의 위치에서 진행 방향이 결정되면 탐색 거리가 짧은 순서에 따라 그 방향의 모든 요청을 서비스하고, 끝까지 이동한 후 역방향의 요청 사항을 서비스하는 기법
C-SCAN (Circular SCAN)	• 항상 바깥쪽에서 안쪽으로 움직이며 가장 짧은 탐색 거리를 갖는 요청을 서비스하는 기법 • 안쪽 끝까지 이동했으면 다시 바깥쪽부터 탐색하는 방법으로 비교적 공평한 기법
LOOK (=엘리베이터 알고리즘)	• SCAN을 기초로 사용하는 기법으로 진행 방향으로 더 이상의 요청이 없으면 역방향으로 진행하는 기법 • SCAN은 이동 방향의 끝까지 간 후 방향을 바꾸지만, LOOK은 요청까지만 간 후 방향을 바꿈
N-STEP SCAN	• SCAN 기법을 기초로 하며 어떤 방향의 진행이 시작될 당시에 대기 중이던 요청들만 서비스하고, 진행 도중 도착한 요청들은 한꺼번에 모아서 다음의 반대 진행 방향으로 진행할 때 서비스하는 기법
SLTF (Shortest Latency Time First)	• 섹터 큐잉(Sector Queuing)이라고 하며, 회전지연시간 최적화를 위해 구현된 기법 • 디스크 헤드가 특정 실린더에 도착하면 그 실린더 내의 여러 트랙에 대한 요청들을 검사한 후, 회전지연시간이 가장 짧은 요청부터 서비스하는 기법

 개념 박살내기

■ 디스크 스케줄링 예시

[예제] 디스크의 대기 큐의 트랙 번호
• 디스크 스케줄링 종류별 동작 방식은 다음과 같다.

| 150 | 70 | 200 | 30 | 20 | 60 |

• 초기 헤드 위치가 50번 트랙이고 방향은 안쪽 방향(0번)으로 이동 중이라고 하면 다음과 같이 계산한다.

알고리즘	이동 순서
FCFS	50 → 150 → 0 → 70 → 200 → 30 → 20 → 60
SSTF	50 → 60 → 70 → 30 → 20 → 0 → 150 → 200
SCAN	50 → 30 → 20 → 0 → 60 → 70 → 150 → 200
C-SCAN	50 → 30 → 20 → 0 → 200 → 150 → 70 → 60
LOOK	50 → 30 → 20 → 60 → 70 → 150 → 200

기출문제

01 다음이 설명하는 용어를 쓰시오. ▶ 22년 2회

> 선점형 스케줄링 알고리즘으로 프로세스는 같은 크기의 CPU 시간을 할당(시간 할당량), 프로세스가 할당된 시간 내에 처리 완료를 못하면 준비 큐 리스트의 가장 뒤로 보내지고, CPU는 대기 중인 다음 프로세스로 넘어가는 알고리즘이다.

해설

라운드 로빈 (RR; Round Robin)	• 프로세스는 같은 크기의 CPU 시간을 할당(시간 할당량), 프로세스가 할당된 시간 내에 처리 완료를 못하면 준비 큐 리스트의 가장 뒤로 보내지고, CPU는 대기 중인 다음 프로세스로 넘어감
SRT (Shortest Remaining Time First)	• 가장 짧은 시간이 소요되는 프로세스를 먼저 수행하고, 남은 처리 시간이 더 짧다고 판단되는 프로세스가 준비 큐에 생기면 언제라도 프로세스가 선점됨
다단계 큐 (MLQ; Multi Level Queue)	• 작업들을 여러 종류 그룹으로 분할, 여러 개의 큐를 이용하여 상위단계 작업에 의한 하위단계 작업이 선점당함 • 각 큐는 자신만의 독자적인 스케줄링을 가짐
다단계 피드백 큐 (MLFQ; Multi Level Feedback Queue)	• 입출력 위주와 CPU 위주인 프로세스의 특성에 따라 큐마다 서로 다른 CPU 시간 할당량을 부여 • FCFS(FIFO)와 라운드 로빈 스케줄링 기법을 혼합한 것으로, 새로운 프로세스는 높은 우선순위, 프로세스의 실행시간이 길어질수록 점점 낮은 우선순위 큐로 이동하고 마지막 단계는 라운드 로빈 방식을 적용

02 다음이 설명하는 스케줄링 기법은 무엇인지 쓰시오. ▶ 22년 3회

> • '최단 작업 우선'이라고 하며 프로세스가 도착하는 시점에 따라 그 당시 가장 작은 서비스 시간을 갖는 프로세스가 종료 시까지 자원을 점유하는 비선점형 방식이다.
> • 준비 큐 작업 중 가장 짧은 작업부터 수행하기 때문에 평균 대기시간 최소가 된다.

해설 • 프로세스가 도착하는 시점에 따라 그 당시 가장 작은 서비스 시간을 갖는 프로세스가 종료 시까지 자원 점유하는 비선점형 스케줄링 알고리즘은 SJF이다.

03 SRT 스케줄링에서 평균 반환시간과 평균 대기시간은? ▶ 23년 1회

작업	실행 시간	도착 시간
P1	6	0
P2	4	1
P3	2	2
P4	2	3

① 평균 반환시간:

② 평균 대기시간:

> 해설

	0	1	2	3	4	5	6	7	8	9	10	11	12	13
P1	■									■	■	■	■	■
P2		■	■				■	■	■					
P3			■	■										
P4					■	■								

순서	시간	사건
1	0	• P1이 도착하고, P1이 자원을 점유
2	1	• P2가 도착 • P1의 남은 시간은 5, P2의 남은 시간은 4이므로 남은 서비스 시간이 가장 적은 P2가 자원을 점유
3	2	• P3가 도착 • P1의 남은 시간은 5, P2의 남은 시간은 3, P3의 남은 시간은 2이므로 남은 서비스 시간이 가장 적은 P3가 자원을 점유
4	3	• P4가 도착 • P1의 남은 시간은 5, P2의 남은 시간은 3, P3의 남은 시간은 1, P4의 남은 시간은 2이므로 남은 서비스 시간이 가장 적은 P3가 계속 자원을 점유
5	4	• P3 종료 • P1의 남은 시간은 5, P2의 남은 시간은 3, P4의 남은 시간은 2이므로 남은 서비스 시간이 가장 적은 P4가 자원을 점유
6	6	• P4 종료 • P1의 남은 시간은 5, P2의 남은 시간은 3이므로 남은 서비스 시간이 가장 적은 P2가 자원을 점유
7	9	• P2 종료 • P1의 남은 시간은 5이므로 남은 서비스 시간이 가장 적은 P1이 자원을 점유

- 반환시간 = 종료 시간 - 도착 시간
- 대기시간 = 반환시간 - 서비스 시간

작업	도착 시간	서비스 시간	종료 시간	반환시간	대기시간
P1	0	6	14	14(=14-0)	8(=14-6)
P2	1	4	9	8(=9-1)	4(=8-4)
P3	2	2	4	2(=4-2)	0(=2-2)
P4	3	3	6	3(=6-3)	1(=3-2)

- 평균 반환시간 = (14+8+2+3)÷4 = 6.75
- 평균 대기시간 = (8+4+0+1)÷4 = 3.25

▶ 23년 1회

04 다음은 운영체제 운용 기법에 대한 설명이다. 알맞은 것을 [보기]에서 고르시오.

- (①): 시스템의 효율 향상을 위하여 작업량이 일정한 수준이 될 때까지 모아두었다가 한꺼번에 일시적으로 처리하는 방식
- (②): 하나의 CPU와 주기억장치를 이용하여 여러 개의 프로그램을 동시에 처리하는 방식
- (③): 여러 사용자가 CPU를 공유하고 있지만 마치 자신만이 독점하여 사용하고 있는 것처럼 느끼도록 처리하는 방식
- (④): 여러 개의 CPU와 하나의 주기억장치를 이용하여 여러 개의 프로그램을 동시에 처리하는 방식

| 보기 |
⊙ 일괄 처리 시스템   ⓒ 다중 프로그래밍 시스템
ⓒ 시분할 시스템   ⓔ 다중 처리 시스템

①
②
③
④

> 해설

일괄 처리 시스템 (Batch Processing System)	시스템의 효율 향상을 위하여 작업량이 일정한 수준이 될 때까지 모아두었다가 한꺼번에 일시적으로 처리하는 방식
다중 프로그래밍 시스템 (Multi-Programming System)	하나의 CPU와 주기억장치를 이용하여 여러 개의 프로그램을 동시에 처리하는 방식
시분할 시스템 (Time Sharing System) = 라운드 로빈 (Round Robin) 방식	여러 사용자가 CPU를 공유하고 있지만 마치 자신만이 독점하여 사용하고 있는 것처럼 느끼도록 처리하는 방식
다중 처리 시스템 (Multi-Processing System)	여러 개의 CPU와 하나의 주기억장치를 이용하여 여러 개의 프로그램을 동시에 처리하는 방식

기출문제

05 다음은 교착상태에 대한 설명이다. 빈칸에 알맞은 용어를 쓰시오. ▶ 23년 1회

> 프로세스가 자원을 배타적으로 점유하여 다른 프로세스가 그 자원을 사용할 수 없는 상태는 (①)이고, 두 개 이상의 프로세스 간 자원의 점유와 대기가 하나의 원형을 구성한 상태는 (②)이다.

① _____
② _____

해설

상호 배제 (Mutual Exclusive)	프로세스가 자원을 배타적으로 점유하여 다른 프로세스가 그 자원을 사용할 수 없는 상태
점유와 대기 (Hold & Wait)	한 프로세스가 자원을 점유하고 있으면서 또 다른 자원을 요청하여 대기하고 있는 상태
비선점 (Non Preemption)	한 프로세스가 점유한 자원에 대해 다른 프로세스가 선점할 수 없고, 오직 점유한 프로세스만이 해제 가능한 상태
환형 대기 (Circular Wait)	두 개 이상의 프로세스 간 자원의 점유와 대기가 하나의 원형을 구성한 상태

06 HRN 우선순위를 구하는 공식을 쓰시오. (단, P: 우선순위, W: 대기시간, S: 서비스 시간) ▶ 23년 2회

_____

해설
- HRN은 대기 중인 프로세스 중 우선순위가 가장 높은 것을 선택하는 기법이다.
- HRN의 우선순위 = (대기시간 + 서비스 시간) ÷ 서비스 시간

07 다음은 운영체제에 대한 설명이다. 빈칸에 알맞은 용어를 [보기]에서 골라 쓰시오. ▶ 24년 1회

> - (①)은/는 시스템에 새로운 작업이 도착했을 때, 시작 프로세스 중에서 어떤 프로세스를 준비 큐에 보낼지 결정하는 역할을 한다.
> - (②)은/는 준비 상태의 프로세스 중에서 어떤 프로세스를 선택하여 CPU를 할당할 것인지 결정하는 역할을 한다.
> - 프로세스가 준비 상태에서 대기 중인 프로세스 중 선택된 어떤 프로세스를 실행상태로 옮기는 것은 (③)이/가 수행한다.
> - 운영체제는 프로세스의 실행을 제어하는 것이 중요하다.
> - 효과적인 제어를 위해서 스케줄러 안에 존재하는 (④)이/가 여러 프로세스의 상태를 관찰하고, 프로세스에 대한 조사와 통보를 담당한다.

| 보기 |
| 작업 스케줄러   CPU 스케줄러
| 디스패처   트래픽 제어기

① _____
② _____
③ _____
④ _____

해설

작업 스케줄러 (Job Scheduler)	• 시작 프로세스 중에서 어떤 프로세스를 준비 큐에 보낼지 결정 • 메모리에 올라가 있는 프로세스의 수를 제어 • 메모리와 디스크 사이의 스케줄링 담당
CPU 스케줄러 (CPU Scheduler)	• 준비 상태의 프로세스 중에서 어떤 프로세스를 선택하여 CPU를 할당할 것인지 결정 • CPU와 메모리 사이의 스케줄링 담당
디스패처 (Dispatcher)	• 준비 상태에서 대기 중인 프로세스 중 어떤 프로세스를 실행상태로 옮기는 작업 수행 • CPU 스케줄러가 선택한 프로세스에 실질적으로 CPU를 할당하는 역할 수행
트래픽 제어기 (Traffic Controller)	• 여러 프로세스의 상태를 관찰하고, 프로세스에 대한 조사와 통보를 담당 • 스케줄러 안에 존재

기출문제

▶ 24년 2회

08 Windows 운영체제에서 네트워크 경로의 속도를 측정하고, 데이터가 목적지까지 도달하는 데 거치는 각 네트워크 노드의 IP 주소와 응답시간을 파악하고자 할 때 사용하는 명령어가 무엇인지 쓰시오.

해설
- tracert는 목적지까지의 경로를 추적하며 각 경유지에서의 응답시간을 보여주는 명령어이다.
- tracert는 데이터가 목적지까지 도달하는 데 거치는 각 네트워크 노드의 IP 주소와 응답시간을 보여주고, 이를 통해 어느 구간에서 지연이 발생하는지를 확인할 수 있으며, 네트워크 문제의 위치를 추적하는 데 유용하다.
- tracert 명령어 형식은 다음과 같다.

> tracert [목적지 서버 IP 또는 DNS 주소]

정답
01. 라운드 로빈(Round Robin) 02. SJF(Shortest Job First) 03. ① 6.75, ② 3.25 04. ①-㉠, ②-㉡, ③-㉢, ④-㉣ 05. ① 상호 배제(Mutual Exclusive), ② 환형 대기(Circular Wait) 06. P = (W + S) ÷ S 07. ① 작업 스케줄러, ② CPU 스케줄러, ③ 디스패처, ④ 트래픽 제어기 08. tracert

예상문제

01 다음은 운영체제 운용 기법에 대한 설명이다. 알맞은 것을 [보기]에서 고르시오.

- (①): 시스템의 효율 향상을 위하여 작업량이 일정한 수준이 될 때까지 모아두었다가 한꺼번에 일시적으로 처리하는 방식
- (②): 하나의 CPU와 주기억장치를 이용하여 여러 개의 프로그램을 동시에 처리하는 방식
- (③): 여러 사용자가 CPU를 공유하고 있지만 마치 자신만이 독점하여 사용하고 있는 것처럼 느끼도록 처리하는 방식
- (④): 여러 개의 CPU와 하나의 주기억장치를 이용하여 여러 개의 프로그램을 동시에 처리하는 방식

| 보기 |
㉠ 일괄 처리 시스템 ㉡ 다중 프로그래밍 시스템
㉢ 시분할 시스템   ㉣ 다중 처리 시스템

①
②
③
④

> **해설**

일괄 처리 시스템 (Batch Processing System)	시스템의 효율 향상을 위하여 작업량이 일정한 수준이 될 때까지 모아두었다가 한꺼번에 일시적으로 처리하는 방식
다중 프로그래밍 시스템 (Multi-Programming System)	하나의 CPU와 주기억장치를 이용하여 여러 개의 프로그램을 동시에 처리하는 방식
시분할 시스템 (Time Sharing System) = 라운드 로빈 (Round Robin) 방식	여러 사용자가 CPU를 공유하고 있지만 마치 자신만이 독점하여 사용하고 있는 것처럼 느끼도록 처리하는 방식
다중 처리 시스템 (Multi-Processing System)	여러 개의 CPU와 하나의 주기억장치를 이용하여 여러 개의 프로그램을 동시에 처리하는 방식

02 다음은 운영체제 제어 방법에 대한 설명이다. 다음 괄호( ) 안에 들어갈 가장 적합한 용어를 쓰시오.

사용자가 직접 명령어를 입력, 컴퓨터에게 명령을 내리는 방식은 (①)이고, 마우스로 화면을 클릭하여 그래픽 위주로 컴퓨터를 제어하는 방식은 (②)이다.

①
②

> **해설** 운영체제를 제어하기 위한 방법은 CLI와 GUI가 있다.

CLI	사용자가 직접 명령어를 입력, 컴퓨터에 명령을 내리는 방식
GUI	마우스로 화면을 클릭하여 그래픽 위주로 컴퓨터를 제어하는 방식

03 다음은 리눅스/유닉스 운영체제의 명령어이다. 다음 조건에 해당하는 명령어를 쓰시오.

① 현재 디렉토리에 soojebi.txt 파일을 /tmp 디렉토리 내에 복사
② 현재 디렉토리에 soojebi.txt 파일을 삭제

①
②

> **해설** • 다음은 리눅스/유닉스 운영체제의 파일 처리 관련 기본 명령어이다.

ls	자신이 속해있는 폴더 내에서의 파일 및 폴더들의 표시하는 명령어
pwd	현재 작업 중인 디렉토리의 절대 경로를 출력하는 명령어
rm	파일 삭제 명령어
cp	파일 복사 명령어
mv	파일 이동 명령어

04 다음이 설명하는 스케줄링 기법은 무엇인지 쓰시오.

> - '최단 작업 우선'이라고 하며 프로세스가 도착하는 시점에 따라 그 당시 가장 작은 서비스 시간을 갖는 프로세스가 종료 시까지 자원을 점유하는 비선점형 방식이다.
> - 준비 큐 작업 중 가장 짧은 작업부터 수행하기 때문에 평균 대기시간 최소가 된다.

해설 · 프로세스가 도착하는 시점에 따라 그 당시 가장 작은 서비스 시간을 갖는 프로세스가 종료 시까지 자원 점유하는 비선점형 스케줄링 알고리즘은 SJF이다.

05 다음은 교착상태에 대한 설명이다. 빈칸에 알맞은 용어를 쓰시오.

> 한 프로세스가 자원을 점유하고 있으면서 또 다른 자원을 요청하여 대기하고 있는 상태는 (①)이고, 한 프로세스가 점유한 자원에 대해 다른 프로세스가 선점할 수 없고, 오직 점유한 프로세스만이 해제 가능한 상태는 (②)이다.

①
②

해설

상호 배제 (Mutual Exclusive)	프로세스가 자원을 배타적으로 점유하여 다른 프로세스가 그 자원을 사용할 수 없는 상태
점유와 대기 (Hold & Wait)	한 프로세스가 자원을 점유하고 있으면서 또 다른 자원을 요청하여 대기하고 있는 상태
비선점 (Non Preemption)	한 프로세스가 점유한 자원에 대해 다른 프로세스가 선점할 수 없고, 오직 점유한 프로세스만이 해제 가능한 상태
환형 대기 (Circular Wait)	두 개 이상의 프로세스 간 자원의 점유와 대기가 하나의 원형을 구성한 상태

06 다음은 선점형 스케줄링 알고리즘에 대한 설명이다. 괄호 ( ) 안에 들어갈 알고리즘을 [보기]에서 골라 쓰시오.

> - (①)은/는 모든 프로세스에 대해 같은 크기의 CPU 시간을 할당하고, 프로세스가 할당된 시간 내에 처리 완료를 못 하면 준비 큐 리스트의 가장 뒤로 보내지고, CPU는 대기 중인 다음 프로세스로 넘어가는 알고리즘이다.
> - (②)은/는 가장 짧은 시간이 소요되는 프로세스를 먼저 수행하고, 남은 처리 시간이 더 짧다고 판단되는 프로세스가 준비 큐에 생기면 언제라도 프로세스가 선점되는 알고리즘이다.
> - (③)은/는 작업들을 여러 종류 그룹으로 분할, 여러 개의 큐를 이용하여 상위단계 작업에 의한 하위단계 작업이 선점 당하는 알고리즘이다.

| 보기 |
㉠ 라운드 로빈	㉡ SRT
㉢ 다단계 큐	㉣ 다단계 피드백 큐
㉤ FCFS	㉥ SJF
㉧ HRN	㉨ 기한부

①
②
③

해설 · 선점형 스케줄링 알고리즘은 다음과 같다.

라운드 로빈	모든 프로세스에 대해 같은 크기의 CPU 시간을 할당(시간 할당량)하고, 프로세스가 할당된 시간 내에 처리 완료를 못하면 준비 큐 리스트의 가장 뒤로 보내지고, CPU는 대기 중인 다음 프로세스로 넘어가는 스케줄링 기법
SRT	가장 짧은 시간이 소요되는 프로세스를 먼저 수행, 남은 처리시간이 더 짧다고 판단되는 프로세스가 준비 큐에 생기면 언제라도 프로세스가 선점되는 스케줄링 기법으로 비선점 방식의 스케줄링 기법에 선점 방식을 도입한 기법
다단계 큐 (MLQ)	작업들을 여러 종류 그룹으로 분할, 여러 개의 큐를 이용하여 상위단계 작업에 의한 하위단계 작업이 선점 당하는 스케줄링 기법
다단계 피드백 큐 (MLFQ; Multi Level Feedback Queue)	FCFS(FIFO)와 라운드 로빈 스케줄링 기법을 혼합한 것으로, 새로운 프로세스는 높은 우선순위, 프로세스의 실행시간이 길어질수록 점점 낮은 우선순위 큐로 이동하고 마지막 단계는 라운드 로빈 방식을 적용하는 스케줄링 기법

NCS 천/기/누/설 예상문제

07 다음 괄호 ( ) 안에 들어갈 알맞은 용어를 쓰시오.

- (①) 현상은 시스템 부하가 많아서 준비 큐에 있는 낮은 등급의 프로세스가 무한정 기다리는 현상이다.
- (①) 현상을 해결하기 위한 기법으로는 오랫동안 기다린 프로세스의 우선순위를 높여주는 기법인 (②)을/를 활용한다.

①
②

08 HRN 스케줄링 방식에서 입력된 작업이 다음과 같을 때 우선순위가 가장 높은 작업을 쓰시오.

작업	대기시간	서비스(실행) 시간
A	5	20
B	40	20
C	15	45
D	20	2

해설 • HRN 스케줄링 공식은 "(대기시간 + 서비스(실행) 시간) / 서비스(실행) 시간"이며, 가장 높은 결괏값이 높은 우선순위를 가진다.

A	(5 + 20) / 20 = 1.25
B	(40 + 20) / 20 = 3
C	(15 + 45) / 45 = 1.34
D	(20 + 2) / 2 = 11

09 SRT 스케줄링에서 평균 반환시간과 평균 대기시간은?

작업	실행 시간	도착 시간
P1	6	0
P2	4	1
P3	2	2
P4	2	3

① 평균 반환시간:

② 평균 대기시간:

해설

	0	1	2	3	4	5	6	7	8	9	10	11	12	13
P1	■									■	■	■	■	■
P2		■					■	■	■					
P3			■	■										
P4					■	■								

순서	시간	사건
1	0	• P1이 도착하고, P1이 자원을 점유
2	1	• P2가 도착 • P1의 남은 시간은 5, P2의 남은 시간은 4이므로 남은 서비스 시간이 가장 적은 P2가 자원을 점유
3	2	• P3가 도착 • P1의 남은 시간은 5, P2의 남은 시간은 3, P3의 남은 시간은 2이므로 남은 서비스 시간이 가장 적은 P3가 자원을 점유
4	3	• P4가 도착 • P1의 남은 시간은 5, P2의 남은 시간은 3, P3의 남은 시간은 1, P4의 남은 시간은 2이므로 남은 서비스 시간이 가장 적은 P3가 계속 자원을 점유
5	4	• P3 종료 • P1의 남은 시간은 5, P2의 남은 시간은 3, P4의 남은 시간은 2이므로 남은 서비스 시간이 가장 적은 P4가 자원을 점유
6	6	• P4 종료 • P1의 남은 시간은 5, P2의 남은 시간은 3이므로 남은 서비스 시간이 가장 적은 P2가 자원을 점유
7	9	• P2 종료 • P1의 남은 시간은 5이므로 남은 서비스 시간이 가장 적은 P1이 자원을 점유

• 반환시간 = 종료 시간 − 도착 시간
• 대기시간 = 반환시간 − 서비스 시간

작업	도착 시간	서비스 시간	종료 시간	반환시간	대기시간
P1	0	6	14	14(=14-0)	8(=14-6)
P2	1	4	9	8(=9-1)	4(=8-4)
P3	2	2	4	2(=4-2)	0(=2-2)
P4	3	2	6	3(=6-3)	1(=3-2)

- 평균 반환시간 = (14+8+2+3)÷4 = 6.75
- 평균 대기시간 = (8+4+0+1)÷4 = 3.25

정답

01. ① ㉠, ② ㉡, ③ ㉢, ④ ㉣   02. ① CLI, ② GUI   03. ① cp soojebi.txt /tmp ② rm soojebi.txt   04. SJF(Shortest Job First)   05. ① 점유와 대기(Hold & Wait), ② 비선점(Non Preemption)   06. ① ㉠ 라운드 로빈, ② ㉡ SRT, ③ ㉢ 다단계 큐   07. ① 기아(Starvation), ② 에이징(Aging)   08. D   09. ① 6.75, ② 3.25

CHAPTER 02 네트워크 기초 활용하기

> **학습 Point**
> 네트워크의 기본 개념과 OSI 7계층은 필기 때도 익히 다뤘던 분야라 익숙하실 겁니다! 빈출되는 토픽이므로 확실하게 봐주세요.

1 네트워크 계층 구조 파악 ★★★

(1) 네트워크(Network) 개념
네트워크는 원하는 정보를 원하는 수신자 또는 기기에 정확하게 전송하기 위한 기반 인프라이다.

(2) OSI(Open System Interconnection) 7계층 [22년 1회, 2회, 23년 2회, 24년 1회]
- OSI 7계층은 국제 표준화 기구인 ISO(International Standardization Organization)에서 개발한 컴퓨터 네트워크 프로토콜 디자인과 통신을 계층으로 나누어 설명한 개방형 시스템 상호 연결 모델이다.
- 각 계층은 서로 독립적으로 구성되어 있고, 각 계층은 하위 계층의 기능을 이용하여 상위 계층에 기능을 제공한다.
- 1계층인 물리 계층부터 7계층인 애플리케이션 계층으로 정의되어 있다.

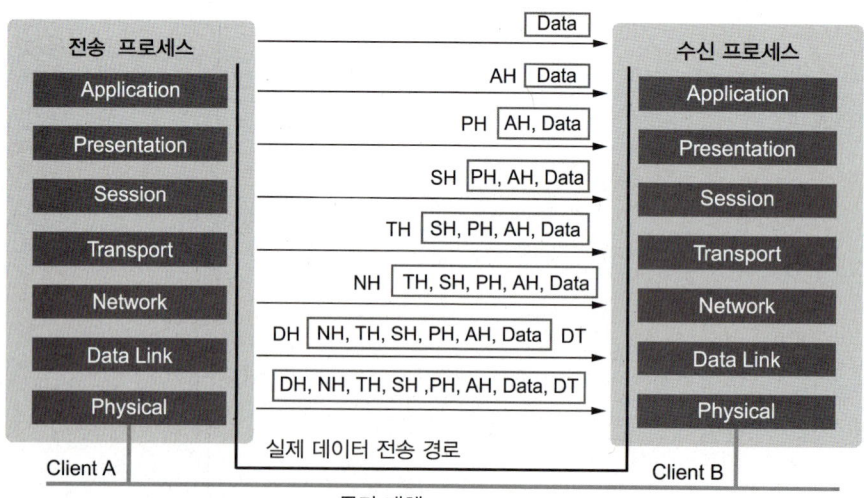

▲ OSI 7계층

- 계층을 지날 때마다 헤더(Header)가 붙는데, 이것은 해당 계층의 기능과 관련된 제어 정보가 포함되어있다.
- 제어 정보들은 모두 운영체제가 제공하는 프로토콜에 의해 송신 측에서는 계층을 지날 때마다 덧붙여서 추가되고, 수신 측에서는 계층을 지날 때마다 제거된다.

▼ OSI 7 Layer의 특징

계층 이름	설명	프로토콜	전송단위	장비
응용 계층 (Application Layer)	• 사용자와 네트워크 간 응용서비스 연결, 데이터 생성	• HTTP • FTP	데이터 (Data)	호스트 (PC 등)
표현 계층 (Presentation Layer)	• 데이터 형식 설정, 부호교환, 암·복호화, 압축	• JPEG • MPEG		
세션 계층 (Session Layer)	• 송수신 간의 논리적인 연결 • 연결 접속, 동기제어	• RPC • NetBIOS		
전송 계층 (Transport Layer)	• 송수신 프로세스 간의 연결 • 신뢰성 있는 통신 보장 • 데이터 분할, 재조립, 흐름 제어, 오류 제어, 혼잡 제어	• TCP • UDP	세그먼트 (Segment)	L4 스위치
네트워크 계층 (Network Layer)	• 단말기 간 데이터 전송을 위한 최적화된 경로 제공	• IP • ICMP	패킷 (Packet)	라우터
데이터링크 계층 (Data Link Layer)	• 인접 시스템 간 데이터 전송, 전송 오류 제어 • 동기화, 오류 제어, 흐름 제어, 회선 제어	• HDLC • PPP	프레임 (Frame)	브리지, 스위치
물리 계층 (Physical Layer)	• 0과 1의 비트 정보를 회선에 보내기 위한 전기적 신호로 변환	• RS-232C	비트 (Bit)	허브, 리피터

> **학습 Point**
> OSI 7 Layer의 특징은 전체적으로 잘 봐두세요. 특히, 계층별 프로토콜, 전송단위, 장비는 계층별로 정확하게 구분해서 알아두셔야 합니다.

> **두음쌤 한마디**
> OSI 7계층
> 「아파서 티내다, 피나다」
> **A**pplication(7) /
> **P**resentation(6) /
> **S**ession(5) / **T**ransport(4) /
> **N**etwork(3) / **D**ata Link(2) /
> **Phy**sical(1)
> → 아파서 사람들에게 티냈는데, 피까지 났다.

(3) 통신망

1 근거리 통신망(LAN; Local Area Network)
- 근거리 통신망은 전송 거리가 짧은 학교, 연구소, 병원 등의 건물 내부에서 사용하는 통신망이다.

2 무선랜 통신망(WLAN; Wireless Local Area Network)
- 무선랜 통신망은 유선 LAN과 무선 단말 사이를 무선주파수를 이용하여 전송하는 네트워크이다.
- IEEE 802.11은 흔히 무선랜, 와이파이(Wi-Fi)라고 부르는 무선 근거리 통신망(Local Area Network)을 위한 컴퓨터 무선 네트워크에 사용되는 기술로, IEEE의 LAN/MAN 표준위원회(IEEE 802)의 11번째 워킹 그룹에서 개

발된 표준 기술이다.
- 802.11i는 무선랜의 보안 기능 향상을 위한 표준 기술이다.

3 원거리 통신망(WAN; Wide Area Network)
- WAN은 국가망 또는 각 국가의 공중통신망을 상호 접속시키는 국제정보통신망으로 설계 및 구축, 운용되는 네트워크이다.
- WAN은 공중통신망 사업자가 구축하고, 일반 대중 가입자들에게 보편적인 정보통신 서비스를 제공한다.
- 거리에 제약이 없으나 다양한 경로를 지나 정보가 전달되므로 LAN보다 속도가 느리고 에러율도 높다.
- 원거리 통신망 연결 기술에는 전용 회선 방식, 회선 교환 방식, 패킷 교환 방식이 있다.

▼ 원거리 통신망(WAN) 연결 기술

연결 기술	설명
전용 회선 방식 (Dedicated Line)	• 전용 회선 방식은 통신 사업자가 사전에 계약을 체결한 송신자와 수신자끼리만 데이터를 교환하는 방식 • 점대점 프로토콜(PPP), HDLC, SDLC, HNAS 프로토콜에 쓰임
회선 교환 방식 (Circuit Switching)	• 물리적 전용선을 활용하여 데이터 전달 경로가 정해진 후 동일 경로로만 전달되는 방식 • 데이터를 동시에 전송할 수 있는 양을 의미하는 대역폭이 고정되고 안정적인 전송률을 확보할 수 있음 • 점대점 프로토콜(PPP), ISDN 프로토콜에 쓰임
패킷 교환 방식 (Packet Switching)	• 전체 메시지를 각 노드가 수용할 수 있는 크기(패킷)로 잘라서 보내는 방식 • X.25, 프레임 릴레이 프로토콜에 쓰임

4 전송 매체 접속 제어(MAC; Media Access Control) [24년 1회]
- 통신망 사용 시 공유 매체에 대한 다중 접근제어가 중요하다.
- 전송매체 접속제어 방식에는 CSMA/CD와 CSMA/CA가 있다.

▼ 전송 매체 접속 제어 방식

구분	설명
CSMA/CD(Carrier Sense Multiple Access with Collision Detection; 반송파 감지 다중 접속 / 충돌탐지)	IEEE802.3 유선 LAN의 반이중 방식(Half Duplex)에서 사용하는 방식으로 각 단말이 신호 전송 전에 현재 채널이 사용 중인지 체크하여 사용하지 않을 때 전송하는 전송매체 접속제어(MAC) 방식
CSMA/CA(Carrier Sense Multiple Access with Collision Avoidance; 반송파 감지 다중 접속 / 충돌 회피)	IEEE 802.11 무선 LAN의 반이중 방식(Half Duplex)에서 사용하는 방식으로 데이터 전송 시, 매체가 비어있음을 확인한 뒤 충돌을 회피하기 위해서 임의 시간을 기다린 후 데이터를 전송하는 방식

두음쌤 한마디

원거리 통신망(WAN) 연결 기술

「전회패」
전용 회선 방식 / 회선 교환 방식 / 패킷 교환 방식
→ 기사시험 전회 차에 패스하지 못했다.

잠깐! 알고가기

패킷(Packet)
정보를 일정한 크기로 분할한 뒤 각각의 데이터에 송수신 주소 및 부가 정보를 입력한 데이터 전송 단위이다.

학습 Point

데이터 전송 제어는 "데이터 통신 회선 접속 → 데이터 링크 설정 및 확립 → 정보 메시지 전송 → 데이터 링크 종결 → 데이터 통신 회선 절단" 순으로 진행됩니다.

(4) 네트워크 장비

1 1계층 장비

▼ 1계층 장비

장비	설명
허브 (Hub)	여러 대의 컴퓨터를 연결하여 네트워크로 보내거나, 하나의 네트워크로 수신된 정보를 여러 대의 컴퓨터로 송신하기 위한 장비
리피터 (Repeater)	디지털 신호를 증폭시켜 주는 역할을 하여 신호가 약해지지 않고 컴퓨터로 수신되도록 하는 장비

> **학습 Point**
> 네트워크 장비는 계층별 장비의 설명을 읽고 어떤 장비인지 묻는 단답형 문제가 나옵니다. 문제에 대비하시기 바랍니다.

2 2계층 장비

▼ 2계층 장비

장비	설명	
브리지 (Bridge)	• 두 개의 근거리통신망(LAN)을 서로 연결해 주는 통신망 연결 장치 • 리피터처럼 단순 신호 증폭뿐 아니라 네트워크 분할을 통해 트래픽을 감소시키는 역할 수행	
L2 스위치 (L2 Switch)	• 느린 전송속도의 브리지, 허브의 단점을 개선하기 위해서, 출발지에서 들어온 프레임(Frame)을 목적지 MAC 주소 기반으로 빠르게 전송시키는 데이터 링크 계층의 통신 장치 • L2 스위치는 종류에 따라 3가지 방식 중 하나를 사용	
	Store and Forwarding	데이터를 전부 받은 후 다음 처리를 하는 방식
	Cut Through	데이터의 목적지 주소만 확인 후 바로 전송 처리하는 방식
	Fragment Free	프레임의 앞 64바이트만을 읽어 에러를 처리하고 목적지 포트로 전송하는 방식
	• L2, L3, L4 스위치는 OSI 중 어떤 계층에서 수행되는가에 따라 구분	
NIC (Network Interface Card)	• 외부 네트워크와 접속하여 가장 빠른 속도로 데이터를 주고받을 수 있게 컴퓨터 내에 설치되는 장치 • 이더넷 카드(LAN 카드) 또는 네트워크 어댑터라고 함	
스위칭 허브 (Switching Hub)	• 스위치 기능을 가진 허브 • 사용되는 대부분의 허브가 스위칭 허브	

• 스위치 장비의 주요 기술요소에는 VLAN과 STP가 있다.

▼ 스위치 장비의 주요 기술요소

기술요소	설명
VLAN (Virtual Local Area Network)	물리적 배치와 상관없이 논리적으로 LAN을 구성하여 Broadcast Domain을 구분할 수 있게 해주는 기술로 접속된 장비들의 성능향상 및 보안성 증대 효과가 있음

기술요소	설명
STP (Spanning Tree Protocol)	2개 이상의 스위치가 여러 경로로 연결될 때, 무한 루프 현상을 막기 위해서 우선순위에 따라 1개의 경로로만 통신하도록 하는 프로토콜

3 3계층 장비 [24년 3회]

▼ 3계층 장비

장비	설명
라우터 (Router)	• LAN과 LAN을 연결하거나 LAN과 WAN을 연결하기 위한 인터넷 네트워킹 장비 • 패킷의 위치를 추출하여, 그 위치에 대한 최적의 경로를 지정하며, 이 경로를 따라 데이터 패킷을 다음 장치로 전송시키는 장비 • 라우팅 프로토콜은 경로 설정을 하여 원하는 목적지까지 지정된 데이터가 안전하게 전달되도록 함
게이트웨이 (Gateway)	• 프로토콜을 서로 다른 통신망에 접속할 수 있게 해주는 장치 • 현재 위치한 네트워크에서 다른 네트워크에 데이터를 보내거나 다른 네트워크로부터 데이터를 받아들이는 출입구 역할
L3 스위치 (L3 Switch)	• 3계층에서 네트워크 단위들을 연결하는 통신 장비 • IP 레이어에서의 스위칭을 수행하여 외부로 전송 • 라우터처럼 최적 경로를 설정해서 데이터 패킷을 전송하므로 라우터와의 경계가 모호
유무선 인터넷 공유기	• 외부로부터 들어오는 인터넷 라인을 연결하여 유선으로 여러 대의 기계를 연결하거나 무선 신호로 송출하면서 여러 대의 컴퓨터가 하나의 인터넷 라인을 공유할 수 있도록 하는 네트워크 장비
망(백본) 스위칭 허브	• 광역 네트워크를 커버하는 스위칭 허브 • 예를 들어 경남권 스위칭, 부산권 스위칭 등 대단위 지역을 커버함

4 4계층 장비

▼ 4계층 장비

장비	설명
L4 스위치 (L4 Switch)	• 4계층에서 네트워크 단위들을 연결하는 통신 장비 • TCP/UDP 등 스위칭 수행 • 서버나 네트워크의 트래픽을 로드밸런싱(Load Balancing)하는 스위치 • 4계층 정보인 TCP/UDP 포트번호를 분석하여 포워딩을 결정하고 QoS와 GLB / SLB 기능을 제공하는 스위치

학습 Point
라우터의 기능은 목적지 주소 확인, 경로 탐색, 경로 설정, 패킷 전송이 있습니다.

잠깐! 알고가기

로드 밸런싱(Load balancing)
네트워크 또는 서버에 가해지는 부하(Load)를 분산시켜 처리해주는 기법이다.

QoS(Quality of Service)
네트워크상에 흐르는 데이터의 중요도를 분류하여 우선순위를 정하여, 데이터 전송에 특정 수준의 성능을 보장하기 위한 기술이다.

SLB(Server Load Balancing)
서버의 부하를 분산시켜 주는 기법이다.

GLB(Gateway Load Balancing)
게이트웨이의 부하를 분산시켜 주는 기법이다.

2 네트워크 프로토콜 파악 ★★★

(1) 프로토콜

1 프로토콜(Protocol) 개념
- 프로토콜은 서로 다른 시스템이나 기기들 간의 데이터 교환을 원활히 하기 위한 표준화된 통신규약이다.
- 심리학자 톰 마릴은 컴퓨터가 메시지를 전달하고, 메시지가 제대로 도착했는지 확인하며, 도착하지 않았을 경우 메시지를 재전송하는 일련의 방법을 '기술적 은어'를 뜻하는 프로토콜이라고 정의했다.
- 통신을 위해 프로토콜이 가져야 하는 일반적인 기능에는 데이터 처리 기능, 제어기능, 관리적 기능이 있다.

2 프로토콜의 기본 3요소
프로토콜의 3요소에는 구문, 의미, 타이밍이 있다.

▼ 프로토콜의 3요소

기본 3요소	설명
구문(Syntax)	시스템 간의 정보 전송을 위한 데이터 형식, 코딩, 신호 레벨 등의 규정
의미(Semantic)	시스템 간의 정보 전송을 위한 제어 정보로 조정과 에러 처리를 위한 규정
타이밍(Timing)	시스템 간의 정보 전송을 위한 속도 조절과 순서 관리 규정

(2) 네트워크 프로토콜(Network Protocol) 개념
- 네트워크 프로토콜은 컴퓨터나 원거리 통신 장비 사이에서 메시지를 주고받는 양식과 규칙의 체계이다.
- 통신 규약 또는 규칙에는 전달 방식, 통신 방식, 자료의 형식, 오류 검증 방식, 코드 변환 규칙, 전송 속도 등을 정하게 된다.
- 다른 기종의 장비는 각기 다른 통신 규약을 사용하는데 프로토콜을 사용하면 다른 기기 간 정보의 전달을 표준화할 수 있다.
- 프로토콜은 다음과 같은 특징이 있다.

두음쌤 한마디
프로토콜의 기본 3요소
「구의타」
구문 / 의미 / 타이밍
→ 구의역에서 택시를 타다.

학습 Point
네트워크 프로토콜의 개념과 특징이 단답형으로 나올 수 있습니다. 충분히 준비해두시길 권장합니다.

▼ 프로토콜 특징

특징	설명
단편화	전송이 가능한 작은 블록으로 나누어지는 기법
재조립	단편화되어 온 조각들을 원래 데이터로 복원하는 기법
캡슐화	상위 계층의 데이터에 각종 정보를 추가하여 하위 계층으로 보내는 기법
연결 제어	데이터의 전송량이나 속도를 제어하는 기법
오류 제어	전송 중 잃어버리는 데이터나 오류가 발생한 데이터를 검증하는 제어 기법
동기화	송신과 수신 측의 시점을 맞추는 기법
다중화	하나의 통신 회선에 여러 기기들이 접속할 수 있는 기법
주소 지정	송신과 수신지의 주소를 부여하여 정확한 데이터 전송을 보장하는 기법

(3) 데이터 링크 계층(2계층) [23년 1회, 24년 3회]

1 데이터 링크 계층(Data Link Layer)의 개념

데이터 링크 계층은 링크의 설정과 유지 및 종료를 담당하며 노드 간의 회선 제어, 흐름 제어, 오류 제어 기능을 수행하는 계층이다.

2 데이터 링크 계층 프로토콜

▼ 데이터 링크 계층 프로토콜

프로토콜	설명
HDLC (High-level Data Link Control)	점대점 방식이나 다중방식의 통신에 사용되는 ISO에서 표준화한 동기식 비트 중심의 데이터 링크 프로토콜
PPP (Point-to-Point Protocol)	네트워크 분야에서 두 통신 노드 간의 직접적인 연결을 위해 일반적으로 사용되는 데이터 링크 프로토콜
프레임 릴레이 (Frame Relay)	프로토콜 처리를 간략화하여 단순히 데이터 프레임들의 중계(Relay)기능과 다중화 기능만 수행함으로써 데이터 처리속도의 향상 및 전송지연을 감소시킨 고속의 데이터 전송 기술
ATM (Asynchronous Transfer Mode)	정보전달의 기본단위를 53바이트 셀 단위로 전달하는 비동기식 시분할 다중화 방식의 패킷형 전송 기술

잠깐! 알고가기

회선 제어(Line Control)
두 개의 스테이션이 동시에 신호를 전송하는 경우 신호 간 충돌이 발생하지 않도록 제어하는 기술로 ENQ/ACK 기법과 풀링 기법이 있다.

흐름 제어(Flow Control)
전송 스테이션으로 하여금 전송 데이터의 양을 제한하기 위해서 사용되는 기술로 정지-대기 기법과 슬라이딩 윈도우 기법이 있다.

에러 제어(Error Control)
OSI 7 Layer의 하위의 두 계층 사이에서 데이터의 전송 오류를 검출하여 복구하는 기술로 해밍 코드와 같은 전진 오류 수정(FEC)기법과 체크썸, CRC, ARQ과 같은 후진 오류 수정(BEC) 기법이 있다.

■ 데이터 링크 계층 프로토콜 상세 [24년 1회]

① HDLC(High-level Data Link Control) 개념

HDLC는 점대점, 다중점 링크 상에서 반이중, 전이중 통신을 모두 지원하도록 설계된 비트 지향형 프로토콜이다.

② HDLC 프레임 구조

8비트	8비트	8비트	가변	16비트	8비트
플래그	주소부	제어부	정보부	FCS	플래그
01111110					01111110

I 프레임	0						
S 프레임	1	0					
U 프레임	1	1					

▼ HDLC 프레임 구조

영역	설명
플래그(Flag)	프레임의 동기를 제공하기 위해 사용하는 영역
주소부(Address)	프레임 목적지인 보조국의 주소를 나타내는 영역
제어부(Control)	프레임의 종류를 식별하기 위해 사용하는 영역
정보부(Data)	실제 정보 메시지가 들어있는 영역
체크섬(FCS; Frame Check Sequence)	프레임에 대한 전송 오류를 검출하기 위해 사용하는 영역

㉮ 정보 프레임(I 프레임; Information Frame)

I 프레임은 피기백킹(Piggybacking) 기법을 통해 데이터에 대한 확인 응답을 보낼 때 사용되는 프레임이다.

| 플래그 | 주소부 | 제어필드 | 정보 데이터 | FCS | 플래그 |

㉯ 감시 프레임(S 프레임; Supervisory Frame)

S 프레임은 프레임 수신 확인, 프레임의 전송 요구, 프레임 전송의 일시 연기 요구와 같은 제어 기능을 수행하는 프레임이다.

| 플래그 | 주소부 | 제어필드 | FCS | 플래그 |

㉰ 비번호 프레임(U 프레임; Unnumbered Frame)

U 프레임은 링크의 동작 모드 설정 및 관리, 오류 회복 기능을 수행하는 프레임이다.

| 플래그 | 주소부 | 제어필드 | 관리 정보 데이터 | FCS | 플래그 |

③ HDLC 동작 모드
- HDLC 동작 모드는 정규 응답 모드(NRM), 비동기 응답 모드(ARM), 비동기 균형 모드(ABM)가 있다.
- 국(Station)은 개방 시스템에서 HDLC 절차를 실행하는 부분이며 데이터 제어 명령을 전송하고 응답한다.

▼ HDLC 동작 모드

동작 모드	구성도	설명
정규 응답 모드 (NRM; Normal Response Mode)	주국 —명령/응답→ 보조국, 보조국	• 점대점이나 멀티포인트 불균형 링크 구성에 사용 • 주국(Primary Station)이 링크 제어를 담당하며, 보조국(Secondary Station)은 주국(Primary Station)으로부터 폴(Poll) 메시지를 수신한 경우에만 데이터를 전송
비동기 응답 모드 (ARM; Asynchronous Response Mode)	주국 —명령/응답— 보조국	• 보조국(Secondary Station)도 전송 개시할 필요가 있는 특수한 경우에만 사용
비동기 균형 모드 (ABM; Asynchronous Balanced Mode)	복합국 —명령/응답— 복합국	• 균형 링크 구성에 사용 • 각국이 주국(Primary Station)이자 보조국(Secondary Station)으로 서로 대등하게 균형적으로 명령과 응답을 하며 동작

3 데이터 링크 계층의 오류 제어 [24년 1회, 3회]

① 오류 제어 개념
- 오류 제어는 데이터 전송 시 감쇠, 왜곡, 잡음에 의해 생성된 오류를 검출하고 정정하는 기능이다.
- 오류 제어는 데이터 전송의 신뢰성을 위해 반드시 필요한 기능이다.

② 오류 제어 종류
- 오류 제어 방식에는 전진(순방향) 오류 수정 방식과 후진(역방향) 오류 수정 방식이 있다.

㉮ 전진(순방향) 오류 수정(FEC; Forward Error Correction)
- FEC는 데이터 전송 과정에서 발생한 오류를 검출하여 검출된 오류를 재전송 요구 없이 스스로 수정하는 방식이다.
- FEC의 방식은 해밍 코드 방식과 상승 코드 방식이 있다.

▼ FEC 방식

방식	설명
해밍(Hamming) 코드 방식	• 수신측에서 오류가 발생한 비트를 찾아 재전송을 요구하지 않고 자신이 직접 오류를 수정하는 방식으로 1비트의 오류 수정이 가능

방식	설명
상승 코드(부호) 방식	• 1개의 오류 비트를 수정할 수 있는 해밍 코드 방식과는 다르게 여러 개 비트의 오류가 있더라도 한곗값(경곗값), 순차적 디코딩을 이용하여 모두 수정할 수 있는 방식

④ 후진(역방향) 오류 수정(BEC; Backward Error Correction)

- BEC는 데이터 전송 과정에서 오류가 발생하면 송신 측에 재전송을 요구하는 방식이다.
- BEC의 방식은 패리티 검사, CRC, 블록합 검사, ARQ 등이 있다.

▼ BEC 방식

방식	설명
패리티 검사 (Parity Check)	7~8개의 비트로 구성되는 전송 문자에 패리티 비트를 추가하여 오류를 검출하는 방식
CRC (순환잉여검사; Cycle Redundancy Check)	다항식을 통해 산출된 값을 토대로 오류를 검사하는 방식으로 집단 오류를 해결하기 위한 방식
블록합 검사 (Block Sum Check)	프레임의 모든 문자로부터 계산되는 잉여 패리티 비트들을 사용하는 이차원(가로/세로) 패리티 검사 방식
자동반복 요청 방식 (ARQ; Automatic Repeat Request)	신뢰성 있는 데이터 전달을 위해, 재전송을 기반으로 하는 에러제어 방식

개념 박살내기

■ ARQ(Automatic Repeat Request)의 종류 [23년 2회]

ARQ의 종류에는 Stop-and-Wait ARQ 방식, Go-back-N ARQ 방식, Selective Repeat ARQ 방식이 있다.

종류	설명
Stop-and-Wait ARQ 방식	• 한 개의 프레임을 전송하고, 수신 측으로부터 ACK 및 NAK 신호를 수신할 때까지 정보 전송을 중지하고 기다리는 방식 • 송신 측이 수신 측으로부터 ACK를 받으면 다음 프레임을 전송하고, NAK를 받으면 재전송 • 데이터 프레임의 정확한 수신 여부를 매번 확인하면서 다음 프레임을 전송해 나가는 가장 간단한 오류 제어 방식 • 구현이 간단하고 송신 측에서 최대 프레임 크기의 버퍼가 1개만 있어도 됨 • 전송시간이 긴 경우 전송효율이 저하
Go-back-N ARQ 방식	• 데이터 프레임을 연속적으로 전송하는 과정에서 NAK를 수신하게 되면, 오류가 발생한 프레임 이후에 전송된 모든 데이터 프레임을 재전송하는 방식
Selective Repeat ARQ 방식	• 연속적으로 데이터 프레임을 전송하고 에러가 발생한 데이터 프레임만 재전송하는 방식

두음쌤 한마디

ARQ 종류
「스고셀」
Stop-and-Wait ARQ / **Go**-back-N ARQ / **Sel**ective Repeat ARQ

(4) 네트워크 계층(3계층)

1 네트워크 계층(Network Layer)의 개념
- 네트워크 계층은 다양한 길이의 패킷을 네트워크들을 통해 전달하고, 그 과정에서 전송 계층이 요구하는 서비스 품질(QoS)을 위한 수단을 제공하는 계층이다.
- 네트워크 계층은 라우팅, 패킷 포워딩, 인터 네트워킹(Inter-Networking) 등을 수행한다.

2 네트워크 계층 프로토콜 [22년 2회, 23년 1회, 3회]

IP, ARP, RARP, ICMP, IGMP, 라우팅 프로토콜, NAT가 있다.

▼ 네트워크 계층 프로토콜

프로토콜	설명
IP (Internet Protocol)	• 송수신 간의 패킷 단위로 데이터를 교환하는 네트워크에서 정보를 주고받는 데 사용하는 통신 프로토콜
ARP (Address Resolution Protocol)	• IP 네트워크상에서 IP 주소를 MAC 주소(물리 주소)로 변환하는 프로토콜
RARP (Reverse Address Resolution Protocol)	• IP 호스트가 자신의 물리 네트워크 주소(MAC)는 알지만 IP 주소를 모르는 경우, 서버로부터 IP 주소를 요청하기 위해 사용하는 프로토콜 • 물리 네트워크(MAC) 주소에 해당하는 IP 주소를 알려주는 역순 주소 결정 프로토콜
ICMP (Internet Control Message Protocol)	• IP의 동작 과정에서의 전송 오류가 발생하는 경우에 오류 정보를 전송하는 목적으로 사용하는 프로토콜 • 메시지 형식은 8바이트의 헤더와 가변 길이의 데이터 영역으로 분리 • 수신지 도달 불가 메시지는 수신지 또는 서비스에 도달할 수 없는 호스트를 통지하는 데 사용 • ICMP 프로토콜을 사용해서 ping 유틸리티의 구현을 통해 오류가 발생했음을 알리는 기능을 수행
IGMP (Internet Group Management Protocol)	• 인터넷 그룹 관리 프로토콜은 호스트 컴퓨터와 인접 라우터가 멀티캐스트 그룹 멤버십을 구성하는 데 사용하는 통신 프로토콜 • 화상회의, IPTV에서 활용되는 프로토콜 • IGMP 기능에는 그룹 가입, 멤버십 감시, 멤버십 응답, 멤버십 탈퇴가 있음
라우팅 프로토콜 (Routing Protocol)	• 데이터 전송을 위해 목적지까지 갈 수 있는 여러 경로 중 최적의 경로를 설정해주는 라우터 간의 상호 통신 프로토콜
NAT (Network Address Translation)	• 사설 네트워크에 속한 IP를 공인 IP 주소로 바꿔주는 네트워크 주소 변환 기술 • 기업 내부에서 사설 IP를 부여해서 사용하다가 기업 외부로 통신할 때는 NAT를 통해서 공인 IP로 변환해서 통신함으로써 부족한 IPv4의 주소 문제를 해결하고 기업 내부의 보안을 강화할 수 있음

3 IPv4 [23년 1회]

① IPv4(Internet Protocol version 4) 개념
IPv4는 인터넷에서 사용되는 패킷 교환 네트워크상에서 데이터를 교환하기 위한 32비트 주소체계를 갖는 네트워크 계층의 프로토콜이다.

② IPv4 헤더(Header) [22년 3회]
- IP 패킷의 앞부분에서 주소 등 각종 제어정보를 담고 있는 부분이다.
- IPv4 헤더 사이즈는 옵션 미지정시에는 최소 20바이트 이상이다. (IPv6의 경우에는 최소 40바이트 이상이다.)

0	4	8	16	24	31
Version	Header Length	Type of Service	Total Length		
Identification			Flags	Fragment Offset	
Time to Live(TTL)		Protocol type	Header Checksum		
Source Address					
Destination Address					
Option					
Data Padding					

▲ IPv4 헤더 구조

③ IPv4 주소체계 [22년 3회, 24년 2회]
- IPv4의 주소체계는 10진수로 총 12자리이며, 네 부분으로 나뉜다.
- 각 부분은 0~255까지 3자리의 수로 표현된다.
- IPv4 주소는 32비트로 구성되어 있으며, 인터넷 사용자의 증가로 인해 주소 공간의 고갈로 128비트 주소체계를 갖는 IPv6가 등장, 점차 확산되고 있다.
- 32비트 IP 주소는 Network를 나타내는 부분과 Host를 나타내는 부분으로 구성되어 있고, Network 부분과 Host 부분을 구분하는 것은 서브넷 마스크(Subnet Mask)이다.

▼ IPv4의 클래스 분류

분류	설명	범위
A 클래스	• A 클래스는 가장 높은 단위의 클래스로 • 첫 번째 단위의 세 숫자는 0~127 가운데 하나를 가짐 • 첫 번째 단위의 세 숫자는 A 클래스가 접속할 수 있는 네트워크를 지시 • 두 번째, 세 번째, 네 번째 단위의 세 숫자는 A 클래스가 자유롭게 네트워크 사용자에게 부여가 가능한 IP임	0.0.0.0 ~ 127.255.255.255 (A 클래스 서브넷 마스크: 255.0.0.0)

학습 Point
IPv4 헤더가 출제되었던 때가 있었으며, 외울 게 많습니다. 외우실 분은 두음쌤 도움을 받으세요.

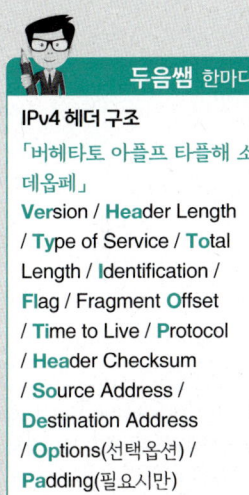

두음쌤 한마디

IPv4 헤더 구조
「버헤타토 아플프 타플해 소 데옵페」
Version / **Hea**der Length / **Ty**pe of Service / **To**tal Length / **I**dentification / **Fla**g / Fragment **O**ffset / **Ti**me to Live / **P**rotocol / **Hea**der Checksum / **S**ource Address / **D**estination Address / **O**ptions(선택옵션) / **Pa**dding(필요시만)

학습 Point
- Network 부분과 Host 부분을 구분하는 표기법은 서브넷 마스크 표현법과 CIDR 표기법이 있습니다.
- CIDR(Classless Inter-Domain Routing) 표기법은 클래스 없는 도메인 간 라우팅 기법으로 1993년 도입되기 시작한, 최신의 IP 주소 할당 방법입니다.
- 표기 방법은 서브넷 마스크는 1.1.1.1(255.255.255.255)로 표기하고, CIDR는 1.1.1.1/32로 표기합니다.

학습 Point
네트워크 사용자에게 부여하는 호스트 주소를 지정할 때 네트워크 ID와 브로드 캐스트 ID는 빼고 부여해 줍니다.

분류	설명	범위
B 클래스	• B 클래스는 두 번째로 높은 단위의 클래스 • 첫 번째 단위의 세 숫자는 128~191 가운데 하나를 가짐 • 첫 번째, 두 번째 단위의 세 숫자는 B 클래스가 접속할 수 있는 네트워크를 지시 • 세 번째, 네 번째 단위의 세 숫자는 B 클래스가 자유롭게 네트워크 사용자에게 부여가 가능한 IP임	128.0.0.0 ~ 191.255.255.255 (B 클래스 서브넷 마스크: 255.255.0.0)
C 클래스	• C 클래스는 최하위의 클래스 • 첫 번째 단위의 세 숫자는 192~223 가운데 하나를 가짐 • 첫 번째, 두 번째, 세 번째 단위의 세 숫자는 C 클래스가 접속할 수 있는 네트워크를 지시 • C 클래스가 자유로이 부여할 수 있는 IP는 마지막 네 번째 단위의 254개(2개는 네트워크 ID, 브로드캐스트 ID로 사용하지 못함)	192.0.0.0 ~ 223.255.255.255 (C 클래스 서브넷 마스크: 255.255.255.0)
D 클래스	• 멀티캐스트 용도로 예약된 주소	224.0.0.0 ~ 239.255.255.255
E 클래스	• 연구를 위해 예약된 주소	240.0.0.0 ~ 255.255.255.255

④ **서브네팅** [23년 1회]

㉮ 서브네팅(Subnetting) 개념

- 서브네팅은 IP 주소 고갈문제를 해결하기 위해 원본 네트워크를 여러 개의 네트워크로 분리하는 과정이다.

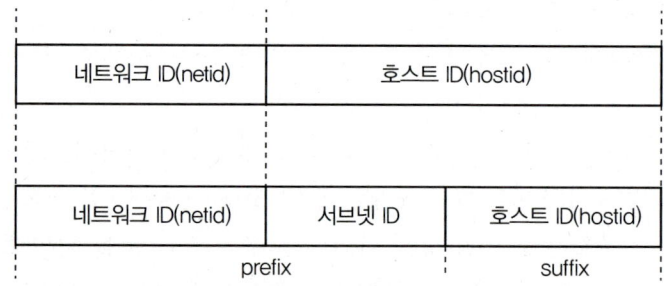

▲ 서브네팅

- 대표 네트워크 IP 주소일 경우 호스트 ID는 2진수 기준으로 모두 0을 채워 넣고, 브로드캐스트 IP 주소일 경우 호스트 ID는 2진수 기준으로 모두 1을 채워 넣는다.

㉯ 서브네팅 종류

- 서브네팅에는 FLSM 방식과 VLSM 방식이 있다.

> **학습 Point**
> 서브네팅에 대해서는 개념과 계산방법에 대해 잘 알고 넘어가시길 권장합니다!

▼ 서브네팅 방식

방식	설명	개념도
FLSM (Fixed-Length Subnet Masking)	• 서브넷의 길이를 고정적으로 사용 • 한 대역을 동일한 크기로 나누는 방식	• 서브네팅 전 1network / 256hosts • 서브네팅 후 4networks / 64hosts × 4
VLSM (Variable Length Subnet Masking)	• 서브넷의 길이를 가변적으로 사용 • 한 대역을 다양한 크기로 나누는 방식	• 서브네팅 전 1network / 256hosts • 서브네팅 후 128hosts, 64hosts, 32hosts, 32hosts

■ 서브넷 계산

• 192.168.1.0/24 네트워크를 FLSM 방식을 이용하여 9개의 서브넷으로 나누고, 7번째 서브 네트워크의 사용 가능한 IP 주소를 계산하려고 한다.

10진수	192.168.1.0
2진수	11000000.10101000.00000001.00000000 네트워크 ID / 호스트 ID

① 서브넷을 위한 비트 수 결정
• Host ID의 상위 n개의 비트를 이용하여 2^n개의 서브넷으로 분할한다. ($2^n \geq$ 서브넷 개수)
• 9개의 서브넷으로 나누기 때문에 $2^n \geq 9$를 만족하는 n을 찾아야 한다.
• 만일 n이 3이면 $2^n = 8$이 되고 n은 9보다 작게 되므로 9개의 서브넷으로 나누지 못한다.
• n이 4일 때 $2^n = 16$이 되므로 9보다 크게 되고 9개 이상인 16개의 서브넷으로 나눌 수 있게 된다.

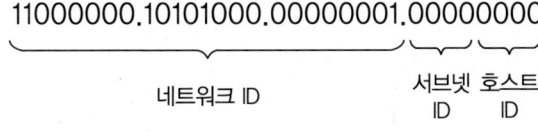

② 서브넷 ID를 변경하여 유효 서브넷 ID 계산
- 4비트를 서브넷 비트로 이용하므로 16개의 서브넷이 만들어진다.
- 1개의 서브넷 마다 하위 4비트를 이용하여 호스트에게 ID를 부여할 수 있다.
- 서브넷 ID는 다음과 같이 2진수로 모두 0이 채워진 값부터 모두 1이 채워진 값까지 1씩 증가시킨다.

1번째 서브넷	11000000.10101000.00000001.**0000**0000
2번째 서브넷	11000000.10101000.00000001.**0001**0000
3번째 서브넷	11000000.10101000.00000001.**0010**0000
4번째 서브넷	11000000.10101000.00000001.**0011**0000
5번째 서브넷	11000000.10101000.00000001.**0100**0000
6번째 서브넷	11000000.10101000.00000001.**0101**0000
7번째 서브넷	11000000.10101000.00000001.**0110**0000
8번째 서브넷	11000000.10101000.00000001.**0111**0000
9번째 서브넷	11000000.10101000.00000001.**1000**0000

...

③ 호스트 ID를 변경하여 사용 가능한 IP 주소를 계산
- 각각의 서브넷 마다 호스트 ID를 부여할 때 2진수로 모두 0이 채워진 값은 네트워크 주소라 사용할 수 없고, 모두 1이 채워진 값은 브로드캐스트 주소라 사용할 수 없다. (즉, 2개씩 호스트 ID로 사용할 수 없다.)
- 각각의 서브넷 마다 하위 4비트를 이용하여 호스트에게 ID를 부여할 수 있으므로 16개씩 부여할 수 있지만 2개씩은 사용할 수 없으므로 최종적으로 14개씩 부여할 수 있다.
- 호스트 ID를 2진수로 모두 0이 채워진 값에서 1 큰 값부터 모두 1이 채워진 값에서 1 작은 값까지 1씩 증가시킨다.
- 7번째 서브넷은 11000000.10101000.00000001.01100000이므로 사용 가능한 IP는 다음과 같다.

1번째 IP 주소	11000000.10101000.00000001.0110**0001**
2번째 IP 주소	11000000.10101000.00000001.0110**0010**
...	
13번째 IP 주소	11000000.10101000.00000001.0110**1101**
14번째 IP 주소	11000000.10101000.00000001.0110**1110**

- 사용 가능한 IP는 192.168.1.97 부터 192.168.1.110 이다.

4 IPv6

① IPv6(Internet Protocol version 6) 개념
- IPv6는 현재 IPv4가 가지고 있는 주소 고갈, 보안성, 이동성 지원 등의 문제점을 해결하기 위해서 개발된 128Bit 주소체계를 갖는 차세대 인터넷 프로토콜이다.

② IPv6의 특징

IPv6의 특징으로는 IP 주소의 확장, 이동성, 인증 및 보안 기능, 개선된 QoS 지원, Plug&Play 지원, Ad-hoc 네트워크 지원, 단순 헤더 적용, 실시간 패킷 추적 가능이 있다.

▼ IPv6의 특징

특징	설명
IP 주소의 확장	• IPv4의 기존 32비트 주소 공간에서 벗어나, IPv6는 128비트 주소 공간을 제공
이동성	• IPv6 호스트는 네트워크의 물리적 위치에 제한받지 않고 같은 주소를 유지하면서도 자유롭게 이동가능
인증 및 보안 기능	• 패킷 출처 인증과 데이터 무결성 및 비밀 보장 기능을 IP 프로토콜 체계에 반영 • IPSec 기능적용 및 IPv4보다 보안성 강화
개선된 QoS 지원	• 흐름 레이블(Flow Label) 개념을 도입, 특정 트래픽은 별도의 특별한 처리(실시간 통신 등)를 통해 높은 품질의 서비스를 제공
Plug&Play 지원	• IPv6 호스트는 IPv6 네트워크에 접속하는 순간 자동적으로 네트워크 주소를 부여받음 • 컴퓨터에 하드웨어를 연결하면 별도의 사용자 조작이나 프로그램 설치 없이 바로 사용할 수 있는 기능
Ad-hoc 네트워크 지원	• Ad-hoc 네트워크를 위한 자동 네트워킹 및 인터넷 연결 지원 • 자동으로 네트워크 환경 구성이 가능
단순 헤더 적용	• IP 패킷의 처리를 신속하게 할 수 있도록 고정 크기의 단순 헤더를 사용하는 동시에, 확장 헤더를 통해 기능에 대한 확장 및 옵션 기능의 사용이 용이한 구조
실시간 패킷 추적 가능	• 흐름 레이블(Flow Label)을 사용하여 패킷의 흐름을 실시간 제공

③ IPv6 헤더(Header)

- 기존 IPv4 헤더에 비해 IPv6 헤더가 IPv6 출발지 주소, 목적지 주소의 주소 길이로 인하여 커졌고 IPv4의 불필요한 필드를 제거함으로써 헤더가 단순해졌다.

```
0        4           12    16        24        31
┌────────┬───────────┬─────────────────────────┐
│Version │Traffic Class│       Flow Label       │
├────────┴───────────┼──────────┬──────────────┤
│   Payload Length    │Next Header│  Hop Limit   │
├────────────────────┴──────────┴──────────────┤
│               Source Address                  │
├───────────────────────────────────────────────┤
│             Destination Address               │
└───────────────────────────────────────────────┘
```

▲ IPv6 헤더 구조

> **학습 Point**
>
> IPv6도 IPv4 헤더와 마찬가지로 출제 되었던 때가 있었으며, 외울 게 많습니다. 외우실 분은 두음쌤 도움을 받으세요.

두음쌤 한마디

IPv6 헤더 구조
「버트플 페넥홉 소데」
Version / **T**raffic **C**lass / **Fl**ow **L**abel / **Pa**yload Length / **Ne**xt Header / **Hop** Limit / **So**urce Address / **D**estination Address

④ IPv6 주소체계

- IPv4는 32비트의 주소 공간을 제공함에 반해, IPv6는 128비트의 주소 공간을 제공한다.
- IPv6 주소의 경우 일반적으로 16비트 단위로 나누어지며 각 16비트 블록은 다시 4자리 16진수로 변환되고 콜론으로 구분된다.
- 64비트를 기준으로 앞 64비트를 네트워크 주소로, 뒤 64비트를 네트워크에 연결된 랜카드 장비 등에 할당하는 인터페이스 주소로 활용된다.

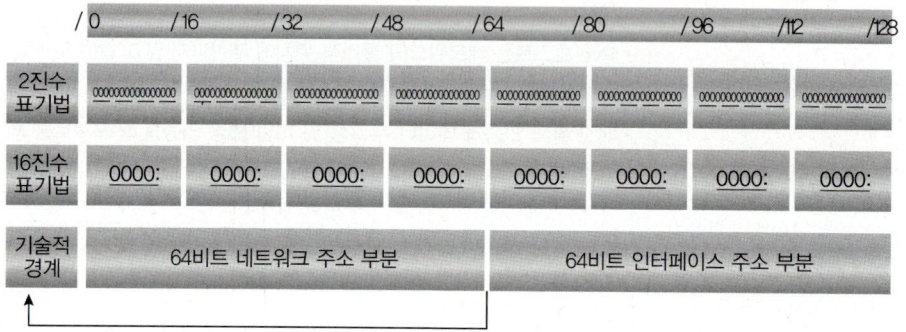

- IPv6의 128비트 주소 공간은 128비트로 표현할 수 있는 2^{128}개인 약 3.4×10^{38}개의 주소를 갖고 있어 거의 무한대로 쓸 수 있다.
- IPv6의 128비트 주소 공간은 다음과 같이 16비트(2옥텟)를 16진수로 표현하여 8자리로 나타낸다.

```
2001:0db8:85a3:08d3:1319:8a2e:0370:7334
```

- 대부분의 자리가 0의 숫자를 갖게 되므로, 0000을 하나의 0으로 축약하거나, 혹은 아예 연속되는 0의 그룹을 없애고 '::' 만을 남길 수 있다.
- 아래의 IPv6 주소들은 모두 같은 주소를 나타낸다.

```
2001:0DB8:0000:0000:0000:0000:1428:57ab
2001:0DB8:0000:0000:0000::1428:57ab
2001:0DB8:0:0:0:0:1428:57ab
2001:0DB8:0::0:1428:57ab
2001:0DB8::1428:57ab
```

- 맨 앞자리의 0도 축약할 수 있다.(2001:0DB8:02de::0e13는 2001:DB8:2de::e13로 축약할 수 있다.)
- 0을 축약하고 '::'로 없애는 규칙은 두 번 이상 적용할 수 없다.

5 IPv4와 IPv6 특징 [23년 3회]

▼ IPv4와 IPv6 특징

구분	IPv4	IPv6
주소 길이	32Bit	128Bit
표시 방법	8비트씩 4부분으로 나뉜 10진수 (192.168.10.1)	16비트씩 8부분으로 나뉜 16진수 (2001:9e76:..:e11c)
주소 개수	약 43억 개	3.4×10^{38}
주소 할당	A, B, C, D 등 클래스 단위 비순차적 할당 (비효율적)	네트워크 규모 및 단말기 수에 따른 순차적 할당(효율적)
헤더 크기	20바이트의 기본 헤더 부분과 가변적인 길이를 가지고 있는 옵션 부분으로 구성	40바이트의 고정된 길이
QoS	Best Effort 방식(보장 곤란)	등급별, 서비스별 패킷 구분 보장
보안 기능	IPSec 프로토콜 별도 설치	보안과 인증 확장 헤더를 사용함으로써 인터넷 계층의 보안 기능을 강화
Plug&Play	지원 안함	지원
모바일 IP	곤란	용이
웹 캐스팅	곤란	용이
전송 방식	유니캐스트, 멀티캐스트, 브로드 캐스트	유니캐스트, 멀티캐스트, 애니캐스트

> **학습 Point**
> IPv4, IPv6 비교 문제는 시험에서 단골 출제됩니다. 자세히 봐 두세요.

> **두음쌤 한마디**
> **IPv4 전송 방식**
> 「유멀브」
> 유니캐스트 / 멀티캐스트 / 브로드 캐스트
>
> **IPv6 전송 방식**
> 「유멀애」
> 유니캐스트 / 멀티캐스트, / 애니캐스트

6 IPv4에서 IPv6으로 전환 방법

- IPv4 전용 호스트와 IPv6 전용 호스트 간의 통신을 위한 기술이며 주소와 헤더의 변환을 수행한다.
- 변환 기술은 듀얼 스택, 터널링, 주소 변환 방식이 있다.

① 듀얼 스택(Dual Stack)

듀얼 스택은 IP 계층에 두 가지(IPv4, IPv6)의 프로토콜이 모두 탑재되어 있고 통신 상대방에 따라 해당 IP 스택을 선택하는 방법이다.

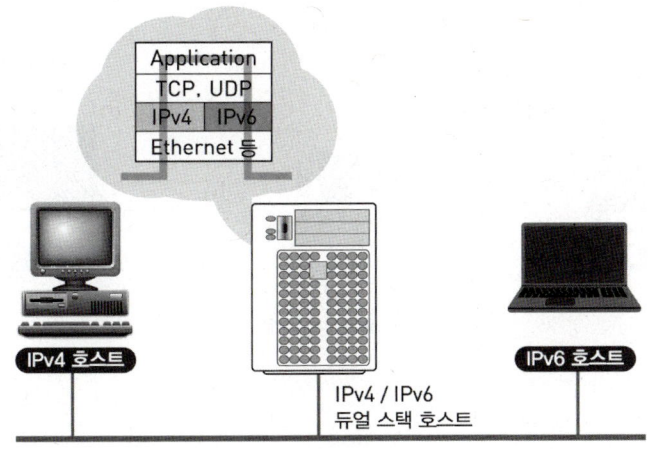

▲ 듀얼 스택

▼ 듀얼 스택 특징

구분	특징
장점	DNS 주소 해석 라이브러리(DNS Resolver Library)가 두 IP 주소 유형을 모두 지원
단점	프로토콜 스택 수정으로 인한 과다한 비용 발생

② 터널링(Tunneling)

터널링은 IPv6 망에서 인접한 IPv4 망을 거쳐 다른 IPv6 망으로 통신할 때 IPv4 망에 터널을 만들고 IPv4에서 사용하는 프로토콜로 캡슐화하여 전송하는 방법이다.

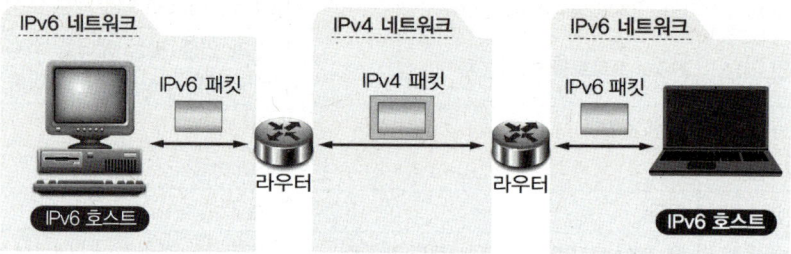

▲ 터널링

▼ 터널링 특징

구분	특징
장점	여러 표준화 활동 존재하고 다양한 기술 표준이 제안되고 있음
단점	구현이 어려우며, 복잡한 동작 과정을 가짐

학습 Point
주소 변환 방식은 헤더 변환 방식이라고 부르기도 합니다.

③ 주소 변환(Address Translation)

주소 변환 기술은 IPv4 망과 IPv6 망 사이에 주소 변환기(IPv4-IPv6 게이트웨이)를 사용하여 서로 다른 네트워크상의 패킷을 변환시키는 방법이다.

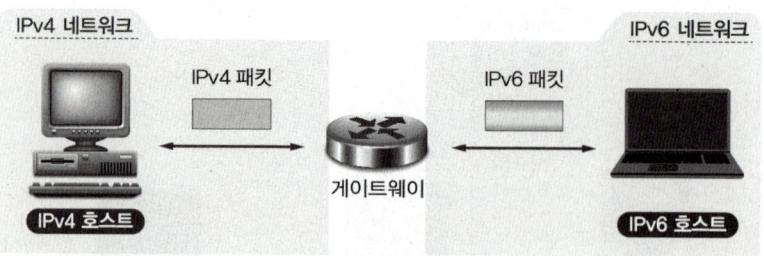

▲ 주소 변환

▼ 주소 변환 특징

구분	특징
장점	IPv4, IPv6 호스트의 프로토콜 스택에 대한 수정이 필요 없으며, 변환 방식이 투명하고 구현이 용이
단점	고가의 주소 변환기 필요

- 주소 변환 방식은 게이트웨이 관점이라고도 한다.
- 게이트웨이 관점의 IPv4/IPv6 변환 방식은 변환 방법에 따라서 헤더 변환방식, 전송 계층 릴레이 방식, 응용 계층 게이트웨이 방식으로 분류한다.

7 IP 통신 방식 [24년 2회]

① 멀티캐스트 프로토콜(Multicast Protocol)

- 멀티캐스트 프로토콜은 인터넷에서 같은 내용의 데이터를 여러 명의 특정한 그룹의 수신자들에게 동시에 전송할 수 있는 프로토콜이다.
- 멀티캐스트 프로토콜＝멀티캐스트 라우팅 프로토콜＋그룹관리 프로토콜(IGMP)

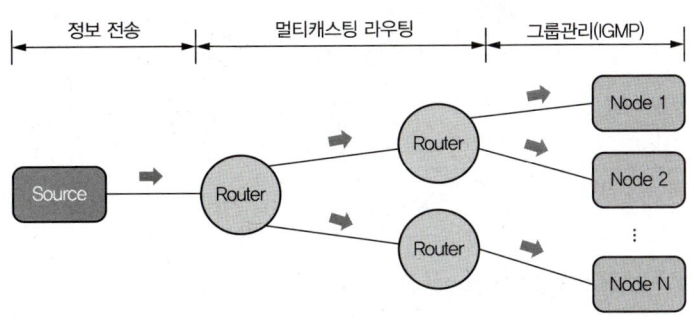

▲ 멀티캐스트 프로토콜

> **학습 Point**
> - Network 부분과 Host 부분을 구분하는 표기법은 서브넷 마스크 표현법과 CIDR 표기법이 있습니다.
> - CIDR(Classless Inter-Domain Routing) 표기법은 클래스 없는 도메인 간 라우팅 기법으로 1993년 도입되기 시작한, 최신의 IP 주소 할당 방법입니다.
> - 표기 방법은 서브넷 마스크는 1.1.1.1(255.255.255.255)로 표기하고, CIDR는 1.1.1.1/32로 표기합니다.

▼ 멀티캐스트 라우팅 프로토콜과 그룹관리 프로토콜

멀티캐스트 라우팅 프로토콜	IP 주소로 구분되는 네트워크상의 특정 그룹의 모든 사용자에게 동일한 메시지를 전송(Multicast)하기 위한 라우팅 프로토콜
그룹관리 프로토콜(IGMP)	멀티캐스트를 지원하는 라우터가 멀티캐스트 그룹에 가입한 네트워크 내의 호스트를 관리하기 위해 사용하는 프로토콜

② 유니캐스트 프로토콜(Unicast Protocol)

유니캐스트 프로토콜은 고유 주소로 식별된 하나의 네트워크 목적지에 1:1로 (One-to-One) 트래픽 또는 메시지를 전송하는 프로토콜이다.

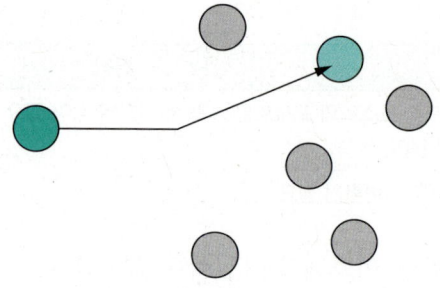

▲ 유니캐스트 프로토콜

③ **브로드캐스트 프로토콜(Broadcasting Protocol)**
- 브로드캐스트 프로토콜은 하나의 송신자가 같은 서브 네트워크상의 모든 수신자에게 데이터를 전송하는 프로토콜이다.
- 전체에게 트래픽을 전달하는 브로드캐스트 프로토콜은 각 송신자가 그룹 내의 모든 수신자에게 메시지를 전송하는 컴퓨터 통신 방법이다.

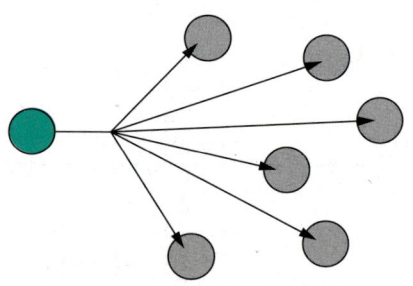

▲ 브로드캐스트 프로토콜

④ **애니캐스트 프로토콜(Anycast Protocol)**
- 애니캐스트 프로토콜은 하나의 호스트에서 그룹 내의 가장 가까운 곳에 있는 수신자에게 데이터를 전달하는 프로토콜이다.
- 하나의 수신 주소로 식별되는 다수의 노드로 데이터그램의 전송이 가능하다.

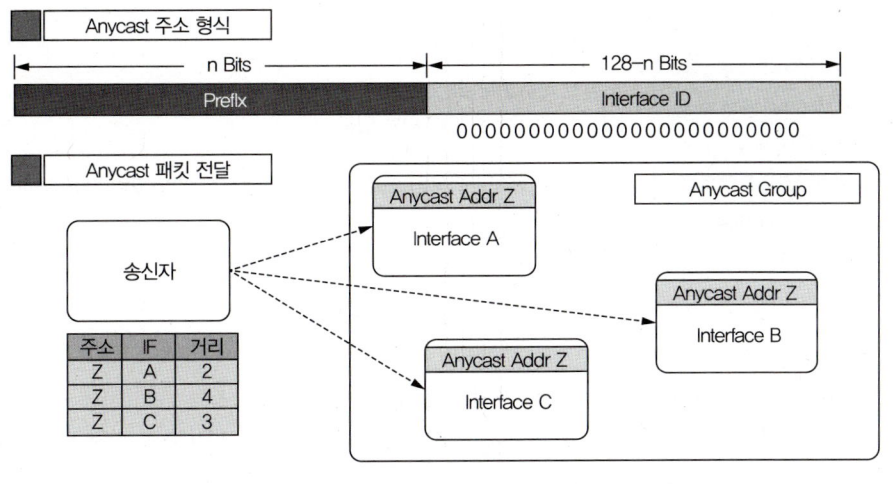

▲ 애니캐스트 프로토콜

주소 형식	• 여러 개의 인터페이스에 동일한 anycast 주소의 부여가 가능 • anycast 주소의 포맷은 unicast 주소와 동일 • 서브네트 Prefix 이후가 모두 '0'으로 채워져 있음
패킷 전달	• 송신자는 매트릭스를 참조하여 anycast 그룹의 가장 가까운 인터페이스로 데이터를 전달 • 가장 가까운 인터페이스의 판단 기준은 라우팅 매트릭스 • A에 가장 먼저 전달, 그다음 C에 전달, 마지막으로 B에 전달

8 라우팅 프로토콜(3계층)

- 데이터 전송을 위해 목적지까지 갈 수 있는 여러 경로 중 최적의 경로를 설정해 주는 라우터 간의 상호 통신규약이다.

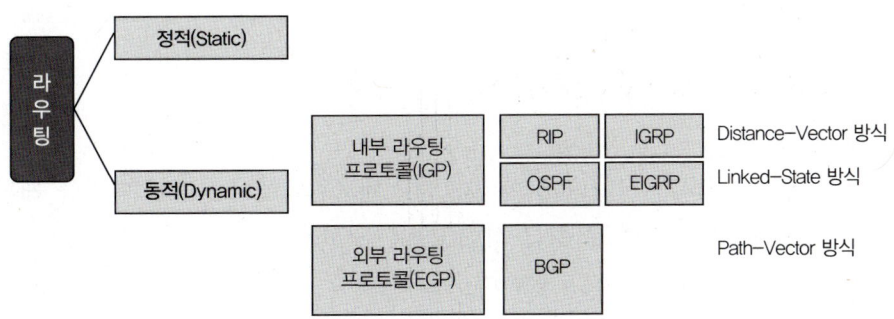

정적 라우팅은 패킷 전송이 이루어지기 전에 경로 정보를 라우터가 미리 저장하여 중개하는 방식이고, 동적 라우팅은 라우터의 경로 정보가 네트워크 상황에 따라 동적으로 변경되어 중개하는 방식이다.

▲ 라우팅 프로토콜 구성

- 내부 라우팅 프로토콜과 외부 라우팅 프로토콜은 다음과 같다.

> **학습 Point**
> 라우팅 프로토콜은 빈출되는 부분입니다. 특히 RIP, OSPF, BGP의 개념과 특징은 잘 챙겨두세요.

▼ 내부 라우팅 프로토콜과 외부 라우팅 프로토콜

내부 라우팅 프로토콜 (IGP; Interior Gateway Protocol)	• 동일한 AS 내의 라우팅에 사용되는 프로토콜 • RIP, IGRP, OSPF, EIGRP가 있음
외부 라우팅 프로토콜 (EGP; Exterior Gateway Protocol)	• 서로 다른 AS 간 라우팅 프로토콜로 게이트웨이 간의 라우팅에 사용되는 프로토콜 • BGP가 있음

① RIP

㉮ RIP(Routing Information Protocol) 개념 [22년 2회, 3회]

- RIP는 AS(Autonomous System; 자치 시스템; 자율 시스템) 내에서 사용하는 거리 벡터(Distance-Vector) 알고리즘에 기초하여 개발된 내부 라우팅 프로토콜이다.

㉯ RIP 특징

- RIP 특징으로는 벨만-포드 알고리즘 사용, 15홉 제한 등이 있다.

▼ RIP 특징

특징	설명
벨만-포드 알고리즘 사용	• 벨만-포드(Bellman-Ford) 알고리즘 사용하는 내부 라우팅 프로토콜 • 거리 벡터 라우팅 기반 메트릭 정보를 인접 라우터와 주기적으로 교환하여 라우팅 테이블을 갱신하고 라우팅 테이블을 구성·계산
15홉 제한	• 최대 홉 수(Hop Count)를 15개로 제한
UDP 사용	• UDP 포트 번호 520 사용
30초마다 정보 공유	• 30초마다 전체 라우팅 정보를 브로드캐스팅

② OSPF(Open Shortest Path First)

㉮ OSPF 개념

- OSPF는 규모가 크고 복잡한 TCP/IP 네트워크에서 RIP의 단점을 개선하기 위해 자신을 기준으로 링크 상태(Link-State) 알고리즘을 적용하여 최단 경로를 찾는 라우팅 프로토콜이다.

㉯ OSPF 특징

- OSPF 특징은 다익스트라 알고리즘 사용, 라우팅 메트릭 지정 등이 있다.

잠깐! 알고가기

메트릭(Metric)
라우팅 프로토콜들이 최적 경로(Best Route)를 선택하는 기준으로 최적 경로 선택 기준값이다.

홉(Hop)
데이터가 목적지까지 전달되는 과정에서 거치는 네트워크의 수를 의미한다. (예를 들어 어떤 목적지까지의 홉이 3이라면 그 목적지까지 가기 위해서는 세 개의 네트워크를 경유)

▼ OSPF 특징

특징	설명
다익스트라 알고리즘 사용	• 최단 경로 탐색에 다익스트라(Dijkstra) 알고리즘 사용하는 내부 라우팅 프로토콜 • 링크 상태 라우팅 기반 메트릭(Metric) 정보를 한 지역(Area) 내 모든 라우터에 변경이 발생했을 때만 보내(Flooding)고 라우팅 테이블을 구성·계산 • 네트워크 변화에 신속하게 대처
라우팅 메트릭 지정	• 최소 지연, 최대 처리량 등 관리자가 라우팅 메트릭 지정
AS 분할 사용	• 자치 시스템을 지역(Area)으로 나누어 라우팅을 효과적으로 관리
홉 카운트 무제한	• 홉 카운트에 제한이 없음
멀티캐스팅 지원	• 멀티캐스트(Multicast)를 사용하여 정보를 전달

 잠깐! 알고가기

자치 시스템
(AS; Autonomous System) 하나의 도메인에 속하는 라우터들의 집합을 말한다. 그러므로 하나의 자치 시스템에 속한다는 것은 하나의 도메인에 속한다는 것과 같은 의미이다.

③ BGP(Border Gateway Protocol)

㉮ BGP 개념

- BGP는 AS 상호 간(Inter-AS 또는 Inter-Domain)에 경로 정보를 교환하기 위한 라우팅 프로토콜이다.

㉯ BGP 특징

- 변경 발생 시 대상까지의 가장 짧은 경로를 경로 벡터(Path Vector) 알고리즘을 통해 선정하고, TCP 연결(port 179)을 통해 자치 시스템(AS)으로 라우팅 정보를 신뢰성 있게 전달한다.
- ISP 사업자들 상호 간에 주로 사용되는 라우팅 프로토콜이다.
- 순환을 피할 수 있도록 목적지까지 가는 경로 정보를 제공한다.
- 라우팅 비용(CPU 부하)이 많이 들고, 라우팅 테이블의 크기가 커서 메모리 사용량이 많다.

④ 라우팅 알고리즘

- 데이터는 송신 측으로부터 수신 측까지 데이터를 전달하는 과정에서 다양한 물리적인 장치들을 거쳐 간다.
- 목적지까지의 최적 경로를 산출하기 위한 법칙이 라우팅 알고리즘이다.

▼ 라우팅 알고리즘의 유형

유형	설명
거리 벡터 알고리즘 (Distance Vector Algorithm)	• 거리 벡터 알고리즘은 인접 라우터와 정보를 공유하여 목적지까지의 거리와 방향을 결정하는 라우팅 프로토콜 알고리즘 • 벨만-포드(Bellman-Ford) 알고리즘 사용 • 각 라우터가 업데이트될 경우마다 전체 라우팅 테이블을 보내라고 요청하지만 수신된 경로 비용 정보는 이웃 라우터에게만 보내짐

유형	설명
링크 상태 알고리즘 (Link State Algorithm)	• 링크 상태 알고리즘은 링크 상태 정보를 모든 라우터에 전달하여 최단 경로 트리를 구성하는 라우팅 프로토콜 알고리즘 • 다익스트라(Dijkstra) 알고리즘 사용 • 링크 상태 알고리즘을 사용하면 네트워크를 일관성 있게 파악할 수 있으나 거리 벡터 알고리즘에 비하여 계산이 더 복잡하고 트래픽을 광범위한 범위까지 전달

(5) 전송 계층(4계층)

1 전송 계층(Transport Layer) 개념

- 전송 계층은 상위 계층들이 데이터 전달의 유효성이나 효율성을 생각하지 않도록 해주면서 종단 간의 사용자들에게 신뢰성 있는 데이터를 전달하는 계층이다.
- 순차 번호 기반의 오류 제어 방식을 사용하고, 종단 간 통신을 다루는 최하위 계층으로 종단 간 신뢰성 있고 효율적인 데이터를 전송한다.
- 전송 계층 프로토콜에는 TCP, UDP가 있다.

2 TCP(Transmission Control Protocol) [23년 1회, 3회]

① TCP 개념

- TCP(전송 제어 프로토콜)은 인터넷 프로토콜 스위트의 핵심 프로토콜 중 하나로, IP와 함께 TCP/IP라는 명칭으로 사용된다.
- TCP는 전송 계층에 위치하면서 근거리 통신망이나 인트라넷, 인터넷에 연결된 컴퓨터에서 실행되는 프로그램 간에 일련의 옥텟을 안정적으로, 순서대로, 에러 없이 교환할 수 있게 해주는 프로토콜이다.

② TCP 특징

두음쌤 한마디

TCP 특징
「신연흐혼」
신뢰성 보장 / 연결 지향적 특징 / 흐름 제어 / 혼잡 제어
→ 신년(연)에는 교통 흐름이 혼잡하다

▼ TCP 특징

특징	설명
신뢰성 보장	• 패킷 손실, 중복, 순서 바뀜 등이 없도록 보장 • TCP 하위 계층인 IP 계층의 신뢰성 없는 서비스를 보완하여 신뢰성 제공
연결 지향적 특징	• 같은 전송계층의 UDP가 비연결성인 것과는 달리, TCP는 연결 지향적 임 • 양단간 애플리케이션/프로세스는 TCP가 제공하는 연결성 회선을 통하여 서로 통신
흐름 제어 (Flow Control)	• 흐름 제어 기능을 활용하여 송신(송신 전송률) 및 수신(수신 처리율) 속도를 일치시킴
혼잡 제어 (Congestion Control)	• 네트워크가 혼잡하다고 판단될 때는 혼잡제어 기법을 사용하여 송신율을 감속함

③ TCP 헤더 구조

- TCP의 세그먼트는 아래 그림과 같은 헤더 구조로 시작하고, 전송 데이터가 뒤따른다.
- TCP 헤더 구조에서 마지막 줄의 Options와 Padding은 생략할 수 있으므로 TCP 헤더의 최소 크기는 20바이트다.
- Options 필드는 다양한 종류의 부가 정보를 전달하는 데 사용하며, 최대 40바이트의 크기를 지원한다.
- Padding 필드는 헤더의 크기를 4바이트 단위로 맞추려고 사용한다.

```
0       4       8              15                              31
+---------------+---------------+-------------------------------+
|        Source Port            |       Destination Port        |
+-------------------------------+-------------------------------+
|                       Sequence Number                         |
+---------------------------------------------------------------+
|                       Acknowledge Number                      |
+-------+-------+---+---+---+---+---+---+-----------------------+
| H.L.  |Resrved|URG|ACK|PSH|RST|SYN|FIN|      Window Size      |
+-------+-------+---+---+---+---+---+---+-----------------------+
|           Checksum            |         Urgent Point          |
+-------------------------------+-------------------------------+
|                       Option and Padding                      |
+---------------------------------------------------------------+
|                            Data                               |
+---------------------------------------------------------------+
```

▲ TCP 헤더 구조

▼ TCP 헤더 구조

헤더 구조	설명	크기
Source/Destination Port Number	• 송신지 Port 번호, 목적지 Port 번호 • 양쪽 호스트 내 종단 프로세스 식별	각 16비트
Sequence Number	• 바이트 단위로 구분되어 순서화되는 번호임 • 이를 통해, TCP에서는 신뢰성 및 흐름 제어 기능 제공	32비트
Acknowledgement Number	• 확인응답번호/승인번호 • 상대편 호스트에서 받으려는 바이트 번호를 정의	32비트
HLEN(Header Length)	• TCP 헤더 길이를 4바이트(32비트) 단위로 표시	4비트
Flag Bit	• TCP 연결 설정과 연결 해제 메시지를 구분하는 것이 제어 필드의 기능이며, 제어 필드는 1Bit로 구성 • URG, ACK, PSH, RST, SYN, FIN으로 구성	6개
Window Size	• 해당 세그먼트의 송신 측이 현재 수신하고자 하는 윈도의 크기(기본 단위는 바이트) • 윈도우 크기는 송수신 측의 버퍼 크기로 전체 16bit로 되어 있고, 2^{16}까지 표시할 수 있기 때문에 최대 크기는 65,535byte임	16비트
Checksum	• 헤더 및 데이터의 에러 확인을 위해 사용되는 16비트 체크섬 필드 • 데이터를 포함한 세그먼트의 오류를 검사	16비트

학습 Point

TCP 헤더구조가 다소 어렵게 느껴질 수 있습니다만 출제 가능성이 없지 않습니다. 그렇다면 최소한의 노력인 두음쌤을 통해 챙겨 가시길 권장합니다!

두음쌤 한마디

TCP 헤더 구조

「소데씨엑 헤리플윈 체어옵패」

Source Port Number / **De**stination Port Number / **Se**quence Number / **Ack**nowledgement Number / **HL**EN / **Fl**ag Bit / **Win**dow Size / **Ch**ecksum / **Ur**gent Pointer / **Opt**ions and **Pa**dding

헤더 구조	설명	크기
Urgent Pointer	• URG 플래그가 설정된 경우, 이 16비트 필드는 시퀀스 번호로부터의 오프셋을 나타냄	16비트
Options and Padding	• 최대 40 바이트까지 옵션 데이터 포함 가능	-

3 UDP(User Datagram Protocol)

① UDP 개념

UDP는 비연결성이고, 신뢰성이 없으며, 순서화되지 않은 데이터그램 서비스를 제공하는 전송(Transport; 4계층) 계층의 통신 프로토콜이다.

② UDP의 특징

▼ UDP의 특징

특징	설명
비신뢰성	• 데이터그램 지향의 전송계층용 프로토콜(논리적인 가상회선 연결이 필요 없음) • 메시지가 제대로 도착했는지 확인하지 않음(확인응답 없음) • 검사 합을 제외한 특별한 오류 검출 및 제어 없음(오류 제어 거의 없음)
순서화되지 않은 데이터그램 서비스 제공	• 수신된 메시지의 순서를 맞추지 않음 • 흐름 제어를 위한 피드백을 제공하지 않음
실시간 응용 및 멀티캐스팅 가능	• 빠른 요청과 응답이 필요한 실시간 응용에 적합 • 여러 다수 지점에 전송 가능
단순 헤더	• 헤더는 고정 크기의 8바이트(TCP는 20바이트)만 사용 • 헤더 처리에 시간과 노력을 필요하지 않음

> **학습 Point**
> UDP 헤더 구조는 TCP 헤더 구조와 함께 시험에 출제될 가능성이 있습니다. 두음 기반으로 암기하시기 바랍니다.

③ UDP 헤더 구조

UDP 헤더 구조는 다음 그림과 같이 경량의 헤더 구조로 데이터 그램의 신뢰를 보장하지 않는다.

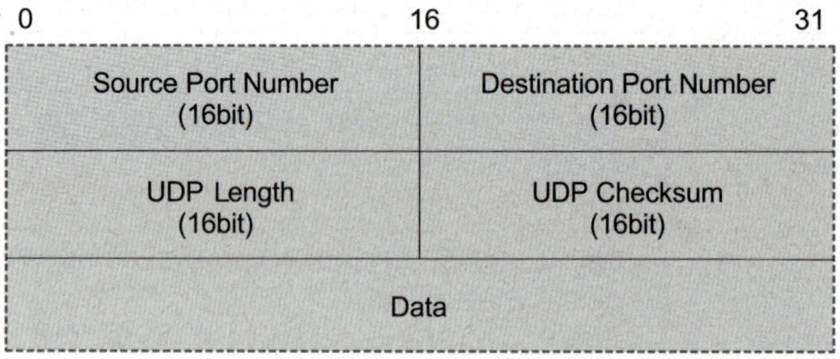

```
0                     16                    31
┌──────────────────────┬──────────────────────┐
│  Source Port Number  │ Destination Port Number│
│       (16bit)        │       (16bit)        │
├──────────────────────┼──────────────────────┤
│     UDP Length       │     UDP Checksum     │
│       (16bit)        │       (16bit)        │
├──────────────────────┴──────────────────────┤
│                    Data                      │
└─────────────────────────────────────────────┘
```

▲ UDP 헤더 구조

▼ UDP 헤더 구조

필드	설명	크기
Source Port Number	• 송신 포트번호	16비트
Destination Port Number	• 수신 포트번호 • 선택 항목(사용하게 되면 응답받게 될 포트 표시함)	16비트
UDP Length	• 바이트 단위의 길이 • 최솟값 8(헤더만 포함될 때)	16비트
UDP Checksum	• 헤더 및 데이터의 에러 확인을 위해 사용되는 필드 • 선택 항목(체크 섬 값이 0이면 수신 측은 체크 섬 계산 안 함)	16비트
Data	• 가변 길이 데이터	가변

> **두음쌤 한마디**
> **UDP 헤더 구조**
> 「소데 렝체다」
> **So**urce Port Number / **De**stination Port Number / UDP **Leng**th / UDP **Ch**ecksum / **Da**ta

(6) 세션 계층(5계층)

1 세션 계층(Session Layer) 개념

- 세션 계층은 응용 프로그램 간의 대화를 유지하기 위한 구조를 제공하고, 이를 처리하기 위해 프로세스들의 논리적인 연결을 담당하는 계층이다.
- 통신 중 연결이 끊어지지 않도록 유지시켜주는 역할 수행하기 위해 TCP/IP 세션 연결의 설정과 해제, 세션 메시지 전송 등의 기능을 수행한다.

2 세션 계층의 프로토콜

세션 계층 프로토콜로는 RPC, NetBIOS 등이 있다.

▼ 세션 계층 프로토콜

프로토콜	설명
RPC (Remote Procedure Call)	원격 프로시저 호출이라고 불리며, 별도의 원격 제어를 위한 코딩 없이 다른 주소 공간에서 함수나 프로시저를 실행할 수 있는 프로세스 간 통신에 사용되는 프로토콜
NetBIOS (Network Basic Input/Output System)	응용계층(7계층)의 애플리케이션 프로그램에게 API를 제공하여 상호 통신할 수 있도록 해주는 프로토콜

(7) 표현 계층(6계층)

1 표현 계층(Presentation Layer) 개념

- 표현 계층은 애플리케이션이 다루는 정보를 통신에 알맞은 형태로 만들거나, 하위 계층에서 온 데이터를 사용자가 이해할 수 있는 형태로 만드는 역할을 담당하는 계층이다.
- 수신자 장치에서 적합한 애플리케이션을 사용하여 응용계층 데이터의 부호화 및 변환 수행을 통해 송신 장치로부터 온 데이터를 해석한다.
- 표현 계층은 데이터 형식 설정과 부호 교환, 압축, 암·복호화를 수행한다.

2 표현 계층의 프로토콜

대표적인 표현 계층 프로토콜로는 JPEG, MPEG 등이 있다.

▼ 표현 계층 프로토콜

프로토콜	설명
JPEG	이미지를 위해 만들어진 표준 규격
MPEG	멀티미디어(비디오, 오디오)를 위해 만들어진 표준 규격

(8) 응용 계층(7계층) [23년 2회]

1 응용 계층(Application Layer) 개념

- 응용 계층은 응용 프로세스와 직접 관계하여 일반적인 응용 서비스를 수행하는 역할을 담당하는 계층이다.
- 응용 프로세스가 개방된 형태로 다양한 범주의 정보처리기능을 수행할 수 있도록 여러 가지 프로토콜 개체에 대하여 사용자 인터페이스를 제공한다.

2 응용 계층의 프로토콜 [22년 1회, 2회, 3회, 23년 3회, 24년 2회, 3회]

대표적인 응용 계층 프로토콜로는 HTTP, FTP, SMTP, POP3, IMAP, Telnet, SSH, SNMP, DNS, DHCP, HTTPS가 있다.

▼ 응용 계층 프로토콜

프로토콜	설명
HTTP (HyperText Transfer Protocol)	• 텍스트 기반의 통신규약으로 인터넷에서 데이터를 주고받을 수 있는 프로토콜 • 하이퍼텍스트를 빠르게 교환하기 위한 프로토콜
FTP (File Transfer Protocol)	• TCP/IP 프로토콜을 가지고 서버와 클라이언트 사이의 파일을 전송하기 위한 프로토콜
SMTP (Simple Mail Transfer Protocol)	• 인터넷에서 이메일을 보내기 위해 이용되는 프로토콜 • TCP 포트 번호 25번 사용
POP3 (Post Office Protocol Version 3)	• 원격 서버로부터 TCP/IP 연결을 통해 이메일을 가져오는데 사용하는 프로토콜 • 이메일 공급업체 서버에서 단말로 이메일을 내려받아서 사용자의 단말에서 이메일을 관리 • 이메일 서버와 동기화가 이루어지지 않고 오프라인에서도 사용 가능 • 110번 포트 사용
IMAP (Internet Messaging Access Protocol)	• 원격 서버로부터 TCP/IP 연결을 통해 이메일을 가져오는데 사용하는 프로토콜 • 중앙 서버에서 동기화가 이루어지기 때문에 모든 단말에서 동일한 이메일 폴더를 확인할 수 있는 프로토콜 • 이메일 서버와 동기화가 이루어지고 온라인 및 오프라인에서 모두 사용 가능 • 143번 포트 사용

학습 Point

응용 계층의 프로토콜은 자주 출제되고 있습니다. 프로토콜의 개념, 특징, 포트 번호는 잘 챙겨 두세요.

잠깐! 알고가기

하이퍼텍스트(Hyper Text)
컴퓨터 화면이나 전자 기기에서 볼 수 있는 있는 텍스트(데이터)이다.

학습 Point

응용 계층 프로토콜은 포트 번호가 있습니다. 포트 번호를 알고 계시면 문제를 풀 때 힌트가 될 수 있습니다.

포트번호	프로토콜
20, 21	FTP
22	SSH
23	Telnet
25	SMTP
53	DNS
67, 68	DHCP
80	HTTP
110	POP3
143	IMAP
161	SNMP
443	HTTPS

프로토콜	설명
Telnet	• 인터넷이나 로컬 영역에서 네트워크 연결에 사용되는 네트워크 프로토콜 • 23번 포트 사용
SSH (Secure Shell)	• Telnet보다 강력한 보안을 제공하는 원격접속 프로토콜 • 서로 연결되어 있는 컴퓨터 간 원격 명령 실행이나 쉘 서비스 등을 수행 • 키를 통한 인증은 클라이언트의 공개키를 서버에 등록해야 하고 전송되는 데이터는 암호화됨 • SSH는 인증, 암호화, 압축, 무결성을 제공하고 기본 네트워크 포트는 22번을 사용
SNMP (Simple Network Management Protocol)	• TCP/IP의 네트워크 관리 프로토콜로, 라우터나 허브 등 네트워크 장치로부터 정보를 수집 및 관리하며, 정보를 네트워크 관리 시스템에 보내는 데 사용하는 인터넷 표준 프로토콜
DNS (Domain Name System)	• 호스트의 도메인 이름을 호스트의 네트워크 주소로 바꾸거나 그 반대의 변환을 수행하는 프로토콜
DHCP (Dynamic Host Configuration Protocol)	• 각 컴퓨터에서 IP 관리를 쉽게 하기 위한 프로토콜이며, TCP/IP 통신을 실행하기 위해 필요한 정보를 자동적으로 할당, 관리하기 위한 프로토콜
HTTPS (Hyper-Text Transfer Protocol over Secure Socket Layer)	• HTTP의 보안이 강화된 프로토콜 • 통신의 인증과 암호화를 위해 개발한 웹 프로토콜이며, 전자 상거래에서 널리 쓰임 • HTTPS는 SSL/TLS 프로토콜을 통해 세션 데이터를 암호화

3 네트워크 전달 방식 ★

(1) 패킷 교환 방식(Packet Switching) [24년 1회]

- 패킷 교환 방식은 컴퓨터 네트워크와 통신의 방식 중 하나로 작은 블록의 패킷으로 데이터를 전송하며 데이터를 전송하는 동안만 네트워크 자원을 사용하도록 하는 통신 방식이다.
- WAN을 통해 데이터를 원격지로 송부하기 위해 X.25, 프레임 릴레이 및 ATM과 같은 다양한 기술들을 사용한다.

1 X.25

통신을 원하는 두 단말장치가 패킷 교환망을 통해 패킷을 원활히 전달하기 위한 통신 프로토콜이다.

> **학습 Point**
> • 패킷 교환 방식은 축적 교환망에 속합니다. 축적 교환망은 송신 측에서 전송한 데이터를 송신 측 교환기에 저장시켰다가 적절한 통신 경로를 선택하여 수신 측 교환기를 통해 수신 측 터미널에 전송하는 방식으로 메시지 교환 방식과 패킷 교환 방식이 있습니다.
> • 여기서 메시지 교환 방식은 교환기가 송신 측의 메시지를 받아서 저장한 후 전송 순서가 되면 수신 측에 전송하는 방식이라고 알아두시면 됩니다.

▼ X.25 특징

특징	설명
고정된 대역폭	• 고정된 대역폭을 할당하여 사용자 요청에 따른 유연한 대역폭 할당이 어려움
패킷 사용	• 대용량의 데이터를 다수의 패킷으로 분리하여 송신하며, 수신 측에서는 다수의 패킷을 결합하여 원래의 데이터로 복원
1~3계층 담당	• OSI 7계층상의 레이어 중 1~3계층까지를 담당
송수신 신뢰성	• 송수신의 신뢰성을 확보하기 위해 양자 간 통신 연결을 확립해 나가는 프로세스 수행
성능 저하	• 에러 제어나 흐름 제어를 위한 복잡한 기능으로 오버헤드 발생 • 현재는 프레임 릴레이나 ISDN, ATM 등 고속망으로 대체

전기 통신 국제기구인 ITU-T에서 관리 감독하는 프로토콜이다.

2 프레임 릴레이

프레임 릴레이는 ISDN을 사용하기 위한 프로토콜로서 ITU-T에 의해 표준으로 작성되었고 다음과 같은 특징이 있다.

▼ 프레임 릴레이 특징

특징	설명
유연한 대역폭	• 사용자의 요청에 따라 유연한 대역폭을 할당
기능 단순화	• 망의 성능 향상을 위해 에러 제어 기능과 흐름 제어 기능을 단순화
1~2계층 담당	• 프레임 릴레이는 1~2계층만을 담당
가격이 저렴	• 전용선을 사용하는 것보다 가격이 저렴 • 기술적으로는 X.25에 비해 우위

3 ATM(Asynchronous Transfer Mode)

- ATM은 비동기 전송모드라고 하는 광대역 전송에 쓰이는 스위칭 기법이다.
- 동기화를 맞추지 않아 보낼 데이터가 없는 사용자의 슬롯은 다른 사람이 사용할 수 있도록 하여 네트워크상의 효율성을 높였다.
- ATM망은 연결형 회선이기 때문에 하나의 패킷을 보내 연결을 설정하게 되고 이후 실데이터 전송이 이루어진다.
- 정보전달의 기본 단위를 53바이트 셀 단위로 전달하는 비동기식 시분할 다중화 방식의 패킷형 전송 기술이다.
- ATM은 OSI 7계층과는 다른 고유한 참조 모델을 가지고 있다.

▼ ATM 계층

계층	설명
AAL(ATM Adaptation Layer)	• 패킷을 작은 조각인 셀로 전송한 후 다시 조립하여 원래의 데이터로 복원하는 역할을 담당
ATM 계층	• 셀과 셀 전송 역할을 담당 • 셀의 레이아웃을 정의하고 헤더 필드가 의미하는 것을 알려줌 • 가상 회선의 연결 및 해제, 혼잡 제어 처리
물리 계층(Physical Layer)	• 물리적 전송 매체를 처리하는 역할을 담당

(2) 서킷 교환 방식(Circuit Switching)

서킷 교환 방식은 네트워크 리소스를 특정 사용층이 독점하도록 하는 통신 방식이다.

▼ 서킷 교환 방식 특징

특징	설명
전송 보장	• 네트워크를 독점적으로 사용하기 때문에 전송이 보장
서킷 확보 작업	• 서킷을 확보하기 위한 작업을 진행하고 실데이터를 전송하며 서킷을 닫는 프로세스로 진행 • 서킷 확보 작업이 일어나는 동안 다른 기기들은 해당 경로 사용 불가

(3) 패킷 교환 방식과 서킷 교환 방식의 차이 [24년 3회]

1 패킷 교환 방식과 서킷 교환 방식의 차이

▼ 패킷 교환 방식과 서킷 교환 방식의 차이

구분	패킷 교환 방식	서킷 교환 방식
의미	• 데이터를 패킷 단위로 보내는 방식	• 전송 경로를 설정한 뒤 데이터를 송수신하는 방식
장점	• 회선 효율이 우수 • 비동기 전송이 가능 • 연결 설정이 필요 없고 다중 전달이 용이	• 경로 접속 시간은 1초 내외로 매우 빠름 • 전송 제어 절차와 형식에 제약을 받지 않음
단점	• 실시간 전송에 부적합 • 네트워크 지연이 발생	• 송수신 측 모두 데이터 교환 준비가 완료되어야 함 • 회선이 독점되어 있음
활용	• 이메일, 메시지 등	• 영상, 비디오 등

서킷 교환 방식은 데이터의 일부를 송수신하여 전달 경로를 파악하고 확보한 뒤 실데이터를 전달하는 반면, 패킷 교환 방식 방식은 헤더의 주소 정보에 따라 수신 측으로 데이터를 전송한다.

> **학습 Point**
> 패킷 교환 방식과 서킷 교환 방식은 패킷 스위칭 방식, 서킷 스위칭 방식으로도 불립니다.

> **학습 Point**
> 패킷 교환 방식은 미 국방성에서 설치한 네트워크인 ARPANET(Advanced Research Projects Agency Network)에서 사용한 네트워크 교환 방식입니다. 시험에 출제되었습니다. 잘 알아두세요.

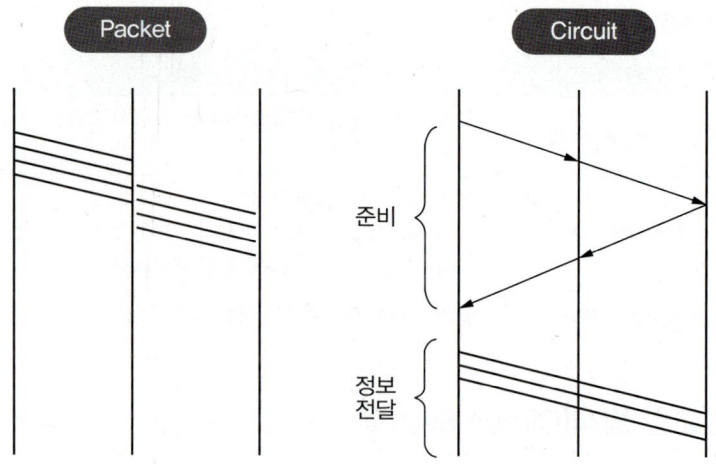

▲ 패킷 교환 방식과 서킷 교환 방식의 차이

2 패킷 교환 방식의 종류

패킷 교환 방식에는 데이터그램 방식과 가상회선 방식이 있다.

▼ 패킷 교환 방식의 종류

구분	데이터그램(Datagram) 방식	가상 회선(Virtual Circuit) 방식
개념	• 연결 경로를 확립하지 않고 각각의 패킷을 순서에 무관하게 독립적으로 전송하는 방식	• 패킷이 전송되기 전에 송·수신 스테이션 간의 논리적인 통신 경로를 미리 설정하는 방식
동작 원리 및 특징	• 각각의 패킷을 독립적으로 취급하는 방식으로 앞에 보낸 메시지나 앞으로 보낼 메시지의 어떠한 결과와도 관계가 없는 단일 패킷 단위로 전송하고 수신하는 방식 • 헤더를 붙여서 개별적으로 전달하는 비연결형 교환 방식	• 많은 이용자들이 상호 통신을 할 때 하나의 통신설비를 공유하여 여러 개의 논리적인 채널을 확정한 후 통신을 할 수 있는 방식 • 목적지 호스트와 미리 연결 후 통신하는 연결형 교환 방식

4 네트워크 구조 ★

(1) 애드 혹 네트워크(Ad-hoc Network)

1 애드 혹 네트워크의 개념

• 애드 혹 네트워크는 노드(Node)들에 의해 자율적으로 구성되는 기반 구조가 없는 네트워크이다.

2 애드 혹 네트워크의 특징

- 네트워크의 구성 및 유지를 위해 기지국이나 액세스 포인트와 같은 기반 네트워크 장치를 필요로 하지 않는 네트워크이다.
- 애드 혹(Ad-hoc) 노드들은 무선 인터페이스를 사용하여 서로 통신하고, 멀티 홉 라우팅 기능에 의해 무선 인터페이스가 가지는 통신 거리상의 제약을 극복하며, 노드들의 이동이 자유롭기 때문에 네트워크 토폴로지가 동적으로 변화되는 특징이 있다.
- 애드 혹 네트워크는 완전 독립형이 될 수도 있고, 인터넷 게이트웨이를 거쳐 인터넷과 같은 기반 네트워크와 연동될 수 있다.
- 애드 혹 네트워크 활용 분야는 긴급 구조, 긴급회의, 전쟁터에서의 군사 네트워크가 있다.

(2) 네트워크 설치 구조

- 구축하고자 하는 네트워크에 필요한 장비의 성능, 수량 및 네트워크 확장성 및 관리 방법에 따라 네트워크 토폴로지의 선택을 다르게 해야 한다.
- 네트워크 설치 구조(토폴로지) 종류는 버스형, 트리형, 링형, 성형 등이 있다.

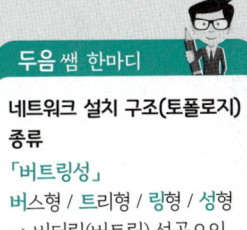

두음쌤 한마디

네트워크 설치 구조(토폴로지) 종류

「버트링성」
버스형 / 트리형 / 링형 / 성형
→ 버터링(버트링) 성공요인

1 버스형 구조

① 버스(Bus)형 구조 개념

- 버스형 구조는 하나의 네트워크 회선에 여러 대의 노드가 멀티 포인트로 연결된 구조 형태이다.

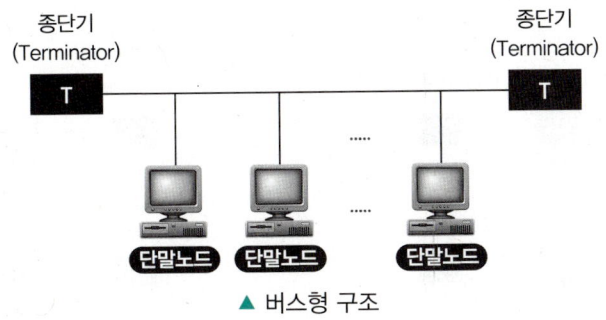

▲ 버스형 구조

② 버스형 구조 장단점

▼ 버스형 구조 장단점

장점	단점
• 구조가 간단하기 때문에 설치가 용이, 비용이 저렴 • 네트워크 회선에 노드를 추가 및 삭제가 용이	• 노드를 무분별하게 추가할 경우 네트워크 성능 저하 • 네트워크 회선의 특정 부분 고장 시 전체 네트워크에 영향을 끼침

2 트리형 구조

① 트리(Tree)형 구조 개념

- 트리형 구조는 각 노드가 계층적으로 연결되어 있는 구성 형태로 나뭇가지가 사방으로 뻗어 있는 것과 유사한 모양의 구조 형태이다.

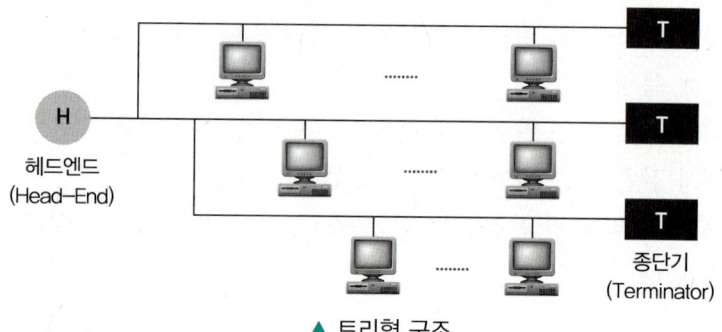

▲ 트리형 구조

② 트리형 구조 장단점

▼ 트리형 구조 장단점

장점	단점
• 허브만 준비되어 있다면 많은 단말 노드를 쉽게 연결이 가능	• 모든 네트워크가 허브를 통해서 이루어지므로 스타형처럼 허브가 고장이 나면 연결된 단말 노드의 네트워크가 제한됨

3 링형 구조

① 링(Ring)형 구조 개념

- 링형 구조는 모든 노드가 하나의 링에 순차적으로 연결되는 형태이다.

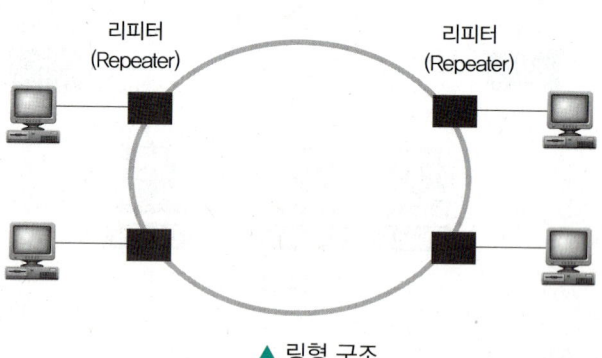

▲ 링형 구조

② 링형 구조 장단점

▼ 링형 구조 장단점

장점	단점
• 양방향으로 데이터 전송이 가능	• 링의 어느 한 부분에 장애가 발생하면 전체 네트워크에 영향

4 성형 구조

① 성(Star)형 구조 개념

• 성형 구조는 각 단말 노드가 허브라는 네트워크 장비에 점 대 점으로 연결되어 있는 구성 형태이다.

▲ 성형 구조

> **학습 Point**
> • 모든 지점의 노드들이 서로 연결된 형태인 망(Mesh)형도 추가적으로 알아두세요.
> • 망형은 회선 장애 또는 특정 노드 장애 시 다른 경로를 통하여 데이터 전송이 가능합니다.

② 성형 구조 장단점

▼ 성형 구조 장단점

장점	단점
• 소규모의 네트워크 설치 및 재구성이 간편	• 중앙 허브가 고장이 나면 전체 네트워크에 영향

(3) 다중화기(Multiplexer)

• 다중화기는 하나의 회선을 통해 일정한 시간이나 주파수로 나누어서 전송하게 하는 장비이다.
• 다중화기는 주파수 분할 다중화, 시간 분할 다중화, 코드 분할 다중화가 있다.

▼ 다중화기의 종류

장비 구분	설명
주파수 분할 다중화 (FDM; Frequency Division Multiplexing)	하나의 주파수 대역폭을 다수의 작은 대역폭으로 분할하여 전송하는 방식
시간 분할 다중화 (TDM; Time Division Multiplexing)	회선의 대역폭을 일정 시간으로 분할하여 전송하는 방식

장비 구분	설명
코드 분할 다중화 (CDM; Code Division Multiplexing)	정해진 주파수 대역에 다수의 사용자가 서로 다른 코드를 사용함으로써 동일한 주파수로 동시에 다수가 접속해서 전송하는 방식

5 네트워크 용어

(1) 네트워크 관련 신기술 용어

> **학습 Point**
> 신기술 용어는 출제 가능성이 항상 있기 때문에 설명을 보고 어떤 개념인지 맞출 수 있을 정도로 학습을 권장합니다!

▼ 네트워크 관련 신기술 용어

신기술 용어	설명
SDN (Software Defined Network)	• 네트워크를 제어부(Control Plane), 데이터 전달부(Data Plane)로 분리하여 네트워크 관리자가 보다 효율적으로 네트워크를 제어, 관리할 수 있는 기술 • 기존의 라우터, 스위치 등과 같이 하드웨어에 의존하는 네트워크 체계에서 안정성, 속도, 보안 등을 소프트웨어로 제어, 관리하기 위해 개발
NFV (Network Function Virtualization)	• 범용 하드웨어(서버/스토리지/스위치)에 가상화 기술을 적용하여 네트워크 기능을 가상 기능으로 모듈화하여 필요한 곳에 제공(스위치, 라우터 등)하는 기술
Wi-SUN (Wireless Smart Utility Network)	• 스마트 그리드(Smart Grid)와 연계하여 전기, 수도, 가스 등의 공급자와 사용자가 무선 네트워크를 이용하여 효율적으로 관리할 수 있도록 활용하는 IEEE 802.15.4 표준 기반의 무선 통신 기술 • Wi-SUN은 저가격 및 저전력(8mA), 통신사 제공 서비스가 아닌 자체 자가망 구축 형태의 비면허대역(900MHz)을 사용
NFC (Near Field Communication)	• 13.56MHz 주파수를 사용하고, 424Kbps의 속도로 데이터를 전송하는 RFID의 확장 기술로, 10cm 이내에서 저전력, 비접촉식 무선 통신 기술 • 고주파(HF)를 이용하는 ISO/IEC 18092 표준으로 아주 가까운 거리에서 양방향 통신을 지원
스몰 셀 (Small Cell)	• 기존의 높은 전송 파워와 넓은 커버리지를 갖는 매크로 셀(Macro Cell)과 달리 낮은 전송 파워와 좁은 커버리지를 가지는 소형 기지국 • 안테나당 10W급 이하의 소출력 기지국 장비나 피코 셀, 펨토 셀 등을 통칭 • 기존의 매크로 셀과 다양한 스몰 셀(피코 셀, 펨토 셀 등) 및 Wi-Fi 등으로 구성된 네트워크로 사용자 수와 트래픽 수요에 따라 스몰 셀을 배치하여 셀 용량과 커버리지 증대에 활용
블루투스 (Bluetooth)	• 2.4GHz ISM 주파수 대역을 이용하여 10m 이내의 근거리 디바이스 간 통신을 지원하기 위한 무선 접속 규격(IEEE802.15.1) • 블루투스 네트워크 구성에는 피코넷(Piconet), 스캐터넷(Scatternet)이 있음 • 피코넷은 마스터(Master)-슬레이브(Slave) 방식으로 링크를 설정하고, 한 대의 마스터로 7대까지의 슬레이브를 연결하여 네트워크를 구성할 수 있도록 하는 방식 • 스캐터넷은 피코넷이 여러 개 모여서 계층적이고 규모가 큰 네트워크를 구성할 수 있는 방식

신기술 용어	설명
BLE (Bluetooth Low Energy)	• 저전력 기반 기기 간 근거리 무선 통신 기능을 제공하는 기술 및 규격 • 짧은 전송 거리를 극복하고, 1Mbps의 전송속도로 2.4GHz 주파수를 사용하는 저비용으로 구성 가능한 블루투스 기술
Zing	• 기기를 키오스크에 갖다 대면 원하는 데이터를 바로 가져올 수 있는 기술로 10cm 이내 근접 거리에서 기가급 속도로 데이터 전송이 가능한 초고속 근접 무선통신(NFC; Near Field Communication) 기술 • 3Gbps급의 기기 간 최대 전송속도(무선 구간) 및 직관적 사용자 인터페이스(Touch & Get 방식) 기반의 대용량 데이터 순간 전송 제공
BcN (Broadband convergence Network)	• 통신 · 방송 · 인터넷이 융합된 품질 보장형 광대역 멀티미디어 서비스를 언제 어디서나 끊김 없이 안전하게 이용할 수 있는 광대역 통합망
C-V2X (Cellular-Vehicle-to-Everything)	• 이동통신(3GPP 릴리즈 14) 기술 기반의 V2X 통신기술로 차량이 유 · 무선 망을 통해 다른 차량 및 도로 등 인프라가 구축된 사물과 정보를 교환할 수 있는 자율주행자동차를 위한 통신기술
메시 네트워크 (Mesh Network)	• 기존 무선 랜의 한계 극복을 위해 등장하였으며, 대규모 디바이스의 네트워크 생성에 최적화되어 차세대 이동통신, 홈 네트워킹, 공공 안전 등의 특수 목적을 위한 새로운 방식의 네트워크 기술 • 다른 국(Station)을 향하는 호출이 중계에 의하지 않고 직접 접속되는 그물 모양의 네트워크 • 통신량이 많은 비교적 소수의 국 사이에 구성될 경우 경제적이고 간편하지만, 다수의 국 사이에는 회선이 세분화되어 비경제적 • 대용량을 빠르고 안전하게 전달할 수 있어 행사장이나 군 등에서 많이 활용됨
UWB (Ultra Wide Band)	• 매우 낮은 전력을 사용하며, 초광대역 주파수 대역으로 디지털 데이터를 전송하는 무선 전송 기술 • 무선 디지털 펄스라고도 하며, 0.5m/W 정도의 저전력으로 많은 양의 데이터를 1km의 거리까지 전송 가능
UsN (Ubiquitous Sensor Network)	• 통신 기능이 있는 스마트 RFID 태그 및 센서를 부착하여, 사물의 인식정보 및 주변의 환경정보(온도, 습도, 오염정보, 균열정보 등)를 탐지하고, 실시간으로 네트워크에 연결하여 정보를 관리하는 기술
WBAN (Wireless Body Area Network)	• 체내 혹은 인체 주변 3m 이내에서 일어나는 저비용, 저전력, 고속통신이 가능한 신체 접촉 근거리 무선 네트워크
NDN (Named Data Networking)	• 기존의 IP 주소 대신 Data의 이름을 활용하여 정보(콘텐츠)의 효율적인 검색 및 배포를 목적으로 하는 미래 인터넷 기술
네트워크 슬라이싱 (Network Slicing)	• 하나의 물리적 코어 네트워크를 독립된 다수 가상 네트워크로 분리한 뒤 고객 맞춤형 서비스를 제공하는 5G 핵심 기술 • SDN과 NFV 기술을 활용하여 하나의 물리적인 망에 여러 개의 논리적인 망을 만들어 비용 절감 가능
NOMA (Non-Orthogonal Multiple Access)	• 동일한 시간, 주파수, 공간 자원상에 두 대 이상의 단말에 대한 데이터를 동시에 전송하여 주파수 효율을 향상시키는 비직교 다중 접속 기술

신기술 용어	설명
MEC (Mobile Edge Computing/Cloud)	• 무선 기지국에 분산 클라우드 컴퓨팅 기술을 적용하여 서비스와 캐싱 콘텐츠를 이용자 단말에 가까이 전개함으로써 모바일 코어 망의 혼잡을 완화하는 기술
사물 인터넷 (IoT; Internet of Things)	• 각종 사물에 센서와 통신 기능을 내장하여 무선 통신을 통해 각종 사물을 인터넷에 연결하는 기술
MQTT (Message Queuing Telemetry Transport)	• IoT 장치, 텔레메트리 장치 등에서 최적화되어 사용할 수 있도록 개발된 프로토콜로, 브로커를 사용한 발행(Publish)/구독(Subscribe) 방식의 경량 메시징을 전송하는 프로토콜
COAP	• M2M 노드들 사이에서 이벤트에 대한 송수신을 비동기적으로 전송하는 REST 기반의 프로토콜이자 제약이 있는(Constrained) 장치들을 위한 특수한 인터넷 애플리케이션 프로토콜
Zigbee	• 근거리 통신을 지원하는 IEEE 802.15.4 표준 중 하나로, 868/915MHz, 2.4GHz 주파수 대역을 이용하는 저전력, 저속, 저비용의 근거리 무선통신 기술
스마트 그리드 (Smart Grid)	• 전기 및 정보통신기술을 활용하여 전력망을 지능화, 고도화함으로써 고품질의 전력서비스를 제공하고 에너지 이용효율을 극대화하는 전력망

기출문제

01 FTP(File Transfer Protocol)의 데이터 전송을 제어하는 포트 번호는 무엇인가? ▶ 22년 1회

> 해설
> - FTP는 TCP/IP 프로토콜을 가지고 서버와 클라이언트 사이의 파일을 전송하기 위한 프로토콜이다.
> - 20번은 데이터 전송 채널로, 21번은 데이터 전송 제어 채널로 사용된다.

02 다음이 설명하는 용어를 쓰시오. ▶ 22년 1회

> - 사용자가 이해하기 쉬운 도메인 주소를 실제 네트워크 상에서 사용하는 IP 주소로 바꿔주는 역할을 한다.
> - 구성요소 중에는 도메인 주소를 어떻게 관리할지에 대한 방법을 기록한 도메인 네임 스페이스(Domain Name Space)가 있다.

> 해설
> - DNS는 특정 컴퓨터의 주소를 찾기 위해 사람이 이해하기 쉬운 도메인 이름을 숫자로 된 식별 번호인 IP로 변환한다.

03 다음이 설명하는 주소를 쓰시오. ▶ 22년 2회

> - 네트워크 세그먼트의 데이터 링크 계층에서 통신을 위한 네트워크 인터페이스에 할당된 고유 식별자이다.
> - 이 주소는 네트워크 인터페이스 컨트롤러(NIC)의 제조업체가 할당하며 하드웨어에 저장된다. 이 주소는 일반적으로 제조업체의 등록된 식별 번호로 등록된다. 그리고 ARP는 IP 주소를 이 주소로 변환한다.

> 해설
>
> | MAC 주소 (물리 주소) | - 데이터 링크 계층(2계층)에서 통신을 위한 고유 식별자 |
> |---|---|
> | IP 주소 (논리 주소) | - 네트워크 계층(3계층)에서 통신을 위한 고유 식별자
- 컴퓨터가 인터넷에 연결될 때 부여받는 고유 식별자 |
> | Port 주소 | - 전송 계층(4계층)에서 통신을 위한 고유 식별자
- 서로 다른 프로세스를 식별하는 고유 식별자 |

04 OSI 7계층 중에서 다음이 설명하는 계층을 쓰시오. ▶ 22년 2회

> 0과 1의 비트 정보를 회선에 보내기 위한 전기적 신호 변환하는 계층이다.

> 해설
> - 0과 1의 비트 정보를 회선에 보내기 위한 전기적 신호 변환하는 계층은 물리 계층(1계층)이다.

05 네트워크의 OSI 7계층 중 다음 설명에 해당하는 계층은 무엇인가? ▶ 22년 1회

> - 물리계층을 통해 송수신되는 정보의 오류와 흐름을 관리하여 안전한 정보의 전달을 수행할 수 있도록 도와주는 역할을 수행한다.
> - 동기화, 오류 제어, 흐름 제어, 회선 제어의 역할을 수행하며 전송단위는 프레임(Frame)을 사용한다.

> 해설
> - 데이터 링크 계층은 링크의 설정과 유지 및 종료를 담당하며 노드 간의 회선 제어, 흐름 제어, 오류 제어 기능을 수행하는 계층이다.

기출문제

▶ 22년 2회

06 다음이 설명하는 용어를 쓰시오.

> 벨만-포드(Bellman-Ford) 알고리즘을 사용하는 내부 라우팅 프로토콜로, 메트릭 정보를 인접 라우터와 주기적으로 교환하여 라우팅 테이블을 갱신하고, 최대 홉 수(Hop Count)를 15개로 제한하는 프로토콜이다.

해설
- 라우팅 프로토콜은 다음과 같다.

RIP	• AS(Autonomous System; 자치 시스템; 자율 시스템) 내에서 사용하는 거리 벡터(Distance-Vector) 알고리즘에 기초하여 개발된 내부 라우팅 프로토콜 • 벨만-포드(Bellman-Ford) 알고리즘을 사용하는 내부 라우팅 프로토콜
OSPF	• 규모가 크고 복잡한 TCP/IP 네트워크에서 RIP의 단점을 개선하기 위해 자신을 기준으로 링크 상태(Link-State) 알고리즘을 적용하여 최단 경로를 찾는 라우팅 프로토콜
BGP	• AS 상호 간(Inter-AS 또는 Inter-Domain)에 경로 정보를 교환하기 위한 라우팅 프로토콜

▶ 22년 2회

07 다음 ( )에 알맞은 용어를 쓰시오.

> • FTP 파일을 전송하는데 사용되는 프로토콜로 (①)을/를 사용하여 신뢰성 있고, 연결 지향적인 방식으로 파일을 전송, 수신하는 프로토콜이다. TFTP는 FTP에 비해 단순하고 빠르게 파일을 전송하는데 사용되는 프로토콜로 (②)을/를 사용하여 상대적으로 빠르게 파일을 전송하는 프로토콜이다.
> • (①)은/는 전송 계층에 위치하면서 근거리 통신망이나 인트라넷, 인터넷에 연결된 컴퓨터에서 실행되는 프로그램 간에 일련의 옥텟을 안정적으로, 순서대로, 에러 없이 교환할 수 있게 해주는 프로토콜이다.
> • (②)은/는 비연결성이고, 신뢰성이 없으며, 순서화되지 않은 데이터그램 서비스를 제공하는 전송 계층(4계층)의 통신 프로토콜이다.

①
②

해설

TCP	전송 계층에 위치하면서 근거리 통신망이나 인트라넷, 인터넷에 연결된 컴퓨터에서 실행되는 프로그램 간에 일련의 옥텟을 안정적으로, 순서대로, 에러 없이 교환할 수 있게 해주는 프로토콜
UDP	비연결성이고, 신뢰성이 없으며, 순서화되지 않은 데이터그램 서비스를 제공하는 전송 계층(4계층)의 통신 프로토콜

▶ 22년 3회

08 다음 설명에 해당하는 계층을 쓰시오.

> 데이터를 전송하는 쪽에서 목적지까지 최적의 경로로 라우팅하는 기능을 포함하고 있는 계층이다.
> 다양한 길이의 패킷을 네트워크들을 통해 전달한다.

응용 계층
표현 계층
세션 계층
전송 계층
네트워크 계층
데이터 링크 계층
물리 계층

해설
- 최적의 경로로 라우팅하고 패킷을 이용하는 계층은 네트워크 계층이다.

응용 계층	사용자와 네트워크 간 응용서비스 연결, 데이터 생성
표현 계층	데이터 형식 설정, 부호교환, 암·복호화
세션 계층	송수신 간의 논리적인 연결
전송 계층	송수신 프로세스 간의 연결
네트워크 계층	단말기 간 데이터 전송을 위한 최적화된 경로 제공
데이터 링크 계층	인접 시스템 간 데이터 전송
물리 계층	0과 1의 비트 정보를 회선에 보내기 위한 전기적 신호 변환

09 다음이 설명하는 라우팅 프로토콜을 쓰시오.
▶ 22년 3회

> 거리 벡터 라우팅 기반 메트릭 정보를 인접 라우터와 주기적으로 교환하여 라우팅 테이블을 갱신하고 라우팅 테이블을 구성·계산하는 라우팅 프로토콜이다.
> 최대 홉 수(Hop Count)를 15개로 제한하는 라우팅 프로토콜이다.

해설 · 15홉으로 제한하고 거리 벡터 방식을 사용하는 프로토콜은 RIP이다.

RIP (Routing Information Protocol)	AS(Autonomous System; 자치 시스템; 자율 시스템) 내에서 사용하는 거리 벡터(Distance-Vector) 알고리즘에 기초하여 개발된 내부 라우팅 프로토콜
OSPF (Open Shortest Path First)	규모가 크고 복잡한 TCP/IP 네트워크에서 RIP의 단점을 개선하기 위해 자신을 기준으로 링크 상태(Link-State) 알고리즘을 적용하여 최단 경로를 찾는 라우팅 프로토콜
BGP (Border Gateway Protocol)	AS 상호 간(Inter-AS 또는 Inter-Domain)에 경로 정보를 교환하기 위한 라우팅 프로토콜

10 다음 ( )에 들어갈 헤더를 [보기]에서 고르시오.
▶ 22년 3회

- (①) : 바이트 단위로 구분되어 순서화되는 번호로 신뢰성 및 흐름 제어 기능 제공
- (②) : 상대편 호스트에서 받으려는 바이트 번호를 정의

| 보기 |
| Sequence Number   Acknowledgement Number |
| Checksum   Traffic Class |
| Time to Live   Fragment Offset |

①
②

해설 · Sequence Number, Acknowledgement Number, Checksum은 TCP 헤더이고, Traffic Class는 IPv6 헤더, Time to Live, Fragment Offset은 IPv4 헤더로 다음과 같다.

Sequence Number	· 바이트 단위로 구분되어 순서화되는 번호
Acknowledgement Number	· 확인 응답 번호/승인번호 · 상대편 호스트에서 받으려는 바이트 번호를 정의
Checksum	· 헤더 및 데이터의 에러 확인을 위해 사용하는 필드
Traffic Class	· IPv6 패킷 중 QoS를 보장해줘야 할 필요성이 있는 패킷과 그렇지 않은 패킷을 구별
Time to Live	· IP 패킷의 수명 · 데이터그램이 각 라우터를 지나갈 때마다 1씩 감소
Fragment Offset	· 전체 패킷에서 해당 단편이 차지하는 위치 값을 의미

11 다음이 설명하는 용어를 쓰시오.
▶ 22년 3회

- 사용자의 컴퓨터에서 네트워크를 이용하여 원격지에 떨어져 있는 서버에 접속하여 자료를 교환할 수 있는 프로토콜이다.
- Well Known Port를 사용하며 23번 포트를 사용한다.

해설 · 응용 계층 프로토콜은 다음과 같다.

HTTP	· 텍스트 기반의 통신규약으로 인터넷에서 데이터를 주고받을 수 있는 프로토콜(포트 번호 80)
FTP	· 서버와 클라이언트 사이의 파일을 전송하기 위한 프로토콜(포트 번호 21)
SMTP	· 이메일을 보내기 위해 이용하는 프로토콜(포트 번호 25)
POP3	· 원격 서버로부터 TCP/IP 연결을 통해 이메일을 가져오는 데 사용하는 프로토콜(포트 번호 110)
IMAP	· 원격 서버로부터 이메일을 가져오는데 사용하는 프로토콜(포트 번호 143)
Telnet	· 인터넷이나 로컬 영역에서 네트워크 연결에 사용되는 프로토콜(포트 번호 23) · 원격지의 호스트 컴퓨터에 접속하기 위해 사용되는 인터넷 프로토콜

기출문제

▶ 22년 3회

12 다음에 해당하는 네트워크 클래스를 쓰시오.

| ① | 네트워크 | 네트워크 | 네트워크 | 호스트 |
| ② | 네트워크 | 호스트 | 호스트 | 호스트 |

①
②

해설

클래스	서브넷 마스크	IP 구성			
A 클래스	255.0.0.0	Network ID	Host ID	Host ID	Host ID
B 클래스	255.255.0.0	Network ID	Network ID	Host ID	Host ID
C 클래스	255.255.255.0	Network ID	Network ID	Network ID	Host ID

▶ 23년 1회

13 다음이 설명하는 네트워크 프로토콜은 무엇인지 쓰시오.

- IP 패킷의 출발지/목적지의 IP 주소, 출발지/목적지의 포트 주소를 변환하는 기술이다.
- 주소가 고갈된 IPv4를 위해 태어난 기술로 사설 주소를 공인 주소로 변환해주는 기술이다.
- 보유하고 있는 공인 IP 주소가 부족할 경우, 사설 IP 주소를 사용하여 IP 주소를 확장하기 위해 사용한다.

해설 · NAT는 사설 IP 주소(Private IP Address)를 공인 IP 주소(Public IP Address)로 변환하는 기술이다.

▶ 23년 1회

14 다음이 설명하는 프로토콜을 쓰시오.

하위 계층인 IP 계층의 신뢰성 없는 서비스를 보완하여 신뢰성 제공 연결 지향적 특징을 가지고 있는 프로토콜이다. 흐름 제어 기능을 활용하여 송신(송신 전송률) 및 수신(수신 처리율) 속도를 일치시키고, 네트워크가 혼잡하다고 판단될 때는 혼잡제어 기법을 사용하여 송신율을 감속한다.

해설

TCP	전송 계층에 위치하면서 근거리 통신망이나 인트라넷, 인터넷에 연결된 컴퓨터에서 실행되는 프로그램 간에 일련의 옥텟을 안정적으로, 순서대로, 에러 없이 교환할 수 있게 해주는 프로토콜
UDP	비연결성이고, 신뢰성이 없으며, 순서화되지 않은 데이터그램 서비스를 제공하는 전송 계층(4계층)의 통신 프로토콜

▶ 23년 1회

15 다음은 IPv4 헤더이다. 빈칸에 들어갈 길이를 쓰시오.

버전 4비트	헤더 길이 (①) 비트	ToS	패킷 길이	
식별자			플래그 3비트	오프셋
TTL	프로토콜 타입		체크섬	
출발지 주소 (②) 비트				
목적지 주소				

①　　　　　　②

해설

Version	· IP 프로토콜의 버전 번호 (IPv4)	4비트
IP Header Length	· 헤더 길이를 나타냄	4비트
ToS (Type of Service)	· IP 패킷이 가져야 하는 서비스 형태를 나타냄	8비트
Total Length	· IP 패킷의 전체 길이를 바이트 단위로 표시	16비트
Identification	· 식별자, 각 조각이 동일 데이터그램에 속하면 같은 일련 번호를 공유 · 단편화 시에만 필요	16비트
Flag	· 처음 1비트는 항상 0으로 설정, 나머지 2비트는 단편화 설정	3비트
TTL (Time To Live)	· IP 패킷의 수명	8비트
Protocol	· IP 계층 위에서 존재하는 상위 프로토콜이 무엇인지를 나타냄	8비트
Header Checksum	· 헤더의 오류 검사	16비트
Source/ Destination Address	· 출발지/목적지 IP 주소	32비트

▶ 23년 1회

16 네트워크 IP, 브로드캐스트 IP 구하시오. (IP 주소: 192.168.25.10, 서브넷 마스크: 255.255.252.0)

① 네트워크 IP:

② 브로드캐스트 IP:

해설
- IP 주소를 2진수로 변환하면 다음과 같다.

10진수	192.168.25.10
2진수	11000000.10101000.00011001.00001010

- 서브넷 마스크를 2진수로 변환하면 다음과 같다.

10진수	255.255.252.0
2진수	11111111.11111111.11111100.00000000

- 서브넷 마스크에서 1이 22개이고, 0이 10개이므로 IP 주소 192.168.25.10에서 앞에 22비트는 Network ID이고, 나머지 10 비트는 Host ID이다.

11000000.10101000.000110	01.00001010
Network ID	Host ID

- Host ID가 모두 0이면 네트워크 IP, Host ID가 모두 1이면 브로드캐스트 IP이다.

11000000.10101000.000110	00.00000000 (네트워크 IP)
Network ID	Host ID

- 네트워크 IP인 11000000.10101000.00011000.00000000을 10진수로 바꾸면 192.168.24.0이다.

11000000.10101000.000110	11.11111111 (브로드캐스트 IP)
Network ID	Host ID

- 브로드캐스트 IP인 11000000.10101000.00011011.11111111을 10진수로 바꾸면 192.168.27.255이다.

▶ 23년 1회

17 다음 중 데이터 링크 계층의 기능으로 옳은 것을 고르시오.

㉠ 주소지정: 최근에 지나온 노드와 다음에 접근할 노드의 물리 주소를 지정한다.
㉡ 순서 제어: 데이터를 순차적으로 전송하기 위한 프레임 번호 부여한다.
㉢ 흐름 제어: 한 번에 전송하는 데이터의 양을 조절한다.
㉣ 오류 처리: 오류검출 및 정정, 오류가 발생한 프레임에 대해 재전송을 요구한다.
㉤ 동기화: 헤더에는 수신측 프레임 도착 알림, 트레일러에는 프레임의 끝 비트, 오류제어 비트를 넣는다.

해설

주소지정	최근에 지나온 노드와 다음에 접근할 노드의 물리 주소를 지정
순서 제어	데이터를 순차적으로 전송하기 위한 프레임 번호 부여
흐름 제어	한 번에 전송하는 데이터의 양을 조절
오류 처리	오류검출 및 정정, 오류가 발생한 프레임에 대해 재전송을 요구
동기화	헤더에는 수신측 프레임 도착 알림, 트레일러에는 프레임의 끝 비트, 오류제어 비트를 넣는다.

NCS 지피지기 기출문제

▶ 23년 2회

18 다음이 설명하는 프로토콜을 쓰시오.

- 데이터링크 계층 프로토콜, 주로 시리얼 라인을 통해 통신하는 네트워크 장비들 사이에서 데이터 링크 계층에서 통신을 제어하는 데 사용된다. 용도에 따라서 I, S, U 프레임으로 나뉘는데 다음과 같다.

I-프레임	플래그	주소부	제어필드	정보데이터	FCS	플래그
S-프레임	플래그	주소부	제어필드	FCS	플래그
U-프레임	플래그	주소부	제어필드	관리 정보 데이터	FCS	플래그

- 그리고 동작 모드는 점대점이나 멀티포인트 불균형 링크 구성에 사용하는 NRM(Normal Response Mode), 보조국(Secondary Station)도 전송 개시할 필요가 있는 특수한 경우에만 사용하는 ARM(Asynchronous Response Mode), 각 국이 주국(Primary Station)이자 보조국(Secondary Station)으로 서로 대등하게 균형적으로 명령과 응답을 하며 동작하는 ABM(Asynchronous Balanced Mode)가 있다.

해설
- HDLC는 점대점, 다중점 링크 상에서 반이중, 전이중 통신을 모두 지원하도록 설계된 비트 지향형 프로토콜이다.
- HDLC 동작 모드는 정규 응답 모드(NRM), 비동기 응답 모드(ARM), 비동기 균형 모드(ABM)가 있다.

8비트	8비트	8비트	가변	16비트	8비트
플래그	주소부	제어부	정보부	FCS	플래그
01111110					01111110

I 프레임	0			
S 프레임	1	0		
U 프레임	1	1		

▶ 23년 2회

19 ARQ 방식에서 오류 제어를 위해 데이터 프레임을 연속적으로 전송하는 과정에서 NAK를 수신하게 되면, 오류가 발생한 프레임 이후에 전송된 모든 데이터 프레임을 재전송하는 방식은 무엇인가?

해설

Stop-and-Wait ARQ 방식	한 개의 프레임을 전송하고, 수신 측으로부터 ACK 및 NAK 신호를 수신할 때까지 정보 전송을 중지하고 기다리는 방식
Go-back-N ARQ 방식	데이터 프레임을 연속적으로 전송하는 과정에서 NAK를 수신하게 되면, 오류가 발생한 프레임 이후에 전송된 모든 데이터 프레임을 재전송하는 방식
Selective Repeat ARQ 방식	연속적으로 데이터 프레임을 전송하고 에러가 발생한 데이터 프레임만 재전송하는 방식

▶ 23년 2회

20 OSI 7 계층 중 사용자와 응용 프로그램 간의 인터페이스를 제공하며, 데이터 전송과 관련된 서비스를 제공하며, 이메일, 파일 전송, 웹 브라우징 등과 같은 다양한 네트워크 서비스를 가능하게 하는 계층은 무엇인가?

해설
- 응용 계층은 응용 프로세스와 직접 관계하여 일반적인 응용 서비스를 수행하는 역할을 담당하는 계층이다.
- 응용 계층 프로토콜로는 HTTP, FTP, SMTP, POP3, IMAP, Telne), SSH, SNMP, DNS 등이 있다.

▶ 23년 2회

21 OSI 7계층의 데이터 전송단위를 [보기]에서 골라 적으시오.

| 보기 |
| ㉠ 패킷(Packet)　㉡ 프레임(Frame)　㉢ 비트(Bit) |

물리계층	①
데이터링크 계층	②
네트워크 계층	③

해설

계층	전송 단위
물리계층	비트(Bit)
데이터링크 계층	프레임(Frame)
네트워크 계층	패킷(Packet)
전송 계층	세그먼트(Segment)
세션 계층	데이터(Data)
표현 계층	데이터(Data)
응용 계층	데이터(Data)

22 다음은 IP 주소 체계에 대한 설명이다. ①, ②에 들어갈 알맞은 용어를 쓰시오. ▶ 23년 3회

- IPv4는 인터넷에서 사용되는 패킷 교환 네트워크상에서 데이터를 교환하기 위한 32비트 주소 체계를 갖는 네트워크 계층의 프로토콜이다.
- 현재는 IPv4의 주소 체계의 사용이 주류를 이루고 있지만, 점차 인터넷 사용자의 증가로 IPv4를 대신하여 IPv6 주소 체계가 확산하고 있다.
- IPv6는 IPv4가 가지고 있는 주소 고갈, 보안성, 이동성 지원 등의 문제점을 해결하기 위해서 개발된 (①) Bit 주소 체계를 갖는 차세대 인터넷 프로토콜이다.
- IPv6의 특징으로는 IP 주소의 확장, 이동성, 인증 및 보안 기능, Plug&Play 지원 등이 있다.
- IPv6의 특징 중 흐름 레이블(Flow Label) 개념을 도입하여 특정 트래픽에 대해 별도의 특별한 처리(실시간 통신 등)를 보장함으로써 높은 품질의 서비스를 제공해 주는 개선된 (②) 지원 기능이 있다.

①
②

해설 • IPv4와 IPv6의 특징은 다음과 같다.

구분	IPv4	IPv6
주소 길이	32Bit	128Bit
표시 방법	8비트씩 4부분으로 나뉜 10진수	16비트씩 8부분으로 나뉜 16진수
주소 개수	약 43억 개	약 3.4×10^{38}개
주소 할당	A, B, C, D 등 클래스 단위 비순차적 할당(비효율적)	네트워크 규모 및 단말기 수에 따른 순차적 할당(효율적)
헤더 크기	20바이트의 기본 헤더 부분과 가변적인 길이를 가지고 있는 옵션 부분으로 구성	40바이트의 고정된 길이
QoS	Best Effort 방식(보장 곤란)	등급별, 서비스별 패킷 구분 보장
보안 기능	IPSec 프로토콜 별도 설치	보안과 인증 확장 헤더를 사용함으로써 인터넷 계층의 보안 기능 강화
Plug&Play	지원 안 함	지원
모바일 IP	곤란	용이
웹 캐스팅	곤란	용이
전송 방식	멀티캐스트, 유니캐스트, 브로드 캐스트	멀티캐스트, 유니캐스트, 애니캐스트

23 다음에서 설명하는 네트워크 계층의 프로토콜은 무엇인가? ▶ 23년 3회

- IP 네트워크상에서 IP 주소를 MAC 주소로 변환하는 프로토콜.

해설 • IP 네트워크상에서 IP 주소를 MAC 주소로 변환하는 프로토콜은 ARP(Address Resolution Protocol)이다.
• 이와 반대로 물리 네트워크(MAC) 주소에 해당하는 IP 주소를 알려주는 역순 주소 결정 프로토콜은 RARP(Reverse Address Resolution Protocol)이다.

24 다음은 네트워크 계층 프로토콜에 대한 설명이다. 괄호( ) 안에 들어갈 알맞은 용어를 쓰시오. ▶ 23년 3회

- ( ) 프로토콜은 IP의 동작 과정에서의 전송 오류가 발생하는 경우, 오류 정보를 전송하는 목적으로 사용하는 프로토콜이다.
- 메시지 형식은 8바이트의 헤더와 가변 길이의 데이터 영역으로 분리되어 있다.
- ( ) 프로토콜을 이용한 ping 유틸리티의 구현을 통해 네트워크상에서 오류가 발생했음을 알리는 기능을 수행할 수 있다.

해설 • ICMP 프로토콜은 IP의 동작 과정에서의 전송 오류가 발생하는 경우, 오류 정보를 전송하는 목적으로 사용하는 프로토콜로 메시지 형식은 8바이트의 헤더와 가변 길이의 데이터 영역으로 되어 있다.
• ICMP 프로토콜은 수신지 도달 불가 메시지는 수신지 또는 서비스에 도달할 수 없는 호스트를 통지하는 데 사용한다.
• ICMP 프로토콜을 이용한 ping 유틸리티의 구현을 통해 오류가 발생했음을 알리는 기능을 수행한다.

기출문제

▶ 23년 3회

25 다음은 TCP 연결 해제(TCP 4-Way Handshake) 상태를 나타낸 그림이다. 그림과 같이 송수신 간 연결을 해제할 때의 동작 순서를 [보기]에서 찾아서 순서대로 정렬하시오.

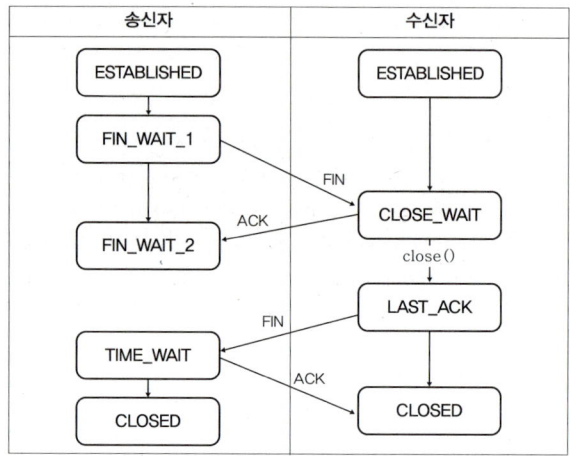

| 보기 |
⊙ 수신자가 송신자에게 확인 메시지(ACK 메시지)를 전송한다.
ⓒ 수신자가 송신자에게 FIN 메시지를 전송한다.
ⓒ 송신자가 수신자에게 응답 확인 메시지(ACK 메시지)를 전송한다.
ⓔ 송신자가 수신자에게 FIN 메시지를 전송한다.

해설
- TCP 연결 해제(TCP 4-Way Handshake)는 TCP 통신을 이용하여 연결을 해제하는 과정이다.
- TCP 연결 해제(TCP 4-Way Handshake)는 FIN 플래그를 이용하여 연결을 해제한다.

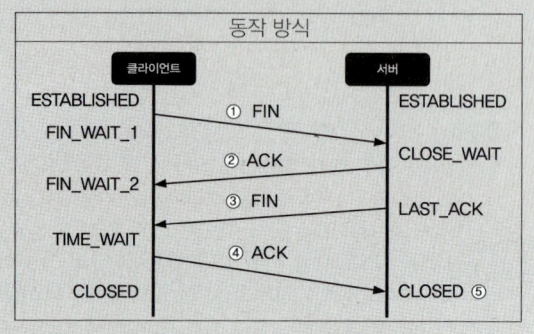

① 접속 종료를 위해서 클라이언트가 서버로 FIN 메시지를 전송
② FIN 메시지를 받은 서버는 확인했다는 의미의 ACK 메시지를 클라이언트에 전송하고 포트에 연결된 애플리케이션에 Close()를 요청한 후 애플리케이션의 통신이 끝날 때까지 대기(CLOSE_WAIT)
③ 서버에서 통신이 끝났다면 연결 종료에 합의한다는 의미로 FIN 메시지를 클라이언트에게 전송
④ FIN 메시지를 받은 클라이언트는 FIN 메시지를 받았다는 답장(ACK)을 서버 측에 전송
⑤ 일정 시간이 지난 후 클라이언트의 포트는 CLOSED 상태로 변경

- TCP 3-Way Handshake는 TCP 통신을 이용하여 데이터를 전송하기 위해 네트워크 연결을 설정하는 과정이다.
- 송신자(Client)와 수신자(Server)가 데이터를 전송할 준비가 되었다는 것을 보장하고, 실제로 데이터 전달이 시작되기 전에 상호 간에 준비되었다는 것을 알 수 있도록 하는 과정이다.
- TCP/IP 프로토콜을 이용하여 통신을 수행하는 응용 프로그램이 데이터를 전송하기 전에 정확한 전송을 보장하기 위해 상대방 컴퓨터와 사전에 세션을 수립하는 과정이다.

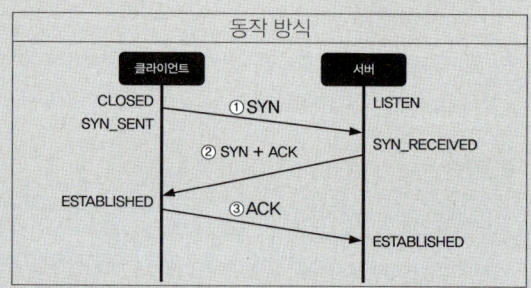

① 클라이언트가 서버로 접속 요청 메시지(SYN)를 전송
② 접속 요청(SYN)을 받은 서버가 클라이언트의 요청을 정상적으로 받았다는 응답(ACK)과 클라이언트의 포트를 개방해 달라는 요청(SYN)을 전송
③ 클라이언트는 서버가 보낸 SYN+ACK 메시지를 받고 클라이언트의 상태를 연결 성립(ESTABLISHED) 상태로 변경한 후 포트를 개방해 달라는 요청을 수락한다는 ACK 메시지를 서버로 전송

26 다음 응용 계층의 프로토콜에 해당하는 포트 번호를 쓰시오.
▶ 23년 3회

| ① HTTPS | ② SSH | ③ IMAP |

①
②
③

해설 응용 계층의 프로토콜과 포트 번호는 다음과 같다.

HTTPS (Hypertext Transfer Protocol Secure)	• 인터넷에서 하이퍼텍스트를 암호화해서 주고받을 수 있도록 개선한 HTTP의 보안 강화 버전 • 웹 브라우저와 웹사이트 사이에서 통신을 암호화해서 안전한 연결을 제공하는 프로토콜 • 네트워크 포트는 443번을 사용
SSH (Secure Shell)	• Telnet보다 강력한 보안을 제공하는 원격 접속 프로토콜 • 서로 연결된 컴퓨터 간 원격 명령 실행이나 쉘 서비스 등을 수행 • 키를 통한 인증은 클라이언트의 공개키를 서버에 등록해야 하고 전송되는 데이터는 암호화됨 • SSH는 인증, 암호화, 압축, 무결성을 제공 • 네트워크 포트는 22번을 사용
IMAP (Internet Messaging Access Protocol)	• 로컬 서버에서 프로그램을 이용하여 메일 서버로부터 이메일을 액세스하기 위한 프로토콜 • 중앙 서버에서 동기화가 이루어지기 때문에 모든 단말에서 동일한 이메일 폴더를 확인할 수 있는 프로토콜 • 이메일 서버와 동기화가 이루어지고 온라인 및 오프라인에서 모두 사용 가능 • 네트워크 포트는 143번 포트 사용

27 다음은 데이터 전송 제어 절차이다. [보기]에서 올바른 순서를 찾아 기호로 나타내시오.
▶ 24년 1회

| 보기 |
| ㉠ 회선 접속 | ㉡ 데이터 전송 |
| ㉢ 데이터 링크 해제 | ㉣ 회선 절단 |
| ㉤ 데이터 링크 연결 |

해설 • 데이터 전송 제어 절차는 다음과 같다.

데이터 통신 회선 접속	• 데이터 통신 회선에서 통신회선과 단말기를 물리적으로 접속하는 단계
데이터 링크 설정 및 확립	• 접속된 통신회선 상에서 데이터 송·수신을 위한 논리적인 경로를 구성하는 단계
정보 메시지 전송	• 설정된 데이터 링크를 통해 데이터와 확인신호(ACK) 등을 수신 측에 전송하고, 오류 제어와 순서 제어 등을 수행하는 단계
데이터 링크 종결	• 송·수신 측 간의 논리적인 경로를 해제하여 링크 확립을 종료하는 단계
데이터 통신 회선 절단	• 통신회선과 단말기 간의 물리적인 접속을 절단하는 단계

28 교환 방식 중 축적 교환(Store & Forwarding)을 사용하는 방식을 [보기]에서 모두 고르시오.
▶ 24년 1회

| 보기 |
| ㉠ 회선 교환 방식(Circuit Switching) |
| ㉡ 메시지 교환 방식(Message Switching) |
| ㉢ 가상 회선 방식(Virtual Circuit) |
| ㉣ 데이터그램 방식(Datagram) |

해설 • 축적 교환망은 송신 측에서 전송한 데이터를 송신 측 교환기에 저장시켰다가 적절한 통신 경로를 선택하여 수신 측 교환기를 통해 수신 측 터미널에 전송하는 방식이다.
• 축적 교환망의 교환 방식에는 메시지 교환 방식과 패킷 교환 방식이 있다.

기출문제

▶ 24년 1회

29 다음은 OSI 7계층에 대한 설명이다. 빈칸에 알맞은 용어를 [보기]에서 찾아 쓰시오.

① 여러 개의 노드를 거칠 때마다 경로를 찾아주는 역할을 하는 계층
② 통신 경로상의 지점 간 회선 제어, 흐름 제어, 오류 제어를 담당하는 계층
③ 장치 간의 물리적인 접속과 비트 정보를 다른 시스템에 전송하는 데 필요한 규칙을 정의하는 계층
④ 두 사용자 사이의 신뢰성 있는 데이터 전송을 위한 종단 간 제어를 담당하는 계층

|보기|
물리, 전송, 네트워크, 비트, 세션, 표현, 세그먼트, 응용, 패킷, 데이터, 데이터링크, 프레임

계층	전송 단위
①	⑤
②	⑥
③	⑦
④	⑧

해설 · OSI 7계층은 다음과 같다.

계층	설명	전송 단위
응용 계층	· 사용자와 네트워크 간 응용서비스 연결, 데이터 생성 계층	데이터 (Data)
표현 계층	· 데이터 형식 설정, 부호교환, 암·복호화, 압축 설정 계층	
세션 계층	· 송수신 간의 논리적인 연결 계층 · 연결 접속, 동기제어	
전송 계층	· 송수신 프로세스 간의 연결 · 두 사용자 사이의 신뢰성 있는 데이터 전송을 위한 종단 간 제어를 담당하는 계층 · 데이터 분할, 재조립, 흐름 제어, 오류 제어, 혼잡 제어	세그먼트 (Segment)
네트워크 계층	· 단말기 간 데이터 전송을 위한 최적화된 경로 제공 계층 · 여러 개의 노드를 거칠 때마다 경로를 찾아주는 역할을 하는 계층	패킷 (Packet)
데이터 링크 계층	· 인접 시스템 간 데이터 전송 계층 · 통신 경로상의 지점 간 동기화, 회선 제어, 흐름 제어, 오류 제어를 담당하는 계층	프레임 (Frame)

물리 계층	· 0과 1의 비트 정보를 회선에 보내기 위한 전기적 신호로 변환하는 계층 · 장치 간의 물리적인 접속과 비트 정보를 다른 시스템에 전송하는 데 필요한 규칙을 정의하는 계층	비트 (Bit)

▶ 24년 1회

30 다음은 HDLC의 구조이다. 이중 빈칸( )에 들어갈 영역에 대해 영어로 쓰시오.

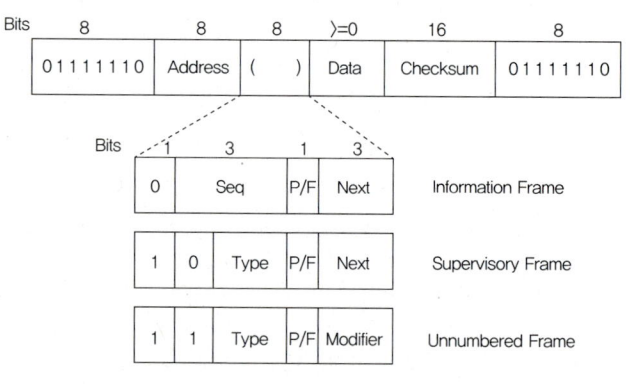

해설 · HDLC의 프레임 구조는 다음과 같다.

주소부(Address)	· 프레임 목적지의 주소를 나타내는 영역
제어부(Control)	· 프레임의 종류를 식별하기 위해 사용하는 영역
정보부(Data)	· 실제 정보 메시지가 들어있는 영역
체크섬(FCS: Frame Check Sequence)	· 프레임에 대한 전송 오류를 검출하기 위해 사용하는 영역

▶ 24년 1회

31 다음 오류 제어 방식에 대한 설명으로 올바른 것을 [보기]에서 찾아 쓰시오.

- 데이터 전송 과정에서 발생한 오류를 검출하고 재전송 요구 없이 스스로 수정하는 방식이다.
- 송신 측에서 오류 검출을 위한 부가 정보를 추가해 전송하고, 수신 측이 이 부가 정보를 이용해 오류를 발견하고 수정한다.

| 보기 |
FEC(Forward Error Correction), BEC(Backward Error Correction), CRC(Cyclical Redundancy Check), ARQ(Automatic Repeat reQuest), Parity Check

해설
- FEC는 데이터 전송 과정에서 발생한 오류를 검출하고 재전송 요구 없이 스스로 수정하는 기능으로, 송신 측에서 오류 검출을 위한 부가 정보를 추가해 전송하고, 수신 측이 부가 정보를 이용해 오류를 발견하고 수정한다.

▶ 24년 2회

32 다음은 네트워크 전송 기술에 대한 설명이다. 괄호( ) 안에 들어갈 알맞은 용어를 쓰시오.

- (①)은/는 인터넷에서 같은 내용의 데이터를 여러 명의 특정한 그룹의 수신자들에게 동시에 전송할 수 있는 프로토콜이다.
- (②)은/는 하나의 송신자가 같은 서브 네트워크상의 모든 수신자에게 데이터를 전송하는 프로토콜이다.
- (③)은/는 고유 주소로 식별된 하나의 네트워크 목적지에 1:1로 (One-to-One) 트래픽 또는 메시지를 전송하는 프로토콜이다.

① _____ 프로토콜
② _____ 프로토콜
③ _____ 프로토콜

해설

멀티캐스트 프로토콜 (Multicast Protocol)	• 인터넷에서 같은 내용의 데이터를 여러 명의 특정한 그룹의 수신자들에게 동시에 전송할 수 있는 프로토콜
브로드캐스트 프로토콜 (Broadcasting Protocol)	• 하나의 송신자가 같은 서브 네트워크상의 모든 수신자에게 데이터를 전송하는 프로토콜
유니캐스트 프로토콜 (Unicast Protocol)	• 고유 주소로 식별된 하나의 네트워크 목적지에 1:1로(One-to-One) 트래픽 또는 메시지를 전송하는 프로토콜

▶ 24년 2회

33 IPv4의 주소 체계는 총 32비트로 구성되어 있으며 네트워크 주소와 호스트 주소로 나뉜다. 클래스 분류에 따라 호스트 주소가 16비트를 갖는 클래스는 무엇인가?

(_____) 클래스

해설
• IPv4의 클래스 분류에 따른 네트워크 주소, 호스트 주소는 다음과 같다.

클래스 구분	네트워크 주소	호스트 주소
A Class	8비트	24비트
B Class	16비트	16비트
C Class	24비트	8비트

기출문제

▶ 24년 2회

34 다음에서 설명하는 프로토콜은 무엇인가?

- TCP/IP의 네트워크 관리 프로토콜로, 라우터나 허브 등 네트워크 장치로부터 정보를 수집 및 관리하며, 정보를 네트워크 관리 시스템에 보내는 데 사용하는 인터넷 표준 프로토콜이다.
- 161번 포트를 사용한다.

해설 · SNMP는 TCP/IP의 네트워크 관리 프로토콜로, 라우터나 허브 등 네트워크 장치로부터 정보를 수집 및 관리하며, 정보를 네트워크 관리 시스템에 보내는 데 사용하는 인터넷 표준 프로토콜이다.
· SNMP는 161번 포트를 사용한다.

▶ 24년 3회

35 다음 중 [보기]에서 라우터의 기능에 해당하는 것을 골라서 기호로 쓰시오.

|보기|
㉠ 목적지 주소 확인
㉡ 라우팅 소스 정보
㉢ 경로 설정
㉣ 경로 탐색
㉤ 라우팅 정보 인증 및 검증
㉥ 패킷 전송

해설 · 라우터의 기능은 다음과 같다.

목적지 주소 확인	목적지 주소를 확인해 패킷을 어느 방향으로 보내야 할지 결정
경로 탐색	네트워크 상황에 따라 가능한 경로를 탐색하고, 최적의 경로를 선택
경로 설정	목적지까지 최적의 경로를 설정하여 데이터를 효율적으로 전달
패킷 전송	목적지까지 패킷을 전달하는 역할

▶ 24년 3회

36 OSI 7계층에서 링크의 설정과 유지 및 종료를 담당하며 노드 간의 회선 제어, 흐름 제어, 오류 제어 기능을 수행하고 프레임 단위로 전송하는 계층은 무엇인지 쓰시오.

해설 · 데이터 링크 계층은 링크의 설정과 유지 및 종료를 담당하며 노드 간의 회선 제어, 흐름 제어, 오류 제어 기능을 수행하는 계층이다.
· 데이터 링크 계층의 주요 프로토콜에는 HDLC, PPP, 프레임 릴레이, ATM 등이 있다.

▶ 24년 3회

37 네트워크를 통해 파일을 주고받기 위한 표준 프로토콜로 TCP/IP 프로토콜을 통해 서버에 파일을 업로드하거나, 서버에서 파일을 다운로드하는 데 사용하는 프로토콜은 무엇인지 쓰시오.

해설 · FTP는 TCP/IP 프로토콜을 가지고 서버와 클라이언트 사이의 파일을 전송하기 위한 프로토콜로, 포트 번호는 20, 21번을 사용한다.

▶ 24년 3회

38 미 국방성에서 설치한 네트워크인 ARPANET(Advanced Research Projects Agency Network)에서 사용한 네트워크 교환 방식은 무엇인지 쓰시오.

( ) 교환 방식

해설 • 패킷 교환 방식은 컴퓨터 네트워크와 통신의 방식 중 하나로 작은 블록의 패킷으로 데이터를 전송하며, 전송하는 동안에만 네트워크 자원을 사용하도록 하는 통신 방식이다.

정답

01. 21   02. DNS(Domain Name System)   03. MAC 주소(물리 주소)   04. 물리(Physical)   05. 데이터 링크(Data link)   06. RIP(Routing Information Protocol)   07. ① TCP(Transmission Control Protocol), ② UDP(User Datagram Protocol)   08. 네트워크 계층   09. RIP(Routing Information Protocol)   10. ① Sequence Number, ② Acknowledgement Number   11. 텔넷(Telnet)   12. ① C 클래스, ② A 클래스   13. NAT(Network Address Translation)   14. TCP(Transmission Control Protocol)   15. ① 4, ② 32   16. ① 192.168.24.0, ② 192.168.27.255   17. ㉠, ㉡, ㉢, ㉣   18. HDLC(High-Level Data Link Control)   19. Go-back-N ARQ 방식   20. 응용 계층(Application Layer)   21. ①-㉢, ②-㉡, ③-㉠   22. ① 128, ② QoS   23. ARP(Address Resolution Protocol)   24. ICMP(Internet Control Message Protocol)   25. ㉢ - ㉠ - ㉡ - ㉣   26. ① 443, ② 22, ③ 143   27. ㉠ → ㉣ → ㉡ → ㉢ → ㉤   28. ㉡, ㉢, ㉣   29. ① 네트워크, ② 데이터 링크, ③ 물리, ④ 전송, ⑤ 패킷, ⑥ 프레임, ⑦ 비트, ⑧ 세그먼트   30. Control   31. FEC(Forward Error Correction)   32. ①: 멀티캐스트, ②: 브로드캐스트, ③: 유니캐스트   33. B   34. SNMP(Simple Network Management Protocol)I   35. ㉠, ㉢, ㉣, ㉥   36. 데이터 링크(Data Link)   37. FTP(File Transfer Protocol)   38. 패킷(Packet)

예상문제

01 네트워크의 OSI 7계층 중 다음 설명에 해당하는 계층은 무엇인가?

> • 물리계층을 통해 송수신되는 정보의 오류와 흐름을 관리하여 안전한 정보의 전달을 수행할 수 있도록 도와주는 역할을 수행한다.
> • 동기화, 오류 제어, 흐름 제어, 회선제어의 역할을 수행하며 전송단위는 프레임(Frame)을 사용한다.

> 해설 ▶ • 데이터 링크 계층은 링크의 설정과 유지 및 종료를 담당하며 노드 간의 회선 제어, 흐름 제어, 오류 제어 기능을 수행하는 계층이다.

02 OSI 7계층을 7계층부터 1계층까지 순서대로 나열하시오.

> Network, Data Link, Session, Application, Presentation, Transport, Physical

> 해설 ▶
> | OSI 7계층 | |
> |---|---|
> | 아파서 티내다, 피나다 | Application(7) / Presentation(6) / Session(5) / Transport(4) / Network(3) / Data Link(2) / Physical(1) |

03 다음은 패킷 교환 프로토콜에 해당하는 통신 기술에 대한 설명이다. 다음 괄호 ( ) 안에 들어갈 가장 적합한 용어를 쓰시오.

> • (①)은/는 통신을 원하는 두 단말장치가 패킷 교환망을 통해 패킷을 원활히 전달하기 위한 통신 프로토콜으로 고정된 대역폭을 갖고 신뢰성 있는 통신을 하지만 복잡한 기능으로 인해 ISDN 등의 고속망으로 대체되는 통신 기술이다.
> • (②)은/는 비동기 전송모드라고 하는 광대역 전송에 쓰이는 스위칭 기법으로 정보전달의 기본단위를 53바이트 셀 단위로 전달하는 비동기식 시분할 다중화 방식의 패킷형 전송 기술이다.

①
②

> 해설 ▶ • X.25는 통신을 원하는 두 단말장치가 패킷 교환망을 통해 패킷을 원활히 전달하기 위한 통신 프로토콜이다.
> • ATM은 비동기 전송모드라고 하는 광대역 전송에 쓰이는 스위칭 기법이다.

04 다음은 네트워크 기법들에 대한 설명이다. 다음 괄호 ( ) 안에 들어갈 가장 적합한 용어를 쓰시오.

> 데이터가 네트워크를 통해 전송될 때, 데이터 크기가 전송 매체의 한계를 초과하는 경우 (①)을/를 통해 전송이 가능한 작은 블록으로 나눈다. 데이터가 전송 과정에서 (①) 되어 있는 블록들이 목적지에 도착하여 다시 원래의 데이터로 조립되는 과정은 (②)이다.

①
②

> 해설 ▶
> | 단편화 | 전송이 가능한 작은 블록으로 나누어지는 기법 |
> |---|---|
> | 재조립 | 단편화되어 온 조각들을 원래 데이터로 복원하는 기법 |
> | 캡슐화 | 상위 계층의 데이터에 각종 정보를 추가하여 하위 계층으로 보내는 기법 |
> | 연결 제어 | 데이터의 전송량이나 속도를 제어하는 기법 |
> | 오류 제어 | 전송 중 잃어버리는 데이터나 오류가 발생한 데이터를 검증하는 제어 기법 |
> | 동기화 | 송신과 수신 측의 시점을 맞추는 기법 |
> | 다중화 | 하나의 통신 회선에 여러 기기들이 접속할 수 있는 기술 |
> | 주소 지정 | 송신과 수신지의 주소를 부여하여 정확한 데이터 전송을 보장하는 기법 |

예상문제

05 다음 괄호 ( ) 안에 공통으로 들어갈 가장 적합한 용어를 쓰시오.

- ( )은/는 인터넷 프로토콜 스위트의 핵심 프로토콜 중 하나로, IP와 함께 ( )/IP라는 명칭으로 사용된다.
- ( )은/는 전송 계층에 위치하면서 근거리 통신망이나 인트라넷, 인터넷에 연결된 컴퓨터에서 실행되는 프로그램 간에 일련의 옥텟을 안정적으로, 순서대로, 에러 없이 교환할 수 있게 해주는 프로토콜이다.

해설 ▶ • TCP는 전송 계층에 위치하고 있고, IP와 같이 묶어 TCP/IP라는 명칭으로 사용된다.

06 FTP(File Transfer Protocol)의 데이터 전송을 수행하는 포트 번호는 무엇인지 쓰시오.

해설 ▶ • FTP는 TCP/IP 프로토콜을 가지고 서버와 클라이언트 사이의 파일을 전송하기 위한 프로토콜이다.
• 20번은 데이터 전송 채널로, 21번은 데이터 전송 제어 채널로 사용된다.

07 다음이 설명하는 용어를 쓰시오.

- 사용자가 이해하기 쉬운 도메인 주소를 실제 네트워크 상에서 사용하는 IP 주소로 바꿔주는 역할을 한다.
- 도메인 주소를 어떻게 관리할지에 대한 방법을 기록한 도메인 네임 스페이스(Domain Name Space)가 있다.

해설 ▶ • DNS는 특정 컴퓨터의 주소를 찾기 위해 사람이 이해하기 쉬운 도메인 이름을 숫자로 된 식별 번호인 IP로 변환한다.

08 다음이 설명하는 알맞은 용어를 쓰시오.

벨만–포드(Bellman–Ford) 알고리즘 사용하는 내부 라우팅 프로토콜로, 메트릭 정보를 인접 라우터와 주기적으로 교환하여 라우팅 테이블을 갱신하고 라우팅 테이블을 구성·계산하고, 최대 홉 수(Hop Count)를 15개로 제한하는 프로토콜이다.

( ) 라우팅 프로토콜

해설 ▶ • 라우팅 프로토콜은 다음과 같다.

RIP	AS(Autonomous System; 자치 시스템; 자율 시스템) 내에서 사용하는 거리 벡터(Distance–Vector) 알고리즘에 기초하여 개발된 내부 라우팅 프로토콜
OSPF	규모가 크고 복잡한 TCP/IP 네트워크에서 RIP의 단점을 개선하기위해 자신을 기준으로 링크 상태(Link–State) 알고리즘을 적용하여 최단 경로를 찾는 라우팅 프로토콜
BGP	AS 상호 간(Inter–AS 또는 Inter–Domain)에 경로 정보를 교환하기 위한 라우팅 프로토콜

정답

01. 데이터 링크(Data Link) 02. 7계층: Application, / 6계층: Presentation, / 5계층: Session, / 4계층: Transport, / 3계층: Network, / 2계층: Data Link, / 1계층: Physical 03. ① X.25, ② ATM 04. ① 단편화, ② 재조립 05. TCP 06. 20 07. DNS(Domain Name System) 08. RIP(Routing Information Protocol)

CHAPTER 03 기본 개발환경 구축

1 개발 인프라 구축 ★★

(1) 개발환경 인프라 구축

1 개발환경 인프라 구축 개념

개발환경 인프라 구축은 소프트웨어 개발 프로세스를 지원하고 향상시키기 위해 필요한 기반이나 환경을 구축하는 과정이다.

2 개발환경 인프라 구축 방식 [22년 2회]

개발 환경 인프라 구성 방식에는 온프레미스 방식, 클라우드 방식, 하이브리드 방식이 있다.

▼ 개발환경 인프라 구성 방식

구성방식	설명
온프레미스 (On-Premise) 방식	• 외부 인터넷망이 차단된 상태에서 인트라넷망만을 활용하여 개발환경을 구축하는 방식 • 데이터와 정보의 외부 유출이 민감할 경우 해당 장비를 자체 구매하고 특정 공간에 개발환경을 구축
클라우드(Cloud) 방식	• 아마존, 구글, 마이크로소프트 등 클라우드 공급 서비스를 하는 회사들의 서비스를 임대하여 개발환경을 구축하는 방식 • 해당 장비를 초기에 구매하지 않기 때문에 개발환경 투자비용이 적고 구축 시간이 빠름
하이브리드(Hybrid) 방식	• 온프레미스와 클라우드 방식을 혼용하는 방식

3 개발환경 인프라 구축 장비

① 스토리지 시스템

스토리지 시스템에는 DAS, NAS, SAN이 있다.

▼ 스토리지 시스템 유형

유형	설명
DAS (Direct Attached Storage)	• 하드 디스크와 같은 데이터 저장 장치를 호스트 버스 어댑터에 직접 연결하는 스토리지 • 저장 장치와 호스트 기기 사이에는 네트워크 디바이스가 있지 말아야 하고 직접 연결하는 방식으로 구성된 기술
NAS (Network Attached Storage)	• 서버와 저장 장치를 네트워크로 연결하여 구성하는 스토리지 • 구성 설정이 간편하며 별도의 운영 체제를 가진 서버 한 곳에서 파일을 관리하기 때문에 서버 간에 스토리지 및 파일 공유가 용이 • 저장 장치와 서버를 직접 연결하는 것이 아니라 네트워크를 통해 스토리지에 접속하고, 파일 단위로 관리
SAN (Storage Area Network)	• 서버와 스토리지를 저장 장치 전용 네트워크로 상호 구성하여 고가용성, 고성능, 융통성, 확장성을 보장하고 데이터를 블록(BLoCk) 단위로 관리하는 스토리지 • DAS의 빠른 처리와 NAS의 스토리지 공유 방식의 장점을 합친 방식으로, 광케이블 및 광 채널 스위치를 통해 근거리 네트워크 환경을 구성하여 빠른 속도로 데이터를 처리할 수 있으며, 스토리지 공유가 가능한 기술

② RAID(Redundant Array of Independent Disks; 복수 배열 독립 디스크)

- RAID는 하나의 대형 저장 장치 대신 다수의 저용량의 저장 장치를 배열로 구성하는 기술이다.
- 여러 개의 하드 디스크에 일부 중복된 데이터를 나눠서 저장하기 때문에 디스크 어레이(Disk Array)라고도 한다.

▼ RAID 종류

레벨	개념도	설명
RAID 0	RAID 0 Disk 0: A1, A3, A5, A7 Disk 1: A2, A4, A6, A8	• 패리티(오류 검출 기능)가 없는 스트라이핑된 세트로 구성되는 방식 • 적어도 2개의 디스크 필요 • 개선된 성능에 추가적인 기억장치를 제공하는 장점이 있지만, 장애 시 데이터의 안전을 보장할 수 없는 단점이 있음
RAID 1	RAID 1 Disk 0: A1, A2, A3, A4 Disk 1: A1, A2, A3, A4	• 패리티(오류 검출 기능)가 없는 미러링된 세트로 구성되는 방식 • 적어도 2개의 디스크 필요 • 디스크 2개에 동일한 데이터가 저장되고, 제공해야 할 논리 디스크 크기의 두 배 공간을 필요로 하기 때문에 비용 측면에서 단점이 있음

두음쌤 한마디

RAID 0과 1
「0스 1미」
RAID 0 - 스트라이핑 /
RAID 1 - 미러링

레벨	개념도	설명
RAID 2	RAID 2 (Disk 0 ~ Disk 6)	• 오류정정부호(ECC)를 기록하는 전용의 하드 디스크를 이용해서 안정성을 확보하는 방식 • 비트 레벨의 스트라이핑과 해밍코드 패리티 사용하여 하나의 멤버 디스크가 고장나도 ECC를 이용하여 정상적으로 작동할 수 있지만, 추가적인 연산이 필요하여 입출력 속도가 매우 늦음
RAID 3	RAID 3 (Disk 0 ~ Disk 3)	• 데이터는 모든 디스크에 바이트 단위의 스트라이핑된 세트로 구성되고, 패리티 정보는 별도의 전용 디스크에 저장되는 방식 • 적어도 3개의 디스크 필요 • 한 개의 드라이브가 고장 나는 것을 허용하며, 순차적 쓰기 성능과 순차적 읽기 성능은 우수하지만 문제 해결이 어려워서 잘 사용되지 않음
RAID 4	RAID 4 (Disk 0 ~ Disk 3)	• 데이터는 모든 디스크에 블록 단위의 스트라이핑된 세트로 구성되고, 패리티 정보는 별도의 전용 디스크에 저장되는 방식 • 적어도 3개의 디스크 필요 • 읽기 성능은 좋지만, 쓰기 성능은 나쁜 단점이 있음
RAID 5	RAID 5 (Disk 0 ~ Disk 3)	• 패리티가 배분되는(Distributed) 스트라이핑된 세트로 구성된 방식 • 적어도 3개의 디스크 필요 • 모든 디스크에 나뉘어 저장되지만, 항상 균등하진 않고 패리티 정보도 모든 디스크에 나뉘어 저장
RAID 6	RAID 6 (Disk 0 ~ Disk 4)	• 패리티가 배분되는(Distributed) 스트라이핑된 세트로 구성된 방식 • 적어도 4개의 디스크 필요 • 각 디스크에 패리티 정보가 두 번 독립적으로 분산되어 저장

(2) 클라우드 기반 개발 인프라 구축

1 가상화(Virtualization) 개념

- 가상화는 물리적인 리소스들을 사용자에게 하나로 보이게 하거나, 하나의 물리적인 리소스를 여러 개로 보이게 하는 기술이다.
- 대부분의 서버는 용량의 20% 정도만을 사용하는데, 가상화를 통해 서버의 가동률을 60~70% 이상으로 올릴 수 있다.

2 가상화의 종류

▼ 가상화의 종류

종류	설명
플랫폼 가상화	• 하드웨어 플랫폼 위에서 실행되는 호스트 프로그램이 게스트 프로그램을 만들어 마치 독립된 환경을 만들어 낸 것처럼 보여주는 기법
리소스 가상화	• 게스트 소프트웨어 위에서 사용자는 독립된 하드웨어에서 소프트웨어가 실행되는 것처럼 활용하는 기법 • 메모리, 저장 장치, 네트워크 등을 결합하거나 나누기 때문에 사용자는 가상화된 물리적 장치들이 어떤 위치에 있는지 알기 어려움

3 가상화 기술요소

▼ 가상화 기술요소

기술요소	설명
컴퓨팅 가상화 (Computing Virtualization)	• 물리적으로 컴퓨터 리소스를 가상화하여 논리적 단위로 리소스를 활용할 수 있도록 하는 기술 • 서버 가상화를 통해 하나의 시스템에서 1개 이상의 운영체제를 동시에 가동시킬 수 있으므로, 서버 이용률이 크게 향상 예 하이퍼바이저(Hypervisor)
스토리지 가상화 (Storage Virtualization)	• 스토리지와 서버 사이에 소프트웨어/하드웨어 계층을 추가하여 스토리지를 논리적으로 제어 및 활용할 수 있도록 하는 기술 • 이기종 스토리지 시스템의 통합을 가능하게 하는 기술 예 분산 파일 시스템
I/O 가상화 (I/O Virtualization)	• 서버와 I/O 디바이스 사이에 위치하는 미들웨어 계층으로, 서버의 I/O 자원을 물리적으로 분리하고 케이블과 스위치 구성을 단순화하여 효율적인 연결을 지원하는 기술 예 가상 네트워크 인터페이스 카드
컨테이너 (Container)	• 컨테이너화된 애플리케이션들이 단일 운영체제상에서 실행되도록 해주는 기술 • 하이퍼바이저 없이 운영체제가 격리된 프로세스로 동작하기 때문에 오버헤드가 낮음 예 도커(Docker)

기술요소	설명
분산처리 기술 (Distributed Computing)	• 여러 대의 컴퓨터 계산 및 저장능력을 이용하여 커다란 계산 문제나 대용량의 데이터를 처리하고 저장하는 기술
네트워크 가상화 (Network Virtualization)	• 물리적으로 떨어져 있는 다양한 장비들을 연결하기 위한 수단으로 중계 장치(라우터, 스위치 등)의 가상화를 통한 가상 네트워크를 지원하는 기술 예 SDN, NFV

(3) 클라우드 컴퓨팅

1 클라우드 컴퓨팅(Cloud Computing) 개념

- 클라우드 컴퓨팅은 인터넷을 통해 가상화된 컴퓨터 시스템 리소스(IT 리소스)를 제공하고, 정보를 자신의 컴퓨터가 아닌 클라우드(인터넷)에 연결된 다른 컴퓨터로 처리하는 기술이다.
- 구성 가능한 컴퓨팅 자원에 대해 어디서나 접근할 수 있다.

2 클라우드 컴퓨팅 분류

클라우드 컴퓨팅은 사설 클라우드, 공용 클라우드, 하이브리드 클라우드로 분류된다.

▼ 클라우드 컴퓨팅 분류

분류	설명
사설 클라우드 (Private Cloud)	• 기업 또는 조직 내부에서 보유하고 있는 컴퓨팅 자원(IDC, 서버 등)을 사용하여 내부에 구축되어 운영되는 클라우드 • 자체 컴퓨팅 자원으로 모든 하드웨어, 소프트웨어, 데이터를 수용 • 직접적인 통제가 가능하며 보안성을 높일 수 있음
공용 클라우드 (Public Cloud)	• 클라우드 서비스 제공 업체에서 다중 사용자를 위한 컴퓨팅 자원 서비스를 제공하는 클라우드 • 일정한 비용을 지불하고 하드웨어, 소프트웨어 등을 사용 • 확장성, 유연성 등이 뛰어남
하이브리드 클라우드 (Hybrid Cloud)	• 기업 또는 조직 내부 자원을 이용한 사설 클라우드와 공용 클라우드를 모두 사용하는 클라우드 • 사설 클라우드의 약점인 구축 비용 문제와 공용 클라우드의 약점인 보안성 확보 문제를 해결 • 사용 업무의 중요도, 보안성 확보의 중요도 등에 따라 이용 형태 변경 가능

두음쌤 한마디

클라우드 컴퓨팅 분류
「사공하」
사설 클라우드 / 공용 클라우드 / 하이브리드 클라우드
→ 사공이 하나도 없다.

3 클라우드 서비스 유형

클라우드 서비스 유형은 IaaS, PaaS, SaaS가 있다.

▲ 클라우드 서비스 유형

▼ 클라우드 서비스 유형

유형	설명
인프라형 서비스 (IaaS; Infrastructure as a Service)	• 서버, 스토리지 같은 시스템 자원을 클라우드로 제공하는 서비스 • 컴퓨팅 자원에 운영체제나 애플리케이션 등의 소프트웨어 탑재 및 실행 • 하위의 클라우드 인프라를 제어하거나 관리하지 않지만 스토리지, 애플리케이션에 대해서는 제어권을 가짐
플랫폼형 서비스 (PaaS; Platform as a Service)	• 인프라를 생성, 관리 하는 복잡함 없이 애플리케이션을 개발, 실행, 관리할 수 있게 하는 플랫폼을 제공하는 서비스 • SaaS의 개념을 개발 플랫폼에도 확장한 방식으로 개발을 위한 플랫폼을 구축할 필요 없이, 필요한 개발 요소를 웹에서 빌려 쓸 수 있게 하는 모델 • OS, 애플리케이션과 애플리케이션 호스팅 환경 구성의 제어권을 가짐
소프트웨어형 서비스 (SaaS; Software as a Service)	• 소프트웨어 및 관련 데이터는 중앙에 호스팅되고 사용자는 웹 브라우저 등의 클라이언트를 통해 접속하여 소프트웨어를 서비스 형태로 이용하는 서비스 • 주문형 소프트웨어라고도 함

두음쌤 한마디

클라우드 서비스 유형

「인플소」
인프라형 서비스(IaaS) / 플랫폼형 서비스(PaaS) / 소프트웨어형 서비스(SaaS)
→ 인플루엔자 소식이 전해진다. 예방 접종 필수!

2 신기술 용어

(1) 인프라 관련 신기술 용어 [24년 3회]

▼ 인프라 관련 신기술 용어

용어	설명
SDDC (Software Defined Data Center)	• 모든 하드웨어가 가상화되어 가상 자원의 풀(Pool)을 구성하고, 데이터센터 전체를 운영하는 소프트웨어가 필요한 기능 및 규모에 따라 동적으로 자원을 할당, 관리하는 역할을 수행하는 데이터센터
SDS (Software Defined Storage)	• 서버와 전통적인 스토리지 장치에 장착된 물리적 디스크 드라이브를 가상화 기술을 적용하여 필요한 공간만큼 나눠서 사용할 수 있도록 논리적인 스토리지로 통합한 가상화 기술 • 컴퓨팅 소프트웨어로 규정하는 데이터 스토리지 체계이며, 일정 조직 내 여러 스토리지를 하나의 스토리지처럼 관리하고 운용하는 컴퓨터 이용 환경
HACMP (High Availability Cluster Multiprocessing)	• 각 시스템 간에 공유 디스크를 중심으로 클러스터링으로 엮여 다수의 시스템을 동시에 연결하여 조직, 기업의 기간 업무 서버 등의 안정성을 높이기 위해 사용되는 고가용성 솔루션 • 여러 가지 방식으로 구현되며 2개의 서버를 연결하는 것으로 2개의 시스템이 각각 업무를 수행하도록 구현하는 방식이 널리 사용됨
도커 (Docker)	• 컨테이너 응용 프로그램의 배포를 자동화하는 오픈소스 엔진 • 소프트웨어 컨테이너 안에 응용 프로그램들을 배치시키는 일을 자동화해 주는 오픈 소스 프로젝트이자 소프트웨어
하이퍼바이저 (Hypervisor)	• 하나의 호스트 컴퓨터상에서 동시에 다수의 운영체제를 구동시킬 수 있는 HW와 OS 사이의 SW 가상화 플랫폼
쿠버네티스 (Kubernetes)	• 리눅스 재단에 의해 관리되는 컨테이너화된 애플리케이션의 자동 배포, 스케일링 등을 제공하는 오픈 소스 기반의 관리 시스템
서버리스 컴퓨팅 (Serverless Computing)	• MSA, BaaS, FaaS 등의 기술을 활용하여 서버가 없는 것과 같이 직접 해당 이벤트에 접근하여 처리하는 컴퓨팅 기술 • 각 서버를 접속하는 방식보다 연결 및 속도를 개선

> **학습 Point**
> 도커는 컨테이너 응용 프로그램의 배포를 자동화하는 JDK(Java Development Kit)와 같은 개발 환경을 쉽게 관리할 수 있는 오픈 소스 엔진이라고도 할 수 있습니다.

(2) 소프트웨어 관련 신기술 용어

▼ 소프트웨어 관련 신기술 용어

용어	설명
인공지능 (AI; Artificial Intelligence)	• 인간의 지적 능력을 인공적으로 구현하여 컴퓨터가 인간의 지능적인 행동과 사고를 모방할 수 있도록 하는 소프트웨어 • 인간의 지적 능력을 컴퓨터를 통해 구현하는 기술
기계학습 (ML; Machine Learning)	• 인공지능의 분야 중 하나로, 인간의 학습 능력과 같은 기능을 컴퓨터에서 실현하고자 하는 기술 • 컴퓨터가 데이터를 통해 스스로 학습하여 예측이나 판단을 제공하는 기술

용어	설명
가상 현실 (VR; Virtual Reality)	• 컴퓨터 등을 사용한 인공적인 기술로 만들어낸 실제와 유사하지만 실제가 아닌 어떤 특정한 환경이나 상황 또는 구현하는 기술
증강 현실 (AR; Augmented Reality)	• 가상 현실(VR)의 한 분야로 실제로 존재하는 환경에 가상의 사물이나 정보를 합성하여 마치 원래의 환경에 존재하는 사물처럼 보이도록 하는 컴퓨터 그래픽 기술
혼합 현실 (MR; Mixed Reality)	• 실세계의 물리적 환경과 가상환경을 혼합한 경험을 제공하는 하이브리드 현실
블록체인 (Blockchain)	• 분산데이터베이스의 한 형태로 분산 노드의 운영자에 의한 임의조작이 불가능 하도록 고안되어 지속적으로 성장하는 데이터 기록 리스트인 블록을 연결한 모음 • P2P(Peer to Peer) 네트워크를 통해서 관리되는 분산 데이터베이스 기술
BaaS (Blockchain-as-a-Service)	• 블록체인의 기본 인프라를 추상화하여 블록체인 응용 프로그램을 만들 수 있는 클라우드 컴퓨팅 플랫폼 • 블록체인 개발환경을 클라우드로 서비스
CPS (Cyber-Physical System)	• 가상 물리 시스템으로 인간의 개입 없이 대규모 센서·액추에이터를 갖는 물리적인 요소들과 통신 기술, 응용·시스템 소프트웨어 기술을 활용하여 실시간으로 물리적 요소들을 제어하는 컴퓨팅 요소가 결합된 복합 시스템
디지털 트윈 (Digital Twin)	• 물리적인 사물과 컴퓨터에 동일하게 표현되는 가상 모델로 실제 물리적인 자산 대신 소프트웨어로 가상화함으로써 실제 자산의 특성에 대한 정확한 정보를 얻을 수 있고, 자산 최적화, 돌발사고 최소화, 생산성 증가 등 설계부터 제조, 서비스에 이르는 모든 과정의 효율성을 향상시킬 수 있는 모델
서비스 지향 아키텍처 (SOA; Service Oriented Architecture)	• 서비스라고 정의되는 분할된 애플리케이션 조각들을 느슨하게 결합하고(Loosely-Coupled) 하게 연결해 하나의 완성된 애플리케이션을 구현하기 위한 아키텍처 • 비즈니스 층, 표현 층, 프로세스 층으로 구성
디지털 변혁 (Digital Transformation)	• 디지털 기술 기반으로 기업의 전략, 조직, 프로세스, 비즈니스 모델, 문화, 커뮤니케이션 등을 변화시키는 경영전략
마이크로서비스 아키텍처 (MSA; Microservices Architecture)	• 하나의 큰 시스템을 여러 개의 작은 서비스로 나누어 변경과 조합이 가능하도록 만든 아키텍처
매시업 (Mashup)	• 웹으로 제공하고 있는 정보와 서비스를 융합하여 새로운 소프트웨어나 서비스, 데이터베이스 등을 만드는 기술 • 서로 다른 웹 사이트의 콘텐츠를 조합하여 새로운 차원의 콘텐츠나 서비스를 창출하는 웹 사이트 또는 애플리케이션을 의미
그레이웨어 (Grayware)	• 바이러스나 명백한 악성 코드를 포함하지 않는 합법적 프로그램이면서도 사용자를 귀찮게 하거나 위험한 상황에 빠뜨릴 수 있는 프로그램 • 평범한 소프트웨어인지, 바이러스인지 구분하기 어려운 중간 영역에 존재하는 프로그램 • 스파이웨어, 애드웨어, 장난 프로그램, 원격 액세스 도구 등 사용자가 원하지 않는 프로그램을 총칭하는 이름

용어	설명
텐서플로 (TensorFlow)	• 구글의 구글 브레인 팀이 제작하여 공개한 기계 학습(Machine Learning)을 위한 오픈 소스 소프트웨어 라이브러리
파스타 (PaaS-TA)	• 국내 IT 서비스 경쟁력 강화를 목표로 개발되었으며 인프라 제어 및 관리 환경, 실행 환경, 개발 환경, 서비스 환경, 운영 환경으로 구성된 NIA 주도로 개발된 개방형 클라우드 컴퓨팅 플랫폼
메타버스 (Metaverse)	• 가상·초월과 세계·우주의 합성어로서, 3차원 가상 세계를 뜻하는 용어 • 정치·경제·사회·문화의 전반적 측면에서 현실과 비현실 모두 공존할 수 있는 생활형·게임형 가상 세계

기출문제

01 다음 ( ) 안에 들어갈 알맞은 용어를 쓰시오. ▶ 22년 2회

- ( )은/는 외부 인터넷망이 차단된 상태에서 인트라넷 망만을 활용하여 개발환경을 구축하는 방식이다.
- 데이터와 정보의 외부 유출이 민감할 경우 해당 장비를 자체 구매하고 특정 공간에 개발환경을 구축하는 환경이다.
- ( ) 방식과 아마존, 구글, 마이크로소프트 등 클라우드 공급 서비스를 하는 회사들의 서비스를 임대하여 개발환경을 구축하는 방식을 혼용한 하이브리드 방식도 있다.

해설 · 개발환경 인프라 구성 방식은 다음과 같다.

온프레미스 (On-Premise) 방식	• 외부 인터넷망이 차단된 상태에서 인트라넷 망만을 활용하여 개발환경을 구축하는 방식 • 데이터와 정보의 외부 유출이 민감할 경우 해당 장비를 자체 구매하고 특정 공간에 개발환경을 구축
클라우드 (Cloud) 방식	• 아마존, 구글, 마이크로소프트 등 클라우드 공급 서비스를 하는 회사들의 서비스를 임대하여 개발환경을 구축하는 방식 • 해당 장비를 초기에 구매하지 않기 때문에 개발환경 투자비용이 적고 구축 시간이 빠름
하이브리드 (Hybrid) 방식	• 온프레미스와 클라우드 방식을 혼용하는 방식

02 컨테이너 응용 프로그램의 배포를 자동화하고 JDK(Java Development Kit)와 같은 개발 환경을 쉽게 관리할 수 있는 오픈 소스 프로젝트이자 소프트웨어는 무엇인지 쓰시오. ▶ 24년 3회

해설 · 도커는 컨테이너 응용 프로그램의 배포를 자동화하고 JDK(Java Development Kit)와 같은 개발 환경을 쉽게 관리할 수 있는 오픈 소스 프로젝트이자 소프트웨어이다.

정답
01. 온프레미스(On-Premise) 02. 도커(Docker)

예상문제

01 다음이 설명하는 클라우드 서비스는 무엇인지 쓰시오.

- 필요에 따라서 서버, 스토리지, 네트워크 등의 인프라 자원을 사용할 수 있도록 클라우드 서비스를 제공하는 형태
- 애플리케이션과 미들웨어는 사용자가 주도권을 가지고 운영하는 방식

해설
- 필요에 따라서 서버, 스토리지, 네트워크 등의 인프라 자원을 사용할 수 있도록 클라우드 서비스를 제공하는 형태는 IaaS이다.

인프라형 서비스 (IaaS; Infrastructure as a Service)	서버, 스토리지 같은 시스템 자원을 클라우드로 제공하는 서비스
플랫폼형 서비스 (PaaS; Platform as a Service)	인프라를 생성, 관리 하는 복잡함 없이 애플리케이션을 개발, 실행, 관리할 수 있게 하는 플랫폼을 제공하는 서비스
소프트웨어형 서비스 (SaaS; Software as a Service)	소프트웨어 및 관련 데이터는 중앙에 호스팅되고 사용자는 웹 브라우저 등의 클라이언트를 통해 접속하여 소프트웨어를 서비스 형태로 이용하는 서비스

02 다음 내용이 설명하는 스토리지 시스템은 무엇인지 쓰시오.

- 하드디스크와 같은 데이터 저장 장치를 호스트 버스 어댑터에 직접 연결하는 방식
- 저장 장치와 호스트 기기 사이에 네트워크 디바이스가 있지 말아야 하고 직접 연결하는 방식으로 구성

해설

DAS	하드 디스크와 같은 데이터 저장 장치를 호스트 버스 어댑터에 직접 연결하는 스토리지
NAS	서버와 저장 장치를 네트워크로 연결하여 구성하는 스토리지
SAN	서버와 스토리지를 저장 장치 전용 네트워크로 상호 구성하여 고가용성, 고성능, 융통성, 확장성을 보장하고 데이터를 블록(BLoCk) 단위로 관리하는 스토리지

03 다음 설명에 맞는 RAID 단계를 숫자로 쓰시오.

- 패리티(오류 검출 기능)가 없는 미러링된 세트로 구성되는 방식
- 적어도 2개의 디스크 필요
- 디스크 2개에 동일한 데이터가 저장되고, 제공해야 할 논리 디스크 크기의 두 배 공간을 필요로 하기 때문에 비용 측면에서 단점이 있음

해설
- 패리티(오류 검출 기능)가 없는 미러링된 세트로 구성되는 방식은 RAID 10이다.

예상문제

04 다음은 클라우드 컴퓨팅 분류이다. 괄호 ( ) 안에 들어갈 가장 적합한 용어를 쓰시오.

- (①)은/는 기업 또는 조직 내부에서 보유하고 있는 컴퓨팅 자원(IDC, 서버 등)을 사용하여 내부에 구축되어 운영되는 클라우드로 자체 컴퓨팅 자원으로 모든 하드웨어, 소프트웨어, 데이터를 수용한다.
- (②)은/는 클라우드 서비스 제공 업체에서 다중 사용자를 위한 컴퓨팅 자원 서비스를 제공하는 클라우드로 일정한 비용을 지불하고 하드웨어, 소프트웨어 등을 사용한다.
- (③)은/는 기업 또는 조직 내부 자원을 이용한 (①)와/과 (②)을/를 모두 사용하는 클라우드이다.

①
②
③

해설

클라우드 컴퓨팅 분류	
사공하	사설 클라우드 / 공용 클라우드 / 하이브리드 클라우드

05 다음은 가상화 기술 요소이다. 다음 괄호 ( ) 안에 들어갈 가장 적합한 용어를 쓰시오.

- (①)은/는 물리적으로 컴퓨터를 논리적으로 나눠서 리소스를 활용할 수 있도록 하는 기술이다. (①)은/는 하나의 시스템에서 1개 이상의 운영체제를 동시에 가동시킬 수 있으므로, 서버 이용률이 크게 향상시킬 수 있다.
- (②)은/는 스토리지와 서버 사이에 소프트웨어/하드웨어 계층을 추가하여 스토리지를 논리적으로 제어 및 활용할 수 있도록 하는 기술로 이기종 스토리지 시스템의 통합을 가능하게 하는 기술이다.

①
②

해설 • 가상화 기술요소는 다음과 같다.

컴퓨팅 가상화	물리적으로 컴퓨터 리소스를 가상화하여 논리적 단위로 리소스를 활용할 수 있도록 하는 기술
스토리지 가상화	스토리지와 서버 사이에 소프트웨어/하드웨어 계층을 추가하여 스토리지를 논리적으로 제어 및 활용할 수 있도록 하는 기술
I/O 가상화	서버와 I/O 디바이스 사이에 위치하는 미들웨어 계층으로, 서버의 I/O 자원을 물리적으로 분리하고 케이블과 스위치 구성을 단순화하여 효율적인 연결을 지원하는 기술
컨테이너	컨테이너화된 애플리케이션들이 단일 운영체제상에서 실행되도록 해주는 기술
분산처리	여러 대의 컴퓨터 계산 및 저장능력을 이용하여 커다란 계산 문제나 대용량의 데이터를 처리하고 저장하는 기술
네트워크 가상화	물리적으로 떨어져 있는 다양한 장비들을 연결하기 위한 수단으로 중계 장치(라우터, 스위치 등)의 가상화를 통한 가상 네트워크를 지원하는 기술

예상문제

06 다음은 클라우드 컴퓨팅 유형에 대한 설명이다. 괄호 ( ) 안에 들어갈 용어를 [보기]에서 골라서 쓰시오.

① 서버, 스토리지 같은 시스템 자원을 클라우드로 제공하는 서비스
② 소프트웨어 및 관련 데이터는 중앙에 호스팅되고 사용자는 웹 브라우저 등의 클라이언트를 통해 접속하여 소프트웨어를 서비스 형태로 이용하는 서비스

| 보기 |
㉠ IaaS   ㉡ PaaS   ㉢ SaaS

해설

인프라형 서비스 (IaaS; Infrastructure as a Service)	서버, 스토리지 같은 시스템 자원을 클라우드로 제공하는 서비스
플랫폼형 서비스 (PaaS; Platform as a Service)	인프라를 생성, 관리 하는 복잡함 없이 애플리케이션을 개발, 실행, 관리할 수 있게 하는 플랫폼을 제공하는 서비스
소프트웨어형 서비스 (SaaS; Software as a Service)	소프트웨어 및 관련 데이터는 중앙에 호스팅되고 사용자는 웹 브라우저 등의 클라이언트를 통해 접속하여 소프트웨어를 서비스 형태로 이용하는 서비스

정답

01. IaaS(Infrastructure as a Service) 02. DAS(Direct Attached Storage) 03. 1 04. ① 사설 클라우드(Private Cloud), ② 공용 클라우드(Public Cloud), ③ 하이브리드 클라우드(Hybrid Cloud) 05. ① 컴퓨팅 가상화, ② 스토리지 가상화 06. ① ㉠ IaaS, ② ㉢ SaaS

단원종합문제

01 다음 괄호 ( ) 안에 들어갈 가장 적합한 용어를 쓰시오.

( )은/는 휴대 전화를 비롯한 휴대용 장치를 위한 운영체제와 미들웨어, 사용자 인터페이스 그리고 표준 응용 프로그램(웹 브라우저, 이메일 클라이언트 등)을 포함하고 있는 운영체제이다.

해설 • 안드로이드는 휴대 전화를 비롯한 휴대용 장치를 위한 운영체제와 미들웨어, 사용자 인터페이스 그리고 표준 응용 프로그램을 포함하고 있는 운영체제이다.

02 다음은 리눅스/유닉스 운영체제의 파일 권한 명령어에 대한 설명이다. 다음 괄호 ( ) 안에 들어갈 가장 적합한 명령어를 쓰시오.

(①) 명령어는 특정 파일 또는 디렉토리의 퍼미션을 수정하는 명령어이고, (②) 명령어는 파일이나 디렉토리의 소유자, 소유 그룹을 수정하는 명령어이다.

①
②

해설 • 리눅스/유닉스 운영체제의 파일 권한관련 명령어는 다음과 같다.

chmod	특정 파일 또는 디렉토리의 퍼미션 수정 명령어
chown	파일이나 디렉토리의 소유자, 소유 그룹 수정 명령어

03 다음은 가상화 기술요소에 대한 설명이다. 다음 괄호 ( ) 안에 들어갈 가장 적합한 용어를 쓰시오.

• (①)은/는 애플리케이션들이 단일 운영체제 상에서 실행되도록 해주는 기술이다. (①)은/는 하이퍼바이저 없이 운영 체제가 격리된 프로세스로 동작하기 때문에 오버헤드가 낮고, 대표적으로 도커가 있다.
• (②)은/는 물리적으로 떨어져 있는 다양한 장비들을 연결하기 위한 수단으로 대표적으로 SDN, NFV 기술이 있다.

①
②

해설 • 가상화 기술요소는 다음과 같다.

컨테이너	• 컨테이너화된 애플리케이션들이 단일 운영체제 상에서 실행되도록 해주는 기술 • 하이퍼바이저 없이 운영체제가 격리된 프로세스로 동작하기 때문에 오버헤드가 낮음
네트워크 가상화 기술	• 물리적으로 떨어져 있는 다양한 장비들을 연결하기 위한 수단으로 중계장치(라우터, 스위치 등)의 가상화를 통한 가상 네트워크를 지원하는 기술

04 다음은 프로세스 상태에 대한 설명이다. 괄호 ( ) 안에 알맞은 상태를 [보기]에서 골라서 쓰시오.

사용자에 의해 프로세스가 생성된 상태는 (①) 상태이다. (①) 상태에서 CPU를 할당받을 수 있는 상태는 (②) 상태이다. (②) 상태에서 프로세스가 CPU를 할당받아 동작하게 되면 (③) 상태가 된다. (③) 상태에서 지정된 시간이 초과되면 스케줄러에 의해 다시 (②) 상태로 돌아간다. 또는 (③) 상태에서 입출력이 발생하게 되면 (④) 상태로 이동한다. (③) 상태에서 프로세스 실행이 모두 끝나면 (⑤) 상태로 이동한다.

| 보기 |
㉠ Ready   ㉡ Create   ㉢ Complete
㉣ Waiting   ㉤ Running

단원종합문제

① _____
② _____
③ _____
④ _____
⑤ _____

> **해설**
>
> | 생성(Create) | • 사용자에 의해 프로세스가 생성된 상태 |
> |---|---|
> | 준비(Ready) | • CPU를 할당받을 수 있는 상태
• 준비 리스트에 대기 |
> | 실행(Running) | • 프로세스가 CPU를 할당받아 동작 중인 상태 |
> | 대기(Waiting) | • 프로세스 실행 중 입출력 처리 등으로 인해 CPU를 양도하고 입출력 처리가 완료까지 대기 리스트에서 기다리는 상태
• 대기 리스트에 대기 |
> | 완료(Complete) | • 프로세스가 CPU를 할당받아 주어진 시간 내에 완전히 수행을 종료한 상태 |

05 전송 매체 접속 제어 방식에 대한 설명이다. 다음 괄호 ( ) 안에 들어갈 알맞은 용어를 쓰시오.

> (①) 방식은 IEEE802.3 유선 LAN의 반이중 방식(Half Duplex)에서 사용하는 방식으로 각 단말이 신호 전송 전에 현재 채널이 사용 중인지 체크하여 사용하지 않을 때 전송하는 전송매체 접속제어(MAC) 방식이고, (②) 방식은 IEEE 802.11 무선 LAN의 반이중 방식(Half Duplex)에서 사용하는 방식으로 데이터 전송 시, 매체가 비어있음을 확인한 뒤 충돌을 회피하기 위해서 임의 시간을 기다린 후 데이터를 전송하는 방식이다.

① _____
② _____

> **해설**
>
> | CSMA/CD | IEEE802.3 유선 LAN의 반이중 방식(Half Duplex)에서 사용하는 방식으로 각 단말이 신호 전송 전에 현재 채널이 사용 중인지 체크하여 사용하지 않을 때 전송하는 전송매체 접속제어(MAC) 방식 |
> |---|---|
> | CSMA/CA | IEEE 802.11 무선 LAN의 반이중 방식(Half Duplex)에서 사용하는 방식으로 데이터 전송 시, 매체가 비어있음을 확인한 뒤 충돌을 회피하기 위해서 임의 시간을 기다린 후 데이터를 전송하는 방식 |

06 다음은 클라우드 컴퓨팅 유형에 대한 설명이다. 다음 괄호 ( ) 안에 들어갈 알맞은 용어를 쓰시오.

> • (①)은/는 서버, 스토리지 같은 시스템 자원을 클라우드 서비스로 제공한다.
> • (②)은/는 인프라를 생성, 관리하는 복잡함 없이 애플리케이션을 개발, 실행, 관리할 수 있게 하는 플랫폼을 클라우드 서비스로 제공한다.
> • (③)은/는 소프트웨어 및 관련 데이터를 클라우드 서비스로 제공한다.

① _____
② _____
③ _____

> **해설**
>
> | IaaS | 서버, 스토리지 같은 시스템 자원을 클라우드로 제공하는 서비스 |
> |---|---|
> | PaaS | 인프라를 생성, 관리하는 복잡함 없이 애플리케이션을 개발, 실행, 관리할 수 있게 하는 플랫폼을 제공하는 서비스 |
> | SaaS | 소프트웨어 및 관련 데이터는 중앙에 호스팅되고 사용자는 웹 브라우저 등의 클라이언트를 통해 접속하여 소프트웨어를 서비스 형태로 이용하는 서비스 |

07 음은 네트워크 장비에 대한 설명이다. 다음 괄호 (　) 안에 들어갈 가장 적합한 용어를 [보기]에서 골라서 쓰시오.

- (①)은/는 1계층 장비로 여러 대의 컴퓨터를 연결하여 네트워크로 보내거나 하나의 네트워크로 수신된 정보를 여러 대의 컴퓨터로 송신하기 위한 장비이다.
- (②)은/는 3계층 장비로 패킷의 위치를 추출하여, 그 위치에 대한 최적의 경로를 지정하며, 이 경로를 따라 데이터 패킷을 다음 장치로 전송시키는 장비이다.

| 보기 |
㉠ Bridge　　㉡ NIC　　㉢ Hub
㉣ Router　　㉤ Switch

①
②

해설

브리지 (Bridge)	두 개의 근거리 통신망(LAN)을 서로 연결해 주는 통신망 연결 장치
NIC	외부 네트워크와 접속하여 가장 빠른 속도로 데이터를 주고받을 수 있게 컴퓨터 내에 설치되는 장치
허브 (Hub)	여러 대의 컴퓨터를 연결하여 네트워크로 보내거나, 하나의 네트워크로 수신된 정보를 여러 대의 컴퓨터로 송신하기 위한 장비
라우터 (Router)	패킷의 위치를 추출하여, 그 위치에 대한 최적의 경로를 지정하며, 이 경로를 따라 데이터 패킷을 다음 장치로 전송시키는 장비
L2 스위치 (L2 Switch)	느린 전송속도의 브리지, 허브의 단점을 개선하기 위해서, 출발지에서 들어온 프레임(Frame)을 목적지 MAC 주소 기반으로 빠르게 전송시키는 데이터 링크 계층의 통신 장치

08 다음은 ARQ에 대한 설명이다. 다음 괄호 (　) 안에 들어갈 알맞은 용어를 쓰시오.

- ARQ는 신뢰성 있는 데이터 전달을 위해, 재전송을 기반으로 하는 에러제어 방식으로 (①) ARQ, (②) ARQ, (③) ARQ 방식이 있다.
- (①) ARQ 방식은 한 개의 프레임을 전송하고, 수신 측으로부터 ACK 및 NAK 신호를 수신할 때까지 정보 전송을 중지하고 기다리는 방식이고, (②) ARQ 방식 데이터 프레임을 연속적으로 전송하는 과정에서 NAK를 수신하게 되면, 오류가 발생한 프레임 이후에 전송된 모든 데이터 프레임을 재전송하는 방식이고, (③) ARQ 방식은 연속적으로 데이터 프레임을 전송하고 에러가 발생한 데이터 프레임만 재전송하는 방식이다.

①
②
③

해설

Stop-and-Wait ARQ 방식	한 개의 프레임을 전송하고, 수신 측으로부터 ACK 및 NAK 신호를 수신할 때까지 정보 전송을 중지하고 기다리는 방식
Go-back-N ARQ 방식	데이터 프레임을 연속적으로 전송하는 과정에서 NAK를 수신하게 되면, 오류가 발생한 프레임 이후에 전송된 모든 데이터 프레임을 재전송하는 방식
Selective Repeat ARQ 방식	연속적으로 데이터 프레임을 전송하고 에러가 발생한 데이터 프레임만 재전송하는 방식

단원종합문제

09 다음 괄호 ( ) 안에 공통으로 들어갈 가장 적합한 용어를 쓰시오.

- ( )은/는 인터넷에서 사용되는 패킷 교환 네트워크상에서 데이터를 교환하기 위한 32비트 주소체계를 갖는 네트워크 계층의 프로토콜이다.
- ( ) 헤더 사이즈는 옵션 미지정시에는 20바이트이다.

해설 • IPv4는 32비트, IPv6는 128비트 주소 체계를 갖는다.

10 다음은 L2 스위치 방식에 대한 설명이다. 다음 괄호 ( ) 안에 들어갈 가장 적합한 용어를 [보기]에서 골라서 쓰시오.

- L2 스위치는 (①), (②), (③)와 같이 3가지 방식이 있다.
- (①) 방식은 데이터를 전부 받은 후 다음 처리를 하는 방식이고, (②) 방식은 데이터의 목적지 주소만 확인 후 바로 전송 처리하는 방식이고, (③) 방식은 프레임의 앞 64바이트만을 읽어 에러를 처리하고 목적지 포트로 전송하는 방식이다.

| 보기 |
㉠ Cut Through ㉡ Fragment Free
㉢ Store and Forwarding

①
②
③

해설 • L2 스위치는 종류에 따라 3가지 방식 중 하나를 사용한다.

Store and Forwarding	데이터를 전부 받은 후 다음 처리를 하는 방식
Cut Through	데이터의 목적지 주소만 확인 후 바로 전송 처리하는 방식
Fragment Free	프레임의 앞 64바이트만을 읽어 에러를 처리하고 목적지 포트로 전송하는 방식

11 다음은 네트워크 전달 방식에 대한 설명이다. 다음 괄호 ( ) 안에 들어갈 가장 적합한 용어를 골라서 쓰시오.

- 네트워크 전달 방식은 크게 (①), (②)와/과 같이 2가지 방식이 있다.
- (①)은/는 네트워크 리소스를 특정 사용층이 독점하도록 하는 통신 방식이고, (②)은/는 데이터를 패킷 단위로 보내는 방식이다.

①
②

해설

서킷 교환 방식 (Circuit Switching)	네트워크 리소스를 특정 사용층이 독점하도록 하는 통신 방식
패킷 교환 방식 (Packet Switching)	데이터를 패킷 단위로 보내는 방식

12 다음 설명에 맞는 RAID 단계를 숫자로 쓰시오.

- 오류정정부호(ECC)를 기록하는 전용의 하드 디스크를 이용해서 안정성을 확보하는 방식이다.
- 비트 레벨의 스트라이핑과 해밍코드 패리티 사용하여 하나의 멤버 디스크가 고장나도 ECC를 이용하여 정상적으로 작동할 수 있지만, 추가적인 연산이 필요하여 입출력 속도가 매우 늦다.

해설 • 오류정정부호(ECC)를 기록하는 전용의 하드 디스크를 이용해서 안정성을 확보하는 방식은 RAID 2이다.

13 다음 괄호 ( ) 안에 들어갈 알맞은 용어를 쓰시오.

- ( ) 방식은 아마존, 구글, 마이크로소프트 등 클라우드 공급 서비스를 하는 회사들의 서비스를 임대하여 개발환경을 구축하는 방식으로, 해당 장비를 초기에 구매하지 않기 때문에 개발환경 투자비용이 적고 구축 시간이 빠르다는 장점이 있다.
- ( ) 방식과 외부 인터넷망이 차단된 상태에서 인트라넷 망만을 활용하여 개발환경을 구축하는 방식인 온프레미스 방식을 혼용한 하이브리드 방식도 있다.

해설

- 개발환경 인프라 구성 방식은 다음과 같다.

구분	설명
온프레미스 (On-Premise) 방식	• 외부 인터넷망이 차단된 상태에서 인트라넷 망만을 활용하여 개발환경을 구축하는 방식 • 데이터와 정보의 외부 유출이 민감할 경우 해당 장비를 자체 구매하고 특정 공간에 개발환경을 구축
클라우드(Cloud) 방식	• 아마존, 구글, 마이크로소프트 등 클라우드 공급 서비스를 하는 회사들의 서비스를 임대하여 개발환경을 구축하는 방식 • 해당 장비를 초기에 구매하지 않기 때문에 개발환경 투자비용이 적고 구축 시간이 빠름
하이브리드(Hybrid) 방식	• 온프레미스와 클라우드 방식을 혼용하는 방식

정답

01. 안드로이드 02. ① chmod, ② chown 03. ① 컨테이너, ② 네트워크 가상화 기술 04. ① ⓒ Create, ② ㉠ Ready, ③ ⓜ Running, ④ ㉣ Waiting, ⑤ ⓔ Complete 05. ① CSMA/CD(Carrier Sense Multiple Access with Collision Detection), ② CSMA/CA(Carrier Sense Multiple Access with Collision Avoidance) 06. ① IaaS, ② PaaS, ③ SaaS 07. ① ⓒ Hub, ② ㉣ Router 08. ① Stop-and-Wait, ② Go-back-N, ③ Selective Repeat 09. IPv4 10. ① ⓒ Store and Forwarding, ② ㉠ Cut Through, ③ ⓑ Fragment Free 11. ① 서킷 교환 방식(Circuit Switching), ②: 패킷 교환 방식(Packet Switching) 12. 2 13. 클라우드(Cloud)

접근 전략

화면 설계 단원에서 UI 요구사항 확인, 설계는 국가 직무능력 표준(NCS)에서 새롭게 추가된 내용이며 생소한 설계 이론을 이해하는 데 많은 시간이 필요할 수 있습니다. 따라서 모든 부분을 학습하기보다는 핵심 개념에 중점을 두고 UI의 설계원칙, 스타일 가이드, UML, 유스케이스 다이어그램, 프로토타입, UI 상세 설계 등을 학습하기를 권장합니다.

미리 알아두기

★ **UI(User Interface)**
넓은 의미에서 사용자와 시스템 사이에서 의사소통할 수 있도록 고안된 물리적, 가상의 매개체이다.

★ **프로토타입(Prototype)**
컴퓨터 시스템이나 소프트웨어의 설계 또는 성능, 구현 가능성, 운용 가능성을 평가하거나 요구사항을 좀 더 잘 이해하고 결정하기 위하여 전체적인 기능을 간략한 형태로 구현한 시제품이다.

★ **UML(Unified Modeling Language)**
객체 지향 소프트웨어 개발 과정에서 산출물을 명세화, 시각화, 문서화할 때 사용되는 모델링 기술과 방법론을 통합해서 만든 표준화된 범용 모델링 언어이다.

★ **클래스 다이어그램(Class Diagram)**
객체 지향 모델링 시 클래스의 속성 및 연산과 클래스 간 정적인 관계를 표현한 다이어그램이다.

★ **소프트웨어 아키텍처(Software Architecture)**
시스템에 대한 기본 조직 체계로 시스템을 이루는 구성요소와 구성요소들 사이의 관계, 구성요소와 주변 환경들과의 관계 및 시스템의 진화와 설계를 지배하는 원칙이다.

NCS 학습 모듈의 목표

요구사항 분석 단계에서 파악된 화면에 대한 요구사항들을 확인하고, 소프트웨어 아키텍처 단계에서 정의된 사용자 인터페이스 구현 지침 및 UI/UX 엔지니어가 제시한 UI 표준과 지침에 따라 화면을 설계할 수 있어야 한다.

핵심키워드 베스트 일레븐(Best Eleven)

UI 설계 원칙, GUI, NUI, UI 지침, UI 컨셉션, UI 품질 요구사항, 스토리보드, UI 프로토타입, UML, 정적 다이어그램, 동적 다이어그램, UI 상세 설계

화면 설계

Chapter 01 UI 요구사항 확인

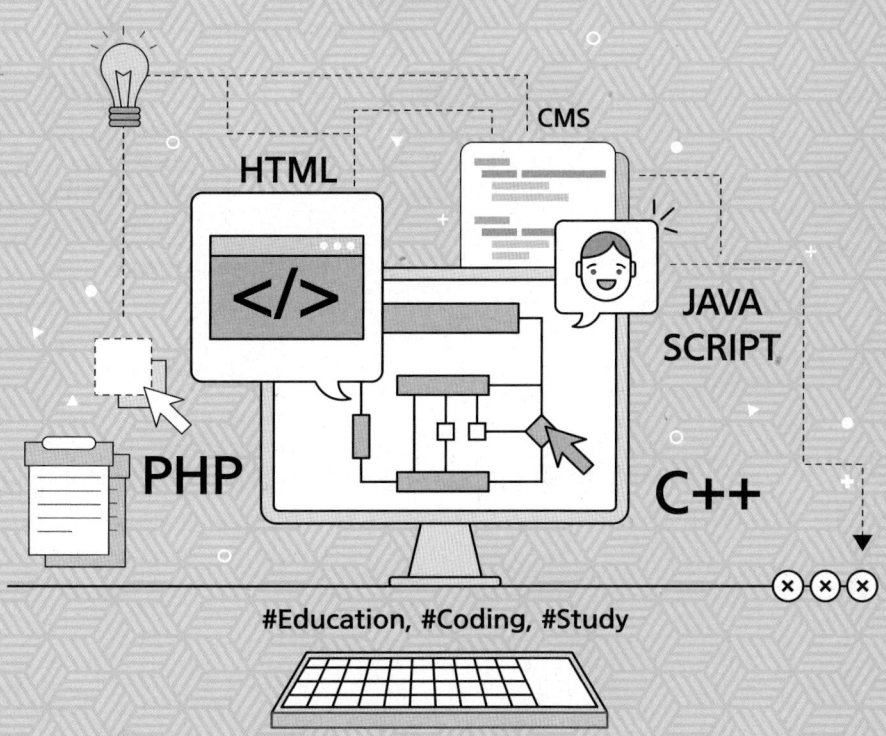

CHAPTER 01 UI 요구사항 확인

1 UI 요구사항 확인 ★★★

(1) UI(User Interface) 개념

- UI(사용자 인터페이스)는 넓은 의미에서 사용자와 시스템 사이에서 의사소통할 수 있도록 고안된 물리적, 가상의 매개체이다.
- 좁은 의미로는 정보 기기나 소프트웨어의 화면 등에서 사람이 접하게 되는 화면이다.

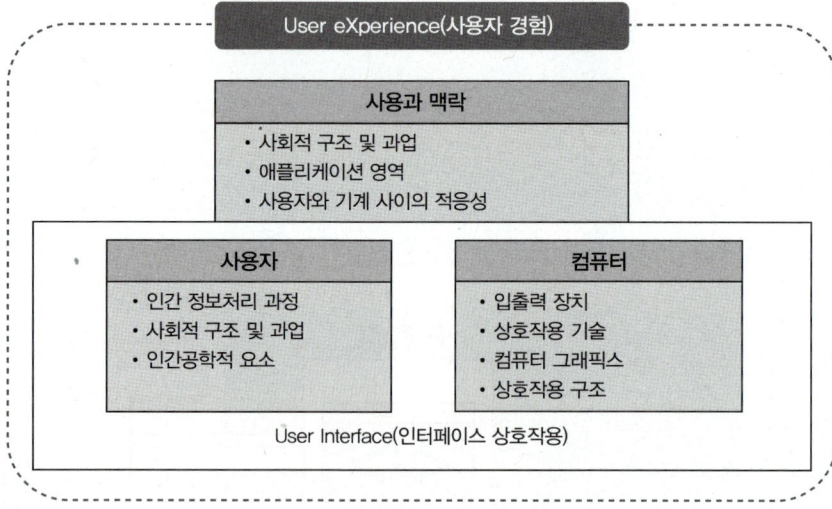

▲ UI, UX 관계도

- UX(사용자 경험)는 UI(사용자 인터페이스)를 포함하고 있다.

학습 Point

UI와 UX의 개념은 매우 중요합니다. 개념을 잘 알아두고 넘어가시길 권장합니다!

잠깐! 알고가기

UX(User Experience; 사용자 경험)
제품과 시스템, 서비스 등을 사용자가 직/간접적으로 경험하면서 느끼고 생각하는 총체적 경험을 의미한다.

(2) UI 유형 [22년 1회]

UI 유형에는 CLI, GUI, NUI, OUI가 있다.

▼ UI 유형

유형	특징	설명
CLI (Command Line Interface)	• 정적인 텍스트 기반 인터페이스	• 명령어를 텍스트로 입력하여 조작하는 사용자 인터페이스
GUI (Graphical User Interface)	• 그래픽 반응 기반 인터페이스	• 그래픽 환경을 기반으로 한 마우스나 전자펜을 이용하는 사용자 인터페이스
NUI (Natural User Interface)	• 직관적 사용자 반응 기반 인터페이스	• 키보드나 마우스 없이 신체 부위를 이용하는 사용자 인터페이스 • 터치, 음성 포함
OUI (Organic User Interface)	• 유기적 상호 작용 기반 인터페이스	• 현실에 존재하는 모든 사물이 입출력장치로 변화할 수 있는 사용자 인터페이스

학습 Point
UI 유형과 각 UI 유형별 특징에 대한 학습을 권장합니다.

두음쌤 한마디
UI 유형
「CG NO」
CLI / GUI / NUI / OUI
→ 이 영화는 CG를 No(안 썼다)

(3) UI 설계 원칙

UI 설계 원칙에는 직관성, 유효성, 학습성, 유연성이 있다.

▼ UI 설계 원칙

설계 원칙	설명	부특성
직관성 (Intuitiveness)	• 누구나 쉽게 이해하고, 쉽게 사용할 수 있어야 함	• 쉬운 검색 • 쉬운 사용성 • 일관성
유효성 (Efficiency)	• 정확하고 완벽하게 사용자의 목표가 달성될 수 있도록 제작	• 쉬운 오류 처리 및 복구
학습성 (Learnability)	• 초보와 숙련자 모두가 쉽게 배우고 사용할 수 있게 제작	• 쉽게 학습 • 쉬운 접근 • 쉽게 기억
유연성 (Flexibility)	• 사용자의 요구사항을 최대한 수용하고, 실수를 방지할 수 있도록 제작	• 오류 예방 • 실수포용 • 오류 감지

두음쌤 한마디
UI 설계 원칙
「직유 학유」
직관성 / 유효성 / 학습성 / 유연성
→ 정답을 직접 유도하거나 학습시켜서 유도함

(4) UI 요구사항 확인

1 UI 요구사항 개요

- UI 요구사항은 사용자가 정보시스템을 구축하여 얻고자 하는 최종 목적의 기준이다.
- UI 요구사항은 시스템 개발 과정 전체에 대한 기준이 되며, 시스템 개발 종료 및 검수의 기준이 된다.

2 UI 품질 요구사항

▼ UI 품질 요구사항(ISO/IEC 9126 기반)

요구사항	설명
기능성 (Functionality)	• 실제 수행 결과와 품질 요구사항과의 차이를 분석하고, 실제 사용 시 정확하지 않은 결과가 발생할 확률과 관련하여 시스템의 동작을 관찰하기 위한 품질 기준
신뢰성 (Reliability)	• 시스템이 일정한 시간 또는 작동되는 시간 동안 의도하는 기능을 수행함을 보증하는 품질 기준
사용성 (Usability)	• 사용자와 컴퓨터 사이에 발생하는 어떠한 행위를 정확하고 쉽게 인지할 수 있는 품질 기준
효율성 (Efficiency)	• 할당된 시간에 한정된 자원으로 얼마나 빨리 처리할 수 있는가에 대한 품질 기준
유지보수성 (Maintainability)	• 요구사항을 개선하고 확장하는 데 있어 얼마나 용이한가에 대한 품질 기준
이식성 (Portability)	• 다른 플랫폼(운영체제)에서도 많은 추가 작업 없이 얼마나 쉽게 적용이 가능한가에 대한 품질 기준

두음쌤 한마디

UI 품질 요구사항
「기신사효유이」
기능성 / 신뢰성 / 사용성 / 효율성 / 유지보수성 / 이식성
→ 기씨 성을 가진 신사가 부서에서 업무 효율(유)이 제일 높다.

2 UI 지침

(1) UI 지침(Guideline) 개념

UI 지침은 UI 표준에 따라 사용자 인터페이스 설계, 개발 시 지켜야할 세부사항을 규정하는 가이드라인이다.

(2) 소프트웨어 개발 단계별 UI 지침

1 목표 정의

성공적인 수행을 위해 내부 관계자에게 UI 개발 필요성 및 목표를 공유하고 개발 범위를 수립하기 위한 활동을 한다.

▼ 목표 정의를 위한 주요 기법

기법	설명
3C 분석	• 고객(Customer), 경쟁하고 있는 자사(Company), 경쟁사(Competitor)를 비교하고 분석하여 자사를 어떻게 차별화해서 경쟁에서 이길 것인가를 분석하는 기법
SWOT 분석	• 기업의 내부 환경과 외부 환경을 분석하여 Strength(강점), Weakness(약점), Opportunity(기회), Threat(위협) 요인을 규정하고 이를 토대로 경영 전략을 수립하는 방법

기법	설명
시나리오 플래닝 (Scenario Planning)	• 불확실성이 높은 상황 변화를 사전에 예측하고 다양한 시나리오를 설계하는 방법으로 불확실성을 제거해 나가려는 방법
워크숍(Workshop)	• 소집단 정도의 인원으로 특정 문제나 과제에 대한 새로운 지식, 기술, 아이디어, 방법들을 서로 교환하고 검토하는 연구회 및 세미나

2 프로젝트 계획

사용자 분석 및 최신 트렌드, 경쟁사 동향을 통해 파악된 핵심 기능을 토대로 UI 개발 프로젝트 계획 수립한다.

▼ 프로젝트 계획을 위한 주요 기법

기법	설명
프로파일(Profile)	• 어떤 시스템을 일정 범위 내에서 한정적으로 특징 지우는 그룹화된 값
리서치(Research)	• 지식에 대한 탐구를 기반으로 한 인간 활동이며, 이미 존재하던 지식의 발견, 해석, 정정, 재확인 등에 초점을 맞추는 체계적인 조사

3 요구사항 정의

페르소나 정의, 콘셉트 모델 정의, 사용자 요구사항 정의, UI 컨셉션 단계를 통해 사용자 요구사항을 도출할 수 있다.

▼ 요구사항 정의를 위한 주요 기법

기법	설명
페르소나 (Persona)	• 잠재적 사용자의 다양한 목적과 관찰된 행동 패턴을 응집시켜 놓은 가상의 사용자
브레인스토밍 (Brain Storming)	• 집단적 창의적 발상 기법으로 집단에 소속된 인원들이 자발적으로 자연스럽게 제시된 아이디어 목록을 통해서 특정한 문제에 대한 해답을 찾고자 하는 회의 기법
요구사항 매트릭스 (Requirement Matrix)	• 다양한 경로를 통해 수집된 직접적인 요구사항을 검토하여, 페르소나(Persona)의 목적을 기준으로 데이터 요구, 기능 요구, 제품 품질, 제약 요인 기반으로 만든 요구사항 표
정황 시나리오 (Contextual Scenario)	• 요구사항 정의에 사용되는 초기 시나리오를 말하며, 높은 수준, 낙관적이면서도 발생 상황에서의 이상적인 시스템 동작에 초점을 맞추는 시나리오

4 설계 및 구현

- UI 설계 시안을 토대로 실제 설계 및 구현을 위해서 모든 화면에 대한 UI 상세 설계 단계를 진행한다.
- UI 화면 디자인에 활용될 레이아웃, 컬러 패턴, 타이포 그래픽, 화면 디자인 요소 등을 정의한다.

▼ 설계 및 구현을 위한 주요 기법

기법	설명
UI 시나리오 문서	• 사용자 인터페이스의 기능구조, 대표 화면, 화면 간 인터랙션 흐름, 다양한 상황에서의 예외 처리방식 등을 정리한 문서

5 테스트

테스트 계획 수립 단계를 거쳐서 실제 사용성 테스트를 수행한다.

▼ 테스트를 위한 주요 기법

기법	설명
사용성 테스트 (Usability Test)	• 사용자가 직접 제품을 사용하면서 미리 작성된 시나리오에 맞추어 과제를 수행한 후, 질문에 답하도록 하는 테스트 • 현 제품에 대한 사용자의 요구사항과 행동을 관찰할 수 있는 진단 방법 • 결과를 분석하여 객관적이고 정량화된 값을 도출/개선

(3) UI 화면 설계

UI 화면 설계를 위해서는 스토리보드, 와이어프레임, 프로토타입이 활용된다.

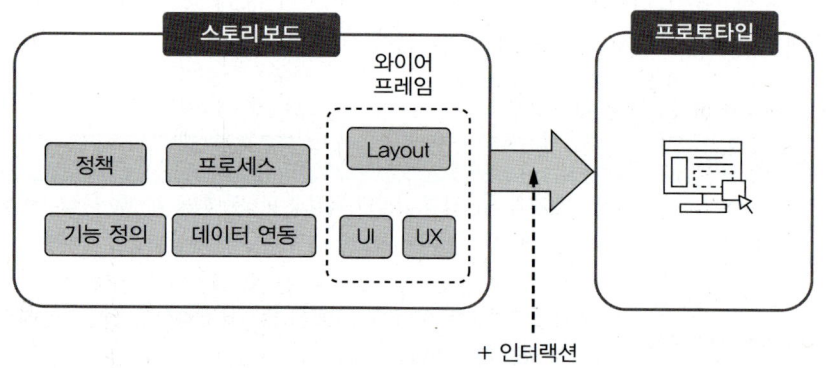

▲ 스토리보드, 와이어프레임, 프로토타입 관계도

▼ UI 화면 설계 구분

구분	설명	도구
와이어프레임 (Wireframe)	• 이해 관계자들과의 화면구성을 협의하거나 서비스의 간략한 흐름을 공유하기 위해 화면 단위의 레이아웃을 설계하는 작업	• 파워포인트 • 키노트 • 스케치 • 일러스트
스토리보드 (Storyboard)	• 정책, 프로세스, 콘텐츠 구성, 와이어프레임(UI, UX), 기능 정의, 데이터베이스 연동 등 서비스 구축을 위한 모든 정보가 담겨 있는 설계 산출물	• 파워포인트 • 키노트 • 스케치
프로토타입 (Prototype)	• 정적인 화면으로 설계된 와이어프레임 또는 스토리보드에 동적 효과를 적용하여 실제 구현된 것처럼 시뮬레이션할 수 있는 모형	• HTML/CSS

두음쌤 한마디

UI 화면 설계 구분

「와스프」
와이어프레임 / 스토리보드 / 프로토타입
→ 앤트맨의 여자 친구는 와스프이다.

잠깐! 알고가기

CSS(Cascading Style Sheet)
HTML 문서를 스타일링 하는 언어(W3C의 표준)로 HTML 문서에서 link 요소를 사용해 CSS 파일을 읽어 들이면 HTML 문서의 구조를 CSS를 통해 스타일링이 가능한 언어이다.

■ 와이어프레임 작성 사례

다음은 앱의 화면구성 및 흐름에 대한 와이어프레임 작성 사례이다.

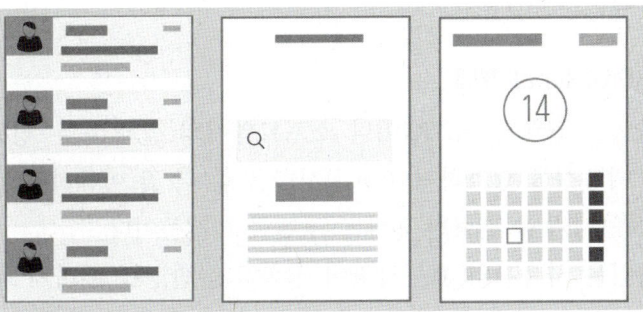

▲ 와이어프레임 작성 사례

■ 스토리보드 작성 사례

다음은 회원 관리 UI 스토리보드 작성 사례이다.

화면코드	CX_007	페이지명	로그인 화면
화면경로	https://cafe.naver.com/soojebi		

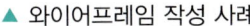

수제비 카페에 로그인하는 화면이다.

1) USER ID, PASSWORD를 입력한 후 로그인 버튼을 클릭한다. 그리고 사용자 인증 체크를 하여 로그인을 하면 메인화면으로 이동한다.

2) 취소 버튼을 클릭하고 화면을 닫는다.

※ 타 시스템에서 로그인 정보를 전송 시 바로 체크하여 로그인 처리한다(SSO).

작성자	김PM	작성일	2020.04.14.
VER	Version 1.0	P.NO	4-11 page

 - 영역   화면 중심에 표출

Description

▲ 스토리보드 작성 사례

3 UI 프로토타입 제작 및 목업

(1) 프로토타입(Prototype)

1 프로토타입(Prototype) 개념
- 프로토타입은 컴퓨터 시스템이나 소프트웨어의 설계 또는 성능, 구현 가능성, 운용 가능성을 평가하거나 요구사항을 좀 더 잘 이해하고 결정하기 위하여 전체적인 기능을 간략한 형태로 구현한 시제품이다.
- 프로토타입은 사용자의 요구사항이 정확하게 반영될 때까지 지속적으로 개선하고 보완해서 최종 설계를 완성한다.

2 프로토타입의 의의
- 사전에 프로토타입을 먼저 제작하고 이를 기반으로 UI의 적정성을 평가, 수정 보완함으로써 추후 발생 가능한 오류들을 사전에 방지하는 효과가 있다.
- 시스템 설계 및 개발에 소요되는 총 비용과 노력을 절감할 수 있다.

3 프로토타입의 장점 및 단점

▼ 프로토타입의 장점 및 단점

프로토타입의 장점	프로토타입의 단점
• 사용자 설득과 이해가 쉬움 • 개발 시간 감소 • 오류 사전 발견을 통한 예방 가능	• 수정 과정 증가 시, 작업 시간 증가 위험 존재 • 요구사항에 대한 적절한 타협 필요 • 자원 효율성 관점에서는 필요 이상의 많은 자원 소모

(2) 목업(Mockup)
- 목업은 제품이나 서비스의 디자인을 시각적으로 보여주기 위한 모형이다.
- 목업은 디자인을 보여주고, 이를 수정하거나 개선하기 위해 사용한다.

학습 Point
프로토타입은 기능을 시험해보는 목적으로, 목업은 디자인을 시각적으로 보여주기 위한 목적으로 사용합니다.

기출문제

▶ 22년 1회

01 다음은 사용자 인터페이스의 4가지 유형이다. 다음 설명에 해당하는 유형을 [보기]에서 선택하여 쓰시오.

- (①): 사용자가 편리하게 사용할 수 있도록 입출력 등의 기능을 알기 쉬운 텍스트, 아이콘 등의 형태로 나타낸 인터페이스
- (②): 인간의 자연스러운 신체 움직임으로 직접 소통하는 인터페이스
- (③): 명령어를 텍스트로 입력하여 조작하는 형태의 인터페이스
- (④): 인터넷과 웹 브라우저를 통해 웹 페이지를 열람하고 조작하는 인터페이스

| 보기 |
㉠ Command Line Interface
㉡ Natural User Interface
㉢ Graphical User Interface
㉣ Web Interface

해설
- 각각의 인터페이스 유형에 대한 설명은 다음과 같다.

CLI (Command Line Interface)	명령어를 텍스트로 입력하여 조작하는 형태의 인터페이스
GUI (Graphical User Interface)	사용자가 편리하게 사용할 수 있도록 입출력 등의 기능을 알기 쉬운 텍스트, 아이콘 등의 형태로 나타낸 인터페이스
NUI (Natural User Interface)	인간의 자연스러운 신체 움직임으로 직접 소통하는 인터페이스
Web Interface	인터넷과 웹 브라우저를 통해 웹 페이지를 열람하고 조작하는 인터페이스

정답
01. ① - ㉢, ② - ㉡, ③ - ㉠, ④ - ㉣

예상문제

01 유기적 상호 작용 기반 인터페이스라고 불리며 현실에 존재하는 모든 사물이 입출력장치로 변화할 수 있는 사용자 인터페이스(User Interface)의 유형을 쓰시오.

> 해설 • OUI는 유기적 상호 작용 기반 인터페이스로 입력장치가 곧 출력장치가 되고, 현실에 존재하는 모든 사물이 입출력장치로 변화할 수 있는 사용자 인터페이스이다.

02 아래는 사용자 인터페이스(UI) 설계 기본 원칙에 대한 설명이다. 괄호 ( ) 안에 들어갈 설계 기본 원칙을 쓰시오.

> • (①): 초보와 숙련자 모두가 쉽게 배우고 사용할 수 있게 제작
> • (②): 사용자의 인터랙션을 최대한 포용하고, 실수를 방지할 수 있도록 제작

①
②

> 해설 • 초보자와 숙련자 모두가 쉽게 배우고 사용할 수 있게 제작해야 하는 UI 설계 원칙은 학습성이다.
> • 사용자의 인터랙션을 최대한 포용하고, 실수를 방지할 수 있도록 제작해야 하는 UI 설계 원칙은 유연성이다.

03 이해 관계자들과의 화면구성을 협의하거나 서비스의 간략한 흐름을 공유하기 위해 화면 단위의 레이아웃을 설계하는 UI 화면 설계 방식은 무엇인지 쓰시오.

> 해설 • 이해 관계자들과의 화면구성을 협의하거나 서비스의 간략한 흐름을 공유하기 위해 화면 단위의 레이아웃을 설계하는 UI 화면 설계 방식은 와이어프레임(Wire-frame)이다.

04 다음은 UI 품질 요구사항에 대한 설명이다. 괄호 ( ) 안에 들어갈 알맞은 용어를 쓰시오.

> UI 품질 요구사항 중 사용성(Usability)은 사용자와 컴퓨터 사이에 발생하는 어떠한 행위를 정확하고 쉽게 인지 가능함을 의미한다. 이 품질 요구사항의 사용성에는 다음과 같은 3가지 특성이 있다.
> • (①): 소프트웨어의 논리적인 개념과 적용 가능성(응용 가능성)을 분간하는 데 필요한 사용자의 노력 정도에 따른 소프트웨어 특성
> • (②): 소프트웨어 애플리케이션 익히는 데 필요한 사용자의 노력 정도에 따른 특성
> • 운용성: 소프트웨어의 활용과 운용 통제에 필요한 사용자의 노력 정도에 따른 특성

①
②

> 해설 • UI 품질 요구사항은 기능성, 신뢰성, 사용성, 효율성, 유지보수성, 이식성이 있다.
> • 사용성의 부특성에는 이해성, 학습성, 운용성이 있다.
>
> | 이해성 | 소프트웨어의 논리적인 개념과 적용 가능성(응용 가능성)을 분간하는 데 필요한 사용자의 노력 정도에 따른 소프트웨어 특성 |
> |---|---|
> | 학습성 | 소프트웨어 애플리케이션 익히는 데 필요한 사용자의 노력 정도에 따른 특성 |
> | 운용성 | 소프트웨어의 활용과 운용 통제에 필요한 사용자의 노력 정도에 따른 특성 |

05 UI 설계 지침 중 주요 기능을 메인 화면에 노출하여 쉬운 조작이 가능해야 한다는 설계 지침은?

> 해설 • UI 설계 지침에는 사용자 중심, 일관성, 단순성, 결과 예측 가능, 가시성, 표준화, 접근성, 명확성, 오류 발생 해결이 있다.
> • 주요 기능을 메인 화면에 노출하여 쉬운 조작이 가능해야 한다는 UI 설계 지침은 가시성이다.

06 다음은 UI 개발 및 목표 정의를 위한 기법에 대한 설명이다. 다음 설명에 해당하는 것을 [보기]에서 골라서 쓰시오.

> ① 기업의 내부 환경과 외부 환경을 분석하여 강점, 약점, 기회, 위협 요인을 규정하고 이를 토대로 경영 전략을 수립하는 방법
> ② 불확실성이 높은 상황 변화를 사전에 예측하고 다양한 시나리오를 설계하는 방법으로 불확실성을 제거해나가려는 경영 전략의 한 방법

| 보기 |

㉠ 3C 분석 ㉡ SWOT 분석
㉢ 시나리오 플래닝 ㉣ 워크숍

①
②

해설

3C 분석	고객(Customer), 경쟁하고 있는 자사(Company)와 경쟁사(Competitor)를 비교하고 분석하여 자사를 어떻게 차별화해서 경쟁에서 이길 것인가를 분석하는 기법
SWOT 분석	기업의 내부 환경과 외부 환경을 분석하여 Strength(강점), Weakness(약점), Opportunity(기회), Threat(위협) 요인을 규정하고 이를 토대로 경영 전략을 수립하는 방법
시나리오 플래닝 (Scenario Planning)	불확실성이 높은 상황 변화를 사전에 예측하고 다양한 시나리오를 설계하는 방법으로 불확실성을 제거해나가려는 경영 전략의 한 방법
워크숍 (Workshop)	소집단 정도의 인원으로 특정 문제나 과제에 대한 새로운 지식, 기술, 아이디어, 방법들을 서로 교환하고 검토하는 연구회 및 세미나

07 화면 설계를 위해서 정책이나 프로세스 및 콘텐츠의 구성, 와이어프레임(UI, UX), 기능에 대한 정의, 데이터베이스의 연동 등 구축하는 서비스를 위한 대부분 정보가 수록된 문서로서, 디자이너와 개발자가 최종적으로 참고하는 산출 문서가 무엇인지 쓰시오.

해설
- UI 화면 설계를 위해서 정책이나 프로세스 및 콘텐츠의 구성, 와이어프레임(UI, UX), 기능에 대한 정의, 데이터베이스의 연동 등 구축하는 서비스를 위한 대부분 정보가 수록된 문서로서, 디자이너와 개발자가 최종적으로 참고하는 산출 문서는 스토리보드이다.

정답
01. OUI(Organic User Interface) 02. ① 학습성(Learnability), ② 유연성(Flexibility) 03. 와이어프레임(Wire-frame) 04. ① 이해성(Understandability), ② 학습성(Learnability) 05. 가시성 06. ①: ㉡ SWOT 분석, ②: ㉢ 시나리오 플래닝 07. 스토리보드(Story Board)

단원종합문제

01 다음은 사용자 인터페이스의 4가지 유형이다. 다음 설명에 해당하는 유형을 [보기]에서 선택하여 쓰시오.

- (①): 사용자가 편리하게 사용할 수 있도록 입출력 등의 기능을 알기 쉬운 텍스트, 아이콘 등의 형태로 나타낸 인터페이스
- (②): 인간의 자연스러운 신체 움직임으로 직접적으로 소통하는 인터페이스
- (③): 명령어를 텍스트로 입력하여 조작하는 형태의 인터페이스
- (④): 인터넷과 웹 브라우저를 통해 웹 페이지를 열람하고 조작하는 인터페이스

| 보기 |
㉠ Command Interface
㉡ Natural User Interface
㉢ Graphical User Interface
㉣ Web Interface

①
②
③
④

해설 • 각각의 인터페이스 유형에 대한 설명은 다음과 같다.

CLI (Command Interface)	• 명령어를 텍스트로 입력하여 조작하는 형태의 인터페이스
GUI (Graphical User Interface)	• 사용자가 편리하게 사용할 수 있도록 입출력 등의 기능을 알기 쉬운 텍스트, 아이콘 등의 형태로 나타낸 인터페이스
NUI (Natural User Interface)	• 인간의 자연스러운 신체 움직임으로 직접적으로 소통하는 인터페이스
Web Interface	• 인터넷과 웹 브라우저를 통해 웹 페이지를 열람하고 조작하는 인터페이스

02 정책, 프로세스, 콘텐츠 구성, 와이어프레임(UI, UX), 기능 정의, 데이터베이스 연동 등 서비스 구축을 위한 모든 정보가 담겨 있는 설계 산출물은 무엇인지 쓰시오.

_____

해설

와이어프레임 (Wireframe)	이해 관계자들과의 화면구성을 협의하거나 서비스의 간략한 흐름을 공유하기 위해 화면 단위의 레이아웃을 설계하는 작업
스토리보드 (Storyboard)	정책, 프로세스, 콘텐츠 구성, 와이어프레임(UI, UX), 기능 정의, 데이터베이스 연동 등 서비스 구축을 위한 모든 정보가 담겨 있는 설계 산출물
프로토타입 (Prototype)	정적인 화면으로 설계된 와이어프레임 또는 스토리보드에 동적 효과를 적용하여 실제 구현된 것처럼 시뮬레이션할 수 있는 모형

03 다음은 표준화된 범용 모델링 언어인 UML의 구성요소에 대한 설명이다. 괄호 ( ) 안에 들어갈 구성요소를 쓰시오.

(①)	• 추상적인 개념으로, 주제를 나타내는 요소 • 단어 관점에서 '명사' 또는 '동사'를 의미
(②)	• 사물의 의미를 확장하고 명확히 하는 요소 • 사물과 사물을 연결하는 요소 • 단어 관점에서 '형용사' 또는 '부사'를 의미
다이어그램 (Diagram)	• 사물과 관계를 모아 그림으로 표현한 형태 • 형식과 목적에 따라 다양하게 정의

①
②

해설 UML은 사물, 관계, 다이어그램으로 구성된다.

정답
01. ① - ㉢: Graphical User Interface, ② - ㉡: Natural User Interface, ③ - ㉠: Command Interface, ④ - ㉣: Web Interface   02. 스토리보드(Story board)
03. ① 사물(Things), ② 관계(Relationships)

정보처리산업기사 실기시험 합격 후기

3트만에 합격한 삼수생

[ID: 당**]

시험을 준비하며 본 게시판의 후기를 많이 읽었는데 드디어 저도 후기 남길 수 있게 되어 무엇보다 기쁩니다. 시험 응시 전 C 언어는 충분한 상태였고 JAVA나 파이썬은 부족한 상태였습니다.

어쩌다 3트를 하게 되었는가?

- 1트 준비 기간 3일 → 필기가 쉬웠던 탓에 만만히 보고 대놓고 폭삭 망했습니다.

- 2트 준비 기간 3일 → 다른 일정에 치였지만 왠지 모를 자신감이 있었습니다. 쉽게 나온 회차라 검토를 제대로 했다면 가능성도 있었겠지만, 자만심으로 말도 안 되는 실수 남발해 불합격했네요.

- 3트 준비 기간 2주 → 무조건 합격하자 생각하여 2주간 30시간 전후로 공부했으며, 비록 짧은 기간이지만 앞서 공부했던 부분은 금방 숙지하였습니다.

당연한 이야기지만 시간 좀 더 투자하더라도 한 번에 제대로 공부하는 게 여러모로 나은 듯합니다. 부족하면 불합격이지만 넘치는 것은 다 지식 아니겠습니까.

※ 세 번 응시하며 느낀 것은 합격률 차이는 있겠지만 합격 컷은 넘길 수 있게 문제 배치를 해놓는다는 것입니다.
저의 주관적인 체감상 틀려라! 하는 극한의 난도 문제로서 만점 방지 문제 2문제, 공부했어도 생각할 시간이 필요한 문제 6~8문제, 공부했다면 무난한 문제 10~12문제 정도 ~~~

중요하다고 생각되는 팁!

- 코딩과 SQL을 중점적으로 학습한다.
  - 코딩과 SQL은 반드시 나오고 점점 비중이 늘어나 50% 이상 차지하고 있으니 최대한 맞춰야 합니다.
  - 코딩을 중점적으로 볼 뿐 개정 이후 기출 등 출제빈도 높은 이론은 무조건 숙지!
- 시간이 부족하다면 우선순위를 책정한다.
  - 출제빈도가 낮은 챕터는 주요 내용 위주로 숙지하고 빈도가 높은 챕터를 다회독하는 게 좋다고 생각합니다.
- 긴 시험 시간을 적극 활용한다.
  - 빨리 푼다고 아무도 알아주지 않습니다. 무조건 두 번, 세 번 검토해서 확실히 정답을 가져가는 게 중요하며, 저 또한 이번 시험에 있어 검토를 통해 어려운 문제를 맞추게 되었습니다

끝으로 우리 모두 어떻게 해야 합격할 수 있는지 이미 알고 있습니다.
수제비 책과 커뮤니티면 충분합니다.

접근 전략

프로그래밍 언어 활용 단원은 기본문법, 언어특성, 라이브러리 활용에 대한 설명이 프로그래밍의 핵심 문법이 포함되어 있으므로 데이터 타입, 연산자, 변수, 명령문, 조건문, 반복문과 프로그래밍 언어별 특징을 익혀두시길 권장합니다.

개발언어를 처음 접하는 분이라면 어렵겠지만 기본은 챙겨간다는 느낌으로 예상문제를 풀어보면서 점수를 획득하는 전략을 추천합니다.

미리 알아두기

★ **진수**
특정 개수의 숫자만을 이용하여 수를 나타내는 수 체계이다.

★ **데이터 타입(Data Type)**
프로그래밍 언어에서 실수치, 정수 자료형과 같은 여러 종류의 데이터를 식별하는 형태이다. 메모리 공간을 효율적으로 사용하고 2진수 데이터를 다양한 형태로 사용하기 위해 존재한다.

★ **변수(Variable)**
저장하고자 하는 어떠한 값이 있을 때, 그 값을 주기억장치에 기억하기 위한 공간을 의미한다.

★ **사용자 정의 자료형**
사용자가 상황에 맞게 기존 자료형들을 조합해서 만드는 자료형이다. 사용자 정의 자료형에는 열거체, 구조체가 있다.

★ **추상화와 상속**
세부 사항은 배제하고 중요한 부분을 중심으로 간략화하는 기법이다. 상속은 상위 수준 그룹의 모든 특성을 하위 수준 그룹이 이어받아 재사용 또는 확장하는 기법이다.

NCS 학습 모듈의 목표

응용 소프트웨어 개발에 사용되는 프로그래밍 언어의 기초 문법을 활용할 수 있고, 언어의 특성 및 라이브러리를 기반으로 하여 기본 응용 소프트웨어를 구현할 수 있어야 한다.

핵심키워드 베스트 일레븐(Best Eleven)

변수, 데이터 타입, 연산자, 조건문, 반복문, 사용자 정의 자료형, 추상화와 상속, 프로그래밍 최적화, 알고리즘, 라이브러리, 예약어(Reserved Word)

프로그래밍 언어 활용

Chapter 01　프로그래밍을 위한 기본 사항
Chapter 02　C언어
Chapter 03　자바
Chapter 04　파이썬

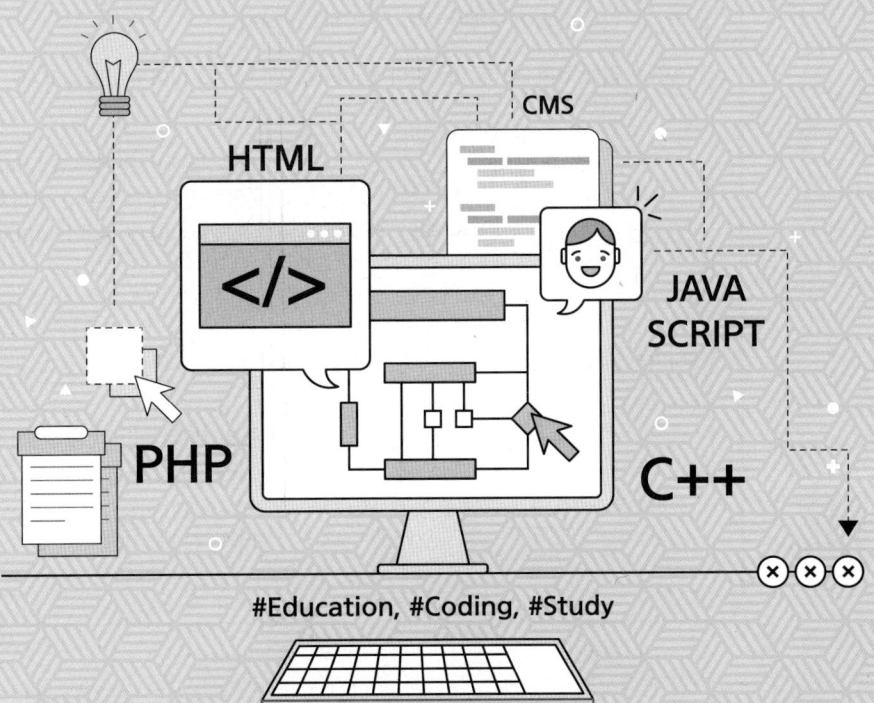

CHAPTER 01 프로그래밍을 위한 기본 사항

1 진수

(1) 진수 개념
- 진수는 특정 개수의 숫자만을 이용하여 수를 나타내는 수 체계이다.

(2) 진수 변환

① 10진수를 n진수로 변환
- 10진수 값을 몫이 n보다 작을 때까지 n으로 나누고 나머지 값들을 표시한 후에 나머지 값들을 읽는다.

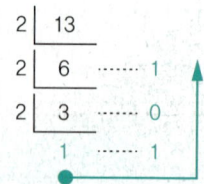

■ 10진수 13을 2진수로 변환(10진수 이하 진수로 변환)

① 10진수 값을 몫이 2보다 작은 값이 될 때까지 2로 나누고 나머지 값들을 표시

```
2 | 13
2 |  6 ······ 1       13을 2로 나누면 몫은 6, 나머지는 1
2 |  3 ······ 0       6을 2로 나누면 몫은 3, 나머지는 0
     1    1           3을 2로 나누면 몫은 1, 나머지는 1
```

② 나머지 값들을 읽음

```
2 | 13
2 |  6 ······ 1       몫인 1부터 나머지 값들을 나온 순서의 반대로
2 |  3 ······ 0       읽음(1101)
     1    1
                      13의 2진수는 1101
```

개념 박살내기

■ 10진수 201을 16진수로 변환 (10진수 초과 진수로 변환)

① 10진수 값을 몫이 16 미만이 될 때까지 16으로 나누고 나머지 값들을 표시

$$16 \underline{)201}$$
$$12 \cdots 9$$

201을 16으로 나누면 몫은 12, 나머지는 9

② 10 이상의 숫자들을 영어 알파벳으로 변환

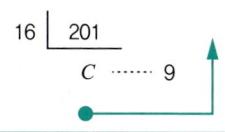

12는 C이므로 12를 C로 변환

③ 나머지 값들을 읽음

$$16 \underline{)201}$$
$$C \cdots\cdots 9$$

몫인 C부터 나머지 값들을 나온 순서의 반대로 읽음(C9)

201의 16진수는 C9

학습 Point

10진수 이하일 때는 0~9를 사용하지만, 10진수 초과할 경우는 10을 넘어가는 값들은 영어 알파벳으로 표현합니다.

10진수	16진수
0~9	0~9
10	A
11	B
12	C
13	D
14	E
15	F

② n진수를 10진수로 변환

- n진수에서 마지막 자리는 자리 숫자에 자릿값인 n^0을 곱하고, 마지막에서 두 번째 자리는 자리 숫자에 자릿값인 n^1을 곱하고, 마지막에서 세 번째 자리는 자리 숫자에 자릿값인 n^2를 곱하고, … 자리 숫자와 자릿값을 더해 10진수를 계산한다.

개념 박살내기

■ 2진수 1101을 10진수로 변환 (10진수 이하 진수를 10진수로 변환)

① 자리 숫자에 자릿값을 곱한 값 계산

자리 숫자	1	1	0	1
자릿값	$2^3(=8)$	$2^2(=4)$	$2^1(=2)$	$2^0(=1)$
계산	1×8=8	1×4=4	0×2=0	1×1=1

② 계산한 값들을 합산
- 8+4+0+1 = 13
- 2진수 1101의 10진수 값은 13

학습 Point

2진수 ↔ 10진수 변환하는 방법은 직접 나올 확률이 높지 않지만, 연산자 문제를 풀 때 필요하므로 반드시 알아두셔야 합니다.

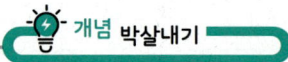

■ 16진수 C9를 10진수로 변환(10진수 초과 진수를 10진수로 변환)

① 자리 숫자에 자릿값을 곱한 값 계산

자리 숫자	C	9
자릿값	$16^1(=16)$	$16^0(=1)$
계산	C×16	9×1=9

② 영어 알파벳을 숫자로 변환

10진수	16진수
10	A
11	B
12	C
13	D
14	E
15	F

자리 숫자	12	9
자릿값	$16^1(=16)$	$16^0(=1)$
계산	12×16=192	9×1=9

• C는 12이므로 12로 변환

③ 계산한 값들을 합산

• 192+9 = 201
• 16진수 C9의 10진수 값은 201

(3) 아스키코드

1 아스키코드(ASCII; American Standard Code for Information Interchange) 개념

• 아스키코드는 미국 ANSI에서 표준화한 정보교환용 부호체계이다.
• 영문 키보드로 입력할 수 있는 모든 기호가 할당된 기본적인 부호체계이다.

2 주요 아스키코드

▼ 주요 아스키코드

10진수	부호	10진수	부호	10진수	부호
0	NULL	65	A	97	a
32	' '(Space)	66	B	98	b
48	0	67	C	99	c
49	1	68	D	100	d

> **학습 Point**
> C언어에서 NULL은 \0으로도 표시합니다. 기억해두세요.

CHAPTER 02 C언어

1 C언어 기본

(1) C언어 기본 구조
- C언어는 본문 전에 처리하는 전처리 부분과 본문으로 구성되어 있다.
- 헤더는 xxx.h 파일로 되어 있고, 헤더 안에는 프로그래밍에 필요한 함수들이 포함되어 있다.

(2) 전처리기

1 전처리기(Preprocessor) 개념
- 전처리기는 실행 파일을 생성하는 과정에서 소스 파일 내에 존재하는 전처리 지시문을 처리하는 작업이다.

2 전처리기 종류

▼ 전처리기 종류

종류	설명
#include	• C언어 프로그램에 헤더 파일을 포함할 때 사용하는 전처리기
#define	• 매크로를 정의할 때 사용하는 전처리기 • 상숫값을 지정하기 위한 예약어로 구문의 상수로 치환할 때 사용하는 전처리기

> **학습 Point**
> C언어에서 #이 붙으면 전처리 지시문 또는 전처리기라고 합니다.

■ C언어 기본 코드

[소스 코드]

01	`#include <stdio.h>`
02	`#define A 5`
03	
04	`int main(){`
05	`  printf("수제비 %d", A);`
06	`  return 0;`
07	`}`
출력	수제비 5

[코드 해설]

01	• stdio.h 헤더 파일을 읽어옴 • stdio.h 헤더 파일 안에 printf 함수가 포함됨
02	• A를 5로 변환
04	• main 함수의 시작 부분(프로그램이 제일 처음 실행되는 부분)
05	• 수제비라는 문자열을 printf라는 함수를 이용해 출력 • %d는 A인 5를 10진수로 출력
06	• 함수가 끝나고 0을 반환 • main 함수가 int main()으로 되어 있기 때문에 return이 있어야 함

2 자료형

(1) 자료형(Data Type)의 개념
- 자료형은 프로그래밍 언어에서 실수, 정수 자료형과 같은 여러 종류의 데이터를 식별하는 형태이다.
- 메모리 공간을 효율적으로 사용하고 2진수 데이터를 다양한 형태로 사용하기 위해 존재한다.

(2) 자료형 유형 [23년 3회]
- 자료형의 유형은 문자형, 정수형, 부동 소수점 형이 있다.

▼ 자료형 유형

유형	설명	선언 형식
문자 (Character)	• 문자 하나를 저장하고자 할 때 사용하는 자료형 • 메모리에 저장은 숫자로 저장됨	char
정수 (Integer)	• 정숫값을 저장하고자 할 때 사용하는 자료형	int
부동 소수점 (Floating Point)	• 소수점을 포함하는 실숫값을 저장하고자 할 때 사용하는 자료형	float, double

> **학습 Point**
> 부동 소수점의 float 형과 double 형 모두 실숫값을 표현하지만, float는 4바이트로 보통 소수점 6자리까지 표현할 수 있지만, double 형은 8바이트 소수점 15자리까지 표현할 수 있습니다.

3 식별자★

(1) 식별자(Identifier) 개념

- 식별자는 변수, 상수, 함수 등 서로 구분하기 위해서 사용되는 이름이다.
- 프로그램의 구성요소를 구별하기 위해 사용한다.

(2) 식별자 명명 규칙

▼ 식별자 명명 규칙

구분	규칙	사용 가능 예시	사용 불가능 예시
사용 가능 문자	• 영문 대문자/소문자, 숫자, 밑줄('_')의 사용이 가능	a, A, a1, _, _hello	?a, ⟨a
변수 사용 규칙	• 첫 자리에는 숫자를 사용할 수 없음	_1, a1, a100	1, 1a, 1A, 1234
	• 변수 이름의 중간에는 공백을 사용할 수 없음	my_student	my student
변수 의미 부여	• 이미 사용되고 있는 예약어의 경우에는 변수로 사용할 수 없음	For, If, While	int, short, long, for, while, do, continue, break, if, else

> **학습 Point**
> C언어, 자바, 파이썬 모두 식별자는 대소문자를 구분합니다.

> **잠깐! 알고가기**
> **예약어(Reserved Word)**
> 컴퓨터 프로그래밍 언어에서 이미 문법적인 용도로 사용되고 있는 단어로 식별자로는 사용할 수 없다. 자료형(int, float, …), 조건문(if, switch, case), 반복문(while, for, do), 루프 제어 명령문(break, continue), 함수 반환값(return) 등이 이에 해당한다.

(3) 식별자 표기법

▼ 식별자 표기법

표기법	설명	예시
카멜 표기법 (Camel Case)	• 식별자 표기 시에 여러 단어가 이어지면 첫 단어 시작만 소문자로 표시하고, 각 단어의 첫 글자는 대문자로 지정하는 표기법	inputFunction

표기법	설명	예시
파스칼 표기법 (Pascal Case)	• 식별자 표기 시에 여러 단어가 이어지면 각 단어의 첫 글자는 대문자로 지정하는 표기법	InputFunction
스네이크 표기법 (Snake Case)	• 식별자 표기 시에 여러 단어가 이어지면 단어 사이에 언더바를 넣는 표기법	input_function
헝가리안 표기법 (Hungarian Case)	• 식별자 표기 시 두어에 자료형을 붙이는 표기법 • 식별자 표기 시에 int 형일 경우 n, char 형일 경우 c, 문자열일 경우 sz를 붙임	nScore

4 변수 ☆☆

(1) 변수(Variable)의 개념

- 변수는 저장하고자 하는 어떠한 값이 있을 때, 그 값을 주기억장치에 기억하기 위한 공간이다.
- 자료형과 변수명을 작성하여 변수를 생성하는 과정이다.

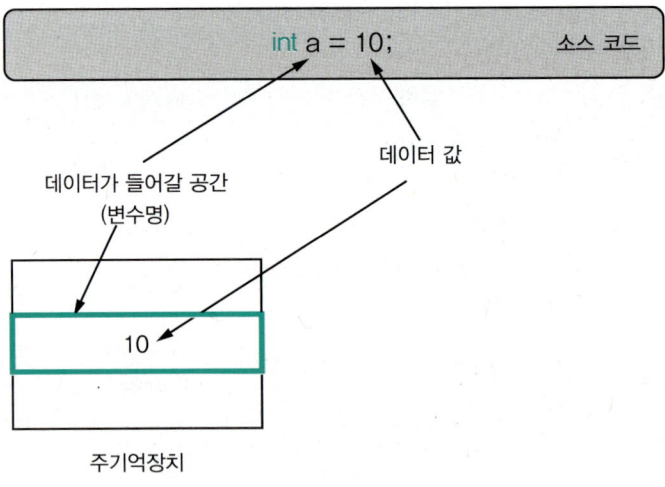

▲ 변수의 개념도

학습 Point
변수 선언이라는 말이 어려울 수 있는데, 프로그램에서 변수를 이렇게 사용할 거라고 표명하는 행위입니다.

잠깐! 알고가기
초기화(Initialization)
변수를 선언함과 동시에 변수에 값을 지정해주는 과정이다.

(2) 변수 선언(Variable Declaration)

- 변수 선언은 변수나 함수가 있음을 알려주는 행위이다.
- 변수가 어떤 자료형을 사용할지 알려주기 위해 사용한다.

초기화하지 않는 경우	자료형 변수명;
초기화하는 경우	자료형 변수명 = 초깃값;

개념 박살내기

■ C언어 변수 선언

[소스 코드]

```
01  #include <stdio.h>
02  int main(){
03      char a;
04      int b = 4;
05      float c, d;
06      double e=1.1, f=2.4;
07      return 0;
08  }
```

[코드 해설]

01	• stdio.h 헤더 파일을 읽어옴
02	• main 함수의 시작 부분(프로그램이 제일 처음 실행되는 부분)
03	• a라는 이름의 char(문자)형 변수를 선언
04	• b라는 이름의 int(정수)형 변수를 선언하고, b는 4로 초기화
05	• c, d라는 이름의 float(실수)형 변수를 선언
06	• e, f라는 이름의 double(실수)형 변수를 선언하고, e는 1.1로 f는 2.4로 초기화

학습 Point
소스 코드에 printf와 같은 출력 함수가 없으므로 아무 것도 출력되지 않습니다.

(3) 변수 유효범위(Variable Scope)

1 전역 변수(Global Variable)

- 전역 변수는 어떤 블록에도 속하지 않는 변수이다.
- 전역 변수는 프로그램이 시작되면 변수가 생성되고, 프로그램이 종료되면 변수가 소멸된다.
- 전역 변수는 초기화하지 않으면 정수형은 0, 실수형은 0.0, 문자형은 NULL로 초기화된다.
- 전역 변수는 아무 곳에서나 사용할 수 있다.

잠깐! 알고가기
블록(Block)
C언어에서 중괄호로 묶은 부분이다.

학습 Point
아스키코드 0이 NULL입니다. 그래서 초기화하지 않으면 정수형, 실수형, 문자형 모두 0이 된다고 생각하셔도 됩니다.

개념 박살내기

■ C언어 전역 변수

[소스 코드]

01	`#include <stdio.h>`
02	`int a = 5;`
03	`void fn(){`
04	`  a = a + 3;`
05	`}`
06	`int main(){`
07	`  a = a + 5;`
08	`  fn();`
09	`  printf("%d", a);`
10	`  return 0;`
11	`}`
출력	13

[코드 해설]

01	• stdio.h 헤더 파일을 읽어옴
02	• a라는 변수에 5를 대입 • a는 블록 안에 있지 않으므로 전역 변수
06	• 프로그램은 main 함수부터 시작
07	• a는 5가 저장되어 있으므로 5+5는 10이 되고, 10을 a라는 변수에 저장
08	• fn이라는 사용자 정의 함수를 호출
03	• fn 함수 호출
04	• a는 10이 저장되어 있으므로 10+3은 13이 되고, 13을 a라는 변수에 저장
09	• a는 13이므로 13을 출력

잠깐! 알고가기

대입(Assignment)
특정 값을 변수에 저장하기 위한 행위이다.

학습 Point

사용자 정의 함수는 뒤에서 배우므로 1회독 때는 전역 변수가 어떻게 쓰이는지 개념만 익히시고, 2회독 하실 때 코드를 제대로 이해하시면 좋습니다.

2 지역 변수(Local Variable)

- 지역 변수는 블록 내에서 선언하는 변수이다.
- 지역 변수는 블록이 시작되는 부분에 바로 선언해주어야 하고, 중괄호가 닫히는 시점에 소멸된다.
- 지역 변수는 해당 블록 안에서만 사용할 수 있다.

개념 박살내기

■ C언어 지역 변수

[소스 코드]

01	`#include <stdio.h>`
02	`int main(){`
03	`  int a = 3, b = 4;`
04	`  {`
05	`    int a = 5;`
06	`    printf("%d %d\n", a, b);`
07	`  }`
08	`  printf("%d %d\n", a, b);`
09	`  return 0;`
10	`}`
출력	5 4 3 4

[코드 해설]

01	• stdio.h 헤더 파일을 읽어옴
02	• 프로그램은 main 함수부터 시작
03	• a라는 변수에 3을 저장(①번 변수로 지칭), b라는 변수에 4를 저장(main 함수 블록에서 지역 변수 생성)
04	• main 함수 내에 블록 생성
05	• main 함수 내의 블록에 a라는 변수를 선언(②번 변수로 지칭)하고, 5를 저장 (main 함수 블록 안에 블록에서 지역 변수 생성) • main 함수 블록의 a인 ①번 변수와 main 함수 블록 안에 블록의 a인 ②번 변수는 다른 변수
06	• 해당 위치에서 a라는 이름으로 접근할 수 있는 변수가 ①번 변수와 ②번 변수가 있는데, ②번 변수가 가까우므로 ②번 변수에 저장된 5를 가리킴 • b는 main 함수 블록 안의 블록에 없으므로 4를 가리킴
07	• main 함수 내에 블록이 종료되면서 ②번 변수는 소멸
08	• a 변수는 ①번 변수에 저장된 3을 가리키고, b 변수는 4를 가리킴
09	• main 함수 블록이 종료되면서 a, b 변수 모두 소멸

> **학습 Point**
>
> main 함수 내 블록과 블록 안의 블록은 '{'와 '}'에 따라 구분합니다.
>
> | 구분 | 내용 |
> |---|---|
> | main
함수 내
블록 | `int main() {`
`// 이 부분이`
`// main 함수 내`
`// 블록`
`}` |
> | main
함수 내
블록 안
의 블록 | `int main() {`
`{`
`// 이 부분이`
`// main 함수 내`
`// 블록 안의`
`// 블록`
`}`
`}` |

3 static 변수(Static Variable)

- static 변수는 블록 내외부 상관없이 선언할 수 있는 변수이다.
- static 변수는 변수 선언할 때 static이라는 키워드를 붙여준다.
- static 변수는 블록 내외부 상관없이 프로그램이 시작되면 변수가 생성되고, 프로그램이 종료되면 변수가 소멸된다.
- static 변수는 전역 변수로 선언할 경우 프로그램 전체에서 사용할 수 있고, 블록 내에 선언할 경우 블록 내에서만 사용할 수 있다.

 개념 박살내기

■ C언어 static 변수

[소스 코드]

01	`#include <stdio.h>`
02	`void fn(){`
03	`  static int a = 3;`
04	`  a = a + 1;`
05	`  printf("%d\n", a);`
06	`}`
07	`int main(){`
08	`  fn();`
09	`  fn();`
10	`  return 0;`
11	`}`

| 출력 | 4
5 |

[코드 해설]

01	• stdio.h 헤더 파일을 읽어옴
03	• static 변수가 있으므로 a라는 변수는 3으로 초기화
07	• 프로그램은 main 함수부터 시작
08	• fn이라는 사용자 정의 함수 호출
02	• fn 함수 호출
03	• 프로그램 시작할 때 static 변수 처리했으므로 3이라는 값으로 초기화하지 않음
04	• a는 3이므로 3+1을 a라는 변수에 대입
05	• a 값인 4를 출력
09	• fn이라는 사용자 정의 함수 호출
02	• fn 함수 호출
03	• 프로그램 시작할 때 static 변수 처리했으므로 3이라는 값으로 초기화하지 않음
04	• a는 4이므로 4+1을 a라는 변수에 대입
05	• a 값인 5를 출력

학습 Point

- 초기화는 int a = 3;과 같이 변수가 어떤 자료형을 사용하는지 선언할 때 넣어주는 값을 말하는데, 초기화는 처음 한 번만 수행합니다.
- static 변수는 프로그램이 종료될 때까지 소멸되지 않기 때문에 「C언어 static 변수」 예시처럼 여러 번 지나는 경우가 있습니다. 이런 경우에도 초기화는 처음 한 번만 수행합니다.

5 표준 입출력 함수 ★★

(1) printf 함수
- printf 함수는 지정된 포맷 스트링으로 데이터를 출력하는 함수이다.

1 단순 출력

```
printf(문자열);
```

- printf 함수 안에 큰따옴표로 묶여 있는 문자열을 출력한다.

> **학습 Point**
> - printf는 "프린트 에프"로 읽습니다.
> - printf를 사용하기 위해서는 stdio.h 헤더(stdio는 표준 입출력인 Standard Input Output의 약자)를 선언해야 합니다.

개념 박살내기

■ C언어 단순 출력

[소스 코드]

01	`#include <stdio.h>`
02	`int main(){`
03	`  printf("Hello C World");`
04	`  return 0;`
05	`}`
출력	Hello C World

[코드 해설]

01	• stdio.h 헤더 파일을 읽어옴 • stdio.h 헤더 파일 안에 printf 함수가 포함됨
02	• main 함수의 시작 부분(프로그램이 제일 처음 실행되는 부분)
03	• printf 함수 안에 큰따옴표 안에 있는 문자열인 Hello C World를 출력

2 이스케이프 문자를 이용한 출력
- 이스케이프 문자는 문자열 내에서 특수한 기능을 수행하는 문자이다.
- 특수한 기능을 수행하기 위해서 이스케이프 문자를 printf 함수의 큰따옴표 안에 넣는다.

▼ 이스케이프 문자 종류

종류	의미	설명
\n	New Line	• 커서를 다음 줄 앞으로 이동(개행)
\t	Tab	• 커서를 일정 간격만큼 수평 이동

학습 Point

• 프로그래밍 언어는 명령이 같은 줄에서 끝나야 하므로 아래 코드와 같이 사용할 수가 없습니다.

```
printf("A
");
```

• 따라서 개행을 할 때 이스케이프 문자인 \n을 통해 개행을 하게 됩니다.

학습 Point

tab(\t)은 일정 간격으로 리눅스에서는 공백 4칸, 윈도우에서는 공백 8칸을 주로 사용합니다.

개념 박살내기

■ C언어 이스케이프 문자를 이용한 출력

[소스 코드]

01	`#include <stdio.h>`
02	`int main(){`
03	`  printf("Hello\tC\nWorld");`
04	`  return 0;`
05	`}`

| 출력 | Hello   C
World |

[코드 해설]

01	• stdio.h 헤더 파일을 읽어옴
02	• main 함수의 시작 부분(프로그램이 제일 처음 실행되는 부분)
03	• Hello를 출력한 후에 일정 간격만큼 띄고(\t), C를 출력한 후에 개행(\n)을 하고, World를 출력함

3 포맷 스트링을 이용한 변수 출력

• 포맷 스트링은 일반적으로 scanf를 통해 사용자로부터 입력을 받아들이거나 printf를 통해 결과를 출력하기 위하여 사용하는 형식이다.
• 인자에는 변수명, 값, 수식이 올 수 있다.

printf(포맷_스트링이_포함된_문자열, 인자, …);

▼ 포맷 스트링 종류

유형	설명	의미	설명
문자 (Character)	%c	Character	• 문자 1글자에 대한 형식
문자열 (String)	%s	String	• 문자가 여러 개인 문자열에 대한 형식
정수 (Integer)	%u	Unsigned Decimal	• 부호 없는 10진수 정수
	%d	Decimal	• 10진수 정수
	%o	Octal	• 8진수 정수
	%x %X	Hexa Decimal	• 16진수 정수 • %x일 경우 영어로 표기되는 부분이 소문자로, %X일 경우 영어로 표기되는 부분이 대문자로 표시됨

유형	설명	의미	설명
부동 소수점 (Floating Point)	%e %E	Exponent	• 지수 표기 • %e는 지수 표현을 e로 하고, %E는 지수 표현을 E로 함
	%f	Floating Point	• 부동 소수점 표기
	%lf	Long Floating Point	• 부동 소수점 표기

개념 박살내기

■ C언어 포맷 스트링을 이용한 변수 출력

[소스 코드]

```
01  #include <stdio.h>
02  int main(){
03      int a=4, c=5;
04      char b = 'A';
05      printf("a는 %d, b는 %c입니다.", a, b);
06      printf("%d", a+c);
07      return 0;
08  }
```

출력: a는 4, b는 A입니다.9

[코드 해설]

01	• stdio.h 헤더 파일을 읽어옴
02	• main 함수의 시작 부분(프로그램이 제일 처음 실행되는 부분)
03	• a, c라는 이름의 int(정수)형 변수를 선언하고, a는 4로 초기화, c는 5로 초기화
04	• b라는 이름의 char(문자)형 변수를 선언하고, b는 A로 초기화
05	printf("a는 %d, b는 %c입니다.", a, b); • 첫 번째 포맷 스트링(%d) 자리에 첫 번째 인자에 해당하는 a의 값 4가 들어가고, 두 번째 포맷 스트링(%c) 자리에 두 번째 인자에 해당하는 b의 값 A가 들어감
06	printf("%d", a+c); • 첫 번째 포맷 스트링(%d) 자리에 첫 번째 인자에 해당하는 a+c의 값 9(=4+5)가 들어감

4 포맷 스트링을 이용한 변수 상세 출력

• 포맷 스트링을 이용해 정렬, 0 채우기, 출력할 공간 확보, 소수점 자릿수 표기를 지정할 수 있다.

%[-][0][전체자리수].[소수점자리수]스트링

포맷 스트링	설명
[-]	• [-]를 붙이면 왼쪽 정렬 • [-]를 붙이지 않고, [전체자리수]가 정해져 있을 경우 오른쪽 정렬
[0]	• [0]을 붙이면 전체 자릿수에서 앞에 빈공간 만큼 0으로 채움
[전체자리수]	• [전체자리수]만큼 공간이 확보됨 • 소수점(.)도 한 자릿수로 포함됨
.[소수점자리수]	• [소수점자리수]만큼 소수점이 출력됨 • 실수형일 때만 적용됨

 개념 박살내기

■ C언어 포맷 스트링을 이용한 변수 상세 출력

[소스 코드]

01	`#include <stdio.h>`
02	`int main( ){`
03	`    float a = 1.234;`
04	`    int b = 10;`
05	`    printf("%.2f\n", a);`
06	`    printf("%5.1f\n", a);`
07	`    printf("%05.1f\n", a);`
08	`    printf("%-05.1f\n", a);`
09	`    printf("%5d\n", b);`
10	`    printf("%05d\n", b);`
11	`    printf("%-5d\n", b);`
12	`    printf("%-05d\n", b);`
13	`    return 0;`
14	`}`

| 출력 | ```
1.23
  1.2
001.2
1.2
   10
00010
10
10
``` |
| --- | --- |

[코드 해설]

01	• stdio.h 헤더 파일을 읽어옴
02	• main 함수의 시작 부분(프로그램이 제일 처음 실행되는 부분)
03	• a라는 이름의 float(실수)형 변수를 선언하고, a는 1.234로 초기화
04	• b라는 이름의 int(정수)형 변수를 선언하고, b는 10으로 초기화
```

05	• 소수점 둘째 자리까지 출력하므로 1.234를 반올림한 1.23를 출력
06	• 소수점 첫째 자리까지 출력하므로 1.234를 반올림한 1.2를 출력 • 전체 공간은 5자리, 1.2는 3자리인데, -가 없으므로 왼쪽에서 2자리를 띄고 1.2를 출력
07	• 소수점 첫째 자리까지 출력하므로 1.234를 반올림한 1.2를 출력 • 전체 공간은 5자리, 1.2는 3자리인데, 0이 있으므로 왼쪽에서 2자리는 0으로 채우고 1.2를 출력
08	• 소수점 첫째 자리까지 출력하므로 1.234를 반올림한 1.2를 출력 • 전체 공간은 5자리, 1.2는 3자리인데, -가 있으므로(0은 무시) 왼쪽 정렬해서 1.2를 출력
09	• 전체 공간을 5자리, 10은 2자리인데, -가 없으므로 왼쪽에서 3자리를 띄고 10을 출력
10	• 전체 공간을 5자리, 10은 2자리인데, 0이 있으므로 왼쪽에서 3자리는 0으로 채우고 10을 출력
11	• 전체 공간을 5자리, 10은 2자리인데, -가 있으므로 왼쪽 정렬해서 10이 출력
12	• 전체 공간을 5자리, 10은 2자리인데, -가 있으므로(0은 무시) 왼쪽 정렬해서 10이 출력

(2) scanf 함수 [23년 1회]

- scanf 함수는 키보드로 입력받은 문자열에서 지정된 포맷 스트링으로 데이터를 읽는 함수이다.
- scanf의 포맷 스트링은 printf의 포맷 스트링과 동일하다.

```
scanf(포맷_스트링이_포함된_문자열, 변수의_주솟값, …);
```

개념 박살내기

■ C언어 포맷 스트링을 이용한 변수 출력

[소스 코드]

```
01  #include <stdio.h>
02  int main(){
03      int a;
04      char b;
05      scanf("%d %c", &a, &b);
06      printf("a는 %d, b는 %c입니다.", a, b);
07      return 0;
08  }
```

입력	1 B
출력	a는 1, b는 B입니다.

[코드 해설]

01	• stdio.h 헤더 파일을 읽어옴
02	• main 함수의 시작 부분(프로그램이 제일 처음 실행되는 부분)
03	• a라는 이름의 int(정수)형 변수를 선언
04	• b라는 이름의 char(문자)형 변수를 선언
05	scanf("%d %c", &a, &b); • 입력받은 첫 번째 값인 1은 정수(%d)형으로 변환되어 a 변수에 저장되고, 입력받은 두 번째 값인 B는 문자(%c)형으로 변환되어 b 변수에 저장됨
06	printf("a는 %d, b는 %c입니다.", a, b); • 첫 번째 포맷 스트링(%d) 자리에 첫 번째 변수인 a의 값인 1이 들어가고, 두 번째 포맷 스트링(%c) 자리에 두 번째 변수인 b의 값인 B가 들어감

학습 Point

프로그램은 코드에 따라서 순차적으로 실행하게 되는데, scanf를 만나게 되면 사용자의 입력을 무한정 기다리게 됩니다. 사용자는 입력하고자 하는 값을 키보드로 타이핑하고 마지막에 enter 키를 누르면 포맷 스트링에 맞게 변수에 값을 넣어준 후에 scanf 함수를 종료하게 됩니다.

(3) gets 함수

• gets 함수는 키보드로 입력받은 문자열을 문자형 배열에 저장하는 함수이다.

gets(문자형_배열_변수);

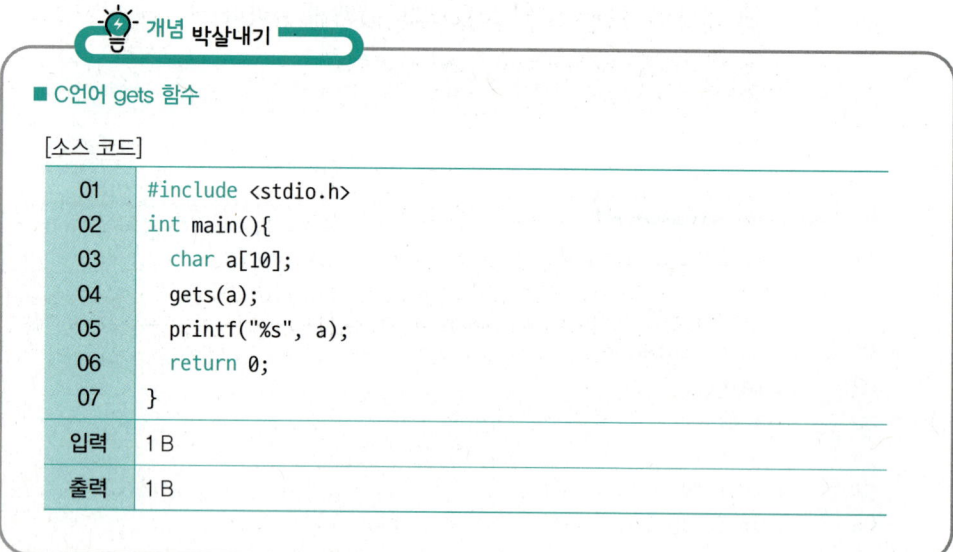

■ C언어 gets 함수

[소스 코드]

01	`#include <stdio.h>`
02	`int main(){`
03	`  char a[10];`
04	`  gets(a);`
05	`  printf("%s", a);`
06	`  return 0;`
07	`}`
입력	1 B
출력	1 B

6 연산자 ★★★

(1) 연산자(Operator) 개념
- 연산자는 프로그램 실행을 위해 연산을 표현하는 기호이다.

(2) 연산자 종류

▼ 연산자 종류

종류	설명	연산자
증감 연산자	• 피연산자를 1씩 증가 혹은 1씩 감소시킬 때 사용하는 연산자	++, --
산술 연산자	• 산술식을 구성하는 연산자	+, -, *, /, %
시프트 연산자	• 비트를 이동시키는 연산자	<<, >>
관계 연산자	• 두 피연산자 사이의 크기를 비교하는 연산자	>, <, >=, <=, ==, !=
비트 연산자	• 비트 단위로 논리 연산할 때 사용하는 연산자	&, |, ^, ~
논리 연산자	• 두 피연산자 사이의 논리적인 관계를 정의하는 연산자	&&, ||, !
삼항 연산자	• 조건이 참일 경우 물음표(?)와 콜론(:) 사이의 값을 반환하고, 조건이 거짓일 경우 콜론(:)과 세미콜론(;) 사이의 값을 반환하는 연산자	(조건식)? (참) : (거짓)
대입 연산자	• 변수에 값을 대입할 때 사용하는 연산자 • 오른쪽에 있는 값을 이용해 왼쪽의 변수에 값을 대입	=, +=, -=, *=, /=, %=

두음쌤 한마디

연산자 우선순위
「증산시 관비 논삼대」
증감 연산자 / 산술 연산자 / 시프트 연산자 / 관계 연산자 / 비트 연산자 / 논리 연산자 / 삼항 연산자 / 대입 연산자
→ 증산 시장에서 관노비들이 논을 산대

(3) 연산자 우선순위 [22년 1회, 23년 1회]

▼ 연산자 우선순위

우선순위	연산자	항의 개수	유형
1	x++	단항 연산자	증감 연산자
	x--	단항 연산자	증감 연산자
2	++x	단항 연산자	증감 연산자
	--x	단항 연산자	증감 연산자
	!	단항 연산자	논리 연산자
	~	단항 연산자	비트 연산자

학습 Point

- 시험에서 연산자 우선순위 문제가 종종 출제됩니다. 일반적으로 두음인 "증산시 관비 논삼대" 순서대로 우선순위가 높으나, 논리 연산자 중 단항 연산자인 !, 비트 연산자 중 단항 연산자인 ~가 증감 연산자와 산술 연산자 사이에 우선순위가 있습니다. 또한, 관계 연산자에서는 <, <=, >, >=와 같이 대소 비교가 ==, !=와 같이 같은지 다른지를 비교하는 것보다는 우선순위가 높습니다.
- 항의 개수에 따른 연산자 우선순위는 단항 연산자 → 이항 연산자 → 삼항 연산자 → 대입 연산자 순입니다.

우선순위	연산자	항의 개수	유형
3	*	이항 연산자	산술 연산자
	/	이항 연산자	산술 연산자
	%	이항 연산자	산술 연산자
4	+	이항 연산자	산술 연산자
	-	이항 연산자	산술 연산자
5	<<	이항 연산자	시프트 연산자
	>>	이항 연산자	시프트 연산자
6	<	이항 연산자	관계 연산자
	<=	이항 연산자	관계 연산자
	>	이항 연산자	관계 연산자
	>=	이항 연산자	관계 연산자
7	==	이항 연산자	관계 연산자
	!=	이항 연산자	관계 연산자
8	&	이항 연산자	비트 연산자
9	^	이항 연산자	비트 연산자
10	|	이항 연산자	비트 연산자
11	&&	이항 연산자	논리 연산자
12	||	이항 연산자	논리 연산자
13	(조건식)? a : b	삼항 연산자	삼항 연산자
14	=	대입 연산자	대입 연산자
	+=	대입 연산자	대입 연산자
	-=	대입 연산자	대입 연산자
	*=	대입 연산자	대입 연산자
	/=	대입 연산자	대입 연산자
	%=	대입 연산자	대입 연산자

(4) 연산자 상세

1 증감 연산자(Increment & Decrement Operator) [21년 3회]

▼ 증감 연산자

종류	설명
++x	변수의 값을 1 증가시킨 후에 해당 변수를 사용하는 연산자
x++	변수를 사용한 후에 변수의 값을 1 증가시키는 연산자
--x	변수의 값을 1 감소시킨 후에 해당 변수를 사용하는 연산자
x--	변수를 사용한 후에 변수의 값을 1 감소시키는 연산자

개념 박살내기

■ C언어 printf 함수 내에서의 증감 연산자

[소스 코드]

01	`#include <stdio.h>`
02	`int main(){`
03	`  int x=3, y=3;`
04	`  printf("%d", x++);`
05	`  printf("%d", x);`
06	`  printf("%d", ++y);`
07	`  printf("%d", y);`
08	`  return 0;`
09	`}`
출력	3444

[코드 해설]

01	• stdio.h 헤더 파일을 읽어옴
02	• main 함수의 시작 부분(프로그램이 제일 처음 실행되는 부분)
03	• x, y라는 이름의 int(정수)형 변수를 선언하고, x는 3, y는 3으로 초기화
04	• x++일 경우 x의 값인 3을 먼저 출력한 후에 x의 값을 1 증가
05	• x의 값인 4를 출력
06	• ++y일 경우 y의 값을 1 증가시킨 후에 y의 값인 4를 출력
07	• y의 값인 4를 출력

개념 박살내기

■ C언어 다른 연산자와 함께 사용하는 증감 연산자

[소스 코드]

01	`#include <stdio.h>`
02	`int main(){`
03	`  int x=3, y=3;`
04	`  int z = x++ + ++y;`
05	`  printf("%d %d %d", x, y, z);`
06	`  return 0;`
07	`}`
출력	4 4 7

[코드 해설]

01	• stdio.h 헤더 파일을 읽어옴
02	• main 함수의 시작 부분(프로그램이 제일 처음 실행되는 부분)
03	• x, y라는 이름의 int(정수)형 변수를 선언하고, x는 3, y는 3으로 초기화
04	• x++일 경우 x의 값인 3을 먼저 연산에 사용하고 x를 증가시키고, ++y일 경우 y의 값을 1 증가시킨 후에 y의 값인 4를 연산에 사용하므로 3+4인 7이 z에 저장됨
05	• x는 4, y는 4, z는 7이므로 4 4 7이 출력됨

학습 Point
증감 연산자를 단독으로 사용할 경우 ++일 때는 값이 1 증가, --일 때는 값이 1 감소 빼고 다른 일을 하지 않습니다.

■ C언어 증감 연산자 단독 사용

[소스 코드]

01	`#include <stdio.h>`
02	`int main(){`
03	`  int x=3, y=3;`
04	`  x++;`
05	`  ++y;`
06	`  printf("%d %d", x, y);`
07	`  return 0;`
08	`}`
출력	4 4

[코드 해설]

01	• stdio.h 헤더 파일을 읽어옴
02	• main 함수의 시작 부분(프로그램이 제일 처음 실행되는 부분)
03	• x, y라는 이름의 int(정수)형 변수를 선언하고, x는 3, y는 3으로 초기화
04	• x++만 단독으로 사용할 경우 단순히 1만 증가하여 x는 4
05	• ++y만 단독으로 사용할 경우 단순히 1만 증가하여 y는 4
06	• x는 4, y는 4이므로 4 4가 출력됨

2 산술 연산자(Arithmetic Operator)

▼ 산술 연산자

종류	설명
+	• 양쪽의 값을 더하는 연산자
-	• 왼쪽 값에서 오른쪽 값을 빼는 연산자
*	• 두 개의 값을 곱하는 연산자
/	• 왼쪽 값을 오른쪽 값으로 나누는 연산자
%	• 왼쪽 값을 오른쪽 값으로 나눈 나머지를 계산하는 연산자 • 정수끼리만 계산할 수 있음

학습 Point
- C언어에서 연산은 정수와 정수, 정수와 실수, 실수와 실수를 연산하게 됩니다.
- 정수와 정수를 연산하면 정숫값이 됩니다. 그래서 나누기 연산(/)을 정수/정수로 계산하게 되면 소수점은 버려지게 됩니다.
- 정수와 실수를 연산하거나 실수와 실수를 연산하면 실숫값이 됩니다.

■ C언어 산술 연산자 사용

[소스 코드]

```
01  #include <stdio.h>
02  int main(){
03    int x=3, y=2;
04    float z=2.0;
05    printf("%d %d\n", x%y, y%x);
06    printf("%d %.2f", x/y, x/z);
07    return 0;
08  }
```

| 출력 | 1 2
1 1.50 |

[코드 해설]

01	• stdio.h 헤더 파일을 읽어옴
02	• main 함수의 시작 부분(프로그램이 제일 처음 실행되는 부분)
03	• x, y라는 이름의 int(정수)형 변수를 선언하고, x는 3, y는 2로 초기화
04	• z라는 이름의 float(실수)형 변수를 선언하고, z는 2.0으로 초기화
05	• x%y는 3을 2로 나눴을 때 나머지인 1이고, y%x는 2를 3으로 나눴을 때 나머지인 2가 되므로 1 2가 출력되고, \n을 만나서 개행이 됨
06	• x/y는 3÷2인데, 3을 2로 나누면 1.5이지만 정수와 정수를 연산하면 정수가 되므로 1이 되어 1이 출력됨 • x/z는 3÷2.0인데, 3을 2.0으로 나누면 1.5이지만 정수와 실수를 연산하면 실수가 되므로 그대로 1.5가 되고, %.2로 출력하므로 소수점 둘째 자리까지 출력한 1.50이 출력됨

3 시프트 연산자(Shift Operator)

▼ 시프트 연산자

종류	설명
《	왼쪽 값을 오른쪽 값만큼 비트를 왼쪽으로 이동하는 연산자
》	왼쪽 값에 오른쪽 값만큼의 부호 비트를 채우면서 오른쪽으로 이동하는 연산자

학습 Point

《로 1비트 이동시킬 때마다 2배씩 증가하게 되고, 》로 1비트 이동시킬 때마다 2배씩 감소하게 됩니다.

개념 박살내기

■ **C언어 시프트 연산자**

[소스 코드]

01	`#include <stdio.h>`
02	`int main(){`
03	`  int x=11;`
04	`  printf("%d", x<<3);`
05	`  printf("%d", x>>1);`
06	`  return 0;`
07	`}`
출력	885

[코드 해설]

01	• stdio.h 헤더 파일을 읽어옴
02	• main 함수의 시작 부분(프로그램이 제일 처음 실행되는 부분)
03	• x라는 이름의 int(정수)형 변수를 선언하고, x는 11로 초기화
04	• x<<3에서 x값 11을 2진수로 바꾸면 1011 |				1	0	1	1 | • 왼쪽으로 3비트 이동하면 1011000이 됨 | 1	0	1	1	0	0	0 | 1011000을 10진수로 바꾸면 88이므로 88이 출력됨
05	• x>>1에서 x값 11을 2진수로 바꾸면 1011 |			1	0	1	1 | • 오른쪽으로 1비트 이동하면 101이 됨(맨 뒤에 한 자리는 사라짐) |				1	0	1 | 101을 10진수로 바꾸면 5이므로 5가 출력됨

학습 Point

- 11을 2진수로 바꾸면 1011이 됩니다.

```
2│11
2│ 5 … 1
2│ 2 … 1
   1 … 0
```

- 2진수 1011000을 10진수로 바꾸면 88이 됩니다.

$1 \times 2^6 + 0 \times 2^5 + 1 \times 2^4 + 1 \times 2^3 + 0 \times 2^2 + 0 \times 2^1 + 0 \times 2^0$
$= 64 + 16 + 8 = 88$

- 2진수 101을 10진수로 바꾸면 5가 됩니다.

$1 \times 2^2 + 0 \times 2^1 + 1 \times 2^0$
$= 4 + 1 = 5$

4 관계 연산자(Relation Operator)

- 관계 연산자는 참이면 1을, 거짓이면 0을 반환한다.

▼ 관계 연산자

종류	설명
>	왼쪽에 있는 값이 오른쪽에 있는 값보다 크면 참을 반환하고, 그렇지 않으면 거짓을 반환하는 연산자
<	왼쪽에 있는 값이 오른쪽에 있는 값보다 작으면 참을 반환하고, 그렇지 않으면 거짓을 반환하는 연산자
>=	왼쪽에 있는 값이 오른쪽에 있는 값보다 크거나 같으면 참을 반환하고, 그렇지 않으면 거짓을 반환하는 연산자

종류	설명
<=	왼쪽에 있는 값이 오른쪽에 있는 값보다 작거나 같으면 참을 반환하고, 그렇지 않으면 거짓을 반환하는 연산자
==	왼쪽에 있는 값이 오른쪽에 있는 값과 같으면 참을 반환하고, 그렇지 않으면 거짓을 반환하는 연산자
!=	왼쪽에 있는 값이 오른쪽에 있는 값과 다르면 참을 반환하고, 그렇지 않으면 거짓을 반환하는 연산자

개념 박살내기

■ C언어 관계 연산자

[소스 코드]

```
01  #include <stdio.h>
02  int main(){
03    printf("%d\n", 3==3);
04    printf("%d\n", 3!=3);
05    return 0;
06  }
```

출력
```
1
0
```

[코드 해설]

01	• stdio.h 헤더 파일을 읽어옴
02	• main 함수의 시작 부분(프로그램이 제일 처음 실행되는 부분)
03	• 3은 3과 같으므로(3==3) 참이기 때문에 1이 출력됨
04	• 3은 3과 같지 않음(3!=3)은 거짓이기 때문에 0이 출력됨

> **학습 Point**
> C언어는 논리형(Boolean) 변수 자체는 없지만, 값을 통해서 논리식을 계산합니다.
> C언어에서 논리식을 계산할 때 0이면 거짓으로 인식, 0이 아니면 참으로 인식합니다. 논리식을 출력할 때 거짓이면 0으로, 참이면 1로 출력합니다.

5 비트 연산자(Bit Operator) [24년 2회]

▼ 비트 연산자

종류	설명
&	두 값을 비트로 연산하여 같은 비트의 값이 모두 1이면 해당 비트 값이 1이 되고, 그렇지 않으면 0이 되는 연산자(AND 연산자)
|	두 값을 비트로 연산하여 같은 비트의 값이 하나라도 1이면 해당 비트 값이 1이 되고, 그렇지 않으면 0이 되는 연산자(OR 연산자)
^	두 값을 비트로 연산하여 같은 비트의 값이 서로 다르면 해당 비트 값이 1이 되고, 그렇지 않으면 0이 되는 연산자(XOR 연산자)
~	모든 비트의 값을 반대로 바꾸는 반전 기능을 하는 연산자(NOT 연산자)

개념 박살내기

■ AND, OR, XOR 연산자

▼ AND, OR, XOR 연산자

종류	설명
AND 연산자	피연산자가 모두 True인 경우에만 결과가 True, 그 외에는 모두 False인 연산자
OR 연산자	피연산자가 모두 False인 경우에만 결과가 False, 그 외에는 모두 True인 연산자
XOR 연산자	피연산자가 서로 다르면 True, 피연산자가 서로 같으면 False인 연산자

• AND, OR, XOR 연산자 결과는 다음과 같다.

피연산자	피연산자	AND 연산	OR 연산	XOR 연산
True	True	True	True	False
True	False	False	True	True
False	True	False	True	True
False	False	False	False	False

개념 박살내기

■ C언어 비트 연산자

[소스 코드]

01	`#include <stdio.h>`
02	`int main(){`
03	`  printf("%d", 12 & 10);`
04	`  printf("%d", 12 | 10);`
05	`  printf("%d", 12 ^ 10);`
06	`  printf("%d", ~12);`
07	`  return 0;`
08	`}`
출력	8146-13

[코드 해설]

01	• stdio.h 헤더 파일을 읽어옴
02	• main 함수의 시작 부분(프로그램이 제일 처음 실행되는 부분)

03	• 12를 2진수로 변환하면 1100, 10을 2진수로 변환하면 1010
	    1 1 0 0
	 & 1 0 1 0
	    1 0 0 0
	• 1&1은 1이고, 1&0은 0, 0&1은 0, 0&0은 0이므로 1000
	• 2진수 1000을 10진수로 변환하면 8

학습 Point

• 12를 2진수로 바꾸면 1100이 됩니다.

```
2 | 12
2 |  6 … 0
2 |  3 … 0
       1 … 1
```

04	• 12를 2진수로 변환하면 1100, 10을 2진수로 변환하면 1010 　　｜1100 　｜｜1010 　　　1110 • 1|1은 1이고, 1|0은 1, 0|1은 1, 0|0은 0이므로 1110 • 2진수 1110을 10진수로 변환하면 14
05	• 12를 2진수로 변환하면 1100, 10을 2진수로 변환하면 1010 　　｜1100 　∧｜1010 　　　0110 • 1∧1은 0이고, 1∧0은 1, 0∧1은 1, 0∧0은 0이므로 0110 • 2진수 0110을 10진수로 변환하면 6
06	• NOT 연산은 부호를 반대로 바꾼 값(-12)에 1을 뺀 값인 -13이 출력

> **학습 Point**
> NOT 연산은 2진수로 변환했을 때 각 자릿수에 대해 0이면 1로, 1이면 0으로 변환시키면 되는데, Sign Bit와 같은 컴퓨터 구조에 관한 내용을 알고 있어야 하므로 부호를 반대로 바꾼 값에 1을 뺀 값이라고 기억해두시는 게 좋습니다.

6 논리 연산자(Logic Operator)

• 논리 연산자는 참이면 1을, 거짓이면 0을 반환한다.

▼ 논리 연산자

종류	설명
&&	두 개의 논릿값이 모두 참이면 참을 반환하고, 그렇지 않으면 거짓을 반환하는 연산자 (AND 연산자)
||	두 개의 논릿값 중 하나라도 참이면 참을 반환하고, 그렇지 않으면 거짓을 반환하는 연산자(OR 연산자)
!	한 개의 논릿값이 참이면 거짓을 반환하고, 거짓이면 참을 반환하는 연산자(NOT 연산자)

개념 박살내기

■ C언어 논리 연산자

[소스 코드]

```
01  #include <stdio.h>
02  int main(){
03    int x=5, y=3;
04    printf("%d", x>5 && y>=3);
05    printf("%d", x>5 || y>=3);
06    return 0;
07  }
```

출력: 01

[코드 해설]

01	stdio.h 헤더 파일을 읽어옴
02	main 함수의 시작 부분(프로그램이 제일 처음 실행되는 부분)
03	x, y라는 이름의 int(정수)형 변수를 선언하고, x는 5로, y는 3으로 초기화
04	x>5는 거짓, y>=3은 참인데, && 연산은 둘 다 참이 아니면 거짓이므로 거짓에 해당하는 0을 출력
05	x>5는 거짓, y>=3은 참인데, ‖ 연산은 둘 중 하나라도 참이면 참이므로 참에 해당하는 1을 출력

7 삼항 연산자(Ternary Operator) [22년 1회, 2회]

조건식 ? 참일때값 : 거짓일때값;

■ C언어 삼항 연산자

[소스 코드]

01	`#include <stdio.h>`
02	`int main(){`
03	`  int a = 26, b = 91;`
04	`  int x = a < b ? a : b;`
05	`  printf("%d", x);`
06	`  return 0;`
07	`}`
출력	26

[코드 해설]

01	stdio.h 헤더 파일을 읽어옴
02	main 함수의 시작 부분(프로그램이 제일 처음 실행되는 부분)
03	a, b라는 이름의 int(정수)형 변수를 선언하고, a는 26, b는 91로 초기화
04	조건식 a<b는 참이므로 a 값인 26을 x에 대입
05	x값인 26을 출력

8 대입 연산자(Assignment Operator) [22년 1회, 2회, 24년 3회]

▼ 대입 연산자

종류	설명
=	왼쪽의 변수에 오른쪽의 값을 대입하는 연산자
+=	왼쪽의 변수에 오른쪽의 값을 더한 후, 그 결괏값을 왼쪽의 변수에 대입하는 연산자
-=	왼쪽의 변수에 오른쪽의 값을 뺀 후, 그 결괏값을 왼쪽의 변수에 대입하는 연산자
*=	왼쪽의 변수에 오른쪽의 값을 곱한 후, 그 결괏값을 왼쪽의 변수에 대입하는 연산자
/=	왼쪽의 변수를 오른쪽의 값으로 나눈 후, 그 결괏값을 왼쪽의 변수에 대입하는 연산자
%=	왼쪽의 변수를 오른쪽의 값으로 나눈 후, 그 나머지를 왼쪽의 변수에 대입하는 연산자

개념 박살내기

■ C언어 대입 연산자

[소스 코드]

```
01  #include <stdio.h>
02  int main(){
03    int a = 17;
04    a += 1;
05    a -= 2;
06    a *= 3;
07    a /= 4;
08    a %= 5;
09    printf("%d", a);
10    return 0;
11  }
```

출력	2

[코드 해설]

01	stdio.h 헤더 파일을 읽어옴
02	main 함수의 시작 부분(프로그램이 제일 처음 실행되는 부분)
03	a라는 이름의 int(정수)형 변수를 선언하고, a는 17로 초기화
04	a에 17에서 1을 더한 18을 저장
05	a에 18에서 2를 뺀 16을 저장
06	a에 16에서 3을 곱한 48을 저장
07	a에 48에서 4를 나눈 12를 저장
08	a에 12에서 5로 나눴을 때 나머지인 2를 저장
09	a 값인 2를 출력

7 조건문 ★★★

- 조건문은 조건의 참, 거짓 여부에 따라 실행 경로를 달리하는 if 문과 여러 경로 중에 하나를 선택하는 switch 문으로 구분한다.

(1) if 문 [24년 1회]

- if 문은 조건이 참인지 거짓인지에 따라 경로를 선택하는 명령문이다.

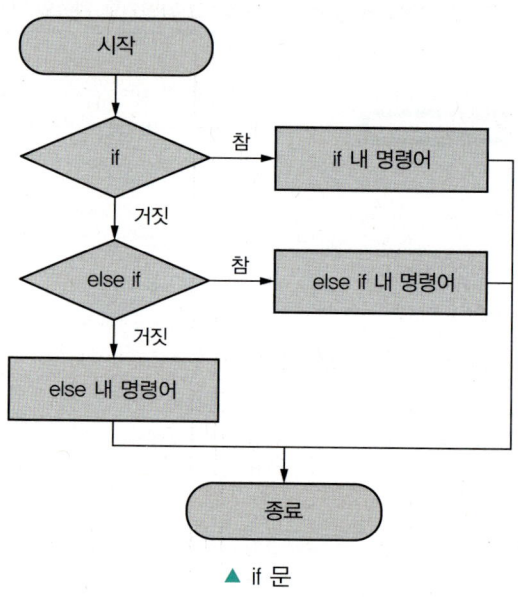

▲ if 문

> **학습 Point**
>
> if 문의 코드가 한 줄이면 다음과 같이 중괄호는 생략할 수 있습니다.
>
> ```
> if(…){
>   명령어A;
> }
> 명령어B;
> ```
>
> ```
> if(…)
>   명령어A;
> 명령어B;
> ```

```
if(조건문){
  명령문;
}
else if (조건문){
  명령문;
}
else {
  명령문;
}
```

- if의 조건문이 참일 경우 if 안에 있는 명령문을 실행한다.
- if 문의 조건이 거짓이면서 else if 문의 조건이 참일 경우 else if 안에 있는 명령문이 실행한다.(else if는 여러 개 사용 가능)
- else는 if 문의 조건문이 거짓이고 여러 개의 else if 문의 조건문이 모두 거짓일 때 else 안에 있는 명령문이 실행한다.(else는 사용하지 않거나 한 번만 사용)

개념 박살내기

■ C언어 if 문

[소스 코드]

01	`#include <stdio.h>`
02	`int main( ){`
03	`  int x = 5;`
04	`  if(x % 3 == 0)`
05	`    printf("1");`
06	`  else if(x % 3 == 1)`
07	`    printf("2");`
08	`  else`
09	`    printf("3");`
10	`  return 0;`
11	`}`
출력	3

[코드 해설]

01	stdio.h 헤더 파일을 읽어옴
02	main 함수의 시작 부분(프로그램이 제일 처음 실행되는 부분)
03	x라는 이름의 int(정수)형 변수를 선언하고, x는 5로 초기화
04	x값 5를 3으로 나눴을 때 나머지는 2이므로 0이 아니기 때문에 거짓
06	x값 5를 3으로 나눴을 때 나머지는 2이므로 1이 아니기 때문에 거짓
08	if 문과 else if 문 모두 거짓이므로 else 문을 실행
09	3을 출력

(2) switch 문 [24년 3회]

- switch 문은 조건에 따라 여러 개의 선택 경로 중 하나를 취하고자 할 때 사용하는 명령어이다.

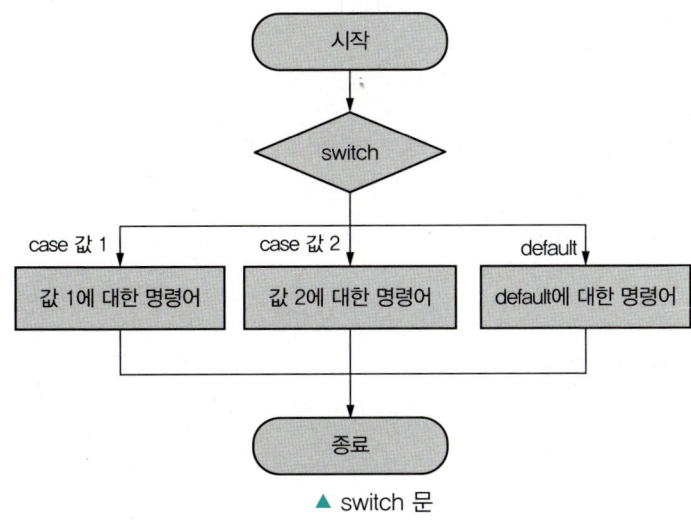

▲ switch 문

> **학습 Point**
>
> switch 문은 시험에서 자바로 출제됐습니다. switch 문 중간에 break를 빼놓았는데, break가 존재하지 않을 경우 진입한 case부터 switch 문 끝까지 동작한다는 것을 꼭 기억해두세요.

```
switch (식){
case 값:
  명령문;
  break;
default:
  명령문;
}
```

- switch 문에 식을 계산해서 일치하는 값을 가진 case 문을 실행한다.
- switch 문에 식이 어떠한 case의 값도 만족하지 않으면 default로 진입해 명령문 실행한다.
- break가 존재하지 않을 경우 break를 만날 때까지 switch 문에 있는 다른 문장을 실행한다.

💡 개념 **박살내기**

■ C언어 switch 문

[소스 코드]

01	`#include <stdio.h>`
02	`int main( ){`
03	`  int score = 101;`
04	`  switch(score/10){`
05	`  case 10:`
06	`  case 9:`
07	`    printf("A"); break;`
08	`  case 8:`
09	`    printf("B"); break;`
10	`  default:`
11	`    printf("F");`
12	`  }`
13	`  return 0;`
14	`}`
출력	A

[코드 해설]

01	stdio.h 헤더 파일을 읽어옴
02	main 함수의 시작 부분(프로그램이 제일 처음 실행되는 부분)
03	score라는 이름의 int(정수)형 변수를 선언하고, score는 101로 초기화
04	score는 101이므로 101/10은 10.1이 되는데, 정수와 정수를 연산하면 정수가 되므로 10이 되고, case 10으로 이동
05	case 10인데 break가 없으므로 다음 문장 실행
06	break가 없으므로 계속 실행
07	A를 출력하고, break를 만나서 switch 문 종료

8 반복문★★★

- 반복문은 특정 부분을 조건이 만족할 때까지 실행하도록 하는 명령문이다.
- 반복문을 사용할 때 특별한 조건이 없으면 무한 처리를 반복(무한 루프)하게 된다.

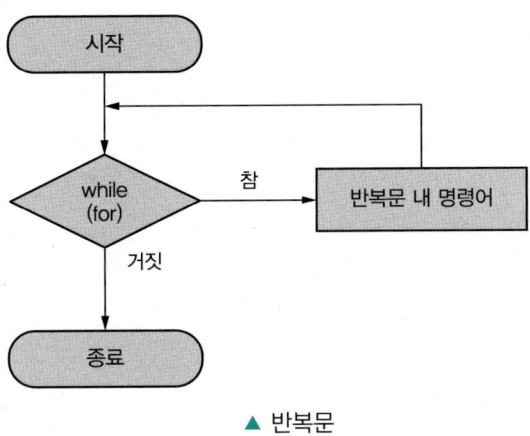

▲ 반복문

(1) while 문 [22년 1회, 2회, 3회, 23년 2회, 24년 1회]

- while 문은 조건이 참인 동안에 해당 분기를 반복해서 실행하는 명령문이다.

```
while(조건문){
  명령문;
}
```

개념 박살내기

■ C언어 while 문

[소스 코드]

```
01  #include <stdio.h>
02  int main( ){
03    int i=0, sum = 0;
04    while ( i < 2 ){
05      i++;
06      sum = sum + i;
07    }
08    printf("%d\n", sum);
09    return 0;
10  }
```

출력 3

[코드 해설]

01	• stdio.h 헤더 파일을 읽어옴
02	• main 함수의 시작 부분(프로그램이 제일 처음 실행되는 부분)
03	• i, sum이라는 이름의 int(정수)형 변수를 선언하고, i는 0, sum은 0으로 초기화
04	• i<2가 거짓이 될 때까지 반복문 수행 • i는 0이므로 0<2이기 때문에 참이 되어 반복문 수행
05	• i 값을 1 증가시켜 i는 1이 됨
06	• sum+i인 1(0+1)을 sum에 대입
07	• 반복문 끝나는 지점을 만났으므로 다시 while 문 시작 부분으로 이동
04	• i는 1이므로 1<2이기 때문에 참이 되어 반복문 수행
05	• i 값을 1 증가시켜 i는 2가 됨
06	• sum+i인 3(1+2)을 sum에 대입
07	• 반복문 끝나는 지점을 만났으므로 다시 while 문 시작 부분으로 이동
04	• i는 2이므로 2<2이기 때문에 거짓이 되어 반복문 종료
08	• sum 값인 3을 출력

> **학습 Point**
>
> while의 코드가 한 줄이면 다음과 같이 중괄호는 생략할 수 있습니다.
>
> ```
> while(…){
>   명령어A;
> }
> 명령어B;
> ```
>
> ```
> while(…)
>   명령어A;
> 명령어B;
> ```

(2) do while 문 [23년 2회]

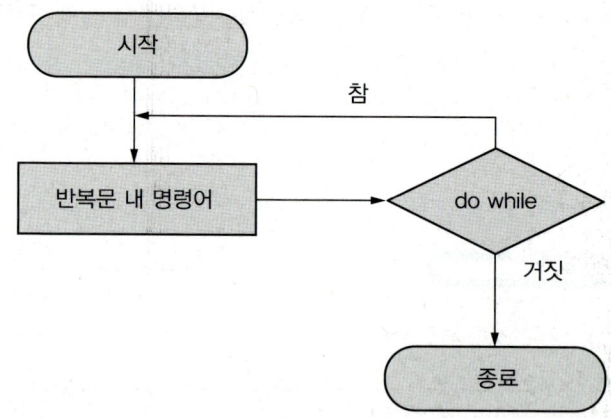

▲ do while 문

- do while 문은 참, 거짓과 관련 없이 무조건 한 번은 실행하고, 그다음부터는 조건이 참인 동안에 해당 분기를 반복해서 실행하는 명령문이다.

```
do{
  명령문;
}while(조건문);
```

개념 박살내기

■ C언어 do while 문

[소스 코드]

```
01  #include <stdio.h>
02  int main( ){
03    int i=1, sum = 0;
04    do{
05      sum = sum + i;
06      i++;
07    }while(i<0);
08    printf("%d\n", sum);
09    return 0;
10  }
```

출력 1

[코드 해설]

01	• stdio.h 헤더 파일을 읽어옴
02	• main 함수의 시작 부분(프로그램이 제일 처음 실행되는 부분)
03	• i, sum이라는 이름의 int(정수)형 변수를 선언하고, i는 1, sum은 0으로 초기화
04	• do while 문 진입
05	• sum+i인 1(0+1)을 sum에 대입
06	• i 값을 1 증가시켜 i는 2가 됨
07	• i<0이 거짓이 될 때까지 do while 문 반복 • i는 2이므로 2<0이 거짓이 되어 do while 문 종료
08	• sum 값인 1을 출력

(3) for 문 [22년 1회, 2회, 3회, 23년 2회, 24년 2회]

• for 문은 초기식, 조건식, 증감식을 지정하여 반복하는 명령어이다.

for (초기식; 조건식; 증감식){
    ①   ②⑤⑧   ④⑦
  명령문; // ③⑥
}
명령문; // ⑨
	① 초기식에 따라 초기화 수행
	② 조건식이 참일 경우 for 문 안의 명령문을 실행
	③ 명령문 실행
	④ for 문 안의 명령문이 끝나고 다시 돌아오면 증감식에 의해 값을 변경
	⑤ 조건식이 참일 경우 for 문 안의 명령문을 실행
	⑥ 명령문 실행
	⑦ for 문 안의 명령문이 끝나고 다시 돌아오면 증감식에 의해 값을 변경
	⑧ 조건식이 거짓일 경우 for 문을 종료
	⑨ for 문 아래의 명령부터 순차적으로 실행

> 학습 Point
>
> for 문, while 문에서 for(…); for 문 바로 뒤에 세미콜론이 있을 경우 for(…){ }처럼 for 문 안에 명령어가 없는 경우와 동일합니다.

학습 Point

for 문의 코드가 한 줄이면 다음과 같이 중괄호는 생략할 수 있습니다.

```
for(…){
   명령어A;
}
명령어B;

for(…)
   명령어A;
명령어B;
```

개념 박살내기

■ C언어 for 문

[소스 코드]

01	`#include <stdio.h>`
02	`int main( ){`
03	`  int i, sum = 0;`
04	`  for(i=1; i<3; i++)`
05	`    sum = sum + i;`
06	`  printf("%d\n", sum);`
07	`  return 0;`
08	`}`
출력	3

[코드 해설]

01	• stdio.h 헤더 파일을 읽어옴
02	• main 함수의 시작 부분(프로그램이 제일 처음 실행되는 부분)
03	• i, sum이라는 이름의 int(정수)형 변수를 선언하고, sum은 0으로 초기화
04	• for 문의 초기식은 i=1이므로 i는 1이 되고, 조건식은 i<3이므로 1<3은 참이기 때문에 반복문 수행
05	• sum+i인 1(0+1)을 sum에 대입 • for 문에 중괄호가 없으므로 for 문 다음 명령어인 sum = sum + i;가 for 안에 포함되는 명령어
04	• for 문의 증감식은 i++이므로 i는 1 증가한 2가 되고, 조건식은 i<3이므로 2<3은 참이기 때문에 반복문 수행
05	• sum+i인 3(1+2)을 sum에 대입
06	• sum 값인 3을 출력

학습 Point

이중 for 문의 코드가 한 줄이면 다음과 같이 중괄호는 생략할 수 있습니다.

```
for(…){
   for(…){
      명령어A;
   }
}
명령어B;

for(…){
   for(…)
      명령어A;
}
명령어B;

for(…)
   for(…)
      명령어A;
명령어B;
```

개념 박살내기

■ C언어 이중 for 문

[소스 코드]

01	`#include <stdio.h>`
02	`int main( ){`
03	`  int i, j;`
04	`  for(i=1; i<3; i++)`
05	`    for(j=1; j<3; j++)`
06	`      printf("%d\n", i*10+j);`
07	`  return 0;`
08	`}`

출력	11 12 21 22

[코드 해설]

01	• stdio.h 헤더 파일을 읽어옴
02	• main 함수의 시작 부분(프로그램이 제일 처음 실행되는 부분)
03	• i, j라는 이름의 int(정수)형 변수를 선언
04	• 바깥쪽 for 문의 초기식은 i=1이므로 i는 1이 되고, 조건식은 i<3이므로 1<3은 참이기 때문에 반복문 수행
05	• 안쪽 for 문의 초기식은 j=1이므로 j는 1이 되고, 조건식은 j<3이므로 1<3은 참이기 때문에 반복문 수행
06	• i는 1이고, j는 1이므로 i*10+j는 1*10+1인 11이 되어 11을 출력
05	• 안쪽 for 문의 증감식은 j++이므로 j는 1 증가한 2가 되고, 조건식은 j<3이므로 2<3은 참이기 때문에 반복문 수행
06	• i는 1이고, j는 2이므로 i*10+j는 1*10+2인 12가 되어 12를 출력
05	• 안쪽 for 문의 증감식은 j++이므로 j는 1 증가한 3이 되고, 조건식은 j<3이므로 3<3은 거짓이기 때문에 안쪽 반복문 종료
04	• 바깥쪽 for 문의 증감식은 i++이므로 i는 1 증가한 2가 되고, 조건식은 i<3이므로 2<3은 참이기 때문에 반복문 수행
05	• 안쪽 for 문의 초기식은 j=1이므로 j는 1이 되고, 조건식은 j<3이므로 1<3은 참이기 때문에 반복문 수행
06	• i는 2이고, j는 1이므로 i*10+j는 2*10+1인 21이 되어 21을 출력
05	• 안쪽 for 문의 증감식은 j++이므로 j는 1 증가한 2가 되고, 조건식은 j<3이므로 2<3은 참이기 때문에 반복문 수행
06	• i는 2이고, j는 2이므로 i*10+j는 2*10+2인 22가 되어 22를 출력
05	• 안쪽 for 문의 증감식은 j++이므로 j는 1 증가한 3이 되고, 조건식은 j<3이므로 3<3은 거짓이기 때문에 안쪽 반복문 종료
04	• 바깥쪽 for 문의 증감식은 i++이므로 i는 1 증가한 3이 되고, 조건식은 i<3이므로 3<3은 거짓이기 때문에 바깥쪽 반복문 종료

(4) 루프 제어 명령어

1 break 문

- break 문은 반복문이나 switch 문을 중간에 탈출하기 위해 사용하는 명령어이다.

개념 박살내기

■ C언어 break 문

[소스 코드]

01	`#include <stdio.h>`
02	`int main( ){`
03	`  int i=1;`
04	`  while ( i < 5 ){`
05	`    i++;`
06	`    if ( i == 3 )`
07	`      break;`
08	`    printf("%d", i);`
09	`  }`
10	`  printf("%d", i);`
11	`  return 0;`
12	`}`
출력	23

[코드 해설]

01	• stdio.h 헤더 파일을 읽어옴
02	• main 함수의 시작 부분(프로그램이 제일 처음 실행되는 부분)
03	• i라는 이름의 int(정수)형 변수를 선언하고, i는 1로 초기화
04	• i<5가 거짓이 될 때까지 반복문 수행 • i는 1이므로 1<5이기 때문에 참이 되어 반복문 수행
05	• i 값을 1 증가시켜 i는 2가 됨
06	• i는 2이므로 2 == 3이 거짓이기 때문에 if 문 안의 명령어인 break를 실행하지 않음
08	• i인 2를 출력
09	• 반복문 끝나는 지점을 만났으므로 다시 while 문 시작 부분으로 이동
04	• i는 2이므로 2<5이기 때문에 참이 되어 반복문 수행
05	• i 값을 1 증가시켜 i는 3이 됨
06	• i는 3이므로 3 == 3이 참이 되기 때문에 if 문 안의 명령어인 break를 실행
07	• break를 실행하여 반복문인 while 종료
10	• i 값인 3을 출력

2 continue 문 [24년 2회, 3회]

- continue 문은 반복문에서 다음 반복으로 넘어갈 수 있도록 하는 명령어이다.

 개념 박살내기

■ C언어 continue 문

[소스 코드]

01	`#include <stdio.h>`
02	`int main( ){`
03	`  int i=1;`
04	`  while ( i < 5 ){`
05	`    i++;`
06	`    if ( i == 3 )`
07	`      continue;`
08	`    printf("%d", i);`
09	`  }`
10	`  printf("%d", i);`
11	`  return 0;`
12	`}`
출력	2455

[코드 해설]

01	• stdio.h 헤더 파일을 읽어옴
02	• main 함수의 시작 부분(프로그램이 제일 처음 실행되는 부분)
03	• i라는 이름의 int(정수)형 변수를 선언하고, i는 1로 초기화
04	• i<5가 거짓이 될 때까지 반복문 수행 • i는 1이므로 1<5이기 때문에 참이 되어 반복문 수행
05	• i 값을 1 증가시켜 i는 2가 됨
06	• i는 2이므로 2 == 3이 거짓이기 때문에 if 문 안의 명령어인 continue를 실행하지 않음
08	• i인 2를 출력
09	• 반복문 끝나는 지점을 만났으므로 다시 while 문 시작 부분으로 이동
04	• i는 2이므로 2<5이기 때문에 참이 되어 반복문 수행
05	• i 값을 1 증가시켜 i는 3이 됨
06	• i는 3이므로 3 == 3이 참이 되기 때문에 if 문 안의 명령어인 continue를 실행
07	• continue를 만났으므로 다시 while 문 시작 부분으로 이동
04	• i는 3이므로 3<5이기 때문에 참이 되어 반복문 수행
05	• i 값을 1 증가시켜 i는 4가 됨
06	• i는 4이므로 4 == 3이 거짓이기 때문에 if 문 안의 명령어인 continue를 실행하지 않음
08	• i인 4를 출력
09	• 반복문 끝나는 지점을 만났으므로 다시 while 문 시작 부분으로 이동
04	• i는 4이므로 4<5이기 때문에 참이 되어 반복문 수행
05	• i 값을 1 증가시켜 i는 5가 됨

06	• i는 5이므로 5 == 3이 거짓이기 때문에 if 문 안의 명령어인 continue를 실행하지 않음
08	• i인 5를 출력
09	• 반복문 끝나는 지점을 만났으므로 다시 while 문 시작 부분으로 이동
04	• i는 5이므로 5<5이기 때문에 거짓이 되어 반복문 종료
10	• i 값인 5를 출력

9 배열 ★★★

(1) 배열(Array) 개념

- 배열은 같은 자료형의 변수들로 이루어진 집합이다.

(2) 배열 종류

1 1차원 배열 [22년 3회, 23년 2회, 3회]

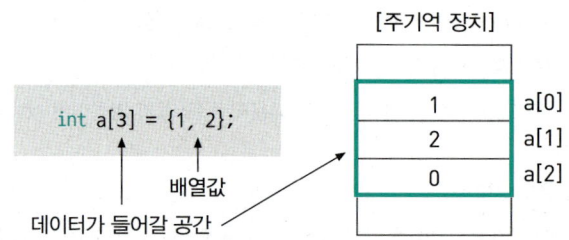

▼ 1차원 배열 선언

구분	선언
초깃값이 없는 경우	자료형 배열명[배열_요소_개수];
초깃값이 있는 경우	자료형 배열명[배열_요소_개수] = {초깃값};

- 배열 요소 개수에 정의된 숫자만큼 같은 자료형의 데이터 공간이 할당된다.
- 초깃값을 선언하지 않으면 쓰레깃값이 저장된다.
- 배열 요소 개수보다 적은 개수만큼 초기화하면 초깃값이 명시되지 않은 값들은 정수형일 경우 0으로 초기화, 실수형일 경우 0.0으로 초기화, 문자형일 경우는 NULL로 초기화된다.

학습 Point

배열 요소 개수보다 적은 개수만큼 초기화하면 문자형일 경우는 NULL로 초기화된다고 했는데, NULL이 아스키코드로 0입니다. 결국 C언어는 자료형에 상관없이 배열 요소 개수보다 적은 개수만큼 초기화하면 0으로 저장됩니다.

 개념 박살내기

■ C언어 1차원 배열 선언 및 출력

[소스 코드]

01	`#include <stdio.h>`
02	`int main(){`
03	`  int a[3] = {1, 2};`
04	`  int i;`
05	`  for(i=0; i<3; i++)`
06	`    printf("%d\n", a[i]);`
07	`  return 0;`
08	`}`

출력	1 2 0

[코드 해설]

01	• stdio.h 헤더 파일을 읽어옴
02	• main 함수의 시작 부분(프로그램이 제일 처음 실행되는 부분)
03	• a 배열의 요소 개수는 3개지만, 초깃값은 1, 2로 두 개만 명시되어 있으므로 나머지 1개의 공간은 0으로 초기화
04	• i라는 이름의 int(정수)형 변수를 선언
05	• for 문의 초기식은 i=0이므로 i는 0이 되고, 조건식은 i<3이므로 0<3은 참이기 때문에 반복문 수행
06	• a[i]에서 i가 0이므로 a[0]의 값인 1을 출력 • for 문에 중괄호가 없으므로 for 문 다음 명령어인 printf("%d\n", a[i]);가 for 안에 포함되는 명령어
05	• for 문의 증감식은 i++이므로 i는 1 증가한 1이 되고, 조건식은 i<3이므로 1<3은 참이기 때문에 반복문 수행
06	• a[i]에서 i가 1이므로 a[1]의 값인 2를 출력
05	• for 문의 증감식은 i++이므로 i는 1 증가한 2가 되고, 조건식은 i<3이므로 2<3은 참이기 때문에 반복문 수행
06	• a[i]에서 i가 2이므로 a[2]의 값인 0을 출력
05	• for 문의 증감식은 i++이므로 i는 1 증가한 3이 되고, 조건식은 i<3이므로 3<3은 거짓이기 때문에 반복문 종료

2 2차원 배열 [22년 3회, 23년 2회, 3회]

▼ 2차원 배열 선언

구분	선언
초깃값이 없는 경우	자료형 배열명[행의 개수][열의 개수];
초깃값이 있는 경우	자료형 배열명[행의 개수][열의 개수] = {초깃값};

- (행의 개수)×(열의 개수)에 정의된 숫자만큼 같은 자료형의 데이터 공간이 할당된다.
- 초깃값을 선언하지 않으면 쓰레깃값이 저장된다.
- (행의 개수)×(열의 개수)보다 적은 개수만큼 초기화하면 초깃값이 명시되지 않은 값들은 정수형일 경우 0으로 초기화, 실수형일 경우 0.0으로 초기화, 문자형일 경우는 NULL로 초기화된다.

개념 박살내기

■ C언어 2차원 배열 선언 및 출력

[소스 코드]

01	`#include <stdio.h>`
02	`int main(){`
03	`  int a[2][3] = {1, 2, 3, 4};`
04	`  int i, j;`
05	`  for(i=0; i<2; i++)`
06	`    for(j=0; j<3; j++)`
07	`      printf("%d ", a[i][j]);`
08	`  return 0;`
09	`}`
출력	1 2 3 4 0 0

[코드 해설]

01	• stdio.h 헤더 파일을 읽어옴
02	• main 함수의 시작 부분(프로그램이 제일 처음 실행되는 부분)
03	• a 배열의 요소 개수는 2×3개지만, 초깃값은 1, 2, 3, 4만 명시되어 있으므로 나머지 2개의 공간은 0으로 초기화

a[0][0] = 1	a[0][1] = 2	a[0][2] = 3
a[1][0] = 4	a[1][1] = 0	a[1][2] = 0

04	• i, j라는 이름의 int(정수)형 변수를 선언
05	• 바깥쪽 for 문의 초기식은 i=0이므로 i는 0이 되고, 조건식은 i<2이므로 0<2은 참이기 때문에 반복문 수행
06	• 안쪽 for 문의 초기식은 j=0이므로 j는 0이 되고, 조건식은 j<3이므로 0<3은 참이기 때문에 반복문 수행
07	• i는 0이고, j는 0이므로 a[i][j]는 a[0][0]이므로 a[0][0]의 값인 1을 출력

06	• 안쪽 for 문의 증감식은 j++이므로 j는 1 증가한 1이 되고, 조건식은 j<3이므로 1<3은 참이기 때문에 반복문 수행
07	• i는 0이고, j는 1이므로 a[i][j]는 a[0][1]이므로 a[0][1]의 값인 2를 출력
06	• 안쪽 for 문의 증감식은 j++이므로 j는 1 증가한 2가 되고, 조건식은 j<3이므로 2<3은 참이기 때문에 반복문 수행
07	• i는 0이고, j는 2이므로 a[i][j]는 a[0][2]이므로 a[0][2]의 값인 3을 출력
06	• 안쪽 for 문의 증감식은 j++이므로 j는 1 증가한 3이 되고, 조건식은 j<3이므로 3<3은 거짓이기 때문에 안쪽 반복문 종료
05	• 바깥쪽 for 문의 증감식은 i++이므로 i는 1 증가한 1이 되고, 조건식은 i<2이므로 1<2은 참이기 때문에 반복문 수행
06	• 안쪽 for 문의 초기식은 j=0이므로 j는 0이 되고, 조건식은 j<3이므로 0<3은 참이기 때문에 반복문 수행
07	• i는 1이고, j는 0이므로 a[i][j]는 a[1][0]이므로 a[1][0]의 값인 4를 출력
06	• 안쪽 for 문의 증감식은 j++이므로 j는 1 증가한 1이 되고, 조건식은 j<3이므로 1<3은 참이기 때문에 반복문 수행
07	• i는 1이고, j는 1이므로 a[i][j]는 a[1][1]이므로 a[1][1]의 값인 0을 출력
06	• 안쪽 for 문의 증감식은 j++이므로 j는 1 증가한 2가 되고, 조건식은 j<3이므로 2<3은 참이기 때문에 반복문 수행
07	• i는 1이고, j는 2이므로 a[i][j]는 a[1][2]이므로 a[1][2]의 값인 0을 출력
06	• 안쪽 for 문의 증감식은 j++이므로 j는 1 증가한 3이 되고, 조건식은 j<3이므로 3<3은 거짓이기 때문에 안쪽 반복문 종료
05	• 바깥쪽 for 문의 증감식은 i++이므로 i는 1 증가한 2가 되고, 조건식은 i<2이므로 2<2는 거짓이기 때문에 바깥쪽 반복문 종료

10 문자열 ★★★

(1) 1차원 배열과 문자열

- C언어에서는 문자열은 char 형 배열로 표현한다.
- 문자열을 초기화할 때 마지막에 NULL 문자가 삽입되므로 초기화하는 글자 수보다 1 이상 큰 값으로 배열을 선언한다.(초기화할 때 배열의 크기를 명시하지 않으면 문자열의 문자 수 +1만큼 자동으로 생성)
- printf 함수에서 %s를 이용하여 문자열을 읽고 출력하는데, printf 파라미터로 문자를 읽기 시작할 시작 주소를 알려주면 시작 주소부터 NULL 직전 값까지 읽어서 출력한다.

> **학습 Point**
>
> 문자열에서 주소는 포인터를 배워야 이해할 수 있는 내용입니다. scanf에서 다뤘듯이 변수에 &를 붙여도 되고, 1차원 배열에서는 대괄호를 빼고 써도 됩니다.
>
> **예** int a[5];
> → &a[0]이라고 하면 a의 0번째 값의 주소
> → &a[3]이라고 하면 a의 3번째 값의 주소
> → a라고 하면 a의 0번째 값의 주소
> → a+3이라고 하면 a의 3번째 값의 주소

학습 Point

printf("%s\n", a);에서 a 대신에 &a[0]으로, printf("%s\n", a+1);에서 a+1 대신에 &a[1]로 printf("%s\n", a+4);에서 a+4 대신에 &a[4]로 바꿔도 결과는 똑같습니다.

 개념 박살내기

■ **C언어 1차원 배열과 문자열**

[소스 코드]

01	`#include <stdio.h>`
02	`int main(){`
03	`  char a[8] = "Hello";`
04	`  printf("%s\n", a);`
05	`  printf("%s\n", a+1);`
06	`  a[3] = NULL;`
07	`  printf("%s\n", a+1);`
08	`  printf("%s\n", a+4);`
09	`  return 0;`
10	`}`

출력	Hello ello el o

[코드 해설]

01	· stdio.h 헤더 파일을 읽어옴
02	· main 함수의 시작 부분(프로그램이 제일 처음 실행되는 부분)
03	· a 배열의 공간은 8개이고, Hello는 5글자이므로, 나머지 3개 공간은 NULL로 초기화(배열 요소 개수보다 적은 개수만큼 초기화하면 초깃값이 명시되지 않은 값들은 NULL로 초기화) | a[0] | a[1] | a[2] | a[3] | a[4] | a[5] | a[6] | a[7] | | H | e | l | l | o | NULL | NULL | NULL |
04	· a는 a[0]을 가리키므로 a[0]인 H부터 읽어나가다가 a[5]에서 NULL을 만나므로 NULL 직전값인 a[4]의 o까지인 Hello를 출력
05	· a+1은 a[1]을 가리키므로 a[1]인 e부터 읽어나가다가 a[5]에서 NULL을 만나므로 NULL 직전값인 a[4]의 o까지인 ello를 출력
06	· a[3]를 NULL로 대입 | a[0] | a[1] | a[2] | a[3] | a[4] | a[5] | a[6] | a[7] | | H | e | l | NULL | o | NULL | NULL | NULL |
07	· a+1은 a[1]을 가리키므로 a[1]인 e부터 읽어나가다가 a[3]에서 NULL을 만나므로 NULL 직전값인 a[2]의 l까지인 el을 출력
08	· a+4는 a[4]을 가리키므로 a[4]인 o부터 읽어나가다가 a[5]에서 NULL을 만나므로 NULL 직전값인 a[4]의 o까지인 o를 출력

(2) 2차원 배열과 문자열

- 문자열을 여러 개 정의할 때 char 형 2차원 배열을 사용한다.

■ C언어 2차원 배열과 문자열

[소스 코드]

01	`#include <stdio.h>`
02	`int main(){`
03	`  char a[2][8] = {"Hello", "Soojebi"};`
04	`  printf("%s\n", a[0]);`
05	`  printf("%s\n", a[1]);`
06	`  printf("%s\n", a[1]+3);`
07	`  a[1][4] = NULL;`
08	`  printf("%s\n", a[1]+2);`
09	`  return 0;`
10	`}`

| 출력 | Hello
Soojebi
jebi
oj |

[코드 해설]

01	• stdio.h 헤더 파일을 읽어옴
02	• main 함수의 시작 부분(프로그램이 제일 처음 실행되는 부분)
03	• a 배열의 공간은 2×8개이므로 하나의 문자열 8개 공간이 할당 • a[0][x]은 Hello가 저장되고, a[1][x]은 Soojebi가 저장됨 |	[0]	[1]	[2]	[3]	[4]	[5]	[6]	[7]
-----	-----	-----	-----	-----	-----	-----	-----	-----
a[0]	H	e	l	l	o	NULL	NULL	NULL
a[1]	S	o	o	j	e	b	i	NULL	
04	• a[0]는 a[0][0]을 가리키므로 a[0][0]인 H부터 읽어나가다가 a[0][5]에서 NULL을 만나므로 NULL 직전값인 a[0][4]의 o까지인 Hello를 출력
05	• a[1]는 a[1][0]을 가리키므로 a[1][0]인 S부터 읽어나가다가 a[1][7]에서 NULL을 만나므로 NULL 직전값인 a[1][6]의 i까지인 Soojebi를 출력
06	• a[1]+3는 a[1][3]을 가리키므로 a[1][3]인 j부터 읽어나가다가 a[1][7]에서 NULL을 만나므로 NULL 직전값인 a[1][6]의 i까지인 jebi를 출력
07	• a[1][4]를 NULL로 대입 |	[0]	[1]	[2]	[3]	[4]	[5]	[6]	[7]
-----	-----	-----	-----	-----	-----	-----	-----	-----
a[0]	H	e	l	l	o	NULL	NULL	NULL
a[1]	S	o	o	j	NULL	b	i	NULL	
08	• a[1]+2는 a[1][2]를 가리키므로 a[1][2]인 o부터 읽어나가다가 a[1][4]에서 NULL을 만나므로 NULL 직전값인 a[1][3]의 j까지인 oj를 출력

학습 Point

2차원 배열에서 주소는 변수에 &를 붙여도 되고, 대괄호를 하나를 빼고 써도 됩니다.

예 int a[3][2];
→ &a[0][0]이라고 하면 a의 0번째 행의 0번째 열의 주소
→ &a[1][2]이라고 하면 a의 1번째 행의 2번째 열의 주소
→ a[0]이라고 하면 a의 0번째 행의 0번째 열의 주소
→ a[1]+2라고 하면 a의 1번째 행의 2번째 열의 주소

학습 Point

printf("%s\n", a[0]);에서 a[0] 대신에 &a[0][0]으로, printf("%s\n", a[1]);에서 a[1] 대신에 &a[1][0]으로, printf("%s\n", a[2]+3);에서 a[2]+3 대신에 &a[2][3]으로, printf("%s\n", a[1]+2);에서 a[1]+2 대신에 &a[1][2]로 바꿔도 결과는 똑같습니다.

11 구조체 ☆☆

(1) 구조체(Structure Type) 개념
- 구조체는 사용자가 기본 자료형을 가지고 새롭게 정의할 수 있는 사용자 정의 자료형이다.

(2) 구조체 선언 [22년 1회, 24년 2회]

```
struct 구조체명{
    자료형 변수명1;
    자료형 변수명2;
    ...
};

struct 구조체명 구조체변수;
```

- 구조체는 구조체변수.변수명 형태로 값을 가리킨다.

> **학습 Point**
> int 자료형도 int a;와 같이 선언을 해야 사용할 수 있는 것처럼, struct도 struct Student s;와 같이 선언을 해야 사용할 수 있습니다.

💡 개념 박살내기

■ C언어 구조체

[소스 코드]

01	`#include <stdio.h>`
02	`struct Student {`
03	`    char gender;`
04	`    int age;`
05	`};`
06	`int main( ) {`
07	`    struct Student s = {'F', 21};`
08	`    s.gender = 'M';`
09	`    printf("%c", s.gender);`
10	`    printf("%d", s.age);`
11	`    return 0;`
12	`}`
출력	M21

[코드 해설]

01	• stdio.h 헤더 파일을 읽어옴
06	• main 함수의 시작 부분(프로그램이 제일 처음 실행되는 부분)
07	• s라는 이름의 Student 구조체를 선언, s 안에 gender는 F로, s 안에 age는 21로 초기화 s gender F age 21

08	• s 안에 gender의 값을 M으로 대입
09	• s 안에 gender의 값을 출력하므로 M이 출력
10	• s 안에 age의 값을 출력하므로 21이 출력

(3) typedef 연산 [24년 1회]

- typedef는 기존의 자료형에 새롭게 별칭을 부여하기 위한 연산이다.

```
typedef 기존_타입 별칭;
```

■ C언어 1차원 배열 선언 및 출력

[소스 코드]

```
01  #include <stdio.h>
02
03  typedef struct Student{
04    char gender;
05    int age;
06  } S;
07
08  int main(){
09    S s = {'F', 21};
10    s.gender = 'M';
11    printf("%c", s.gender);
12    printf("%d", s.age);
13    return 0;
14  }
```

출력	M21

[코드 해설]

03~06	• typedef를 사용하여 struct Student를 S라는 별칭으로 정의		
	typedef	struct Student{ … }	S
		기존 타입	별칭

08	• main 함수의 시작 부분(프로그램이 제일 처음 실행되는 부분)	
09	• s라는 이름의 Student 구조체 변수를 선언, s 안에 gender는 F로, s 안에 age는 21로 초기화	
	s	gender	F
		age	21
10	• s 안에 gender의 값을 M으로 대입	
11	• s 안에 gender의 값을 출력하므로 M이 출력	
12	• s 안에 age의 값을 출력하므로 21이 출력	

12 공용체

(1) 공용체(Union) 개념
- 공용체는 모든 멤버 변수가 하나의 메모리 공간을 공유하는 사용자 정의 자료형이다.

(2) 공용체 선언 [24년 3회]

```
union 공용체명{
    자료형 변수명1;
    자료형 변수명2;
    ...
};

union 공용체명 공용체변수;
union 공용체명 공용체변수 = {.변수명1 = 초기값};
```

- 공용체는 공용체변수.변수명 형태로 값을 가리킨다.
- 공용체(union)를 초기화할 때는 중괄호 { } 안에 공용체 멤버 중 하나만 초기화할 수 있다.

💡 개념 박살내기

■ C언어 공용체

[소스 코드]

```
01  #include <stdio.h>
02  union Student {
03    int id;
04    int age;
05  };
06  int main( ) {
07    union Student s = {.age = 20};
08    printf("%d %d\n", s.id, s.age);
09    s.id = 2000;
10    printf("%d %d\n", s.id, s.age);
11    s.age = 18;
12    printf("%d %d\n", s.id, s.age);
13    return 0;
14  }
```

출력
```
20 20
2000 2000
18 18
```

[코드 해설]

06	• main 함수의 시작 부분(프로그램이 제일 처음 실행되는 부분)
07	• s라는 이름의 Student 공용체를 선언, age 값을 20으로 초기화 • s.id와 s.age는 동일한 메모리 공간을 사용하므로, 이 시점에서 s.id도 20과 동일한 값을 가짐 s [id / age | 20]
08	• s 안에 id, age 모두 같은 값이므로 20을 출력
09	• s.id에 2000을 대입 • 공용체는 하나의 메모리 공간을 공유하므로, id에 값을 저장하면 age도 같은 메모리 공간을 참조하게 되어 s.age도 2000이 됨 s [id / age | 20000]
10	• s 안에 id, age 모두 같은 값이므로 2000을 출력
11	• s.age에 18을 대입 • id와 age는 동일한 메모리 공간을 공유하므로, s.id도 18이 됨 s [id / age | 18]
12	• s 안에 id, age 모두 같은 값이므로 18을 출력

13 함수 ★★★

(1) main 함수

1 main 함수 개념
- main 함수는 프로그램이 실행하는 모든 프로그램의 시작점이다.
- main 함수에 있는 명령어를 실행한다.

2 main 함수 형태

```
자료형 main(파라미터){
  명령어;
}
```

- void main( )일 경우 반환할 값이 없으므로 return;을 사용하거나 return 자체를 사용하지 않고, int main( )일 경우 return 반환값;을 명시해주어야 한다.

> **잠깐! 알고가기**
>
> void
> • 함수를 호출한 호출자에게 결 괏값을 제공하지 않는다는 의미의 자료형이다.
> • void는 '존재하지 않음'이라는 뜻으로 반환 값이 없다는 의미로 사용한다.

• main 함수나 사용자 정의 함수는 return을 만나면 그 즉시 함수를 종료한다.

void main	int main

void main( ){
  return;
}
	int main( ){
	  return 반환값;
	}

(2) 사용자 정의 함수

1 사용자 정의 함수(User-Defined Function) 개념

- 사용자 정의 함수는 사용자가 직접 새로운 함수를 정의하여 사용하는 방법이다.
- 사용자 정의 함수에서 매개변수나 생성된 변수는 사용자 정의 함수가 종료되면 없어진다.

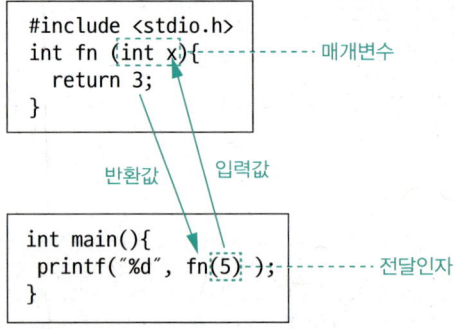

2 사용자 정의 함수 선언 [23년 3회]

```
자료형 함수명(자료형 변수명, …){
  명령어;
  return 반환값;
}
```

> 💡 개념 박살내기

■ C언어 사용자 정의 함수

[소스 코드]

```
01  #include <stdio.h>
02  char fn(int num){
03    if(num % 2 == 0)
04      return 'Y';
05    else
06      return 'N';
07  }
08  int main( ){
```

잠깐! 알고가기

매개변수(Parameter)
함수를 호출할 때 인수로 전달된 값을 함수 내부에서 사용할 수 있게 해주는 변수이다.

학습 Point

만약 fn이라는 사용자 정의 함수가 있고, 이 fn을 main 함수 아래에 작성한 상태에서, main 함수에서 fn을 호출하는 경우 main 함수에서 fn이 무엇인지 모르기 때문에 에러가 발생합니다. fn을 main 함수 위에 정의하거나 fn이라는 것이 함수라는 것을 명시(선언)하여 이 문제를 해결합니다.

```
fn(int a, int b);
  int main( ){
  fn(3, 5);
}
int fn(int a, int b){
  …
}
```

09	`    char a = fn(5);`
10	`    printf("%c\n", a);`
11	`    return 0;`
12	`}`
출력	N

[코드 해설]

01	• stdio.h 헤더 파일을 읽어옴
08	• main 함수의 시작 부분(프로그램이 제일 처음 실행되는 부분)
09	• a라는 이름의 char(문자)형 변수를 선언, a는 fn(5)가 실행한 후에 반환되는 return 값으로 초기화
02	• fn(5)에 의해 fn 함수를 실행 • fn(int num) 함수를 fn(5)로 호출했으므로 num의 값은 5 • num은 사용자 정의 함수가 끝나면 없어짐
03	• num은 5이므로, num % 2는 5%2인 1이 때문에 num % 2 == 0은 거짓이 되어 if 문을 실행하지 않음
05	• if 문이 거짓이므로 else 문을 실행
06	• N을 fn(5) 호출한 곳으로 전달 • return을 만났으므로 fn 함수는 종료
09	• fn(5)는 N이므로 a는 N이라는 문자로 초기화
10	• a의 값인 N을 출력

3 매개변수 전달 방법

① 매개변수 전달 방법(Parameter Passing Mechanism) 개념

- 매개변수 전달 방법은 함수가 필요로 하는 값을 매개변수로 만들면 함수를 호출하는 쪽에서 매개변수를 사용하여 해당 함수에게 변수의 값, 변수의 주솟값을 전달하는 방식이다.

② 매개변수 전달 방법 구성요소

- 매개변수 전달 방법은 전달인자, 매개변수가 있다.

▼ 매개변수 전달방법 구성요소

구성요소	설명
전달인자 (Argument)	• 실 매개변수(Actual Parameters)로도 불림 • 함수를 호출하는 쪽에서 전달하는 변수의 값 또는 변수의 주솟값
매개변수 (Parameter)	• 형식 매개변수(Formal Parameters)로도 불림 • 함수를 선언하는 쪽에서 전달받는 변수의 값 또는 변수의 주솟값

```
#include <stdio.h>

int fn(int x, int y){   → 매개변수(Parameter)
  ...
}

void main(){
  int i, j;
  ...
  fn(i, j);   → 전달인자(Argument)
}
```

▲ 매개변수 전달 방법 구성요소

③ 매개변수 전달 방법 종류 [24년 1회]

▼ 매개변수 전달 방법 종류

종류	설명
Call by Value	• 변수의 값을 넘겨주고, 이 값은 새로운 공간에 할당되어 사용하는 방식 • 형식 매개변수의 어떠한 변화도 실 매개변수에 아무런 영향을 미치지 않음
Call by Reference	• 변수의 값이 아닌 변수가 사용 중인 메모리 공간의 주소를 넘겨주는 방식 • 실 매개변수의 주소를 형식 매개변수로 보냄

 개념 박살내기

■ 매개변수 전달 방법

Call by Value	Call by Reference
``#include <stdio.h>

int fn(int x, int y){
  ...
}

void main(){
  int i, j;
  ...
  fn(i, j);
}``` | ```#include <stdio.h>

int fn(int* x, int* y){
  ...
}

void main(){
  int i, j;
  ...
  fn(&i, &j);
}``` |
| • 형식 매개변수(Formal Parameters)는 변수 선언과 동일하게 작성하고, 실 매개변수(Actual Parameters)는 변수명을 작성 | • 형식 매개변수(Formal Parameters)는 간접값 연산자(*)를 이용해 포인터 변수 선언과 동일하게 작성하고, 실 매개변수(Actual Parameters)는 주소연산자(&)를 이용해 변수의 주솟값을 작성 |

 개념 박살내기

■ C언어 Call-by-Value

[소스 코드]

01	`#include <stdio.h>`
02	`int fn(int n){`
03	`  n = 7;`
04	`  return n;`
05	`}`
06	`int main(){`
07	`  int n = 5;`
08	`  fn(n);`
09	`  printf("%d", n);`
10	`  return 0;`
11	`}`
출력	5

[코드 해설]

01	• stdio.h 헤더 파일을 읽어옴
06	• main 함수의 시작 부분(프로그램이 제일 처음 실행되는 부분)
07	• n라는 이름의 int(숫자)형 변수를 선언, n은 5로 초기화 • 해당 n은 main 함수에서 선언했으므로 main 함수에서만 사용할 수 있고, main 함수가 종료되면 사라짐(사용자 정의 함수의 n과 다름)
08	• n은 5이므로 fn(5)를 호출
02	• fn(int n)에서 n은 5가 됨 • int n은 파라미터로 사용자 정의 함수 내에서만 사용할 수 있고, 사용자 정의 함수가 종료되면 사라짐(main 함수의 n과 다름)
03	• n에 7을 대입
04	• n 값인 7을 fn(5)로 호출한 부분에 전달 • return을 만났으므로 사용자 정의 함수가 종료되고, n은 사용자 정의 함수가 종료되었으므로 사라짐
08	• fn(n)은 반환값 7로 바뀌어 7;와 동일하지만, 7을 어디에 활용하지 않으므로 아무 일이 일어나지 않음
09	• main 함수의 n 값인 5를 출력

■ C언어 Call-by-Reference

[소스 코드]

01	`#include <stdio.h>`
02	`void fn(int* m){`
03	`  *m = 7;`
04	`}`
05	`int main(){`
06	`  int n = 5;`
07	`  int o[3] = {1, 2, 3};`
08	`  int i;`
09	`  fn(&n);`
10	`  fn(&o[1]);`
11	`  printf("%d\n", n);`
12	`  for(i=0; i<3; i++)`
13	`    printf("%d", o[i]);`
14	`  return 0;`
15	`}`
출력	7 173

[코드 해설]

05	• main 함수의 시작 부분(프로그램이 제일 처음 실행되는 부분)
06	• n이라는 이름의 int(숫자)형 변수를 선언, n은 5로 초기화 • 해당 n은 main 함수에서 선언했으므로 main 함수에서만 사용할 수 있고, main 함수가 종료되면 사라짐(사용자 정의 함수의 n과 다름)
07	• o라는 이름의 배열을 선언 • o[0]=1, o[1]=2, o[2]=3으로 초기화
08	• i라는 이름의 정수형 변수를 선언
09	• n의 주솟값을 fn 함수에 전달
02	• fn(int* m)에서 m은 main 함수의 변수 n에 대한 주솟값
03	• fn의 m이 가리키는 값(main 함수의 n 값)으로 7을 대입
10	• o[1]의 주솟값을 fn 함수에 전달
02	• fn(int* m)에서 m은 main 함수의 변수 o[1]에 대한 주솟값
03	• fn의 m이 가리키는 값(main 함수의 o[1] 값)으로 7을 대입
11	• n은 7이므로 7을 출력
12~13	• o[0], o[1], o[2]를 출력 • o[1]은 fn 함수에 의해 7로 바뀌었으므로 1, 7, 3이 출력

4 재귀 함수

① 재귀 함수(Recursive Function) 개념 [23년 1회, 3회, 24년 3회]
- 재귀 함수는 함수 자신이 자신을 부르는 함수이다.

② 재귀 함수 선언

```
자료형 함수명(자료형 변수명, …){
    …
    함수명(변수명, …)
    …
    return 반환값;
}
```

> **학습 Point**
> 함수명이 fn이라고 하면, fn 함수 내에서 fn 함수를 호출하는 것을 재귀함수라고 합니다.

개념 박살내기

■ C언어 재귀 함수

[소스 코드]

01	`#include <stdio.h>`
02	`int fn(int n){`
03	`  if( n <= 1 )`
04	`    return 1;`
05	`  else`
06	`    return n*fn(n-1);`
07	`}`
08	`int main( ){`
09	`  printf("%d", fn(3));`
10	`  return 0;`
11	`}`
출력	6

[코드 해설]

01	• stdio.h 헤더 파일을 읽어옴
08	• main 함수의 시작 부분(프로그램이 제일 처음 실행되는 부분)
09	• fn(3) 값을 10진수로 출력 • fn(3)을 모르기 때문에 fn(3)을 계산하기 위해 사용자 정의 함수 실행 • ❸에 의해 fn(3)은 6이므로 6을 출력
02	• fn(3)으로 호출했기 때문에 fn(int n)에서 n은 3이 됨
03	• n은 3이므로 n <= 1은 3 <= 1이기 때문에 거짓이 되어 if 문을 실행하지 않음
05	• if 문이 거짓이므로 else 문을 실행
06	• n은 3이므로 3*fn(3-1)인 3*fn(2)를 fn(3)을 호출한 부분에 전달 • fn(2)를 모르기 때문에 fn(2)를 계산하기 위해 사용자 정의 함수 실행 • ❷에 의해 fn(2)는 2이므로 3*fn(2)는 3*2인 6이 되고, 6을 fn(3)을 호출한 부분에 전달(fn(3) 호출한 부분에 6을 전달하는 행위를 ❸으로 지칭)

> **학습 Point**
> 메인 함수에서 fn(3)을 호출했는데, 사용자 정의 함수에서 당장 fn(3)을 모르기 때문에 fn(3) 값을 계산해서 알기 전까지는 메인 함수에 값을 반환해줄 수 없습니다.

02	• fn(2)로 호출했기 때문에 fn(int n)에서 n은 2가 됨
03	• n은 2이므로 n <= 1은 2 <= 1이기 때문에 거짓이 되어 if 문을 실행하지 않음
05	• if 문이 거짓이므로 else 문을 실행
06	• n은 2이므로 2*fn(2-1)인 2*fn(1)를 fn(2)를 호출한 부분에 전달 • fn(1)을 모르기 때문에 fn(1)을 계산하기 위해 사용자 정의 함수 실행 • ❶에 의해 fn(1)은 1이므로 2*fn(1)는 2*1인 2가 되고, 2를 fn(2)를 호출한 부분에 전달(fn(2) 호출한 부분에 2를 전달하는 행위를 ❷로 지칭)
02	• fn(1)로 호출했기 때문에 fn(int n)에서 n은 1이 됨
03	• n은 1이므로 n <= 1은 1 <= 1이기 때문에 참이 되어 if 문을 실행
04	• fn(1)을 호출한 부분에 1을 전달(fn(1) 호출한 부분에 1을 전달하는 행위를 ❶로 지칭)

(3) 표준 함수

1 문자열 함수

① strcat(String Concatenate)

• strcat는 문자열끼리 연결하는 함수이다.

strcat(dest, src);	src의 문자열을 dest 문자열 뒤에 붙임
strncat(dest, src, maxlen);	src의 문자열에서 maxlen의 개수만큼 dest 문자열 뒤에 붙임

> **학습 Point**
> 문자열 함수를 사용하기 위해서는 string.h 헤더 파일을 include하여 사용합니다.

개념 박살내기

■ C언어 strcat 함수

[소스 코드]

01	`#include <stdio.h>`
02	`#include <string.h>`
03	`int main(){`
04	`  char a[20] = "Hello";`
05	`  char b[10] = "Soojebi";`
06	`  char c[20] = "Hello";`
07	`  strcat(a, b);`
08	`  printf("%s %s\n", a, b);`
09	`  strncat(c, b, 3);`
10	`  printf("%s %s", c, b);`
11	`  return 0;`
12	`}`
출력	HelloSoojebi Soojebi HelloSoo Soojebi

[코드 해설]

02	strcat 함수와 strncat 함수를 사용하기 위해 string.h 헤더 파일을 읽어옴
07	b의 "Soojebi"가 a의 "Hello" 뒤에 붙게 되어 a는 HelloSoojebi, b는 Soojebi가 됨
09	b의 "Soojebi" 중 3글자를 c의 "Hello" 뒤에 붙게 되어 c는 HelloSoo가 됨

② strcpy(String Copy)

- strcpy는 문자열을 복사하는 함수이다.

strcpy(dest, src);	src의 문자열을 dest 문자열에 복사
strncpy(dest, src, maxlen);	src의 문자열에서 maxlen의 개수만큼 dest 문자열에 복사

개념 박살내기

■ C언어 strcpy 함수

[소스 코드]

```c
01  #include <stdio.h>
02  #include <string.h>
03  int main(){
04    char a[20] = "Hello";
05    char b[10] = "Soojebi";
06    char c[20] = "Hello";
07    strcpy(a, b);
08    printf("%s %s\n", a, b);
09    strncpy(c, b, 3);
10    printf("%s %s", c, b);
11    return 0;
12  }
```

출력
Soojebi Soojebi
Soolo Soojebi

[코드 해설]

02	strcpy 함수와 strncpy 함수를 사용하기 위해 string.h 헤더 파일을 읽어옴
07	b의 "Soojebi"가 a에 복사되어 a와 b 모두 Soojebi가 됨
09	b의 "Soojebi" 중 3글자가 c에 복사되어 c는 Soolo가 됨

학습 Point

strcmp는 사전 배열 방식과 유사합니다. 그래서 문자열의 첫 번째 문자끼리 비교하고, 다르면 아스키코드 값을 통해 크고 작음을 판별합니다. 문자열의 첫 번째 문자가 같으면 두 번째 문자끼리 비교하고, 그래도 같으면 세 번째 문자끼리 비교하는 식으로해서 마지막 문자까지 같으면 두 문자열은 같다라고 판별합니다.

③ strcmp(String Compare)

- strcmp는 문자열을 비교하는 함수이다.

strcmp(s1, s2);	s1, s2의 대소를 비교
strncmp(s1, s2, maxlen);	maxlen 길이만큼만 s1, s2의 대소를 비교

- 문자열에 대해서 ASCII 코드를 비교하여 s1이 s2보다 크면 1을, s1과 s2가 같으면 0을, s1이 s2보다 작으면 −1을 반환한다.

> **개념 박살내기**

■ C언어 strcmp 함수

[소스 코드]

01	`#include <stdio.h>`
02	`#include <string.h>`
03	`int main(){`
04	`  char a[10] = "HelloA";`
05	`  char b[10] = "HelloB";`
06	`  int c = strcmp(a, b);`
07	`  printf("%d\n", c);`
08	`  c = strncmp(a, b, 3);`
09	`  printf("%d", c);`
10	`  return 0;`
11	`}`

출력	−1 0

[코드 해설]

02	• strcmp 함수와 strncmp 함수를 사용하기 위해 string.h 헤더 파일을 읽어옴
06	<table><tr><td></td><td>[0]</td><td>[1]</td><td>[2]</td><td>[3]</td><td>[4]</td><td>[5]</td><td>[6]</td><td>[7]</td><td>[8]</td><td>[9]</td></tr><tr><td>a</td><td>H</td><td>e</td><td>l</td><td>l</td><td>o</td><td>A</td><td>NULL</td><td>NULL</td><td>NULL</td><td>NULL</td></tr><tr><td>b</td><td>H</td><td>e</td><td>l</td><td>l</td><td>o</td><td>B</td><td>NULL</td><td>NULL</td><td>NULL</td><td>NULL</td></tr></table> • a, b 문자열의 첫 번째 글자인 H부터 5번째 글자인 o까지는 같으므로 6번째 글자를 비교 • 6번째 글자인 A와 B를 비교했을 때 A가 B보다 작으므로 a 문자열이 b 문자열보다 작기 때문에 −1을 반환
08	<table><tr><td></td><td>[0]</td><td>[1]</td><td>[2]</td><td>[3]</td><td>[4]</td><td>[5]</td><td>[6]</td><td>[7]</td><td>[8]</td><td>[9]</td></tr><tr><td>a</td><td>H</td><td>e</td><td>l</td><td>l</td><td>o</td><td>A</td><td>NULL</td><td>NULL</td><td>NULL</td><td>NULL</td></tr><tr><td>b</td><td>H</td><td>e</td><td>l</td><td>l</td><td>o</td><td>B</td><td>NULL</td><td>NULL</td><td>NULL</td><td>NULL</td></tr></table> • a, b 문자열의 첫 번째 글자인 H부터 3번째 글자인 l까지 모두 같으므로 0을 반환

④ strlen(String Length)

- strlen은 문자열의 길이를 알려주는 함수이다.

| strlen(s); | s의 길이를 알려줌 |

 개념 박살내기

■ C언어 strlen 함수

[소스 코드]

```
01  #include <stdio.h>
02  #include <string.h>
03  int main(){
04    char a[20] = "Hello";
05    int c = strlen(a);
06    printf("%d", c);
07    return 0;
08  }
```

출력: 5

[코드 해설]

| 02 | strlen 함수를 사용하기 위해 string.h 헤더 파일을 읽어옴 |
| 06 | Hello는 5글자이므로 5를 반환 |

⑤ strrev(String Reverse)

- strrev는 문자열을 거꾸로 뒤집는 함수이다.

| strrev(str); | str 내에 문자열을 거꾸로 뒤집음 |

 개념 박살내기

■ C언어 strrev 함수

[소스 코드]

```
01  #include <stdio.h>
02  #include <string.h>
03  int main(){
04    char a[20] = "Hello";
05    strrev(a);
06    printf("%s", a);
07    return 0;
08  }
```

출력: olleH

[코드 해설]

| 02 | strrev 함수를 사용하기 위해 string.h 헤더 파일을 읽어옴 |
| 05 | a 변수에 있는 Hello를 뒤집어서 저장 |

⑥ strchr(String find Character)

- strchr은 문자열 내에 일치하는 문자가 있는지 검사하는 함수이다.

strchr(str, c);	str 내에 c가 존재하는지 알려줌

💡 개념 박살내기

■ C언어 strchr 함수

[소스 코드]

01	`#include <stdio.h>`
02	`#include <string.h>`
03	`int main(){`
04	`  char a[20] = "Hello";`
05	`  char* p = strchr(a, 'l');`
06	`  printf("%s", p);`
07	`  return 0;`
08	`}`
출력	llo

[코드 해설]

02	strchr 함수를 사용하기 위해 string.h 헤더 파일을 읽어옴
05	첫 번째 l이 나온 위치를 반환하여 p라는 포인터 변수에 저장
06	p라는 포인터 변수가 가리키는 문자부터 NULL 전까지 값을 출력

2 수학 함수

① sqrt

- sqrt는 양의 제곱근을 계산하는 함수이다.

sqrt(n);	$\sqrt{n}$의 값을 계산

💡 개념 박살내기

■ C언어 sqrt 함수

[소스 코드]

01	`#include <stdio.h>`
02	`#include <math.h>`
03	`int main() {`
04	`  double a;`
05	`  a = sqrt(5.1);`
06	`  printf("%.2f", a);`
07	`  return 0;`
08	`}`

학습 Point

양의 제곱근은 소수(약수가 1과 자기 자신만 있는 숫자)를 확인할 때도 사용합니다. a라는 값의 소수를 확인할 때는 2 ~ (a-1)의 모든 정수들로 나눴을 때 나누어 떨어지지 않는지 확인해야 합니다. 하지만, sqrt를 이용하면 2 ~ $\sqrt{a}$의 정수들만 나누어 떨어지지 않는지 확인하면 되기 때문에 확인해야 할 숫자가 많이 줄어들어 sqrt를 소수 계산할 때 사용합니다.

 101이 소수인지 아닌지 구하기 위해서 2부터 100까지 나누어 떨어지는지 확인할 필요가 없이, 2부터 $\sqrt{101}$(=10.05) 이하의 정수인 10까지 나눠떨어지는지만 확인하면 됩니다.

출력	2.26

[코드 해설]

02	• sqrt 함수를 사용하기 위해 math.h 헤더 파일을 읽어옴
05	• sqrt(5.1)은  값을 계산해서 값을 반환해줌 • 반환해준 값은 a라는 변수에 저장
06	• a 변수에 저장된 값을 소수점 셋째 자리에서 반올림해서 소수점 둘째자리까지 보여줌

② ceil

• ceil은 소수점 올림 함수이다.

ceil(n);	소수점 올림

개념 박살내기

■ C언어 ceil 함수

[소스 코드]

```
01  #include <stdio.h>
02  #include <math.h>
03  int main() {
04    double a = 1.1;
05    printf("%.2f", ceil(a));
06    return 0;
07  }
```

출력	2.00

[코드 해설]

02	• ceil 함수를 사용하기 위해 math.h 헤더 파일을 읽어옴
05	• a는 1.1이므로 ceil(1.1)을 호출하게 되고, 1.1을 올림한 값인 2를 반환 • 반환해준 값을 printf 함수를 이용해 출력

③ floor

• floor은 소수점 내림 함수이다.

floor(n);	소수점 내림

■ C언어 floor 함수

[소스 코드]

01	`#include <stdio.h>`
02	`#include <math.h>`
03	`int main() {`
04	`    double a = 1.1;`
05	`    printf("%.2f", floor(a));`
06	`    return 0;`
07	`}`
출력	1.00

[코드 해설]

| 02 | • floor 함수를 사용하기 위해 math.h 헤더 파일을 읽어옴 |
| 05 | • a는 1.1이므로 floor(1.1)을 호출하게 되고, 1.1을 내림한 값인 1을 반환
• 반환해준 값을 printf 함수를 이용해 출력 |

3 유틸리티 함수

① rand(Random) 함수
- rand 함수는 임의의 값을 생성하는 함수이다.

| rand( ); | 임의의 정숫값 1개를 생성 |

② srand(Seed Random) 함수
- srand 함수는 난수 생성 알고리즘에 사용하는 seed를 정해주는 함수이다.
- srand 함수를 사용하면 rand 함수를 사용할 때 해당 seed 값에 해당하는 난수 패턴으로 생성한다.

| srand(seed); | seed 값에 따라 난수 발생기를 초기화한다. |

③ time 함수
- time 함수는 현재 시간을 가져오는 함수이다.
- 1970년 1월 1일 이후로 몇 초가 경과했는지를 나타낸다.

| time(NULL); | time 함수에 파라미터를 NULL로 하면 현재 시간을 리턴 |

잠깐! 알고가기

seed
난수 알고리즘 실행하기 위해 쓰는 수이다.

학습 Point

컴퓨터는 난수를 난수 생성 알고리즘에 의해서 만드는데, 난수 생성 알고리즘의 seed 값이 같으면 프로그램을 실행할 때마다 계속 똑같은 패턴의 난수를 만들게 됩니다. 그래서 seed 값을 프로그램 시작할 때마다 다르게 하도록 seed에 time 함수를 사용합니다.

학습 Point

현재 시간이 1970년 1월 1일 0시 0분 1초이면 1, 1970년 1월 1일 0시 0분 2초이면 2, 이런식으로 1초가 지날 때마다 값이 1씩 증가합니다.

 개념 박살내기

■ C언어 rand 함수

[소스 코드]

```
01  #include <stdio.h>
02  #include <stdlib.h>
03  #include <time.h>
04  int main() {
05    int a;
06    int i;
07    srand(time(NULL));
08    for(i=0; i<6; i++){
09      a = rand()%45+1;
10      printf("%d ", a);
11    }
12    return 0;
13  }
```

출력 29 17 28 26 24 26

[코드 해설]

행	설명
02	• rand 함수를 사용하기 위해 stdlib.h 헤더 파일을 읽어옴
03	• time 함수를 사용하기 위해 time.h 헤더 파일을 읽어옴
07	• srand 함수에 seed 값을 현재 시간으로 주어 rand 함수가 랜덤한 값을 가져오도록 함 • srand(time(NULL));을 삭제할 경우 프로그램을 실행할 때마다 똑같은 결과가 나옴
08	• for 문의 초기식은 i=0이므로 i는 0이 되고, 조건식은 i<6이므로 0<6은 참이기 때문에 반복문 수행
09	• rand()는 임의의 값을 반환하고, 반환한 값에 45로 나눴을 때 나머지(0~44 중 하나의 값을 가짐)에 1을 더함(0~44의 값에 1을 더하게 되면 1~45가 됨) • a 변수에는 1~45 중에 임의의 값이 저장됨
10	• a 변수의 값을 출력
08	• for 문의 증감식은 i++이므로 i는 1 증가한 1이 되고, 조건식은 i<6이므로 1<6은 참이기 때문에 반복문 수행
09	• a 변수에는 1~45 중에 임의의 값이 저장됨
10	• a 변수의 값을 출력
...	...
08	• for 문의 증감식은 i++이므로 i는 1 증가한 6이 되고, 조건식은 i<6이므로 6<6은 거짓이기 때문에 반복문 종료

> **학습 Point**
> rand()는 0~32767 중에 하나의 값을 반환합니다.

> **학습 Point**
> rand( ) 함수는 임의로 난수만 생성해주기 때문에 여러 번 실행했을 경우 동일한 숫자가 나올 수도 있습니다.

학습 Point

- 문자열을 저장하기 위해서 일반적으로 배열을 사용하지만, 문자형 포인터를 생성하면서 문자열을 대입할 수도 있습니다.
- 포인터는 뒤에서 다룹니다. 참고로 변수를 선언할 때 *가 붙어있으면 포인터 변수로, char *a라고 하면 a는 문자형 변수가 아닌 문자형 포인터 변수가 됩니다.

④ atoi(ASCII to Integer) 함수

- atoi는 문자열을 정수형으로 변환하는 함수이다.

| atoi(str); | 문자열(str)을 정수(int)형으로 변환 |

 개념 박살내기

■ C언어 atoi 함수

[소스 코드]

01	`#include <stdio.h>`
02	`#include <stdlib.h>`
03	`int main() {`
04	`    char *a = "1";`
05	`    int num = atoi(a);`
06	`    printf("%d", num);`
07	`    return 0;`
08	`}`
출력	1

[코드 해설]

02	atoi 함수를 사용하기 위해 stdlib.h 헤더 파일을 읽어옴
04	"1"이라는 문자열 생성한 후에 a 문자형 포인터가 "1"이라는 문자열을 가리킴
05	a 변수의 문자열 "1"이 숫자 1로 변환되고, 숫자 1을 num에 대입함
06	num에 저장된 1을 출력

⑤ atof(ASCII to Floating Point) 함수

- atof는 문자열을 실수형으로 변환하는 함수이다.

| atof(str); | 문자열(str)을 실수형(float, double)으로 변환 |

 개념 박살내기

■ C언어 atof 함수

[소스 코드]

01	`#include <stdio.h>`
02	`#include <stdlib.h>`
03	`int main() {`
04	`    char *str_num = "1.0";`
05	`    double num = atof(str_num);`
06	`    printf("%.2f", num);`
07	`    return 0;`
08	`}`

출력	1.00

[코드 해설]

02	atof 함수를 사용하기 위해 stdlib.h 헤더 파일을 읽어옴
04	"1.0"이라는 문자열 생성한 후에 str_num 문자형 포인터가 "1.0"이라는 문자열을 가리킴
05	str_num 변수의 문자열 "1.0"이 숫자 1.0으로 변환되고, 숫자 1.0을 num에 대입함
06	num에 저장된 1.0을 소수점 셋째자리에서 반올림해서 소수점 둘째자리까지 출력

⑥ itoa(Integer to ASCII) 함수

- itoa는 정수형을 문자열로 변환하는 함수이다.

itoa(value, str, radix)	value를 변환하여 str에 radix 진수로 저장함

 개념 박살내기

■ C언어 itoa 함수

[소스 코드]

```
01  #include <stdio.h>
02  #include <stdlib.h>
03  int main() {
04    char buffer[4] = {NULL};
05    int num = 123;
06    itoa( num, buffer, 10 );
07    printf("%s", buffer);
08    return 0;
09  }
```

출력	123

[코드 해설]

02	• itoa 함수를 사용하기 위해 stdlib.h 헤더 파일을 읽어옴
04	• itoa에 의해 변환된 값을 저장할 문자형 배열을 생성 • 배열 요소 개수보다 적은 개수만큼 초기화할 경우 초깃값이 명시되지 않은 값들은 문자형일 경우는 NULL로 초기화된다.
05	• 123을 num이라는 변수에 저장
06	• num 값인 123을 10진수 형태로 buffer라는 변수에 문자열로 저장
07	• buffer에 저장된 문자열을 출력

학습 Point
문자 관리 함수를 사용하기 위해서는 ctype.h 헤더 파일을 include하여 사용합니다.

4 문자 관리 함수 [24년 1회]

① isalpha
- isalpha는 영문자인지 알려주는 함수이다.

| int isalpha(int c); | c 값이 'A'~'Z'이면 1을 반환, c 값이 'a'~'z'이면 2를 반환, 그 외의 값은 0을 반환 |

② isupper
- isupper는 대문자인지 알려주는 함수이다.

| int isupper(int c); | c 값이 'A'~'Z'이면 1을 반환, 그 외의 값은 0을 반환 |

③ islower
- islower는 소문자인지 알려주는 함수이다.

| int islower(int c); | c 값이 'a'~'z'이면 2를 반환, 그 외의 값은 0을 반환 |

④ isdigit
- isdigit은 숫자인지 알려주는 함수이다.

| int isdigit(int c); | c 값이 '0'~'9'이면 4를 반환, 그 외의 값은 0을 반환 |

학습 Point
isdigit은 문자형 변수에 대해서 숫자인지를 판단하기 때문에 '0'~'9'(아스키코드 기준으로 48~57)일 경우에만 0이 아닌 값을 반환하고, 그냥 0~9이면 0을 반환합니다.
참고로 아스키코드 0에 해당하는 것은 NULL입니다.

⑤ isxdigit
- isxdigit은 16진수에 포함되는 숫자인지 알려주는 함수이다.

| int isxdigit(int c); | c 값이 '0'~'9', 'A'~'F', 'a'~'f'이면 128을 반환, 그 외의 값은 0을 반환 |

⑥ isalnum
- isalnum은 영문자 또는 숫자인지 알려주는 함수이다.

| int isalnum(int c); | c 값이 'A'~'Z'이면 1을 반환, c 값이 'a'~'z'이면 2를 반환, c 값이 '0'~'9'이면 4를 반환, 그 외의 값은 0을 반환 |

⑦ tolower
- tolower는 소문자로 변환하는 함수이다.

| int tolower(int c); | c 값이 'A'~'Z'이면 소문자를 반환, 그 외의 값은 원래 문자를 반환 |

⑧ toupper
- toupper는 대문자로 변환하는 함수이다.

| int toupper(int c); | c 값이 'a'~'z'이면 대문자를 반환, 그 외의 값은 원래 문자를 반환 |

■ C언어 문자 관리 함수

[소스 코드]

```
01  #include <stdio.h>
02  #include <ctype.h>
03
04  int main(){
05    char s[5] = "Sf 2";
06    int i;
07    for(i=0; i<4; i++){
08      printf("%d ", isalpha(s[i]));
09      printf("%d ", isupper(s[i]));
10      printf("%d ", islower(s[i]));
11      printf("%d ", isdigit(s[i]));
12      printf("%d ", isxdigit(s[i]));
13      printf("%d ", isalnum(s[i]));
14      printf("\n");
15    }
16    printf("%c", tolower(s[0]));
17    printf("%c", toupper(s[1]));
18
19    return 0;
20  }
```

출력	1 1 0 0 0 1 2 0 2 0 128 2 0 0 0 0 0 0 0 0 0 4 128 4 sF

[코드 해설]

02	• 문자 관리 함수를 사용하기 위해 ctype.h 헤더 파일을 읽어옴				
04	• main 함수부터 프로그램 실행				
05	• s 배열에 문자열 "Sf 2"로 초기화				
	s[0]	s[1]	s[2]	s[3]	s[4]
	'S'	'f'	' '	'2'	NULL
06	• i 변수를 선언				
07	• i=0이므로 i<4가 참이 되기 때문에 반복문 실행				
08	• s[0]은 'S'이므로 대문자이기 때문에 isalpha(s[0]) 함수에서 1을 반환				
09	• s[0]은 'S'이므로 대문자이기 때문에 isupper(s[0]) 함수에서 1을 반환				
10	• s[0]은 'S'이므로 소문자가 아니기 때문에 islower(s[0]) 함수에서 0을 반환				
11	• s[0]은 'S'이므로 숫자가 아니기 때문에 isdigit(s[0]) 함수에서 0을 반환				

12	• s[0]은 'S'이므로 16진수 숫자에 포함되지 않기 때문에 isxdigit(s[0]) 함수에서 0을 반환
13	• s[0]은 'S'이므로 대문자이기 때문에 isalpha(s[0]) 함수에서 1을 반환
14	• 출력할 때 개행(다음에 printf에 의해 출력되면 다음 줄부터 시작)
07	• i++에 의해 i=1이므로 i<4가 참이 되기 때문에 반복문 실행
08	• s[1]은 'f'이므로 소문자이기 때문에 isalpha(s[1]) 함수에서 2를 반환
09	• s[1]은 'f'이므로 대문자가 아니기 때문에 isupper(s[1]) 함수에서 0을 반환
10	• s[1]은 'f'이므로 소문자이기 때문에 islower(s[1]) 함수에서 2를 반환
11	• s[1]은 'f'이므로 숫자가 아니기 때문에 isdigit(s[1]) 함수에서 0을 반환
12	• s[1]은 'f'이므로 16진수 숫자에 포함되기 때문에 isxdigit(s[1]) 함수에서 128을 반환
13	• s[1]은 'f'이므로 소문자이기 때문에 isalpha(s[1]) 함수에서 2를 반환
14	• 출력할 때 개행(다음에 printf에 의해 출력되면 다음 줄부터 시작)
07	• i++에 의해 i=2이므로 i<4가 참이 되기 때문에 반복문 실행
08	• s[2]는 ' '이므로 영문자가 아니기 때문에 isalpha(s[2]) 함수에서 0을 반환
09	• s[2]는 ' '이므로 대문자가 아니기 때문에 isupper(s[2]) 함수에서 0을 반환
10	• s[2]는 ' '이므로 소문자가 아니기 때문에 islower(s[2]) 함수에서 0을 반환
11	• s[2]는 ' '이므로 숫자가 아니기 때문에 isdigit(s[2]) 함수에서 0을 반환
12	• s[2]는 ' '이므로 16진수 숫자에 포함되지 않기 때문에 isxdigit(s[2]) 함수에서 0을 반환
13	• s[2]는 ' '이므로 영문자도 숫자도 아니기 때문에 isalpha(s[2]) 함수에서 0을 반환
14	• 출력할 때 개행(다음에 printf에 의해 출력되면 다음 줄부터 시작)
07	• i++에 의해 i=3이므로 i<4가 참이 되기 때문에 반복문 실행
08	• s[3]은 '2'이므로 영문자가 아니기 때문에 isalpha(s[3]) 함수에서 0을 반환
09	• s[3]은 '2'이므로 대문자가 아니기 때문에 isupper(s[3]) 함수에서 0을 반환
10	• s[3]은 '2'이므로 소문자가 아니기 때문에 islower(s[3]) 함수에서 0을 반환
11	• s[3]은 '2'이므로 숫자이기 때문에 isdigit(s[3]) 함수에서 4를 반환
12	• s[3]은 '2'이므로 16진수 숫자에 포함되기 때문에 isxdigit(s[3]) 함수에서 128을 반환
13	• s[3]은 '2'이므로 숫자이기 때문에 isalpha(s[3]) 함수에서 4를 반환
14	• 출력할 때 개행(다음에 printf에 의해 출력되면 다음 줄부터 시작)
07	• i++에 의해 i=4이므로 i<4가 거짓이 되기 때문에 반복문 종료
16	• s[0]은 'S'이므로 tolower(s[0])에 의해 소문자로 바뀌게 되어 's'를 출력
17	• s[1]은 'S'이므로 toupper(s[1])에 의해 대문자로 바뀌게 되어 'S'를 출력

14 포인터 ★★★

(1) 포인터(Pointer) 개념

- 포인터는 변수의 주솟값을 저장하는 공간이다.

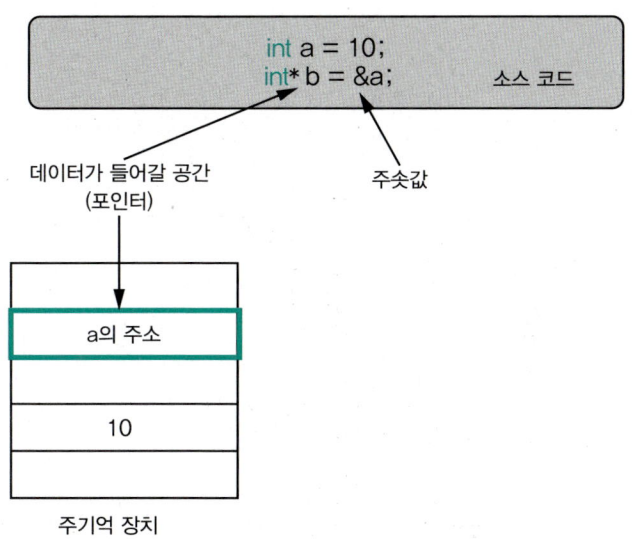

▲ 포인터의 개념도

(2) 포인터 선언 [24년 2회]

① 포인터 변수 1개 선언

```
자료형* 포인터_변수명 = &변수명;
```

- 자료형 뒤에 *를 붙이면 주소를 저장하는 포인터 변수라는 의미이고, 일반 변수명에 &를 붙이면 해당 변수명의 주솟값이다.
- int 형 변수를 가리키는 포인터 변수 선언 시 int*를, char 형 변수를 가리키는 포인터 변수 선언 시 char*를, float 형 변수를 가리키는 포인터 변수 선언 시 float*를 사용해야 한다.
- 주소에 해당하는 값을 가리킬 때는 *를 사용하고, 해당하는 값의 주소를 가리킬 때는 &를 사용한다.

② 포인터 변수 2개 이상 선언

```
자료형* 포인터_변수명 = &변수명, *포인터_변수명 = &변수명;
```

> **학습 Point**
> 주소에 해당하는 값을 가리키는 * 연산과 변수에 주솟값을 나타내는 & 연산은 반대 기능입니다. 그래서 *(&)과 같이 두 연산을 같이 쓰면 서로 상쇄됩니다.

> **학습 Point**
> 주소에 해당하는 값을 가리키는 * 연산과 변수에 주소 값을 나타내는 & 연산은 반대 기능입니다. 그래서 *(&)과 같이 두 연산을 같이 쓰면 서로 상쇄됩니다.

- 한 줄에 2개 이상의 포인터 변수를 선언할 때, 포인터_변수명마다 *를 붙여야 한다.

  예 int *a, b, *c;
  → a는 포인터 변수, b는 일반 변수, c는 포인터 변수

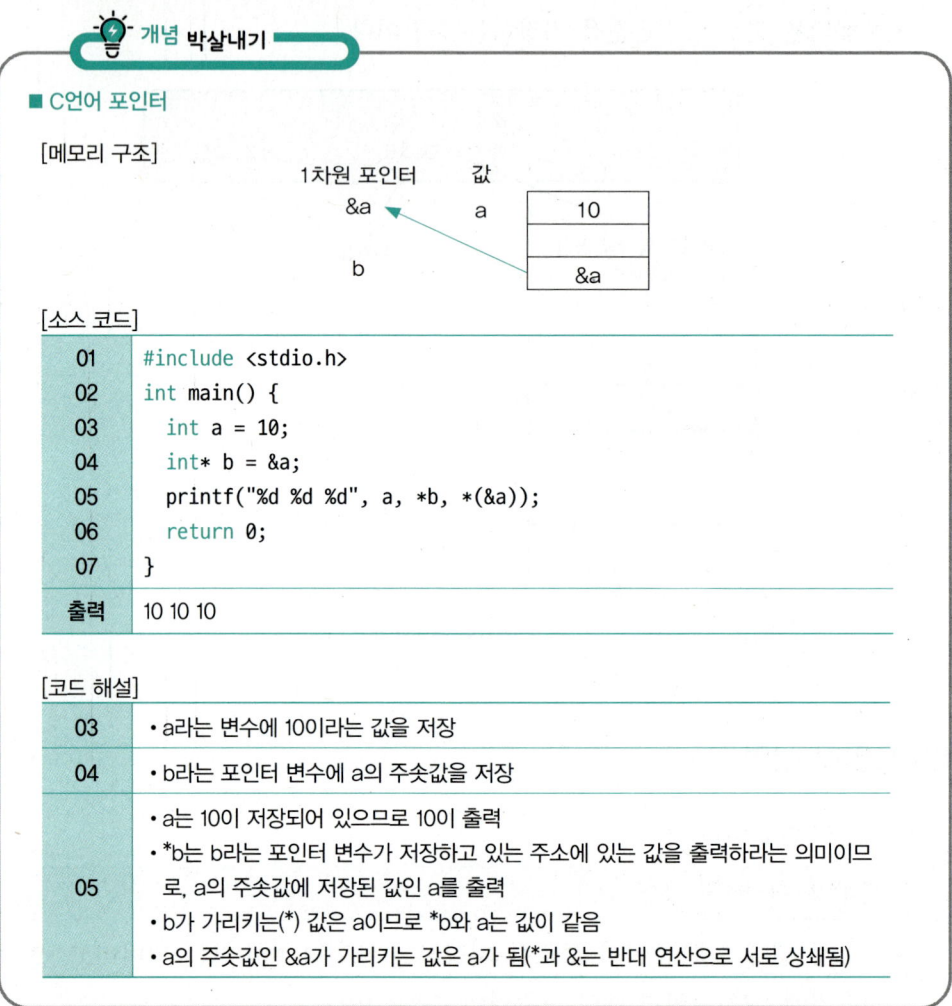

학습 Point

int a[3][2];가 있을 때, a[0][0]은 값이 되고, a[0]은 [ ]가 1개 없으므로 1차원 포인터, *a[0]는 1차원 포인터인 a[0]에서 *가 추가됐으므로 값이 되고, a는 [ ]가 2개 없으므로 2차원 포인터가 됩니다.

(3) 배열과 포인터

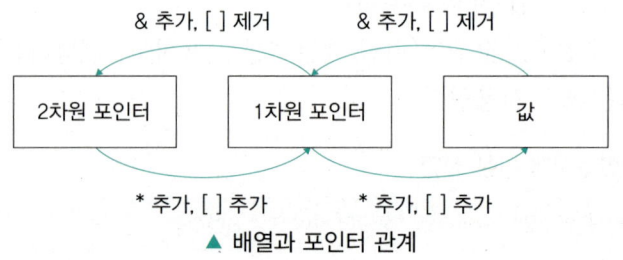

▲ 배열과 포인터 관계

- &가 추가될 때마다 포인터가 1차원씩 높아지게 되고, &과 반대 연산인 *는 추가될 때마다 1차원씩 낮아지게 된다.
- [ ]는 추가될 때마다 1차원씩 낮아지게 된다.

[공식] 포인터	
배열명+요소 == &배열명[요소]	해당 배열의 시작 주소로부터 요소만큼 떨어진 곳의 주소

1 1차원 배열과 1차원 포인터 [23년 3회, 24년 2회]

- 1차원 배열에서 배열명만 단독으로 사용할 경우 1차원 포인터와 동일하다.
- 1차원 배열일 때는 배열명[요소] 형태, *(배열명+요소)일 경우 값을 가리키고, 1차원 포인터일 때는 포인터[요소] 형태, *(포인터+요소)일 경우 값을 가리킨다.

> **학습 Point**
> 포인터 공식은 배열의 차수랑 관계 없이 적용할 수 있습니다. 가장 많이 쓰이는게 배열의 이름이 a라고 한다면 a==&a[0]입니다.
>
> **예** 1차원 배열 int a[3];가 있을 때 a+0은 &a[0]와 같고, 2차원 배열 int b[2][2]가 있을 때 b+1은 &b[1]과 같음

> **학습 Point**
> 배열명이 a일 때 a==&a[0]일 때와 a[0]==*a는 매우 자주 나옵니다. 그래서 이 둘은 같다고 외워두세요.

개념 박살내기

■ C언어 1차원 배열과 1차원 포인터

[메모리 구조]

1차원 포인터	값	
a	a[0]	1
a+1	a[1]	2
a+2	a[2]	0
p		a+1

[소스 코드]

```
01  #include <stdio.h>
02  int main(){
03    int a[3] = {1, 2};
04    int *p = a;
05    printf("%d %d %d\n", a[0], a[1], a[2]);
06    printf("%d %d %d\n", *a, *(a+1), *(a+2));
07    printf("%d %d %d\n", *p, *(p+1), *(p+2));
08    printf("%d %d %d\n", p[0], p[1], p[2]);
09    return 0;
10  }
```

출력
```
1 2 0
1 2 0
1 2 0
1 2 0
```

[코드 해설]

03	• a 배열의 요소 개수는 3개지만, 초깃값은 1, 2만 명시되어 있으므로 나머지 1개의 공간은 0으로 초기화
04	• 정수형 포인터임을 알려주는 int *를 빼면 p=a이므로 a 배열의 주솟값을 포인터 변수 p에 대입 • p에 들어있는 값과 a에 들어있는 값이 같게 되므로 a 대신 p를 써도 동일한 결과가 나옴
05	• a 배열의 0번지, 1번지, 2번지 값을 출력
06	• a가 가리키는 곳의 값인 1, a+1이 가리키는 값인 2, a+2가 가리키는 값인 0을 출력
07	• p라는 포인터 변수에 저장된 주솟값이 a 배열 주솟값과 동일하므로 *p, *(p+1), *(p+2)는 각각 *a, *(a+1), *(a+2)와 동일하게 출력
08	• p라는 포인터 변수에 저장된 주솟값이 a 배열 주솟값과 동일하므로 p[0], p[1], p[2]는 a[0], a[1], a[2]와 동일하게 출력

2 2차원 배열과 1차원 포인터

- 2차원 배열에서 배열명만 단독으로 사용할 경우 2차원 포인터와 동일하다.
- 2차원 배열일 때는 배열명[요소] 형태, *(배열명+요소)는 1차원 포인터와 동일하고, 1차원 포인터에 대해 *과 [ ]을 이용해야 값을 가리킬 수 있다.

개념 박살내기

■ C언어 2차원 배열과 1차원 포인터

[메모리 구조]

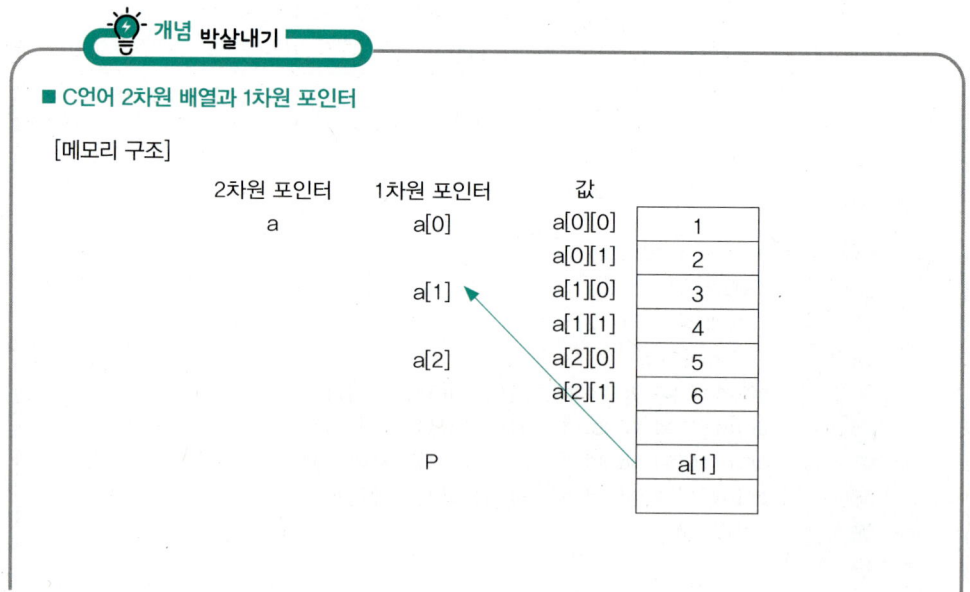

[소스 코드]

```
01  #include <stdio.h>
02  int main(){
03    int a[3][2] = {{1, 2}, {3, 4}, {5, 6}};
04    int *p = a[1];
05    printf("%d %d %d\n", *a[0], *a[1], *a[2]);
06    printf("%d %d %d\n", **a, **(a+1), **(a+2));
07    printf("%d %d\n", *p, *(p+1));
08    printf("%d %d\n", p[0], p[1]);
09    return 0;
10  }
```

출력
```
1 3 5
1 3 5
3 4
3 4
```

[코드 해설]

03	• 2차원 배열 선언
04	• a[1]는 &a[1][0]과 같음 　a[1] == &a[1][0] ｜ 배열+i == &배열[i]에서 배열 자리에 a[1]을, i 자리에 0을 넣음 • a[1][0]의 주소를 p라는 이름의 포인터 변수에 저장 • int *를 빼면 p = a[1]이므로 p 대신에 a[1]을 넣어도 결과가 동일함
05	• a[0]은 &a[0][0]과 같으므로 (배열+0 == &배열[0]) *a[0]는 *(&a[0][0])이 되고, *과 &는 반대 연산으로 서로 상쇄되어 a[0][0] 값을 출력 　a[0] == &a[0][0] ｜ 배열+i == &배열[i]에서 배열 자리에 a[0]을, i 자리에 0을 넣음 • a[1]은 &a[1][0]과 같으므로 *a[1]은 *(&a[1][0])이 되어 a[1][0] 값을 출력 • a[2]은 &a[2][0]과 같으므로 *a[2]는 *(&a[2][0])이 되어 a[2][0] 값을 출력
06	• a는 &a[0]과 같으므로 **a는 **(&a[0])이 되고, *과 &는 반대 연산으로 서로 상쇄되어 *(a[0])가 됨 　a == &a[0] ｜ 배열+i == &배열[i]에서 배열 자리에 a를, i 자리에 0을 넣음 • a[0]은 &a[0][0]과 같으므로 *(a[0])는 *(&a[0][0])이 되어 a[0][0] 값을 출력 • a+1은 &a[1]과 같으므로 **(a+1)은 *(a[1])이 되고, *(a[1])은 *(&a[1][0])이 되어 a[1][0] 값을 출력 • a+2는 &a[2]와 같으므로 **(a+2)는 *(a[2])이 되고, *(a[2])는 *(&a[2][0])이 되어 a[2][0] 값을 출력
07	• p는 a[1]의 주솟값이 저장되어 있으므로 p 대신에 a[1]을 넣으면 *(p)는 *(a[1])이 되므로 a[1][0] 값을 출력 • *(p+1)는 *(a[1]+1)이 되므로 a[1][1] 값을 출력 　*(a[1]+1)==(a[1])[1] ｜ *(배열+i) == 배열[i]에서 배열 자리에 a[1]를, i 자리에 1을 넣음
08	• p[0]에서 p 대신에 a[1]을 넣으면 (a[1])[0]이므로 a[1][0] 값을 출력 • p[1]에서 p 대신에 a[1]을 넣으면 (a[1])[1]이므로 a[1][1] 값을 출력

3 2차원 배열과 포인터 배열

■ C언어 2차원 배열과 포인터 배열

[메모리 구조]

2차원 포인터	1차원 포인터	값	
a	a[0]	a[0][0]	1
		a[0][1]	2
	a[1]	a[1][0]	3
		a[1][1]	4
	a[2]	a[2][0]	5
		a[2][1]	6
p	p[0]		a[2]
	p[1]		a[0]
	p[2]		a[1]

[소스 코드]

01	`#include <stdio.h>`
02	`int main(){`
03	`  int a[3][2] = {{1, 2}, {3, 4}, {5, 6}};`
04	`  int *p[3] = {a[2], a[0], a[1]};`
05	`  printf("%d %d %d\n", a[0][0], a[1][0], a[2][0]);`
06	`  printf("%d %d %d\n", *a[0], *a[1], *a[2]);`
07	`  printf("%d %d %d\n", p[1][0], p[2][0], p[0][0]);`
08	`  printf("%d %d %d\n", *p[1], *p[2], *p[0]);`
09	`  return 0;`
10	`}`
출력	1 3 5 1 3 5 1 3 5 1 3 5

[코드 해설]

03	• 2차원 배열 선언
04	• p라는 변수는 정수형 포인터(int *)에 대해 3개의 값을 가진 배열([3]) • a[2]는 &a[2][0]과 같음 `a[2] == &a[2][0]` 배열+i == &배열[i]에서 배열 자리에 a[2]를, i 자리에 0을 넣음 • a[0]은 &a[0][0]과 같고, a[1]은 &a[1][0]과 같음 • p[0]에 a[2]를, p[1]에 a[0]을, p[2]에 a[1]을 대입
05	• a[0][0]은 0행 0열의 값인 1을, a[1][0]은 1행 0열의 값인 3을, a[2][0]은 2행 0열의 값인 5를 출력
06	• a[0]은 &a[0][0]과 같으므로 *a[0]은 *(&a[0][0])이 되어 a[0][0] 값을 출력 `a[0] == &a[0][0]` 배열+i == &배열[i]에서 배열 자리에 a[0]을, i 자리에 0을 넣음 • a[1]은 &a[1][0]과 같으므로 *(a[1])은 *(&a[1][0])이 되어 a[1][0] 값을 출력 • a[2]는 &a[2][0]과 같으므로 *(a[2])는 *(&a[2][0])이 되어 a[2][0] 값을 출력

07	• p[1]은 a[0]을 저장하고 있으므로 p[1] 대신에 a[0]을 넣으면 p[1][0]은 (a[0])[0]이 되므로 a[0][0]의 값인 1을 출력 • p[2]는 a[1]을 저장하고 있으므로 p[2] 대신에 a[1]을 넣으면 p[2][0]은 (a[1])[0]이 되므로 a[1][0]의 값인 3을 출력 • p[0]은 a[2]를 저장하고 있으므로 p[0] 대신에 a[2]를 넣으면 p[0][0]은 (a[2])[0]이 되므로 a[2][0]의 값인 5를 출력
08	• p[1]은 &p[1][0]이므로 *p[1]은 *(&p[1][0])이 되고, *과 &는 반대 연산으로 서로 상쇄되어 p[1][0]의 값인 1을 출력 • p[2]는 &p[2][0]이므로 *p[2]은 *(&p[2][0])이 되고, *과 &는 반대 연산으로 서로 상쇄되어 p[2][0]의 값인 3을 출력 • p[0]은 &p[0][0]이므로 *p[0]은 *(&p[0][0])이 되고, *과 &는 반대 연산으로 서로 상쇄되어 p[0][0]의 값인 5를 출력

4 2차원 배열과 2차원 포인터

- 2차원 배열에서 배열명만 단독으로 사용할 경우 2차원 포인터와 동일하다.
- 2차원 배열일 때 배열명[요소][요소], *배열명[요소], **(배열명+요소)일 경우 값을 가리킨다.

개념 박살내기

■ C언어 2차원 배열과 2차원 포인터

[메모리 구조]

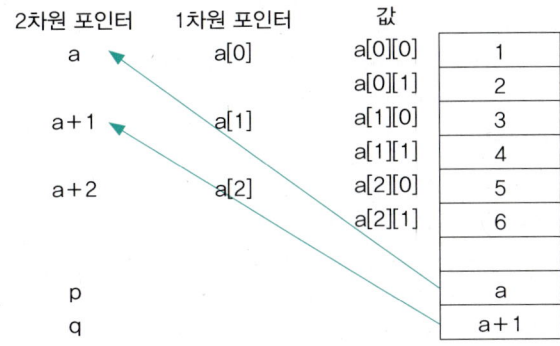

[소스 코드]

01	`#include <stdio.h>`
02	`int main(){`
03	`  int a[3][2] = {{1, 2}, {3, 4}, {5, 6}};`
04	`  int (*p)[2] = a;`
05	`  int (*q)[2] = a+1;`
06	`  int *r = a[1];`
07	`  int **s = &r;`
08	`  printf("%d %d %d\n", a[0][0], a[0][1], a[1][0]);`
09	`  printf("%d %d %d\n", p[0][0], p[0][1], p[1][0]);`

10	`printf("%d %d %d\n", q[0][0], q[0][1], q[1][0]);`
11	`printf("%d %d %d\n", r[-1], r[0], r[1]);`
12	`printf("%d %d %d\n", (*(*s-1)), (*(*s)), (*(*s)+1));`
13	`return 0;`
14	`}`
출력	1 2 3 1 2 3 3 4 5 2 3 4 2 3 4

[코드 해설]

03	• 2차원 배열 선언
04	• p는 열의 크기가 2인 배열을 가리키는 포인터 • int *p[x] 형태일 경우 *가 있으므로 1차원 포인터, [ ]가 있으므로 1차원 배열이므로 p는 2차원 포인터와 동일하게 동작 　• int p[x];에서 p만 단독으로 사용하면 1차원 포인터 　• int *p;에서 p는 1차원 포인터 • p 포인터 변수에 a를 대입
05	• q는 열의 크기가 2인 배열을 가리키는 포인터 • q 포인터 변수에 a+1을 대입
06	• r이라는 1차원 포인터 변수에 a[1]을 대입
07	• s라는 2차원 포인터 변수에 r의 주솟값을 대입 • r은 1차원 포인터 변수이고, &r은 2차원 포인터 변수가 됨
08	• a[0][0]은 0행 0열의 값인 1을, a[0][1]은 0행 1열의 값인 2를, a[1][0]은 1행 0열의 값인 3을 출력
09	• p는 a이므로 p[0][0]은 a[0][0]과 같기 때문에 1을, p[0][1]은 a[0][1]과 같기 때문에 2를, p[1][0]은 a[1][0]과 같기 때문에 3을 출력
10	• q[0]은 q인 a+1을 기준으로 0행 떨어진 곳의 주소이고, q[0][0]은 q[0]을 기준으로 0 요소 떨어진 곳의 값이므로 3이 됨 • q[0][1]은 q[0]을 기준으로 1 요소 떨어진 곳의 값이므로 4가 됨 • q[1]은 q인 a+1을 기준으로 1행 떨어진 곳의 주소이고, q[1][0]은 q[1]을 기준으로 0 요소 떨어진 곳의 값이므로 5가 됨
11	• r은 1차원 포인터이므로 r[x]일 때 x 요소 떨어진 곳의 값이 됨 • r[-1]은 r인 a[1]을 기준으로 -1 요소 떨어진 곳의 값인 2가 됨 • r[0]은 r인 a[1]을 기준으로 0 요소 떨어진 곳의 값인 3이 됨 • r[1]은 r인 a[1]을 기준으로 1 요소 떨어진 곳의 값인 4가 됨
12	• s는 &r이므로 (*s)는 (*&r)가 되어 r과 같음 • (*(*s-1))은 (*(r-1))과 같고, *(r-1)은 r인 a[1]을 기준으로 -1 요소 떨어진 곳의 주소가 가리키는 값이므로 2가 됨 • (*(*s))는 (*(r))과 같고, *(r)은 r인 a[1]이 가리키는 값이므로 3이 됨 • (*(*s))는 (*(r+1))과 같고, *(r+1)은 r인 a[1]을 기준으로 +1 요소 떨어진 곳의 주소가 가리키는 값이므로 4가 됨

(4) 구조체와 포인터 [24년 3회]

1 구조체 변수와 구조체 포인터

- 구조체는 일반 구조체 변수로 접근할 때는 .으로 접근하고, 구조체 포인터로 접근할 때는 -> 로 접근한다.

■ C언어 구조체 변수와 구조체 포인터

[메모리 구조]

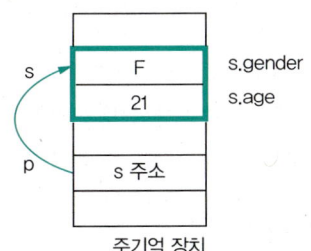

[소스 코드]

01	`#include <stdio.h>`
02	`struct Student{`
03	`  char gender;`
04	`  int age;`
05	`};`
06	`int main( ) {`
07	`  struct Student s = {'F', 21};`
08	`  struct Student *p = &s;`
09	`  printf("%c %d\n", s.gender, s.age);`
10	`  printf("%c %d\n", (&s)->gender, (&s)->age);`
11	`  printf("%c %d\n", p->gender, p->age);`
12	`  printf("%c %d\n", (*p).gender, (*p).age);`
13	`  printf("%c %d\n", p[0].gender, p[0].age);`
14	`  return 0;`
15	`}`

| 출력 | F 21
F 21
F 21
F 21
F 21 |

[코드 해설]

02	Student라는 구조체 틀을 생성
03	Student 구조체에 gender라는 char(문자)형 변수 선언
04	Student 구조체에 age라는 int(정수)형 변수 선언
07	struct Student 타입의 s라는이름의 변수 선언
08	p라는 포인터 변수에 s 주소를 저장
09	s에 포함된 변숫값들을 출력

10	s의 주소에 포함된 변숫값들을 출력
11	p가 가리키는 구조체 값들을 출력
12	p가 가리키는 값(s 구조체)들을 출력
13	p는 1차원 포인터이므로 p[0]으로 s 구조체에 접근할 수 있음

2 1차원 구조체 배열과 1차원 구조체 포인터

- 1차원 구조체 배열에서 배열명만 단독으로 사용할 경우 1차원 구조체 포인터와 동일하다.
- 1차원 구조체 배열일 때 배열명[요소].변수명 형태, (*(배열명+요소)).변수명, 배열명 -> 변수명 형태, (배열명+요소) -> 변수명 형태로 값을 가리킨다.
- 1차원 포인터일 때 포인터[요소].변수명 형태, (*(포인터+요소)).변수명, 포인터 -> 변수명 형태, (포인터+요소) -> 변수명 형태로 값을 가리킨다.

■ C언어 1차원 구조체 배열과 1차원 구조체 포인터

[메모리 구조]

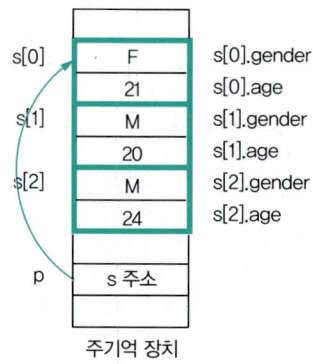

[소스 코드]

```
01  #include <stdio.h>
02  struct Student{
03      char gender;
04      int age;
05  };
06  int main( ) {
07      struct Student s[3] = { 'F', 21, 'M', 20, 'M', 24};
08      struct Student *p = s;
09      printf("%c %d\n", s[0].gender, s[0].age);
10      printf("%c %d\n", (*s).gender, (*s).age);
11      printf("%c %d\n", s->gender, s->age);
12      printf("%c %d\n", (s+1)->gender, (s+1)->age);
13      printf("%c %d\n", p[0].gender, p[0].age);
```

14	`printf("%c %d\n", (*p).gender, (*p).age);`
15	`printf("%c %d\n", p->gender, p->age);`
16	`printf("%c %d\n", (p+1)->gender, (p+1)->age);`
17	`return 0;`
18	`}`

출력	
	F 21
	F 21
	F 21
	M 20
	F 21
	F 21
	F 21
	M 20

[코드 해설]

02	Student라는 구조체 틀을 생성
03	Student 구조체에 gender라는 char(문자)형 변수 선언
04	Student 구조체에 age라는 int(정수)형 변수 선언
07	struct Student라는 타입을 3개 가지고 있는 배열 선언
08	p라는 포인터 변수에 s 주소를 저장
09	s의 0번째에 있는 구조체 값들을 출력
10	s가 가리키는 값(s의 0번째 구조체)을 출력
11	s는 배열이므로 s만 단독으로 쓰면 1차원 포인터이므로 s는 구조체 변수를 ->로 가리킴
12	s의 1번째 있는 구조체의 값들을 출력
13	p가 가리키는 0번째 구조체 값들을 출력
14	p가 가리키는 값(s의 0번째 구조체)을 출력
15	p는 1차원 포인터이므로 p는 구조체 변수를 ->로 가리킴
16	p의 1번째 있는 구조체의 값들을 출력

💡 개념 박살내기

■ C언어 typedef를 이용한 구조체와 1차원 구조체 포인터

[소스 코드]

01	`#include <stdio.h>`
02	`typedef struct Student{`
03	`  char gender;`
04	`  int age;`
05	`} S;`
06	`int main( ) {`
07	`  S s[3] = { 'F', 21, 'M', 20, 'M', 24};`
08	`  S *p = s;`
09	`  printf("%c %d\n", s[0].gender, s[0].age);`
10	`  printf("%c %d\n", (*s).gender, (*s).age);`
11	`  printf("%c %d\n", s->gender, s->age);`

12	`printf("%c %d\n", (s+1)->gender, (s+1)->age);`
13	`printf("%c %d\n", p[0].gender, p[0].age);`
14	`printf("%c %d\n", (*p).gender, (*p).age);`
15	`printf("%c %d\n", p->gender, p->age);`
16	`printf("%c %d\n", (p+1)->gender, (p+1)->age);`
17	`return 0;`
18	`}`
출력	F 21 F 21 F 21 M 20 F 21 F 21 F 21 M 20

[코드 해설]

02~05	• Student라는 구조체 틀을 생성하고, 구조체를 S라는 별칭으로 정의 • Student 구조체에 gender라는 char(문자)형 변수 선언 • Student 구조체에 age라는 int(정수)형 변수 선언
07	• S는 Student 구조체의 별칭이므로 S 타입의 구조체 3개로 이루어진 배열 s를 선언
08	• p라는 포인터 변수에 s 주소를 저장
09	• s의 0번째에 있는 구조체 값들을 출력
10	• s가 가리키는 값(s의 0번째 구조체)을 출력
11	• s는 배열이므로 s 자체는 배열의 첫 번째 요소를 가리키는 포인터(&s[0])이므로 s는 구조체 변수를 –>로 가리킴
12	• s의 1번째 있는 구조체의 값들을 출력
13	• p가 가리키는 0번째 구조체 값들을 출력
14	• p가 가리키는 값(s의 0번째 구조체)을 출력
15	• p는 1차원 포인터이므로 p는 구조체 변수를 –>로 가리킴
16	• p의 1번째 있는 구조체의 값들을 출력

(5) 함수 포인터

• 함수 포인터는 함수의 주소를 저장하고, 해당 주소의 함수를 호출하는 데 사용하는 포인터이다.

리턴타입 (*함수_포인터)(함수 파라미터);

■ C언어 함수 포인터

[소스 코드]

01	`#include <stdio.h>`
02	`void fn1(){`
03	`  printf("fn1 함수\n");`
04	`}`
05	`int fn2(int a){`
06	`  printf("fn2 함수: %d\n", a);`
07	`  return 0;`
08	`}`
09	`int main(){`
10	`  void (*pf1)();`
11	`  int (*pf2)(int);`
12	`  fn1();`
13	`  fn2(5);`
14	`  pf1 = fn1;`
15	`  pf2 = fn2;`
16	`  pf1();`
17	`  pf2(2);`
18	`  return 0;`
19	`}`

출력	fn1 함수 fn2 함수: 5 fn1 함수 fn2 함수: 2

[코드 해설]

10	• pf1이라는 함수 포인터 선언 • pf1은 파라미터가 없는 함수를 가리킬 수 있음
11	• pf2라는 함수 포인터 선언 • pf2는 int 형 1개를 파라미터로 갖는 함수를 가리킬 수 있음
12	• fn1 함수를 호출하여 fn1 내에 있는 printf 함수의 "fn1 함수" 출력
13	• fn2 함수를 호출할 때 5라는 값을 넘겨줌 • a는 5이므로 printf 함수의 "fn2 함수: 5"가 출력됨
14	• pf1에 fn1 함수를 대입 • pf1은 fn1과 동일해짐
15	• pf2에 fn2 함수를 대입 • pf2는 fn2와 동일해짐
16	• pf1은 fn1과 동일하므로 fn1 함수를 호출하여 fn1 내에 있는 printf 함수의 "fn1 함수" 출력
17	• pf2는 fn2와 동일하므로 fn2 함수를 호출할 때 2라는 값을 넘겨준 것과 동일함 • a는 2이므로 printf 함수의 "fn2 함수: 2"가 출력됨

(6) 사용자 정의 함수 포인터 반환

- 사용자 정의 함수의 반환 값으로 포인터를 전달 받을 수 있다.

💡 개념 박살내기

■ C언어 사용자 정의 함수 포인터 반환

[소스 코드]

```
01  #include <stdio.h>
02  #include <string.h>
03  char n[6];
04  char *soojebi(){
05    strcpy(n, "Hello");
06    return n;
07  }
08  int main() {
09    char *p = soojebi();
10    printf("%s\n", p);
11    return 0;
12  }
```

출력	Hello

[코드 해설]

08	• main 함수부터 시작
09	• soojebi 함수를 호출
04	• soojebi 함수 실행
05	• n이라는 문자형 배열에 "Hello"를 저장 <table><tr><th>n[0]</th><th>n[1]</th><th>n[2]</th><th>n[3]</th><th>n[4]</th><th>n[5]</th></tr><tr><td>H</td><td>e</td><td>l</td><td>l</td><td>o</td><td>NULL</td></tr></table>
06	• n은 &n[0]으로 문자형 포인터를 soojebi 함수를 호출한 부분에 반환
09	• soojebi()가 &n[0]이므로 p = &n[0];과 같음 • n의 0번지 주소를 저장
10	• p는 n의 0번지 주소이고, printf 함수에서 %s는 NULL 전까지 문자열 출력이므로 Hello가 출력됨

15 메모리 할당/해제

(1) 메모리 동적 할당(Dynamic Memory Allocation) [24년 1회]

- 메모리 동적 할당은 프로그램이 실행 중(런타임)에 메모리 공간을 할당하는

기법이다.
- 메모리 동적 할당은 malloc 함수를 이용한다.
- 동적 할당된 공간은 형식이 지정되지 않았으므로 일반적으로 강제형 변환을 통해 형식(Type)을 맞춰준다.

| void* malloc (size); | size 바이트의 메모리를 힙에서 할당하여 반환 |

> **학습 Point**
> malloc 함수를 사용하기 위해서는 stdlib.h 헤더 파일을 include하여 사용합니다.

(2) 메모리 해제(Memory Deallocation)

- 메모리 해제는 프로그램이 실행 중(런타임)에 할당된 메모리 공간을 해제하는 기법이다.
- 메모리 해제는 free 함수를 이용한다.

| void free(block); | 해제할 메모리 공간인 block을 힙에서 할당 해제 |

개념 박살내기

■ 메모리 동적 할당/해제

[소스 코드]

```
01  #include <stdio.h>
02  #include <string.h>
03  #include <stdlib.h>
04
05  int main(){
06    char tmp[10];
07    char* p[2];
08    int i;
09
10    for(i=0; i<2; i++){
11      scanf("%s", tmp);
12      p[i] = (char*)malloc(sizeof(char)*(strlen(tmp)+1));
13      strcpy(p[i], tmp);
14    }
15
16    for(i=1; i>=0; i--){
17      printf("%s\n", p[i]);
18      free(p[i]);
19    }
20
21    return 0;
22  }
```

| 입력 | Soojebi
Hello |
| 출력 | Hello
Soojebi |

[코드 해설]

02	• strlen, strcpy 함수를 사용하기 위해 stdlib.h 헤더를 포함
03	• malloc, free 함수를 사용하기 위해 stdlib.h 헤더를 포함
06	• tmp라는 이름의 char 배열을 선언
07	• p라는 이름의 char 포인터 배열을 선언
08	• i 변수를 선언
10	• i=0일 때 i<2를 만족하므로 반복문을 실행
11	• scanf 함수에 입력받음 • Soojebi를 입력하면 tmp 배열에 "Soojebi"가 저장됨
12	• sizeof(char)는 1이고, strlen은 tmp 배열 안에 저장된 문자열의 길이므로 7이 되어 sizeof(char)*(strlen(tmp)+1)는 1*(7+1)이 되어 8이 됨 • p[0]에 8바이트 공간이 할당되고, 8바이트 공간의 형식은 char 포인터로 강제형 변환
13	• p[0]이 가리키는 8바이트 공간에 "Soojebi"를 저장
10	• i++에 의해 i=1이므로 i<2가 참이 되기 때문에 반복문 실행
11	• scanf 함수에 입력받음 • Hello를 입력하면 tmp 배열에 "Hello"가 저장됨
12	• sizeof(char)는 1이고, strlen은 tmp 배열 안에 저장된 문자열의 길이므로 5가 되어 sizeof(char)*(strlen(tmp)+1)은 1*(5+1)이 되어 6이 됨 • p[1]에 6바이트 공간이 할당되고, 6바이트 공간의 형식은 char 포인터로 강제형 변환
13	• p[1]이 가리키는 6바이트 공간에 "Hello"를 저장
10	• i++에 의해 i=2이므로 i<2가 거짓이 되기 때문에 반복문 탈출
16	• i=1일 때 i>=0를 만족하므로 반복문을 실행
17	• p[1]이 가리키는 문자열인 Hello를 출력
18	• p[1]이 가리키는 공간을 해제
16	• i—에 의해 i=0이므로 i>=0이 참이 되기 때문에 반복문 실행
17	• p[0]이 가리키는 문자열인 Soojebi를 출력
18	• p[0]이 가리키는 공간을 해제
16	• i—에 의해 i=-1이므로 i>=0이 거짓이 되기 때문에 반복문 탈출

 개념 박살내기

■ sizeof 연산자

- sizeof 연산자는 자료형의 크기를 바이트 단위로 알려주는 연산자이다.

> sizeof(표현식)
> sizeof(자료형)

[소스 코드]

```
01  #include <stdio.h>
02  #include <stdlib.h>
03
04  int main(){
05    char a;
06    int b;
07    int c[10];
08    int *d = c;
09    int e[10][10];
10    float f;
11    double g;
12    int *h;
13    char *i = "Hello";
14    h = (int*)malloc(40);
15
16    printf("%d %d %d\n", sizeof(char), sizeof(int), sizeof(float));
17    printf("%d %d %d\n", sizeof(double), sizeof(char*), sizeof(int*));
18    printf("%d %d %d\n", sizeof(a), sizeof(b), sizeof(c));
19    printf("%d %d %d\n", sizeof(d), sizeof(e), sizeof(e[0]));
20    printf("%d %d %d %d", sizeof(f), sizeof(g), sizeof(h), sizeof(i));
21
22    free(h);
23
24    return 0;
24  }
```

| 출력 | 1 4 4
8 4 4
1 4 40
4 400 40
4 8 4 4 |

[코드 해설]

02	• malloc, free 함수를 사용하기 위해 stdlib.h 헤더를 포함
05~07	• a라는 이름의 문자형, b라는 이름의 정수형, c라는 이름의 정수형 배열을 선언
08	• d라는 이름의 포인터는 c 배열의 주솟값으로 초기화

학습 Point

컴퓨터 환경에 따라서 int의 크기, 포인터의 크기가 다를 수 있습니다. sizeof(int)와 sizeof(char *), sizeof(int *)은 8일 수도 있습니다.

09~12	• e라는 이름의 정수형 배열 선언, f라는 이름의 실수형, g라는 이름의 정수형, h라는 이름의 정수형 포인터를 선언
13	• i라는 char 포인터에 Hello라는 문자열의 시작 주소를 저장 ┌─┐ ┌─┬─┬─┬─┬─┐ │•┼─→ │ t │ s │ e │ t │NULL│ └─┘ └─┴─┴─┴─┴─┘ i
14	• h에 40바이트의 공간을 할당
16	• char의 크기는 1, int의 크기는 4, float의 크기는 4이므로 1 4 4를 출력
17	• double의 크기는 8, char *, int *는 포인터로 포인터는 주소를 저장하기 때문에 주소를 저장할 수 있는 공간인 4이므로 8 4 4를 출력
18	• a 변수는 char이므로 1, b 변수는 int이므로 4, c 변수는 int형 10개의 배열이므로 40이 되기 때문에 1 4 40을 출력
19	• d 변수는 int* 정수형 포인터이므로 4, e는 int형 10×10 배열이므로 정수형 변수가 총 100개라 400, e[0]은 정수형 변수가 10개이므로 40이 되기 때문에 4 400 40을 출력
20	• f는 float이므로 4, g는 double이므로 8, h는 int * 정수형 포인터이므로 4, i도 char * 문자형 포인터이기 때문에 4이므로 4 8 4 4를 출력
22	• h가 가리키는 공간을 해제

기출문제

01 다음 C언어의 출력 결과를 쓰시오. ▶ 22년 3회

```c
#include <stdio.h>
int main(){
  int data[3][5] = {{51, 22, 63, 53},
                    {25, 26, 17, 98},
                    {71, 81, 77, 46}};
  int i, j;
  int sum, ssum=0;
  for(i=0; i<3; i++){
    sum = 0;
    for(j=0; j<5; j++){
      sum += data[i][j];
    }
    ssum += sum;
  }
  printf("%d", ssum);
  return 0;
}
```

해설

03~05	• data라는 이름의 2차원 배열 생성				
		[x][0]	[x][1]	[x][2]	[x][3]
	[0][x]	51	22	63	53
	[1][x]	25	26	17	98
	[2][x]	71	81	77	46
06~07	• i, j, sum, ssum 변수 선언
08	• 초기식에 의해 i=0이므로 참이기 때문에 for 문 반복
09	• sum에 0 대입
10~12	• j는 0, 1, 2, 3일 때 반복하므로 sum에 data[0][0], data[0][1], data[0][2], data[0][3] 값을 더함
13	• ssum에 sum 값인 189를 더해 ssum은 189가 됨
08	• 증감식에 의해 i=1이므로 조건식이 참이기 때문에 for 문 반복
09	• sum에 0 대입
10~12	• j는 0, 1, 2, 3일 때 반복하므로 sum에 data[1][0], data[1][1], data[1][2], data[1][3] 값을 더함
13	• ssum에 sum 값인 166을 더해 ssum은 355가 됨
08	• 증감식에 의해 i=2이므로 조건식이 참이기 때문에 for 문 반복
09	• sum에 0 대입
10~12	• j는 0, 1, 2, 3일 때 반복하므로 sum에 data[1][0], data[1][1], data[1][2], data[1][3] 값을 더함
13	• ssum에 sum 값인 275를 더해 ssum은 630이 됨
08	• 증감식에 의해 i=3이므로 조건식이 거짓이기 때문에 for 문 종료
15	• ssum 값을 출력

02 다음은 C언어이다. 출력 결과를 쓰시오. ▶ 22년 3회

```c
#include <stdio.h>
int main(){
  int i=1, sum=0;
  while(i<50){
    if(i%7 == 0)
      sum += i;
    i++;
  }
  printf("%d", sum);
  return 0;
}
```

해설

03	• i, sum 변수를 선언
04	• i<50보다 작을 때까지 반복
05	• if 문은 i를 7로 나눴을 때 나머지가 0인지 확인(i가 7의 배수인지 확인)
06	• 7의 배수일 때만 sum += i;를 실행하므로 7의 배수 값을 sum에 더해줌 • 50보다 작은 7의 배수를 더한 값 sum에 저장하므로 sum은 7+14+21+ 28+35+42+49=196이 저장
07	• i 값을 1 증가
09	• sum 값을 출력

기출문제

▶ 22년 3회

03 다음 C언어에서 5를 입력했을 때 출력 결과를 쓰시오.

```
01  #include <stdio.h>
02  int main(){
03    int i, num;
04    int sum = 0;
05    scanf("%d", &num);
06    for(i=0; i<=num; i++){
07      sum += i;
08    }
09    printf("%d", sum);
10    return 0;
11  }
```

▶ 18년 3회, 22년 3회

04 다음은 C 코드이다. 출력 결과를 쓰시오.

```
01  #include <stdio.h>
02  void fn(int *a){
03    printf("%d", *a);
04    printf("%d", a[2]);
05  }
06  int main(){
07    int a[9] = {1, 2, 3, 4, 5, 6};
08    fn(a);
09    fn(a+2);
10    return 0;
11  }
```

[해설]

03	• i, num 변수를 선언
04	• sum 변수를 선언하고 0으로 초기화
05	• scanf를 통해 num이라는 변수에 입력받은 5를 대입
06~08	• i=0이므로 i<=num은 참이기 때문에 for 문을 반복 • sum에 i 값인 0을 더해주어 0이 됨
06~08	• i++에 의해 i는 1이 되고, i<=num은 참이기 때문에 for 문을 반복 • sum에 i 값인 1을 더해주어 1이 됨
06~08	• i가 2, 3, 4일 때도, i<=num은 참이기 때문에 for 문을 반복 • sum에 i 값인 2를 더하면 3이 되고, 3을 더하면 6이 되고, 4를 더하면 10이 됨
06~08	• i++에 의해 i는 5가 되고, i<=num은 참이기 때문에 for 문을 반복 • sum에 i 값인 5를 더해주어 15가 됨
06	• i++에 의해 i는 6이 되고, i<=num은 거짓이기 때문에 for 문을 종료
09	• sum 값인 15를 출력

[해설]

07	• 사이즈가 9인 정수형 배열 a에 1, 2, 3, 4, 5, 6으로 초기화함
08	• a(&a[0])를 매개변수로하여 fn 함수를 호출
03	• 정수형 포인터 변수 a(*(&a[0])==a[0])가 가리키는 값인 1을 출력
04	• 정수형 포인터 변수 a의 2번째 뒤에 값이 가리키는 값인 3을 출력
09	• a+2(&a[2])를 매개변수로 하여 fn 함수를 호출
03	• 정수형 포인터 변수 a+2(*(&a[2])==a[2])가 가리키는 값인 3을 출력
04	• 정수형 포인터 변수 a+2의 2번째 뒤에 값이 가리키는 값인 5을 출력

▶ 21년 3회

05 다음은 C언어 코드이다. 출력 결과를 쓰시오.

01	#include <stdio.h>
02	int main(){
03	char a[4][10] = {"ABCD", "EFGH", "IJKL", "MNOP"};
04	char *p = *a;
05	int i;
06	int s = sizeof(a)/sizeof(a[0]);
07	for(i=0; i < s; i++){
08	printf("%c", p[i]);
09	}
10	return 0;
11	}

해설		
	04	• p = *a;이므로 p라는 포인터 변수에 *a가 저장 • a는 a[0]과 같으므로 "ABCD" 덩어리의 시작 주소를 의미
	06	• sizeof는 크기를 계산해주는 연산자로 sizeof(a)는 40이고, sizeof(a[0])은 10
	07~09	• for 문을 통해 *a인 "ABCD" 문자열의 0번지부터 3번지까지 출력하므로 ABCD가 출력

▶ 21년 2회

06 다음은 C언어 코드이다. 출력 결과를 쓰시오.

01	#include <stdio.h>
02	int main(){
03	int x = 7;
04	printf("%d", x<<2+1);
05	return 0;
06	}

해설		
	03	• x 변수에 7로 초기화
	04	• x<<2+1에서 +가 <<보다 우선순위가 높으므로 x<<2+1은 x<<3 • x 값인 7을 2진수로 변환하면 111이 되고, 왼쪽으로 3칸 시프트하게 되면 2진수로 111000이 됨 • 2진수 111000은 10진수로 56이므로 56이 출력

▶ 21년 3회

07 다음은 C언어 코드이다. 출력 결과를 쓰시오.

01	#include <stdio.h>
02	char fn(char* a){
03	return a[2];
04	}
05	int main(){
06	char b[6] = "ABCDE";
07	char r;
08	r = fn(b);
09	printf("%c", r);
10	return 0;
11	}

해설		
	06	• b[6] = "ABCDE";이므로 b[0]은 'A', b[1]은 'B', b[2]은 'C', b[3]은 'D', b[4]는 'E', b[5]는 NULL
	07	• r이라는 이름의 문자형 선언
	08	• fn(b)을 통해 b를 사용자 정의 함수인 fn에 넘김
	02~04	• a[2]는 시작 주소로부터 2칸 건너뛴 값이므로 b[2]에 해당하는 'C' 값이 되고, 'C'를 반환
	08	• r = fn(b) 코드에 의해 반환 값인 'C'를 r 변수에 대입
	09	• r 변수를 출력하므로 C가 출력

기출문제

▶ 18년 1회

08 다음은 C언어 코드이다. 코드와 출력 결과를 보고 밑줄 친 곳에 알맞은 코드를 작성하시오.

```
01  #include <stdio.h>
02  int main(){
03    int i, j;
04    for(i = 1; i <=   ①   ; i++){
05      for(j = 1; j <=   ②   ; j++)
06        printf("%d", j);
07      printf("\n");
08    }
09    return 0;
10  }
```

| 출력결과 |
```
1
12
123
1234
12345
```

①

②

> **해설**
> • for 문 중에 바깥쪽 for 문은 printf("\n");에 영향을 주고, 안쪽 for 문에서 5까지 출력하므로 i는 1부터 5까지 반복되어야 한다.
> • 안쪽 for 문은 첫 번째는 1만 출력하고, 두 번째는 1부터 2까지 출력, 세 번째는 1부터 3까지 출력하므로 바깥쪽 for 문의 횟수와 관련이 있기 때문에 1부터 i까지 반복되어야 한다.

▶ 18년 2회, 19년 1회

09 다음은 C언어 코드이다. 코드와 출력 결과를 보고 밑줄 친 곳에 알맞은 코드를 작성하시오.

```
01  #include <stdio.h>
02  int main(){
03    int i, j;
04    for(i=2; i<=3; i++){
05      for(j=1; j<=4; j++){
06        printf("%d * %d = %d\n",  ① ,  ② ,  ③ );
07      }
08    }
09    return 0;
10  }
```

| 출력결과 |
```
2 * 1 = 2
2 * 2 = 4
2 * 3 = 6
2 * 4 = 8
3 * 1 = 3
3 * 2 = 6
3 * 3 = 9
3 * 4 = 12
```

①

②

③

> **해설**
> • 바깥쪽 for 문에 의해 i=2인 상태에서 안쪽 for 문이 j=1부터 j<=4를 만족할 때까지 반복하게 된다.
> • 출력 결과에서 j는 1부터 4까지 변하는 동안 i는 변하지 않으므로 ①은 i, ②는 j가 되어야 한다.
> • ③은 i와 j를 곱한 결과이므로 i*j가 되어야 한다.

10 다음은 C언어 코드이다. 코드와 출력 결과를 보고 밑줄 친 곳에 알맞은 코드를 작성하시오.

```
01  #include <stdio.h>
02  int add(int i, int j){
03      return i+j;
04  }
05  int sub(int i, int j){
06      return i-j;
07  }
08  int main(){
09      int (*pf)(int, int);
10          ①    ;
11      printf("%d", pf(5, 4));
12          ②    ;
13      printf("%d", pf(5, 4));
14      return 0;
15  }
```

| 출력결과 |
| 91 |

①
②

해설 • pf는 함수 포인터로 int 변수 2개를 사용하는 사용자 정의 함수를 대신할 수 있다.
• pf = add를 하게 되면 add 함수를 pf라는 이름으로 호출할 수 있고, pf = sub를 하게 되면 sub 함수를 pf라는 이름으로 호출할 수 있다.

11 다음은 C언어이다. 출력 결과를 쓰시오.

```
01  #include <stdio.h>
02  int fn(int n){
03      int a;
04      if(n < 1){
05          return 2;
06      }
07      else{
08          a = fn(n-1) + 1;
09          printf("%d", a);
10          return a;
11      }
12  }
13  int main(){
14      fn(3);
15      return 0;
16  }
```

기출문제

▶ 17년 2회, 20년 1회

12 다음은 C언어에서 팩토리얼을 구하는 함수를 구현하려고 한다. 밑줄 친 곳에 알맞은 코드를 작성하시오.

01	#include <stdio.h>
02	int fn(int n){
03	if(①)
04	return 1;
05	else
06	return ② ;
07	}
08	int main(){
09	printf("%d", fn(5));
10	return 0;
11	}

| 출력결과 |
| 91 |

① _____

② _____

해설 • fn 함수는 만약 n이 1보다 작거나 같으면 1을 리턴하고, 그렇지 않을 경우 n*fn(n-1)을 리턴한다.

fn 함수	재귀호출된 fn 함수
fn(5)	5*fn(4) = 5*24 = 120
fn(4)	4*fn(3) = 4*6 = 24
fn(3)	3*fn(2) = 3*2 = 6
fn(2)	2*fn(1) = 2*1 = 2
fn(1)	1*fn(0) = 1*1 = 1
fn(0)	1

해설

13	• main 함수에서 프로그램 시작함
14	• 매개변수를 3으로 전달하여 fn함수를 호출
02	• 매개변수 n에 3을 전달하여 fn 함수를 실행
03	• 정수형 변수 a 선언
04	• 매개변수로 전달받은 n은 3이므로, n<1은 3<1이 되어 거짓이므로 else 문을 실행함
08	• else 구문을 실행함 • fn(3-1) + 1 값을 a에 대입해야 하므로 fn(3-1)인 fn(2)를 재귀호출함
02	• 매개변수 n에 2를 전달하여 fn 함수를 실행
03	• 정수형 변수 a 선언
04	• 매개변수로 전달받은 n은 2이므로, n<1은 2<1이 되어 거짓이므로 else 문을 실행함
08	• else 구문을 실행함 • fn(2-1) + 1 값을 a에 대입해야 하므로 fn(2-1)인 fn(1)를 재귀호출함
02	• 매개변수 n에 1를 전달하여 fn 함수를 실행
03	• 정수형 변수 a 선언
04	• 매개변수로 전달받은 n은 1이므로, n<1은 1<1이 되어 거짓이므로 else 문을 실행함
08	• else 구문을 실행함 • fn(1-1) + 1 값을 a에 대입해야 하므로 fn(1-1)인 fn(0)를 재귀호출함
02	• 매개변수 n에 0을 전달하여 fn 함수를 실행
03	• 정수형 변수 a 선언
04	• 매개변수로 전달받은 n은 0이므로, n<1은 0<1이 되어 참이므로 05번 라인을 실행함
05	• 2를 리턴함
08-10	• a = fn(0)+1에서 fn(0)은 2이므로 a는 2+1이 되어 3이됨 • printf 함수를 이용하여 3을 화면에 출력함 • 3을 리턴함
08-10	• a = fn(1)+1에서 fn(1)은 3이므로 a는 3+1이 되어 4가됨 • printf 함수를 이용하여 4를 화면에 출력함 • 4를 리턴함
08-10	• a = fn(2)+1에서 fn(2)은 4이므로 a는 4+1이 되어 5가됨 • printf 함수를 이용하여 5를 화면에 출력함 • 5를 리턴함
15	• main 함수에서 0을 리턴(정상 종료됨을 의미함)하며 프로그램이 종료함

▶ 17년 3회, 20년 3회

13 다음은 C언어에서 피보나치 수를 구하는 함수를 구현하려고 한다. 밑줄 친 곳에 알맞은 코드를 작성하시오.

> 피보나치 수는 처음 두 항을 1과 1로 한 후, 그 다음 항부터는 바로 앞의 2개의 항을 더해 만드는 수이다. fn(0) = 0, fn(1) = 1, fn(2) = 1, fn(3) = 2, …

```
01   #include <stdio.h>
02   int fn(int n){
03     if( n == 0 )
04       return 0;
05     else if( n == 1 )
06       return  ① ;
07     else
08       return  ② ;
09   }
10   int main(){
11     printf("%d", fn(8));
12     return 0;
13   }
```

| 출력결과 |
| 21 |

①

②

> **해설**
> • fn이라는 함수는 피보나치 수열을 계산하는 함수로 n이 1일 때, 첫 번째 수열 값인 1이 반환되어야 한다.
> • n이 1일 때 else if(n==1)에 있는 return이 실행되고, 1을 반환해야 하므로 return 1이 되어야 한다.
> • n이 2 이상일 때 else에 있는 return이 실행되고, 피보나치 수열은 앞의 2개 항을 더한 수이므로 바로 앞의 값인 fn(n-1)과 앞의 앞 값인 fn(n-2)를 더한 값을 반환해야 한다.

▶ 20년 2회

14 다음은 C언어이다. 출력 결과를 쓰시오.

```
01   #include <stdio.h>
02   int fn(int n){
03     printf("%d", n);
04     if(n < 1)
05       return 5;
06     else
07       return 2*fn(n-1)+1;
08   }
09   int main(){
10     int n;
11     n = fn(5);
12     printf("%d", n);
13   }
```

기출문제

▶ 21년 1회, 2회

15 다음은 C언어이다. 출력 결과를 쓰시오.

```
01  #include <stdio.h>
02  void fn(int n){
03      if(n > 1)
04          fn(n-1);
05      printf("%d", n);
06  }
07  int main(){
08      fn(4);
09      return 0;
10  }
```

해설

07	• main 함수에서 프로그램 시작함
08	• fn(4) 함수를 호출함
02	• 매개변수 n에 4를 전달하여 fn 함수를 실행함
03~04	• n>1에서 n은 4이므로 4>1은 참이되어 fn(4-1)을 호출함
02	• 매개변수 n에 3를 전달하여 fn 함수를 실행함
03~04	• n>1에서 n은 3이므로 3>1은 참이되어 fn(3-1)을 호출함
02	• 매개변수 n에 2를 전달하여 fn 함수를 실행함
03~04	• n>1에서 n은 2이므로 2>1은 참이되어 fn(2-1)을 호출함
02	• 매개변수 n에 1을 전달하여 fn 함수를 실행함
03~04	• n>1에서 n은 1이므로 1>1은 거짓이되어 if 문을 종료함
05	• fn(2-1)에서 n값인 1을 화면에 출력함
05	• fn(3-1)에서 n값인 2을 화면에 출력함
05	• fn(4-1)에서 n값인 3을 화면에 출력함
05	• fn(5-1)에서 n값인 4을 화면에 출력함
09	• main 함수에서 0을 리턴(정상종료됨을 의미함)하며 프로그램이 종료함

해설

09	• main 함수에서 프로그램 시작함
10	• 정수형 변수 n을 선언함
11	• 매개변수로 5를 전달하여 fn함수를 호출함
02	• 매개변수 n에 5를 전달받아 fn 함수를 실행함
03	• n 값인 5를 화면에 출력함
04~06	• n<1에서 n이 5이므로 5<1이 되어 거짓이 되므로 else 문을 실행함
07	• 2*fn(5-1)+1를 실행함 • fn(5-1)이 실행 되어 fn(4)를 호출함
02	• 매개변수 n에 4를 전달받아 fn 함수를 실행함
03	• n 값인 4를 화면에 출력함
04~06	• n<1에서 n이 4이므로 4<1이 되어 거짓이 되므로 else 문을 실행함
07	• 2*fn(4-1)+1를 실행함 • fn(4-1)이 실행되어 fn(3)를 호출함
02	• 매개변수 n에 3를 전달받아 fn 함수를 실행함
03	• n 값인 3을 화면에 출력함
04~06	• n<1에서 n이 3이므로 3<1이 되어 거짓이 되므로 else 문을 실행함
07	• 2*fn(3-1)+1를 실행함 • fn(3-1)이 실행되어 fn(2)를 호출함
02	• 매개변수 n에 2를 전달받아 fn 함수를 실행함
03	• n 값인 2를 화면에 출력함
04~06	• n<1에서 n이 2이므로 2<1이 되어 거짓이 되므로 else 문을 실행함
07	• 2*fn(2-1)+1을 실행함 • fn(2-1)가 실행되어 fn(1)을 호출함
02	• 매개변수 n에 1을 전달받아 fn 함수를 실행함
03	• n 값인 1을 화면에 출력함
04~06	• n<1에서 n이 1이므로 1<1이 되어 거짓이 되므로 else 문을 실행함
07	• 2*fn(1-1)+1을 실행함 • fn(1-1)가 실행되어 fn(0)을 호출함
02	• 매개변수 n에 0을 전달받아 fn 함수를 실행함
03	• n 값인 0을 화면에 출력함
04~05	• n<1에서 n이 0이므로 0<1이 되어 참이 되므로 5를 리턴함
07	• 2*fn(1-1)+1에서 fn(0)은 5이므로 2*5+1이 되어 11을 리턴함
07	• 2*fn(2-1)+1에서 fn(1)은 11이므로 2*11+1이 되어 23을 리턴함
07	• 2*fn(3-1)+1에서 fn(2)은 23이므로 2*23+1이 되어 47을 리턴함
07	• 2*fn(4-1)+1에서 fn(3)은 47이므로 2*47+1이 되어 95를 리턴함
07	• 2*fn(5-1)+1에서 fn(4)은 95이므로 2*95+1이 되어 191을 리턴함
11	• fn(5)값인 191을 n에 대입함
12	• 191을 화면에 출력함

▶ 21년 1회, 2회

16 다음은 C언어 코드이다. 7을 입력받을 때 출력 결과를 쓰시오.

01	#include <stdio.h>
02	int main()
03	int num, cnt=0, i;
04	scanf("%d", &num);
05	for(i=2; i<=num/2; i++){
06	if(num % 1 == 0)
07	cnt++;
08	}
09	printf("%d", cnt);
10	return 0;
11	}

해설

03	• 정수형 변수 num을 선언함 • 정수형 변수 cnt는 선언과 동시에 1를 0으로 초기화함 • 정수형 변수 i를 선언함
05	• scanf 함수를 호출하여 키보드로부터 7을 입력 받고 그 값을 num 이라는 변수에 저장함
05	• i는 2부터 i가 num/2보다 작거나 같을 때까지 1씩 증가하면서 반복을 함 • num은 7이므로 num/2는 3이 됨 • i는 2이고, 2는 3보다 작으므로 참이되어 if 문을 수행함
06~08	• num은 7이므로 7과 1의 나머지는 0이 되어 참이 되며, cnt++을 실행하여 cnt는 1이 됨
05	• i는 3이고, 3은 3보다 작거나 같으므로 참이되어 if 문을 수행함
06~08	• num은 7이므로 7과 1의 나머지는 0이 되어 참이 되며, cnt++을 실행하여 cnt는 2가 됨
05	• i는 4이고, 4는 3보다 크므로 거짓이되어 반복문을 탈출함
09	• cnt는 2이므로 2가 출력됨

▶ 22년 1회

17 다음은 C언어 코드이다. 출력 결과를 쓰시오.

01	#include <stdio.h>
02	int main(){
03	int n=3;
04	int r=0, i;
05	for(i=1; i<10; i=i+2)
06	r = r + n * i;
07	printf("%d", r);
08	return 0;
09	}

해설

03	• 정수형 변수 n을 선언하고 3을 대입함
05~06	• i=1일 때, r=0, n=3이므로 r=0+3*1=3이 됨
05~06	• 증감식이 i=i+2이므로 i는 3이 되고, i=3일 때, r=3, n=3이므로 r=3+3*3=12가 됨
05~06	• 증감식이 i=i+2이므로 i는 5가 되고, i=5일 때, r=12, n=3이므로 r=12+3*5=27이 됨
05~06	• 증감식이 i=i+2이므로 i는 7이 되고, i=7일 때, r=27, n=3이므로 r=27+3*7=48이 됨
05~06	• 증감식이 i=i+2이므로 i는 9가 되고, i=9일 때, r=48, n=3이므로 r=48+3*9=75가 됨
07	• r은 75이므로 75가 출력됨

기출문제

▶ 22년 1회

18 다음은 C언어 소스 코드이다. 출력 결과를 쓰시오.

```
01  #include <stdio.h>
02  int main(){
03    int n1=22;
04    int n2=15;
05    n1^=n2;
06    n2^=n1;
07    n1^=n2;
08    printf("%d %d", n1, n2);
09    return 0;
10  }
```

해설

03	• n1은 22로 초기화
04	• n2는 15로 초기화
05	• n1 ^= n2;은 n1 = n1 ^ n2와 같은데, n1 ^ n2를 비트 단위로 XOR 연산한 결과를 n1에 저장 • 22는 2진수로 10110, 15는 2진수로 1111이므로 XOR 연산을 하면 다음과 같음 　　1　0　1　1　0 XOR　0　1　1　1　1 　　1　1　0　0　1 • 11001은 10진수로 25가 되므로 n1 ^= n2;을 수행하면 n1=25, n2=15
06	• n2 ^= n1;은 n2 = n1 ^ n2와 같은데, n1 ^ n2를 비트 단위로 XOR 연산한 결과를 n1에 저장 • 25는 2진수로 11001, 15는 2진수로 1111이므로 XOR 연산을 하면 다음과 같음 　　1　1　0　0　1 XOR　0　1　1　1　1 　　1　0　1　1　0 • 10110은 10진수로 22가 되므로 n2 ^= n1;을 수행하면 n1=25, n2=22
07	• n1 ^= n2;은 n1 = n1 ^ n2와 같은데, n1 ^ n2를 비트 단위로 XOR 연산한 결과를 n1에 저장 • 25는 2진수로 11001, 22는 2진수로 10110이므로 XOR 연산을 하면 다음과 같음 　　1　1　0　0　1 XOR　1　0　1　1　0 　　0　1　1　1　1 • 1111은 10진수로 15가 되므로 n1 ^= n2;을 수행하면 n1=15, n2=22
08	• n1 값인 15와 n2 값인 22를 출력

▶ 22년 1회

19 다음은 C언어 소스 코드이다. 출력 결과를 쓰시오.

```
01  #include <stdio.h>
02  int main(){
03    int num=35;
04    int evencnt=0, oddcnt=0;
05    int i;
06    for(i=1; i<=num; i++){
07      if(i%2 == 0)
08        evencnt++;
09      else
10        oddcnt++;
11    }
12    printf("%d %d", evencnt, oddcnt);
13    return 0;
14  }
```

해설

03	• 정수형 변수 num을 선언하고 35를 대입
04	• 정수형 변수 evencnt를 선언하고 0을 대입 • 정수형 변수 oddcnt를 선언하고 0을 대입
05	• 정수형 변수 i를 선언
06	• i는 1부터 35까지 반복 • i는 1이고 num인 35보다 작으므로 아래 if 문을 수행함
07~10	• i%2 == 0은 i가 2로 나누었을 때 나머지가 0(짝수)이면 evencnt를 1 증가 • i%2 == 0가 거짓(홀수)이면 oddcnt를 1 증가 • i는 1이므로 1%2는 1이되므로 if 문은 거짓이 되어 이 실행되어 oddcnt++를 실행하여 oddcnt는 1이 됨
11	• 반복이 완료되어 다시 06번으로 올라감
06	• i는 2이고 num인 35보다 작으므로 아래 if 문을 수행함
07~10	• i는 2이므로 2%2는 0이 되므로 if 문은 참이 되어 evencnt++를 실행하여 evencnt는 1이 됨
11	• 반복이 완료되어 다시 06번으로 올라감
06	• i는 3이고 num인 35보다 작으므로 아래 if 문을 수행함
07~10	• i는 3이므로 3%2는 1이되므로 if 문은 거짓이 되어 else 문이 실행되어 oddcnt++를 실행하여 oddcnt는 2가 됨
11	• 반복이 완료되어 다시 06번으로 올라감
12	• 1~35에서 짝수는 17개, 홀수는 18개이므로 evencnt=17, oddcnt=18이기 때문에 17 18을 출력

20 다음 C언어 출력 결과를 쓰시오　　▶ 22년 2회

```
01  #include <stdio.h>
02  int main(){
03    int a=27, b=12, sum=0, g=0, i;
04    for(i=b; i>0; i--){
05      if(a % i == 0 && b % i == 0){
06        g = i;
07        break;
08      }
09    }
10    sum = a*b/g;
11    printf("%d", sum + g);
12    return 0;
13  }
```

해설	
03	• 정수형 변수 a를 선언하고 27을 대입함 • 정수형 변수 b를 선언하고 12를 대입함 • 정수형 변수 sum을 선언하고 0을 대입함
04	• i는 b를 대입하고 i가 0보다 클 때까지 i를 1씩 감소하며 반복을 수행함 • i는 12부터 1까지 1씩 감소하면서 반복을 수행함
05~08	• a를 i로 나누었을 때 나머지가 0 이면서 b를 i로 나누었을 때 0인 경우 다음 문장을 수행함 • i가 12이면 27%12은 3이고, 12%12도 0이므로 if 조건이 거짓이되어 다음 반복을 수행함 • i가 11이면 27%11은 5이고, 12%11도 1이므로 if 조건이 거짓이되어 다음 반복을 수행함 ... 중략 ... • i가 3이면 27%3은 0이고, 12%3도 0이므로 if 조건이 참이되어 g에 i 값을 대입하고 break 문을 만나서 for 문을 탈출함
10	• a는 27, b는 12, g는 3이므로 sum에 27*12/3인 108을 저장함
11	• 108+3인 111을 출력

21 다음 C언어 출력 결과를 쓰시오　　▶ 22년 2회

```
01  #include <stdio.h>
02  int main(){
03    int a = 27, sum = 0, i;
04    for(i=0; i<=10; i++){
05      if(i%2 == 1)
06        continue;
07      sum += i;
08    }
09    printf("%d", sum + i);
10    return 0;
11  }
```

해설	
03	• a, sum, i 변수를 선언하고, a는 27, sum은 0으로 초기화
04	• for 문을 통해 i=0부터 10까지 1씩 증가하고 i%2가 1인 경우(홀수인 경우)는 continue 문을 만나 다음 반복을 진행하고, i%2가 1이 아닌 경우(짝수인 경우)에 sum += i;을 실행하여 sum 값은 0+2+4+6+8+10인 30이 저장 • for 문에서 i는 i<=10을 만족할 때까지 반복하게 되고, i가 11일 때 i<=10을 만족하지 않아 for 문을 탈출하므로 i는 11이 됨
05	• sum은 30, i는 11이므로 30+11인 41을 출력

기출문제

▶ 22년 2회

22 다음 C언어 출력 결과를 쓰시오.

```
01  #include <stdio.h>
02  int main(){
03    int a[5] = {0}, sum = 0;
04    int max = 12, min = 0, i;
05    float avg = 0;
06    for(i=0; i<5; i++){
07      a[i] = (i+1)*(i+1);
08      sum += a[i];
09    }
10    for(i=0; i<5; i++){
11      if(max < a[i])
12        max = a[i];
13      if(min > a[i])
14        min = a[i];
15    }
16    avg = (sum-max-min)/4.0;
17    printf("%.2f", avg);
18    return 0;
19  }
```

해설		
	03	• 정수형 배열 a를 선언 • 정수형 변수 sum을 선언하고 0을 대입
	04	• 정수형 변수 max 선언하고 12를 대입 • 정수형 변수 min 선언하고 0을 대입 • 정수형 변수 i을 선언
	05	• 실수형 변수 avg 을 선언하고 0을 대입
	06~09	• i는 0부터 5보다 작을 때까지 i를 1씩 증가하면서 반복을 수행함 • i가 0이면 a[0]은 (0+1)*(0+1)인 1이 저장되고, sum에 1이 더해져 sum은 1이 됨 • i가 1이면 a[1]은 (1+1)*(1+1)인 4가 저장되고, sum에 4가 더해져 sum은 5가 됨 • i가 2이면 a[2]는 (2+1)*(2+1)인 9가 저장되고, sum에 9가 더해져 sum은 14가 됨 • i가 3이면 a[3]은 (3+1)*(3+1)인 16이 저장되고, sum에 16이 더해져 sum은 30이 됨 • i가 4이면 a[4]는 (2+1)*(2+1)인 25가 저장되고, sum에 25가 더해져 sum은 55가 됨
	10~15	• for 문은 i가 0부터 5 미만까지 동작함 • 만약 a[i]가 max보다 크면 max 값을 a[i]로 대입 • a[i]가 min보다 작으면 min 값을 a[i]로 대입 • (a[i]는 min보다 크므로 조건문은 항상 거짓이기 때문에 min = a[i]는 실행되지 않음 • 반복문을 동작하면 max는 a에서 가장 큰 값인 25가 되고, min은 0이 됨
	16	• (55-25-0)을 4.0으로 나눈 값인 7.5가 avg에 저장됨
	17	• %.2f는 실수를 소수점 2자리로 출력하라는 의미이므로 7.50이 출력됨

▶ 22년 2회

23 다음 C언어 출력 결과를 쓰시오.

```
01  #include <stdio.h>
02  #include <math.h>
03  void number(int *a){
04    int i;
05    for(i=0; i<5; ){
06      a[i] = i+2+i*2;
07      if(a[i] > 1) i++;
08    }
09  }
10  int checkN(int data){
11    int i=(int)sqrt(data);
12    int j=2;
13    while(j <= i){
14      if(data % j == 0)
15        return 0;
16      j++;
17    }
18    return 1;
19  }
20  int main(){
21    int s[5];
22    int i;
23    number(s);
24    for(i=0; i<5; i++){
25      printf("%d", checkN(s[i]));
26    }
27    return 0;
28  }
```

해설		
	20	• main 함수부터 프로그램 시작
	21	• 사이즈가 5인 정수형 배열 변수 s 선언함
	22	• 정수형 변수 i를 선언
	23	• number(s)를 호출함
	03~08	• for 문은 i=0부터 시작하고 i<5를 만족할 때까지 실행 • a[i]는 a가 가리키는 i번째 값이므로 a[i]값이 바뀌면 s 배열의 값도 같이 바뀜 • a[0]은 0+2+0*2인 2가 되고, a[0]은 1보다 크므로 i++에 의해 i가 1이 됨 • a[1]은 1+2+1*2인 5가 되고, a[1]은 1보다 크므로 i++에 의해 i가 2가 됨 • a[2]는 2+2+2*2인 8이 되고, a[2]은 1보다 크므로 i++에 의해 i가 3이 됨 • a[3]은 3+2+3*2인 11이 되고, a[3]은 1보다 크므로 i++에 의해 i가 4가 됨 • a[4]는 4+2+4*2인 14가 되고, a[4]는 1보다 크므로 i++에 의해 i가 5가 됨 • i가 5가 되면 for 문의 i<5를 만족하지 않으므로 for 문을 탈출
	09	• 리턴 타입이 void이므로 리턴값은 없고, number 함수를 호출하였던 23번 라인으로 리턴함
	24	• i는 0부터 5보다 작을때까지 1씩 증가하면서 반복을 수행 • i는 0이므로 5보다 작으므로 문장 수행
	25	• s[0]을 매개변수로 전달하여 checkN 함수를 호출
	10~19	• checkN(s[0]) 함수를 실행 • s[0]은 2이므로 data는 2가 됨 • sqrt(2)는 1.XX이므로 i는 1이 되고, while 문의 j<=i 가 2<=1로 거짓이기 때문에 while 문을 빠져나와 return 1에 의해 1을 반환
	24	• i는 1이므로 5보다 작으므로 문장 수행
	25	• s[1]을 매개변수로 전달하여 checkN 함수를 호출
	10~19	• s[1]은 5이므로 data는 5가 됨 • sqrt(5)는 2.XX이므로 i는 2가 되고, while 문의 j<=i 가 2<=2로 참이기 때문에 while 문을 실행 • if(data%j==0)에서 data%j인 5%2는 1이므로 거짓이 되어, if 문을 실행하지 않고, j++을 통해 j는 3이 됨 • while 문의 j<=i인 3<=2가 거짓이므로 return 1에 의해 1을 반환
	24	• i는 2이므로 5보다 작으므로 문장 수행
	25	• s[2]을 매개변수로 전달하여 checkN 함수를 호출
	10~19	• s[2]은 8이므로 data는 8이 됨 • sqrt(8)은 2.XX이므로 i는 2가 되고, while 문의 j<=i 가 2<=2로 참이기 때문에 while 문을 실행 • if(data%j==0)에서 data%j인 8%2는 0으로 참이기 때문에 return 0에 의해 0을 반환
	24	• i는 3이므로 5보다 작으므로 문장 수행

	25	• s[3]을 매개변수로 전달하여 checkN 함수를 호출
	10~19	• s[3]은 11이므로 data는 11이 됨 • sqrt(11)은 3.XX이므로 i는 3이 되고, while 문의 j<=i 가 2<=3으로 참이기 때문에 while 문을 실행 • if(data%j==0)에서 data%j인 11%2는 거짓이므로 j++에 의해 j가 3으로 바뀌고, while 문의 j<=i가 3<=3으로 참이기 때문에 while 문을 계속 실행 • if(data%j==0)에서 data%j인 11%3은 거짓이므로 j++에 의해 j가 4로 바뀌고, while 문의 j<=i가 4<=3으로 거짓이기 때문에 while 문을 빠져나오고 return 1에 의해 1을 반환
	24	• i는 4이므로 5보다 작으므로 문장 수행
	25	• s[4]을 매개변수로 전달하여 checkN 함수를 호출
	10~19	• s[4]은 14이므로 data는 14이 됨 • sqrt(14)은 3.XX이므로 i는 3이 되고, while 문의 j<=i 가 2<=3으로 참이기 때문에 while 문을 실행 • if(data%j==0)에서 data%j인 14%2는 0으로 참이기 때문에 return 0에 의해 0을 반환
	24	• i는 5이므로 i<5에서 5와 같으므로 반복을 종료함
	27	• 프로그램 종료

기출문제

▶ 22년 2회

24 다음 C언어 출력 결과를 쓰시오.

```
01  #include <stdio.h>
02  int main(){
03    char a[3][5] = {"KOR", "HUM", "RES"};
04    char *pa[3] = {a[0], a[1], a[2]};
05    int i = 0;
06    int count;
07    count = sizeof(pa) / sizeof(pa[0]);
08    for(i=0; i<count; i++){
09      printf("%c", pa[i][i]);
10    }
11    return 0;
12  }
```

해설	
03	• a는 2차원 문자열 배열이므로 a[0]에 'KOR'이 저장되고, a[1]에 'HUM', a[2]에 'RES'이 저장된다.
04	• char* pa에 3개의 배열을 잡았으므로 pa[0]에 a[0]을, pa[1]에 a[1]을, pa[2]에 a[2]를 저장한다. |	[0]	[1]	[2]	[3]	[4] | |---|---|---|---|---|---| | a[0] == pa[0] | K | O | R | \0 | | | a[1] == pa[1] | H | U | M | \0 | | | a[2] == pa[2] | R | E | S | \0 | |
05	• 정수형 변수 i를 선언하고 0을 대입
06	• 정수형 변수 count를 선언
07	• sizeof(pa) / sizeof(pa[0])를 count에 대입함 • sizeof(pa)는 3, sizeof(pa[0])는 1 이므로 3/1인 3을 count에 대입함
08~10	• i는 0부터 count값인 3보다 작을 때까지 1씩 증가하며 반복을 수행함 • pa[0][0]의 값인 'K', pa[1][1]의 값인 'U', pa[2][2]의 값인 'S'를 화면에 출력함

▶ 23년 1회

25 다음은 퀵 정렬에 대한 C언어 코드이다. [출력 결과]에 맞게 동작하도록 밑줄 친 곳에 알맞은 코드를 작성하시오.

```
# include <stdio.h>
void quickSort(int data[], int start, int end) {
  int left = start, right = end;
  int pivot = data[(start + end) / _____];
  int temp;

  do{
    while (data[left] < pivot)
      left++;
    while (data[right] > pivot)
      right--;

    if (left<= right){
      temp = data[left];
      data[left] = data[right];
      data[right] = temp;

      left++;
      right--;
    }
  } while (left<= right);

  if (start < right)
    quickSort(data, start, right);

  if (left < end)
    quickSort(data, left, end);
}

int main(){
  int i;
  int data[] = {100, 26, 37, 14, 22, 98, 11};

  quickSort(data, 0, 6);

  for(i=0; i<7; i++)
    printf("%d ", data[i]);
  return 0;
}
```

| 출력결과 |
| 11 14 22 26 37 98 100 |

해설 ・퀵 정렬은 피벗을 두고 피벗의 왼쪽에는 피벗보다 작은 값을, 오른쪽에는 큰 값을 두는 과정을 반복하는 알고리즘이다.

코드	설명
| ```c
void quickSort(int data[], int start, int end) {
    int left = start, right = end;
    int pivot = data[(start + end) / 2];
    int temp;
    do{
        while (data[left] < pivot)
            left++;
        while (data[right] > pivot)
            right--;
        if (left<= right){
            temp = data[left];
            data[left] = data[right];
            data[right] = temp;
            left++;
            right--;
        }
    } while (left <= right);
    if (start < right)
        quickSort(data, start, right);
    if (left < end)
        quickSort(data, left, end);
}
``` | ・data는 정렬하는 데이터이고, start는 data에서 정렬하고자하는 시작 인덱스, end는 data의 끝 인덱스<br>・left는 data의 왼쪽에서 오른쪽으로 읽기 위한 변수, right는 data의 오른쪽에서 왼쪽으로 읽기 위한 변수<br>・pivot(중심축)을 데이터의 가운데 요소로 하기 위해 시작 인덱스와 끝 인덱스를 2로 나눈 인덱스의 값을 둠<br>・pivot보다 작은 인덱스의 값에서 pivot보다 큰 값을 찾음<br>・pivot보다 큰 인덱스의 값에서 pivot보다 작은 값을 찾음<br>・left는 pivot보다 작은 인덱스 중 pivot보다 큰 값, right는 pivot보다 큰 인덱스 중 pivot보다 작은 값이므로 서로 교환<br>・left, right 인덱스의 값을 교환하면 pivot의 왼쪽에 있는 left 인덱스값은 pivot보다 작고, pivot의 오른쪽에 있는 right 인덱스값은 pivot보다 크기 때문에 left는 1 증가, right는 1 감소시킴<br>・pivot 왼쪽의 모든 data들이 pivot보다 작거나 pivot 오른쪽의 모든 data들이 pivot보다 크면 left <= right가 거짓이 되어 반복문 탈출<br>・start<right를 만족하면 start부터 right까지 data를 quickSort 함수를 통해 정렬시킴<br>・left<end를 만족하면 left부터 end까지 data를 quickSort 함수를 통해 정렬시킴 |
| ```c
int main(){
    int i;
    int data[] = {100, 26, 37, 14, 22, 98, 11};
    quickSort(data, 0, 6);

    for(i=0; i<7; i++)
        printf("%d ", data[i]);
    return 0;
}
``` | ・quickSort 함수를 호출할 때 data는 0번지부터 6번지까지 있으므로 0, 6을 전달 인자로 전달<br>・quickSort 함수를 호출하고 나면 data는 정렬되는데, data의 0번지부터 6번지의 값을 출력 |

기출문제

▶ 23년 1회

26 다음은 C언어 코드이다. 빈칸에 알맞은 코드를 작성하시오. (코드는 최대한 간결하게 작성하시오.)

```
#include <stdio.h>

int SumNTo1(int n){
  if(n <= 1) return 1;
  else return n+_____;
}

int main(){
  printf("%d", SumNTo1(100));
  return 0;
}
```

해설
- SumNTo1(100)을 호출하면 SumNTo1에서 n은 100이므로 return n+_____를 실행하게 된다. 1~100의 값을 더하기 위해서는 밑줄에 1~99까지의 합이 나와야 하므로 재귀함수를 이용해 SumNTo1(n−1)인 SumNTo1(99)가 되도록 하면 된다.
- SumNTo1(99)를 호출하면 SumNTo1에서 n은 99이므로 return n+_____를 실행하게 된다. 1~99의 값을 더하기 위해서는 밑줄에 1~98까지의 합이 나와야 하므로 SumNTo1(98)을 호출한다.
  …
- SumNTo1(2)를 호출하면 SumNTo1에서 n은 2이므로 return n+_____를 실행하게 된다. 1~2의 값을 더하기 위해서는 밑줄에 1의 합이 나와야 하므로 SumNTo1(1)을 호출한다.
- SumNTo1(1)을 호출하면 SumNTo1에서 n은 1이므로 return 1이 호출되어 1을 반환한다.

▶ 23년 1회

27 다음은 1부터 입력한 값까지 제곱의 합을 더하는 프로그램이다. 5를 입력했을 때 55가 출력될 수 있도록 빈칸에 알맞은 코드를 작성하시오.

```
#include <stdio.h>

int fn(int n){
  if(n<=0) return 0;
  return n*n+fn(_____);
}

int main(){
  int i;
  scanf("%d", &i);
  printf("%d", fn(i));
  return 0;
}
```

해설
- scanf를 통해 i 변수에 5를 입력받고, fn(5)를 호출하면 fn에서 n은 5이므로 return 5*5+fn(___)를 실행하게 된다.
- 1부터 입력한 값인 5까지 제곱의 합을 구해야 하는데, fn(5)은 5*5+fn(___)를 반환하므로 5의 제곱값이 구해졌기 때문에 fn(___)에 의해 1부터 4까지 제곱합을 구하면 되므로 밑줄에 n−1을 넣으면 된다.
- 밑줄에 n−1을 넣었을 때 fn(5)는 5*5+fn(4)가 되고, fn(4)는 4*4+fn(3)이 되고, fn(3)은 3*3+fn(2)가 되고, fn(2)는 2*2+fn(1)이 되고, fn(1)은 1*1+fn(0)이 되고, fn(0)은 return 0이 되므로 fn(1)은 1*1+0인 1*1이 되고, fn(2)는 2*2+1*1이 되고, fn(3)은 3*3+2*2+1*1이 되고, fn(4)는 4*4+3*3+2*2+1*1이 되고, fn(5)는 5*5+4*4+3*3+2*2+1*1가 된다.

28 다음은 C언어 프로그램이다. 출력 결과를 쓰시오. ▶ 23년 2회

```c
#include <stdio.h>
int main() {
  int n = 55;
  int division = 4;
  int remainder = 0, quotient = 0;
  remainder = n;
  while(remainder >= division) {
    remainder = remainder - division;
    quotient++;
  }
  printf("%d 그리고 ", quotient);
  printf("%d", remainder);
  return 0;
}
```

해설	03	정수형 변수 n을 선언하고 55로 초기화
	04	정수형 변수 division을 선언하고 4로 초기화
	05	정수형 변수 remainder, quotient를 선언하고 0으로 초기화
	06	remainder에 n의 값을 대입
	07	remainder가 division보다 크거나 같은 동안 반복하는 while문
	08	remainder - division 값을 remainder에 대입
	09	quotient 값을 1 증가
	11	숫자 55를 4로 나눈 몫 "13 그리고 "를 출력 (개행하지 않음)
	12	3을 출력

29 다음은 C언어 프로그램이다. 출력 결과를 쓰시오. ▶ 23년 2회

```c
#include <stdio.h>
void selection(int arr[], int n) {
  int i, j, min_idx, temp;
  for (i = 0; i < n - 1; i++) {
    min_idx = i;
    for (j = i + 1; j < n; j++) {
      if (arr[j] < arr[min_idx])
        min_idx = j;
    }
    temp = arr[i];
    arr[i] = arr[min_idx];
    arr[min_idx] = temp;
  }
}
int main() {
  int arr[] = {2, 4, 7, 1};
  int i;
  int n = 4;

  selection(arr, n);

  for (i = 0; i < n; i++){
    printf("%d", arr[i]);
  }
  return 0;
}
```

기출문제

해설		
	15	• main 함수부터 시작
	16~18	• 배열 arr, 변수 i, n을 선언 • n은 4로 초기화
	20	• selection 함수에 arr 배열과 n값인 4를 인자로 전달하고 호출
	02	• selection 함수 수행
	03	• 정수형 변수 i, j, min_idx, temp 선언
	04	• 초기식에 의해 i=0이고, i < n − 1이면 0<3이기 때문에 참이 되어 반복문 수행
	05	• i 값인 0을 min_idx 변수에 저장
	06~08	• 초기식이 j=i+1이므로 j=1이 되고, j<n를 만족할 때까지 반복 • j=1일 때 arr[1] < arr[0]은 거짓, j=2일 때 arr[2] < arr[0]은 거짓 • j=3일 때 arr[3] < arr[0]은 참이므로 min_idx는 3이 됨
	10~12	• arr[i]와 arr[min_idx] 값을 교환 | arr[0] | arr[1] | arr[2] | arr[3] | |---|---|---|---| | 1 | 4 | 7 | 2 |
	04	• 증감식에 의해 i=1이고, i < n − 1이면 1<3이기 때문에 참이 되어 반복문 수행
	05	• i 값인 1을 min_idx 변수에 저장
	06~08	• 초기식이 j=i+1이므로 j=2가 되고, j<n를 만족할 때까지 반복 • j=2일 때 arr[2] < arr[1]은 거짓 • j=3일 때 arr[3] < arr[1]은 참이므로 min_idx는 3이 됨
	10~12	• arr[i]와 arr[min_idx] 값을 교환 | arr[0] | arr[1] | arr[2] | arr[3] | |---|---|---|---| | 1 | 2 | 7 | 4 |
	04	• 증감식에 의해 i=2이고, i < n − 1이면 2<3이기 때문에 참이 되어 반복문 수행
	05	• i 값인 2를 min_idx 변수에 저장
	06~08	• 초기식이 j=i+1이므로 j=3이 되고, j<n를 만족할 때까지 반복 • j=3일 때 arr[3] < arr[2]은 참이므로 min_idx는 3이 됨
	10~12	• arr[i]와 arr[min_idx] 값을 교환 | arr[0] | arr[1] | arr[2] | arr[3] | |---|---|---|---| | 1 | 2 | 4 | 7 |
	04	• 증감식에 의해 i=3이고, i < n − 1이면 3<3이기 때문에 거짓이 되어 반복문 종료
	22~24	• arr[0] ~ arr[3] 값을 출력

▶ 23년 2회

30 다음은 C언어 코드이다. 출력 결과를 쓰시오. (답안의 점선은 답을 쓸 수 있도록 하기 위한 가상의 선으로 실제 출력되지 않음, 정답란에 1칸은 공백 3칸)

```c
01  #include <stdio.h>
02  void Show(int a[ ][6]) {
03    int i, j;
04    for(i=0; i<=4; i++) {
05      for(j=5; j>=0; j--) {
06        if(i==0 || i==4 || j==0 || j==5)
07          printf("%3d", a[i][j]);
08        else
09          printf("   ");  // 공백 3칸
10      }
11      printf("\n");
12    }
13  }
14  int main() {
15    int a[5][6] = {{24, 25, 26, 27, 28, 29},
16                   {18, 19, 20, 21, 22, 23},
17                   {12, 13, 14, 15, 16, 17},
18                   {6, 7, 8, 9, 10, 11},
19                   {0, 1, 2, 3, 4, 5}};
20    Show(a);
21    return 0;
22  }
```

29	28	27	26	25	24
23					18
17					12
11					6
5	4	3	2	1	0

해설		
	14	• main 함수부터 시작
	15~19	• 5행 6열의 2차원 배열 a를 선언하고 초기화
	20	• Show 함수 호출
	02	• Show 함수는 2차원 배열을 입력받아 행렬을 출력하는 함수
	04~12	• 5행 6열의 배열을 받기 위한 형태로 2개의 for문을 사용하여 처리 • 조건문을 통해 i의 값이 0, 4이거나, j의 값이 0, 5인 경우에는 a[i][j]의 값을 출력하고, 그렇지 않을 경우 공백 3칸을 출력한 뒤 두 번째 for문의 마지막에 개행을 출력

31 다음은 C언어 코드이다. 출력 결과를 쓰시오.

▶ 23년 2회

```
01  #include <stdio.h>
02  int main() {
03    char s1[5] = "abcd";
04    char s2[5];
05    int i=0;
06    for(i=0; i<4; i++) {
07      s2[i] = s1[3-i];
08    }
09    s2[4] = '\0';
10    printf("%s", s2);
11    return 0;
12  }
```

해설		
03~04	• 길이가 5인 문자형 배열 s1, s2를 선언하고, s1을 "abcd"로 초기화	
06~08	• for 문을 통해 i값이 4보다 작을 때까지 반복 • i=0일 때 s2[0] = s1[3];이므로 s1[3]의 값인 'd'를 대입	
06~08	• i=1일 때 s2[1] = s1[2];이므로 s1[2]의 값인 'c'를 대입	
06~08	• i=2일 때 s2[2] = s1[1];이므로 s1[1]의 값인 'b'를 대입	
06~08	• i=3일 때 s2[3] = s1[0];이므로 s1[0]의 값인 'a'를 대입	
09	• s2[4]에 NULL 값을 대입	
10	• 포맷 스트링이 %s이므로 s2인 &s2[0]부터 NULL 전까지 문자를 읽음	

32 다음은 C언어 코드이다. 출력 결과를 쓰시오.

▶ 23년 2회

```
01  #include <stdio.h>
02  int main() {
03    // A = 65, a = 97
04    int a = 10;
05    char b = 'a';
06    printf("%d\n", a);
07    printf("%d\n", b);
08    printf("%c", b);
09    return 0;
10  }
```

해설		
	04	• 정수형 변수 a에 10을 대입
	05	• 문자형 변수 b에 'a'를 대입
	06	• a 값은 10을 출력
	07	• b 변수의 값을 10진수(%d)로 출력해야 하므로 'a'의 아스키코드값인 97을 출력
	08	• b 변수의 값을 문자형(%c)로 출력해야 하므로 'a'를 출력

33 다음은 C언어 코드이다. 출력 결과를 쓰시오.

▶ 23년 2회

```
01  #include <stdio.h>
02  int main() {
03    int result=1, i;
04    for(i=1; i<=5; i++) {
05      result *= i;
06    }
07    printf("%d", result);
08    return 0;
09  }
```

해설		
	02	• main 함수부터 프로그램 시작
	03	• 정수형 변수 result, i를 선언하고 result에 1 값을 저장
	04	• for 문을 통해 i의 값이 5보다 작거나 같을 때까지 반복
	05	• result 값에 i값을 곱한 값을 result에 저장
	07	• result의 값인 120을 출력

기출문제

▶23년 3회

34 다음은 C언어 코드이다. 출력 결과를 쓰시오.

```
01  #include <stdio.h>
02  #define MAX 4
03
04  void fn(int n);
05
06  int main(){
07    fn(MAX);
08    return 0;
09  }
10
11  void fn(int n){
12    if(n > 1) fn(n-1);
13    printf("%d", n);
14  }
```

해설	02	• MAX의 값을 4로 정의
	04	• 리턴 값이 없는 fn이라는 사용자 정의 함수 선언
	06	• main 함수부터 시작
	07	• fn(MAX)인데, MAX가 4이므로 fn(4)를 호출
	11~14	• fn(4)는 n에 4를 넘겨준다는 의미이므로 n=4가 됨 • n 값이 4이므로 if(n > 1)은 참이 되고 fn(n-1)에 n 값 4가 대입되어 fn(3)이 됨
	11~14	• fn(3)은 n에 3을 넘겨준다는 의미이므로 n=3이 됨 • n 값이 3이므로 if(n > 1)은 참이 되고 fn(n-1)에 n 값 3이 대입되어 fn(2)가 됨
	11~14	• fn(2)는 n에 2를 넘겨준다는 의미이므로 n=2가 됨 • n 값이 2이므로 if(n > 1)은 참이 되고 fn(n-1)에 n 값 2가 대입되어 fn(1)이 됨
	11~14	• fn(1)은 n에 1를 넘겨준다는 의미이므로 n=1이 됨 • n 값이 1이므로 if(n > 1)은 거짓이 되고 printf 함수를 통해 현재 n 값인 1을 출력하고 fn(1)은 끝남
	11~14	• fn(1)이 끝났으므로 fn(2)를 호출했을 때의 n값인 2를 printf 함수를 통해 출력하고 fn(2)는 끝남
	11~14	• fn(2)가 끝났으므로 fn(3)을 호출했을 때의 n값인 3을 printf 함수를 통해 출력하고 fn(3)은 끝남
	11~14	• fn(3)이 끝났으므로 fn(4)를 호출했을 때의 n값인 4를 printf 함수를 통해 출력하고 fn(4)는 끝남

▶23년 3회

35 다음은 C언어 코드이다. 출력 결과를 쓰시오.

```
01  #include <stdio.h>
02  #define W 4
03  #define H 4
04
05  int d[W][H];
06  int control[4][2] = {{0, 1}, {1, 0}, {0, -1}, {-1, 0}};
07
08  int fn(int i, int j) {
09    if (d[i][j] || i < 0 || i >= W || j < 0 || j >= H)
10      return 0;
11    return 1;
12  }
13
14  int main(){
15    int i = 0, j = 0, n = 1, c = 0;
16    d[i][j] = n++;
17
18    while (n <= W * H) {
19      if (fn(i + control[c][0], j + control[c][1])) {
20        i += control[c][0];
21        j += control[c][1];
22        d[i][j] = n++;
23      }
24      else c = (c + 1) % 4;
25    }
26
27    for(i=0; i<W; i++){
28      for(j=0; j<H; j++){
29        printf("%3d", d[i][j]);
30      }
31      printf("\n");
32    }
33
34    return 0;
35  }
```

▶ 23년 3회

36 다음은 C언어 코드이다. 출력 결과를 쓰시오.

```c
#include <stdio.h>

int main(){
  int arr[] = {15, 12, 26, 31, 30, 47};
  int cnt = sizeof(arr)/sizeof(int);
  int i, j, temp;

  for(i=0; i<cnt-1; i++){
    for(j=0; j<cnt-i-1; j++){
      if(arr[j] > arr[j+1]){
        temp = arr[j];
        arr[j] = arr[j+1];
        arr[j+1] = temp;
      }
    }
  }

  for(i=1; i<cnt-1; i++){
    printf("%d ", arr[i]);
  }

  return 0;
}
```

해설
- c언어 달팽이 배열 문제이다.
- i, j는 현재 2차원 배열의 좌표이고, control은 앞으로 갈 방향, fn 함수는 다음에 이동하는 곳이 2차원 배열을 벗어나는지 체크하는 함수이다.

줄	설명
02	대문자 W를 숫자 4로 정의(define)
03	대문자 H를 숫자 4로 정의(define)
05	W*H인 4*4 크기의 2차원 배열 d를 선언
06	4*2 크기의 2차원 정수형 배열 변수 control을 선언하고 초깃값으로 {{0, 1}, {1, 0}, {0, -1}, {-1, 0}}을 넣음 | 0 | 1 | | 1 | 0 | | 0 | -1 | | -1 | 0 |
14	main 함수부터 시작
15	i, j, n, c 변수 선언 및 n=1로 초기화
16	i=0, j=0이므로 d[0][0]에 n 값인 1을 대입하고, n을 1 증가
18	n은 2이므로 2<=16을 만족하기 때문에 반복문 수행
19	fn(i + control[c][0], j + control[c][1]) 함수 호출 결과가 1(True)이면 다음 명령문을 수행하고 그렇지 않으면 c = (c + 1) % 4를 수행함 • i와 control[c][0]을 더한 값을 i에 대입 • j와 control[c][1]을 더한 값을 j에 대입 • d[i][j]에 n값에 1을 증가시킨 값을 대입
08~12	• d[i][j] 값이 0, i<0, i)=4, j<0, j)=4 중에 한 개라도 만족하면 0을 반환 • fn 호출하는 부분에서 이동하려는 다음 칸이 0≤i≤4, 0≤j≤4이고, 값이 0인지 체크해서 이동할 수 있으면 1을 반환하고, 이동할 수 없으면 0을 반환
19	if 문이 참이면 다음 칸으로 이동할 수 있음
20~23	• 이동하려는 다음 칸으로 i, j 값을 변경 • 이동한 칸에 n 값을 대입하고, n 값을 1 증가
24	• 이동할 수 없으면(if 문이 거짓이면) c 값을 변경하여 이동 방향을 바꿈
27~31	• d[i][j] 의 각각의 요소를 화면에 3칸 간격으로 4개(H=4)의 요소 출력함 • W=4이므로 4회 반복

기출문제

해설	• 정수형 배열을 버블 정렬을 사용해 오름차순으로 정렬하는 함수를 구현하는 코드이다. • 프로그램에서 교환할 때 구문은 temp = arr[i]; arr[i] = arr[i+1]; arr[i+1] = temp; 이다. (Swap 구문)
02	• main 함수부터 시작
03	• arr이라는 정수형 배열에 초깃값으로 15, 12, 26, 31, 30, 47을 넣음 | arr[0] | arr[1] | arr[2] | arr[3] | arr[4] | arr[5] | | 15 | 12 | 26 | 31 | 30 | 47 |
05	• 정수형 cnt값은 sizeof(arr)을 sizeof(int)로 나눈 값이 됨 • sizeof(arr)는 24바이트 크기가 구해지고, sizeof(int)는 4바이트 크기가 구해짐 • 24바이트를 4바이트로 나눈 값인 6이 cnt값에 대입됨
06	• i, j, temp라는 이름의 int(정수)형 변수를 선언
14	• 바깥쪽 for 문은 i=0부터 시작
15	• 안쪽 for 문은 j=0부터 시작 • i=0이므로 arr[0]은 15, arr[1]은 12가 됨 • 이 둘을 비교하면 if 문은 참이 되고 if 문 안의 명령어를 실행함 • temp에 arr[0] 값인 15가 대입 • arr[0]에 arr[1] 값인 12가 대입 • arr[1]에 temp 값인 15가 대입 | arr[0] | arr[1] | arr[2] | arr[3] | arr[4] | arr[5] | | 12 | 15 | 26 | 31 | 30 | 47 |
09~15	• j++에 의해 j가 1이 됨 (i는 0) • 안쪽 for 문의 증감 식은 j++이므로 j는 1이 증가한 1가 되고 i는 0, 조건식이 j<cnt-i-1이므로 1<6-0-1이 되고, 이 식은 참이 되기 때문에 반복문을 수행함 • if 문 안의 조건식인 arr[0] > arr[1]은 12 > 15이므로 거짓이고 if 문 안의 명령어를 실행하지 않음
09~15	• j++에 의해 j가 2가 됨 (i는 0) • 안쪽 for 문의 증감 식은 j++이므로 j는 1 증가한 2가 되고 i는 0, 조건식이 j<cnt-i-1이므로 1<6-0-1이 되고, 이 식은 참이 되기 때문에 반복문을 수행함 • if 문 안의 조건식인 arr[0] > arr[1]은 12 > 15이므로 거짓이고 if 문 안의 명령어를 실행하지 않음
09~15	• j++에 의해 j가 5가 될 때까지 반복함 • j가 5가 되면 조건식이 j<cnt-i-1이므로 5<6-0-1이 되고, 이 식은 거짓이 되기 때문에 안쪽 for 문을 빠져나와 바깥쪽 for 문을 수행함
08	• i++에 의해 i가 1이 됨
09~15	• 안쪽 for 문은 다시 j=0부터 시작 • i=1이므로 arr[1]은 15, arr[2]는 26이 됨 • 이 둘을 비교하면 if 문은 거짓이 되고 if 문 안의 명령어는 실행하지 않음
09~15	• j++에 의해 j가 4가 될 때까지 반복 • j가 4가 되면 조건식이 j<cnt-i-1이므로 4<6-1-1이 되고, 이 식은 거짓이 되기 때문에 안쪽 for 문을 빠져나와 바깥쪽 for 문을 수행함
08	• i++에 의해 i가 2가 됨
09~15	• 안쪽 for 문은 다시 j=0부터 시작 • i=2이므로 arr[2]는 26, arr[3]은 31이 됨 • 이 둘을 비교하면 if 문은 거짓이 되고 if 문 안의 명령어는 실행하지 않음
09~15	• j++에 의해 j가 3이 될 때까지 반복 • j가 3이 되면 조건식이 j<cnt-i-1이므로 3<6-2-1이 되고, 이 식은 거짓이 되기 때문에 안쪽 for 문을 빠져나와 바깥쪽 for 문을 수행함
08	• i++에 의해 i가 3이 됨
09~15	• 안쪽 for 문은 다시 j=0부터 시작 • i=3이므로 arr[3]은 31, arr[4]는 30이 됨 • 이 둘을 비교하면 if 문은 참이 되므로 if 문 안의 명령어를 실행함 • temp에 arr[3] 값인 31 대입 • arr[3]에 arr[4] 값인 30을 대입 • arr[4]에 temp 값인 31 대입 | arr[0] | arr[1] | arr[2] | arr[3] | arr[4] | arr[5] | | 12 | 15 | 26 | 30 | 31 | 47 | …
17	• for 반복문 수행이 종료되면 arr 배열은 다음과 같음 | arr[0] | arr[1] | arr[2] | arr[3] | arr[4] | arr[5] | | 12 | 15 | 26 | 30 | 31 | 47 |
18~19	• printf를 수행하는 for 반복문을 수행 • i가 5가 되면 거짓이 돼서 반복문을 빠져나가므로 i가 1부터 4까지 반복 수행함 • arr[1]의 값인 15를 출력 • arr[2]의 값인 26을 출력 • arr[3]의 값인 30을 출력 • arr[4]의 값인 31을 출력

37 작은 값과 큰 값을 출력하는 프로그램을 작성하려고 한다. 빈칸에 알맞은 코드를 작성하시오. ▶23년 3회

```
01  #include <stdio.h>
02  void fn(int a, int b, int *mx, int *mn){
03    if(a >= b){
04      *mx = a;
05      *mn = b;
06    }
07    else{
08      *mx = b;
09      *mn = a;
10    }
11  }
12  int main(){
13    int max, min;
14    fn(3, 7, ①    , ②    );
15    printf("작은 값: %d, 큰 값: %d", max, min);
16    return 0;
17  }
```

① _____

② _____

해설 • C언어 큰 수, 작은 수를 비교해서 찾는 문제이다.

12	• main 함수부터 프로그램 시작
13	• 정수형 변수 max, min을 선언
14	• fn(3, 7, ① , ②)을 통해서 fn 함수가 실행
02	• a = 3, b = 7, *mx = ①, *mn = ②가 됨
03	• a가 b보다 작으므로 else가 실행됨
07~10	• else의 *mx = b; *mn = a; 가 실행됨 • *mx = 7, *mn = 3이 됨
11	• fn 함수를 호출한 곳으로 리턴함
14~15	• 화면에 "작은 값: 3, 큰 값: 7"을 출력된다는 것을 보고 ①에는 &min가 들어가고, ②에는 &max가 들어간다는 것을 알 수 있음

38 다음은 C언어 코드이다. sOOjeBI를 입력했을 때 밑줄 친 곳의 출력 결과를 쓰시오. ▶24년 1회

```
01  #include <stdio.h>
02  #include <string.h>
03
04  void get(char *p){
05    printf("Input : ");
06    scanf("%s", p);
07  }
08
09  int print(char *p){
10    int i=0;
11    int cnt=0;
12    int len=strlen(p);
13
14    while(i<len){
15      if(p[i] >= 'A' && p[i] <= 'Z'){
16        cnt++;
17      }
18      i++;
19    }
20
21    return cnt;
22  }
23
24  int main(){
25    char temp[128];
26    get(temp);
27
28    printf("%d", print(temp));
29
30    return 0;
31  }
```

[출력]
Input : sOOjeBI
　①_____

NCS 지/피/지/기 기출문제

```
01  public class Soojebi{
02    public static void main(String[] args) {
03      int totalcnt=27;
04      int pigcnt=27, duckcnt=0;
05
06      while(duckcnt < totalcnt){
07        pigcnt = totalcnt -  ①  ;
08
09        if(  ②  * 4 + duckcnt * 2 == 102)
10          break;
11        else
12          duckcnt++;
13      }
14
15      System.out.print(pigcnt+", "+duckcnt);
16    }
17  }
```

① _____ ② _____

해설

03	• totalcnt라는 변수를 27로 초기화 • totalcnt는 동물의 총 마리수를 의미하는 변수
04	• pigcnt라는 변수를 27로 초기화, duckcnt라는 변수를 0으로 초기화 • pigcnt는 돼지의 마리수, duckcnt는 오리의 마리수를 의미하는 변수
06	• totalcnt가 duckcnt보다 작으면 반복 • duckcnt는 0이고, totalcnt는 27이므로 참
07	• 돼지와 오리가 합쳐서 27마리인데, totalcnt는 동물의 총 마리수로서 27마리 안 바뀌기 때문에 27마리에서 오리의 마리수를 빼면 돼지의 마리수가 됨 (①은 돼지의 마리수가 되어야 함)
09~12	• 다리 수가 총 102개가 되어야 하는데, 돼지는 다리가 4개이므로 ②는 돼지의 수가 되어야 함 • 돼지, 오리의 다리 수가 102개가 되면 break 문을 만나서 반복문 탈출 • 102개가 되지 않으면 오리를 1마리 증가시킴
06~12	• 오리가 1마리 증가하면서 돼지의 수는 1마리씩 감소하다가 다리의 수가 102개가 되면(돼지가 24마리, 오리가 3마리가 되면) break를 만나 반복문 종료
15	• 돼지의 수와 오리의 수를 출력 • pigcnt=24, duckcnt=3이므로 System.out.print(24+", "+3);이 되어 System.out.print("24, 3");이 되기 때문에 24, 3이 출력됨

해설

25	• temp 이름의 char 배열 선언
26	• get 함수를 호출하고, 파라미터로 temp 배열의 시작 주소(&temp[0])를 전달
04	• main에서 넘겨준 temp 배열의 시작 주소를 p라는 변수에 저장(Call By Reference)
05	• "Input : "이라는 문자열 출력
06	• 입력받은 문자열인 "sOOjeBl"를 p라는 포인터 변수가 가리키는 배열에 저장(main 함수의 temp 배열에 입력받은 문자열이 저장) | p[0] | p[1] | p[2] | p[3] | p[4] | p[5] | p[6] | p[7] | |---|---|---|---|---|---|---|---| | s | O | O | j | e | B | l | NULL |
28	• print 함수를 호출하고, 파라미터로 temp 배열의 시작 주소(&temp[0])를 전달
09	• main에서 넘겨준 temp 배열의 시작 주소를 p라는 변수에 저장
10~12	• i, cnt 변수는 0으로 초기화 • strlen은 문자열의 길이를 구하는 함수로 p가 가리키는 값인 p[0]부터 NULL이 나오기 전까지를 문자열 길이로 판단하므로 7을 반환하고, 7을 len 변수에 대입 | p[0] | p[1] | p[2] | p[3] | p[4] | p[5] | p[6] | p[7] | |---|---|---|---|---|---|---|---| | s | O | O | j | e | B | l | NULL |
14~19	• len은 7이므로 i<7을 만족할 때까지 반복하는데, p[i] 값이 'A'보다 크거나 같고, 'Z'보다 작거나 같으면(p[i]가 대문자이면) cnt 값을 1 증가 • i=1일 때 p[1], i=2일 때 p[2], i=5일 때 p[5], i=6일 때 p[6]이 대문자여서 참이 되므로 cnt++는 4번 실행하여 cnt는 4가 됨
21	• cnt 값인 4를 반환
28	• print(temp)가 4이므로 4를 출력

▶ 24년 1회

39 "돼지와 오리가 합쳐서 27마리이고, 다리의 합이 102개"일 때 돼지와 오리의 수를 구하는 코드이다. 빈칸에 알맞은 코드를 쓰시오.

40 다음은 C언어 코드이다. 첫 번째에는 string을 입력하고, 두 번째는 test를 입력했을 때 밑줄친 곳의 출력 결과를 쓰시오.

▶24년 1회

```
01  #include <stdio.h>
02  #include <stdlib.h>
03  #include <string.h>
04
05  int main(){
06    char temp[128];
07    char *p[2];
08    int size;
09    int i, j;
10
11    for(i=0; i<2; i++){
12      printf("입력 %d: ", i+1);
13      scanf("%s", temp);
14      size = strlen(temp);
15
16      p[i] = (char*)malloc(sizeof(char)*(size+1));
17
18      for(j=0; j<size; j++){
19        p[i][j] = temp[size-j-1];
20      }
21      p[i][size] = '\0';
22    }
23
24    for(i=1; i>=0; i--){
25      printf("출력 %d: ", i+1);
26      printf("%s\n", p[i]);
27      free(p[i]);
28    }
29
30    return 0;
31  }
```

[화면]
입력1: string
입력2: test

해설

06	• temp 배열을 선언
07	• p라는 이름의 포인터 배열을 선언
08	• size라는 이름의 정수형 변수 선언
09	• i, j라는 이름의 정수형 변수 선언
11	• i=0일 때 i<2가 참이므로 반복문을 실행
12	• i가 0이므로 "입력 1: "이 출력됨
13	• 첫 번째에는 test를 입력했으므로 temp 배열에 test가 저장됨 [0] [1] [2] [3] [4] t　e　s　t　NULL
14	• temp 배열의 문자열의 길이는 test 4글자이므로 4를 반환하고, size 변수에 4를 대입
16	• p[0] 배열에 char 포인터 타입(char*)으로 sizeof(char)×5바이트(char 5개의 공간만큼의 저장공간을 생성 P[0] →□□□□□ P[1]
18~19	• size는 4이므로 j=0부터 j=3일까지 반복 • j=0일 때 p[0][0]에 temp[4-0-1]인 temp[3]의 't'가 저장됨 • j=1일 때 p[0][1]에 temp[4-1-1]인 temp[2]의 'e'가 저장됨 • j=2일 때 p[0][2]에 temp[4-2-1]인 temp[1]의 's'가 저장됨 • j=3일 때 p[0][3]에 temp[4-3-1]인 temp[0]의 't'가 저장됨
21	• p[0][4]에 NULL이 저장됨 P[0] → t s e t NULL P[1]
11	• i=1일 때 i<2가 참이므로 반복문을 실행
12	• i가 1이므로 "입력 2: "가 출력됨
13	• 두 번째에는 string를 입력했으므로 temp 배열에 string이 저장됨 [0] [1] [2] [3] [4] [5] [6] s　t　r　i　n　g　NULL
14	• temp 배열의 문자열의 길이는 string 6글자이므로 6을 반환하고, size 변수에 6을 대입
16	• p[1] 배열에 char 포인터 타입(char*)으로 sizeof(char)×7바이트(char 7개의 공간만큼의 저장공간을 생성 P[0] → t s e t NULL P[1] →□□□□□□□

기출문제

▶ 24년 1회

41 다음은 C언어 코드이다. 출력 결과를 쓰시오.

```c
#include<stdio.h>

int main() {
  int sum = 0;
  int i = 329;
  do {
    sum = 999 % i;
    i++;
  }while (sum != 0);

  printf("%d", i);
  return 0;
}
```

18~19	• size는 6이므로 j=0부터 j=5일 때까지 반복 • j=0일 때 p[1][0]에 temp[6-0-1]인 temp[5]의 's'가 저장됨 • j=1일 때 p[1][1]에 temp[6-1-1]인 temp[4]의 't'가 저장됨 • j=2일 때 p[1][2]에 temp[6-2-1]인 temp[3]의 'r'이 저장됨 • j=3일 때 p[1][3]에 temp[6-3-1]인 temp[2]의 'i'가 저장됨 • j=4일 때 p[1][4]에 temp[6-4-1]인 temp[1]의 'n'이 저장됨 • j=5일 때 p[1][5]에 temp[6-5-1]인 temp[0]의 'g'가 저장됨
21	• p[1][6]에 NULL이 저장됨 P[0] → t s e t NULL P[1] → g n i r t s NULL
24	• i=1일 때 i)=0은 참이므로 반복문을 실행
25	• i가 1이므로 "출력 2: "가 출력됨
26	• p[1]이 가리키는 문자열을 출력을 NULL 전까지 출력하므로 gnirts가 출력
27	• p[1] 포인터가 가리키고 있는 메모리를 해제 P[0] → t s e t NULL P[1]
24	• i=0일 때 i)=0은 참이므로 반복문을 실행
25	• i가 0이므로 "출력 1: "이 출력됨
26	• p[0]이 가리키는 문자열을 출력을 NULL 전까지 출력하므로 tset가 출력
27	• p[0] 포인터가 가리키고 있는 메모리를 해제 P[0] P[1]

해설

04	• sum이라는 이름의 변수를 0으로 초기화
05	• i라는 이름의 변수를 329로 초기화
07	• 999를 i 값인 329로 나눈 나머지는 12이므로 sum=12
08	• i++에 의해 i가 1 증가하여 i는 330이 됨
09	• sum은 0이 아니므로 반복문 수행
07	• 999를 i 값인 330으로 나눈 나머지는 9이므로 sum=9
08	• i++에 의해 i가 1 증가하여 i는 331이 됨
09	• sum은 0이 아니므로 반복문 수행
07	• 999를 i 값인 331으로 나눈 나머지는 6이므로 sum=6
08	• i++에 의해 i가 1 증가하여 i는 332가 됨
09	• sum은 0이 아니므로 반복문 수행
07	• 999를 i 값인 332로 나눈 나머지는 3이므로 sum=3
08	• i++에 의해 i가 1 증가하여 i는 333이 됨
09	• sum은 0이 아니므로 반복문 수행
07	• 999를 i 값인 333로 나눈 나머지는 0이므로 sum=0
08	• i++에 의해 i가 1 증가하여 i는 334가 됨
09	• sum은 0이므로 반복문 종료
11	• i 값은 334이므로 334가 출력됨

▶ 24년 2회

42 다음은 C언어 코드이다. 출력 결과를 쓰시오.

```
01  #include <stdio.h>
02  struct vector{
03    float x, y;
04  };
05
06  int main() {
07    struct vector a[2] = {{2.5, 3.0}, {4.5, 6.0}};
08    float x=0.0, y=0.0;
09    int i;
10
11    for(i=0; i<2; i++){
12      x += a[i].x;
13      y += a[i].y;
14    }
15
16    printf("%.2f 그리고 %.2f", x, y);
17    return 0;
18  }
```

▶ 24년 2회

43 다음은 C언어 코드이다. 출력 결과를 쓰시오.

```
01  #include <stdio.h>
02  int main() {
03    int x = 3;
04    int y = 5;
05    printf("%d", (x|y) - (x&y));
06    return 0;
07  }
```

해설	• c언어 큰 수, 작은 수를 비교해서 찾는 문제이다.
03~04	• x=3, y=5로 초기화
05	• 3은 2진수로 011이고, 5는 2진수로 101 • |는 두 값을 비트로 연산하여 같은 비트의 값이 하나라도 1이면 해당 비트 값이 1이 되고, 그렇지 않으면 0이 됨 • &는 두 값을 비트로 연산하여 같은 비트의 값이 모두 1이면 해당 비트 값이 1이 되고, 그렇지 않으면 0이 됨 • x|y는 10진수로 7, x&y는 10진수로 1이므로 7-1인 6을 출력 　　 0 1 1　　　 0 1 1 　|　1 0 1　　&　1 0 1 　　 1 1 1　　　 0 0 1

해설		
02~03	• vector라는 이름의 구조체 안에 x, y라는 변수를 정의	
07	• vector라는 이름의 a 배열을 선언 a[0] [2.5/3.0] a[0].x/a[0].y　a[1] [4.5/6.0] a[1].x/a[1].y	
08	• x, y 변수의 값을 0.0으로 초기화	
09	• i 변수 선언	
11	• i=0일 때 i<2는 참이므로 반복문 실행	
12	• a[0].x의 값인 2.5를 x 변수에 더해 x는 2.5가 됨	
13	• a[0].y의 값인 3.0을 y 변수에 더해 y는 3.0이 됨	
11	• i++에 의해 i=1이 되고, i=1일 때 i<2는 참이므로 반복문 실행	
12	• a[1].x의 값인 4.5를 x 변수에 더해 x는 7.0이 됨	
13	• a[1].y의 값인 6.0을 y 변수에 더해 y는 9.0이 됨	
11	• i++에 의해 i=2가 되고, i=2일 때 i<2는 거짓이므로 반복문 종료	
16	• x는 7.0이고, y는 9.0인데, %.2f로 출력(소수점 2째 자리까지 출력)해야 하므로 7.00, 9.00으로 출력	

기출문제

▶ 24년 2회

44 다음은 C언어 코드이다. 출력 결과를 쓰시오.

```c
01  #include <stdio.h>
02  int main() {
03      int a[5] = {3, 4, 10, 5, 2};
04      int *p = a;
05      int i, j, temp;
06
07      for(i=0; i<5; i++) {
08          for(j=i+1; j<5; j++) {
09              if(*(p+i) > *(p+j)) {
10                  temp = *(p+i);
11                  *(p+i) = *(p+j);
12                  *(p+j) = temp;
13              }
14          }
15          printf("%d ", *(p+i));
16      }
17      return 0;
18  }
```

해설

03	• a 배열에 3, 4, 10, 5, 2로 초기화				
	a[0]	a[1]	a[2]	a[3]	a[4]
	3	4	10	5	2
04	• p 포인터 변수에 a 배열의 주솟값을 대입
05	• i, j, temp 변수를 선언
07	• i=0일 때 i<5는 참이므로 바깥쪽 반복문 실행
08	• i=0이므로 j=1이 됨 • j=1일 때 j<5는 참이므로 안쪽 반복문 실행
09	• p == a이므로 *(p+i) == *(a+i) == a[i]가 됨 *(a+i)==a[i] | *(배열+i) == 배열[i]에서 배열 자리에 a를, i 자리에 i를 넣음 • *(p+j) == *(a+j) == a[j]가 됨 • i=0이고, j=1이므로 a[0] > a[1]인 3 > 4는 거짓이 됨
08	• j++에 의해 j=2가 되고, j=2일 때 j<5는 참이므로 안쪽 반복문 실행
09	• i=0이고, j=2이므로 a[0] > a[2]인 3 > 10은 거짓이 됨
08	• j++에 의해 j=3이 되고, j=3일 때 j<5는 참이므로 안쪽 반복문 실행
09	• i=0이고, j=3이므로 a[0] > a[3]인 3 > 5은 거짓이 됨

08	• j++에 의해 j=4가 되고, j=4일 때 j<5는 참이므로 안쪽 반복문 실행				
09	• i=0이고, j=4이므로 a[0] > a[4]인 3 > 2는 참이 되어 조건문 실행
10	• temp 변수에 *(p+0) == *p == *a == a[0]인 3을 대입
11	• *(p+0)인 a[0]에 *(p+4) == *(a+4) == a[4]인 2를 대입
12	• *(p+4)인 a[4]에 temp 값인 3을 대입
	a[0]	a[1]	a[2]	a[3]	a[4]
	2	4	10	5	3
	• 10~12라인은 *(p+i)와 *(p+j)인 a[i]와 a[j]를 교환하는 코드
08	• j++에 의해 j=5가 되고, j=5일 때 j<5는 거짓이므로 안쪽 반복문 종료
13	• *(p+i) == a[i]이므로 a[0] 값인 2를 출력
07	• i++에 의해 i=1이 되고, i=1일 때 i<5는 참이므로 바깥쪽 반복문 실행
08~14	• j=2부터 j<5를 만족할 때까지 안쪽 반복문을 반복
	i	j	a[i]	a[j]	조건문 a[i] > a[j]
	1	2	4	10	거짓
	1	3	4	5	거짓
	1	4	4	3	참
	• j=4일 때 조건문을 만족하므로 a[1]과 a[4] 값을 교환
	a[0]	a[1]	a[2]	a[3]	a[4]
	2	3	10	5	4
13	• *(p+i) == a[i]이므로 a[1] 값인 3을 출력
07	• i++에 의해 i=2가 되고, i=2일 때 i<5는 참이므로 바깥쪽 반복문 실행
08~14	• j=3부터 j<5를 만족할 때까지 안쪽 반복문을 반복
	i	j	a[i]	a[j]	조건문 a[i] > a[j]
	2	3	10	5	참
	• j=3일 때 조건문을 만족하므로 a[2]와 a[3] 값을 교환
	a[0]	a[1]	a[2]	a[3]	a[4]
	2	3	4	5	10
	• i=2이고, j=4이므로 a[2] > a[4]인 4 > 10은 거짓이 됨
13	• *(p+i) == a[i]이므로 a[2] 값인 4를 출력
07	• i++에 의해 i=3이 되고, i=3일 때 i<5는 참이므로 바깥쪽 반복문 실행
08~14	• j=4부터 j<5를 만족할 때까지 안쪽 반복문을 반복
	i	j	a[i]	a[j]	조건문 a[i] > a[j]
	3	4	5	10	거짓
13	• *(p+i) == a[i]이므로 a[3] 값인 5를 출력
07	• i++에 의해 i=4가 되고, i=4일 때 i<5는 참이므로 바깥쪽 반복문 실행

08	• j=5이므로 j<5가 되어 안쪽 반복문을 실행하지 않음
15	• *(p+i) == a[i]이므로 a[4] 값인 10을 출력
07	• i++에 의해 i=5가 되고, i=5일 때 i<5는 거짓이므로 바깥쪽 반복문 종료

▶ 24년 2회

46 다음은 구구단 3단을 출력하는 코드이다. 출력 결과가 나오도록 밑줄친 곳에 알맞은 코드를 쓰시오.

```
01  #include <stdio.h>
02  int main() {
03    int n = 3;
04    int i;
05
06    for(i=1; i<=9; i++) {
07      printf("%d * %d = %d\n", n, i, _____);
08    }
09    return 0;
10  }
```

[출력 결과]

```
3 * 1 = 3
3 * 2 = 6
3 * 3 = 9
3 * 4 = 12
3 * 5 = 15
3 * 6 = 18
3 * 7 = 21
3 * 8 = 24
3 * 9 = 27
```

▶ 24년 2회

45 다음은 C언어 코드이다. 출력 결과를 쓰시오.

```
01  #include <stdio.h>
02  int main(){
03    int num1 = 11;
04    int num2 = 0;
05    int *p = NULL;
06    p = &num1;
07    num2 = *p + num1;
08    printf("%d", *p - num1 + num2);
09    return 0;
10  }
```

> 해설

03~04	• n, i를 선언
06	• i=1일 때, i<=9는 참이므로 반복문 실행
07	• n=3이고, i=1인 상태에서 3 * 1 = 3이 출력되어야 함 • "%d * %d = %d"에서 = 앞에 %d는 n, i 값을 출력하고, = 뒤에 있는 %d는 두 값을 곱한 값을 출력하므로 밑줄에는 n*i가 들어가야 함
06	• i++에 의해 i=2가 되고, i=2일 때 i<=9는 참이므로 반복문 실행
07	• n=3이고, i=2이므로 n*i=6이 되어 3 * 2 = 6을 출력
...	
06	• i++에 의해 i=9가 되고, i=9일 때 i<=9는 참이므로 반복문 실행
07	• n=3이고, i=9이므로 n*i=27이 되어 3 * 9 = 27을 출력
06	• i++에 의해 i=10이 되고, i=10일 때 i<=9는 거짓이므로 반복문 종료

> 해설

03	• num1 변수에 11을 대입
04	• num2 변수에 0을 대입
05	• p 포인터 변수에 NULL을 대입
06	• p 변수에 num1의 주솟값을 대입
07	• p == &num1이므로 *p == *(&num1) == num1이 되어 num1 + num1 값인 22를 num2에 대입
08	• *p == num1이므로 *p - num1 + num2 == num1 - num1 + num2 == num2이므로 num2 값인 22를 출력

기출문제

▶ 24년 3회

47 다음은 C언어 코드이다. 출력 결과를 쓰시오.

```
01  #include <stdio.h>
02  union Number {
03    int i;
04    float f;
05  };
06  struct Data {
07    union Number x;
08    union Number y;
09    char z;
10  };
11  void func(struct Data *a) {
12    if (a->z) {
13      a->x.i += a->y.f;
14    }
15    else {
16      a->x.f += a->y.f;
17    }
18  }
19  int main() {
20    struct Data a = {{.i = 5}, {.f = 3.5}, 1};
21    func(&a);
22    printf("%d\n", a.x.i);
23    return 0;
24  }
```

해설

19	• main 함수부터 시작
20	• Data 구조체 타입의 a 변수에서 a.x.i는 5, a.y.f는 3.5, a.z는 1로 초기화 <table><tr><td rowspan="3">a</td><td>x</td><td>i / f</td><td>5</td></tr><tr><td>y</td><td>i / f</td><td>3.5</td></tr><tr><td>z</td><td colspan="2">1</td></tr></table>
21	• a 변수의 주솟값을 func 함수에 전달
11	• func 함수에서 a 포인터 변수에 main 함수의 a 변수 주솟값을 대입
12	• a->z는 main 함수의 a 변수 안의 z 값이므로 1 • if(a->z)는 if(1)이므로 if 문이 참이 되어 if 문 안의 명령어를 실행
13	• a->y.f는 float 3.5이지만, 정수 연산에서 int로 되면서 값은 3이 됨 • a->x는 main 함수의 a 변수 안의 x 값이므로 5이고, a->x.i도 int 형이므로 그대로 5가 됨 • a->y.i는 3이므로 a->x.i인 5에 3을 더하면 a->x.i는 8이 됨
22	• a.x.i는 8이므로 8을 출력

▶ 24년 3회

48 다음은 C 프로그램이다. 출력 결과를 쓰시오.

```
01  #include<stdio.h>
02  void swap(int *ptr1, int *ptr2) {
03    int temp = *ptr1;
04    *ptr1 = *ptr2;
05    *ptr2 = temp;
06  }
07  void func(int *arr, int n) {
08    int *ptr1 = &arr[0];
09    int *ptr2 = &arr[n-1];
10    while(ptr1 < ptr2) {
11      swap(ptr1, ptr2);
12      ptr1++;
13      ptr2--;
14    }
15  }
16  int main() {
17    int arr[] = {1, 2, 3, 4, 5};
18    func(arr, 5);
19    printf("%d", arr[2]);
20    return 0;
21  }
```

▶ 24년 3회

49 다음은 C언어 코드이다. 출력 결과를 쓰시오.

```
01  #include<stdio.h>
02  int main() {
03    int x = 1, y = 2, r = 3;
04    switch (r) {
05    case 3:
06      r = r - (x + y);
07      break;
08    default:
09      r = r + (x + y);
10      break;
11    }
12    printf("%d\n", r);
13    return 0;
14  }
```

해설

16	• main 함수부터 시작
17	• 배열 arr을 {1,2,3,4,5}로 초기화

	arr[0]	arr[1]	arr[2]	arr[3]	arr[4]
17	1	2	3	4	5

18	• func 함수를 호출
07	• arr 배열과, 5를 전달받음
08	• &arr[0]인 arr을 ptr1에 대입
09	• &arr[4]인 arr+4를 ptr2에 대입
10	• arr<arr+4은 참이므로 while 문 실행
11	• swap 함수를 호출됨
02~06	• ptr1이 가리키는 값과, ptr2가 가리키는 값을 교환

	arr[0]	arr[1]	arr[2]	arr[3]	arr[4]
	5	2	3	4	1

12	• ptr1에 ptr1+1을 하면 arr+1이 됨
13	• ptr2에 ptr2-1을 하면 arr+3이 됨
10	• arr+1<arr+3은 참이므로 while 문 실행
11	• swap 함수를 호출
02~06	• ptr1이 가리키는 값과, ptr2가 가리키는 값을 교환

	arr[0]	arr[1]	arr[2]	arr[3]	arr[4]
	5	4	3	2	1

12	• ptr1에 ptr1+1을 하면 arr+2가 됨
13	• ptr2에 ptr2-1을 하면 arr+2가 됨
10	• arr+2<arr+2는 거짓이므로 while 문 종료
19	• arr[2]의 값은 3이므로 3을 출력

해설

02	• main 함수 시작
03	• x,y,r 변수를 선언하고 각각 1,2,3으로 초기화
04	• switch 문을 시작하여 변수 r의 값을 조건으로 사용
05	• case 3 조건을 지정, r이 3일 때 명령문이 실행
06	• r = 3 - (1 + 2) = 0이 되어 r은 0
07	• break 문을 통해 switch 문을 종료하고 빠져나옴
12	• r의 값인 0을 출력

기출문제

▶ 24년 3회

50 다음은 C언어 코드이다. 출력 결과를 쓰시오.

```
01  #include<stdio.h>
02  int main() {
03    int sum = 0;
04    int i = 0;
05    for(i = 0; i <= 10; i++) {
06      if(i % 2 != 0)
07        continue;
08      sum += i;
09    }
10    printf("%d", i + sum);
11  }
```

해설

02	• main 함수 호출
03	• 변수 sum을 선언하고 0으로 초기화
04	• 변수 i를 선언하고 0으로 초기화
05	• i의 값이 10이 될 때까지 반복 (10번 반복)
06~08	• i의 값이 홀수인 경우 continue를 만나 다음 반복을 수행 • i의 값이 짝수인 경우에만 sum 값에 i를 더함 • 짝수 값인 0,2,4,6,8,10이 sum에 더하여 sum은 30
10	• i값 11, sum값 30을 더하여 41을 출력

▶ 24년 3회

51 다음은 C언어 프로그램이다. 출력 결과를 쓰시오.

```
01  #include<stdio.h>
02  int factorial(int n, int from, int to, int temp) {
03    if(n == 0) {
04      return 0;
05    }
06    else {
07      return factorial(n-1, from, temp, to)+1 +
08             factorial(n-1, temp, to, from);
09    }
10  }
11  int main() {
12    int n = 3;
13    printf("%d", factorial(n, 3, 2, 1));
14    return 0;
15  }
```

해설

11	• main 함수 호출
12	• 변수 n을 3으로 초기화
13	• factorial 함수를 호출하며 n(3), 3, 2, 1을 인자로 전달
02	• 정수형 변수 4개를 전달받는 factorial 함수를 선언
03~10	• 만약 n 값이 0이되면 값을 리턴하고, 그 외에는 계속 factorial(n-1, from, temp, to)+1 + factorial(n-1, temp, to, from); 구문을 재귀 호출

• 재귀 호출 과정에서 발생하는 값의 변화는 다음과 같다.

factorial(3, 3, 2, 1)	factorial(2, 3, 1, 2) + 1 + factorial(2, 1, 2, 3)
factorial(2, 3, 1, 2)	factorial(1, 3, 2, 1) + 1 + factorial(1, 2, 1, 3)
factorial(1, 3, 2, 1)	factorial(0, 3, 1, 2) + 1 + factorial(0, 1, 2, 3)
factorial(0, 3, 1, 2)	0
factorial(0, 1, 2, 3)	0
factorial(1, 2, 1, 3)	factorial(0, 2, 3, 1) + 1 + factorial(0, 3, 1, 2)
factorial(0, 2, 3, 1)	0
factorial(0, 3, 1, 2)	0
factorial(1, 2, 1, 3)	0 + 1 + 0 = 1
factorial(2, 3, 1, 2)	1 + 1 + 1 = 3
factorial(2, 1, 2, 3)	factorial(1, 3, 2) + 1 + factorial(1, 3, 2, 1)
factorial(1, 1, 3, 2)	factorial(0, 1, 2, 3) + 1 + factorial(0, 2, 3, 1)
factorial(1, 3, 2, 1)	0 + 1 + 0 = 1
factorial(2, 1, 2, 3)	1 + 1 + 1 = 3
factorial(3, 3, 2, 1)	3 + 1 + 3 = 7

• 따라서 출력 값은 7이 된다.

▶ 24년 3회

52 다음은 C언어 코드이다. 출력 결과를 쓰시오.

```
01  #include <stdio.h>
02  struct Soojebi {
03    int x;
04    int y;
05  };
06  int main() {
07    struct Soojebi p1 = {1, 2};
08    struct Soojebi p2 = {3, 4};
09    struct Soojebi *p3 = &p1;
10    int result = p3->x + p3->y + p2.y;
11    printf("%d\n", result);
12    return 0;
13  }
```

해설

02~05	• Soojebi 구조체를 정의, int 타입의 멤버 x, y를 가짐
06	• main 함수를 시작
07	• 구조체 변수 p1을 {1,2}로 초기화
08	• 구조체 변수 p2를 {3,4}로 초기화
09	• Soojebi 포인터 p3을 선언하고 p1의 주소를 가리키도록 초기화
10	• result 변수에 3->x + p3->y + p2.y = 1 + 2 + 4인 7을 대입
11	• result 값인 7을 출력

정답

01. 630 02. 196 03. 15 04. 1335 05. ABCD 06. 56 07. C 08. ① 5, ② i 09. ① i, ② j, ③ i*j 10. ① pf = add ② pf = sub 11. 345
12. ① n <= 1 또는 n == 1, ② n*fn(n−1) 13. ① 1, ② fn(n−2)+fn(n−1) 14. 543210191 15. 1234 16. 2 17. 75 18. 15 22 19. 17 18 20. 111
21. 41 22. 7,50 23. 11010 24. KUS 25. 2 26. SumNTo1(n−1) 27. n−1 28. 13 그리고 3 29. 1247 30. (표) 31. dcba
32. 10 97 a 33. 120 34. 1234 35. 1 2 3 4 / 12 13 14 5 / 11 16 15 6 / 10 9 8 7 36. 15 26 30 31 37. ① &min, ② &max 38. ④
39. ① duckcnt, ② pigcnt 40. 출력2: tset / 출력1: gnirts 41. 334 42. 7.00 그리고 9.00 43. 6 44. 2 3 4 5 10 45. 22 46. n*i 47. 8 48. 3 49. 0
50. 41 51. 7 52. 7

30.
29	28	27	26	25	24
23					18
17					12
11					6
5	4	3	2	1	0

예상문제

01 다음은 C언어 코드이다. 프로그램 실행 결과를 쓰시오.

```c
#include <stdio.h>
int Soojebi(int num) {
  int i;
  for(i=2; i<num; i++){
    if(num % i == 0)
      return 0;
  }
  return 1;
}
int main() {
  int num=10, cnt=0, i;
  for(i=2; i<num; i++)
    cnt += Soojebi(i);
  printf("%d\n", cnt);
}
```

해설
- Soojebi 함수는 파라미터로 num을 전달한다.
- 정수형 변수 i를 선언한다.
- for반복문은 2부터 num보다 작을때까지 i 값이 1씩 증가한다. 만약 num이 i로 나눈 나머지가 0이면 0을 리턴한다.
- for반복문이 종료되면 1을 리턴한다.
- main 함수에서 정수형 변수 num을 10으로 초기화, cnt는 0으로 초기화한다.
- for반복문을 위해 정수형 변수 i를 선언한다.
- for반복문은 i 값을 2로 초기화하고 num보다 작을때까지 i 값을 1씩 증가시킨다. Soojebi함수를 호출한 결과를 cnt에 더한 값을 cnt에 대입한다.
- cnt를 화면에 출력한다.

i	cnt	Soojebi(i)
2	1	Soojebi(2) = 1
3	2	Soojebi(3) = 1
4	2	Soojebi(4) = 0
5	3	Soojebi(5) = 1
6	3	Soojebi(6) = 0
7	4	Soojebi(7) = 1
8	4	Soojebi(8) = 0
9	4	Soojebi(9) = 0
10		

02 다음은 C언어 코드이다. 1에서 6사이에 숫자를 10번 임의로 생성한 값을 hist라는 배열에 저장하고, 1에서 6까지 몇 번 발생했는지 출력하는 코드를 ①, ② 밑줄친 부분을 채워 완성하시오.

```c
#include <stdio.h>
#include <stdlib.h>
#include <time.h>

int main(){
  int hist[6] = {0,};
  int n, i=0;
  srand(time(NULL));

  do{
    i++;
    n = rand()%6 + 1;
    hist[  ①  ] += 1;
  } while(i<10);

  for(i=0; i<6; i++)
    printf("h[%d] = %d\n", i,  ②  );
}
```

해설
- 크기가 6인 1차원 정수 배열 hist를 선언하고 0으로 초기화한다. 정수형 변수 n을 선언한다. 정수형 변수 i를 선언하고 0으로 초기화한다.
- srand(time(NULL)); 문장에서 time 함수에서 구해온 시간 값을 srand 함수의 파라미터로 전달하여 랜덤한 값을 생성한다.
- do-while 구문에서 i 값을 1 증가시킨다. 랜덤 함수에서 생성한 값을 6으로 나눈 나머지와 1을 합한 값을 n에 대입한다. 배열 hist[n-1]에 1을 더한값을 대입한다. i가 10보다 작을 때까지 반복한다.
- n 값이 5, 2, 4, 1, 5, 4, 4, 5, 5, 2이라고 가정하면 아래와 같이 수행된다.

i	n	hist[n-1]
1	5	hist[4] = 1
2	2	hist[1] = 1
3	4	hist[3] = 1
4	1	hist[0] = 1
5	5	hist[4] = 2
6	4	hist[3] = 2
7	4	hist[3] = 3
8	5	hist[4] = 3
9	5	hist[4] = 4
10	2	hist[1] = 2

- for 문에서 i는 0부터 6보다 작을 때까지 1씩 증가하며 hist 배열의 값을 화면에 출력한다.

해설
- 크기가 10인 정수형 배열 변수 num을 선언한다.
- 정수형 변수 min 값은 선언과 동시에 9999로 초기화한다.
- for 문에서 사용할 정수형 변수 i를 선언한다.
- for 문에서는 0부터 10보다 작을 때까지 1씩 i 값을 증가시키며 반복을 수행한다.
- scanf 함수에서는 사용자의 입력을 키보드로부터 받은 후 num 배열에 저장한다.
- 아래 for 문에서 i는 0부터 10보다 작을 때까지 i 값을 1씩 증가시킨다. if 문에서 min 값과 num[i] 값을 비교하여 min 값이 더 크면 num[i] 값을 min 변수에 대입한다.
- for 문이 종료되고 가장 작은 수가 저장된 min 값을 화면에 출력한다.
- scanf에서 "1 2 3 4 5 6 7 8 9 10"을 입력하면 아래와 같은 동작을 수행한다.

i	num	min
	1 2 3 4 5 6 7 8 9 10	9999
0	1	1
1	2	1
2	3	1
3	4	1
4	5	1
5	6	1
6	7	1
7	8	1
8	9	1
9	10	1

03 다음은 C언어 코드이다. 값을 10개 입력받아 가장 작은 값을 출력하려고 한다. 밑줄친 곳에 적합한 답을 쓰시오.

```
#include <stdio.h>
int main() {
  int num[10];
  int min = 9999;
  int i;
  for(i=0; i<10; i++) {
    scanf("%d", &num[i]);
  }
  for(i=0; i<10; i++){
    if(min > _____ ) {
      min = num[i];
    }
  }
  printf("%d", min);
}
```

예상문제

04 다음은 C언어 코드이다. 숫자 5개를 입력받아 짝수가 몇 개인지 구하려고 한다. 밑줄에 들어갈 가장 적합한 답을 쓰시오.

```c
#include <stdio.h>
int main() {
  int i, cnt=0;
  int arr[5];

  for(i=0;i<5;i++)
    scanf("%d", &arr[i]);

  for(i=0;i<5;i++) {
    if(arr[i] % 2 ____ 0)
      cnt = cnt + 1;
  }

  printf("%d", cnt);
}
```

해설
- 정수형 변수 i를 선언한다.
- 정수형 변수 cnt를 선언하고 0으로 초기화한다.
- 크기가 5인 1차원 정수형 배열 arr를 선언한다.
- for 문에서 i 값이 0부터 5보다 작을 때까지 i 값을 1씩 증가시키면서 scanf함수를 호출한다. scanf함수는 키보드로부터 입력받은 값을 arr 배열에 저장한다.
- 2번째 for반복문에서 i 값이 0부터 5보다 작을때까지 i 값을 1씩 증가시키면서 반복을 수행한다. arr[i]이 2로 나눈 나머지가 0인 경우 cnt=cnt+1;을 실행시켜 cnt값을 1 증가 시킨다.
- for반복문이 종료되고 화면에 cnt 값을 출력한다.
- 키보드에 1 2 3 4 5를 입력한 경우 다음과 같이 동작하며 화면에 2를 출력한다.

i	0	1	2	3	4
arr	arr[0] = 1	arr[1] = 2	arr[2] = 3	arr[3] = 4	arr[4] = 5
cnt	0	1	1	2	2

05 다음은 C언어 코드이다. 밑줄에 들어갈 가장 적합한 답을 쓰시오.

```c
#include <stdio.h>
#define MAX_SIZE 10
int stack[MAX_SIZE];
int top = -1;

void push(int item){
  if(top >=  ①   )
    printf("stack is full\n");
  else
    stack[++top] = item;
}

int pop() {
  if(top ==  ②   ) {
    printf("stack is empty\n");
    return -1;
  }
  return stack[top--];
}

int is_empty(){
  if(top == -1)
    return 1;
  else
    return 0;
}

int main() {
  push(20);
  push(30);
  push(40);
  while(!is_empty()){
    printf("value = %d\n", pop());
  }
}
```

[출력]
value = 40
value = 30
value = 20

06 다음은 C언어 코드이다. 밑줄친 곳에 들어갈 가장 적합한 답을 쓰시오.

```c
#include <stdio.h>
int main() {
  char ch, str[] = "12345000";
  int i, j;

  for(i=0; i<8; i++) {
    ch = str[i];
    if( _____ )
      break;
  }

  for(j=0; j<i; j++){
    i--;
    ch = str[j];
    str[j] = str[i];
    str[i] = ch;
  }

  printf("%s", str);
}
```

54321000

해설
- 문자(char)형 변수 ch를 선언한다.
- 문자열 타입 배열 변수 str을 선언하고 "12345000"로 초기화한다.
- 정수형 변수 i, j를 선언한다.
- for 문에서 i는 0부터 8보다 작을 때까지 i 값을 1씩 증가시키며 str[i] 값을 ch에 대입한다.

i	0	1	2	3	4	5	6	7
str	1	2	3	4	5	0	0	0
						break		

- for 문이 종료되고 i 값은 5가 된다.
- for 문은 j값이 0부터 i보다 작을때까지 반복을 수행한다.
- str[j]값을 ch에 대입하고 str[i]값을 str[j]에 대입하고 ch값을 str[i]에 대입하여 두 값을 교환(swap) 한다. i 값을 1 감소시킨다.

해설
- MAX_SIZE를 10으로 정의한다.
- 정수형 1차원 배열 stack을 선언한다.
- 스택의 끝을 가리키는 스택 포인터 top은 초깃값으로 -1을 대입한다.

함수	기능
push	• 스택이 가득 차 있는지 검사 • 스택에 데이터가 가득 차 있는 상태에서 push를 하려고 하면 stack is full을 출력하고, 그렇지 않은 경우 데이터를 넣고 top을 1 증가시킴
pop	• 스택이 비어있는지 검사 • 스택에 데이터가 없는 상태에서 스택에서 pop을 하려고 하면 stack is empty를 출력하고, 그렇지 않으면 데이터를 꺼내고 top을 1 감소시킴
is_empty	• 스택이 비어있는지 검사 • 비어있는 경우 1을 리턴하고 그렇지 않으면 0을 리턴함

- main 함수에서는 push 함수에서 20, 30, 40을 스택에 넣는다.
- while 문에서는 is_empty 함수가 참이 아닐 경우 반복을 수행한다. while 문 내부에서는 print 함수에서 pop 함수를 호출하며 pop 된 값을 화면에 출력한다.

예상문제

j	0	1	2	3	4
i	4	3	2		
str[j]	str[0] = 1	str[1] = 2	str[3] = 3		
str[i]	str[4] = 5	str[3] = 4	str[2] = 3		
str	52341000	54321000	54321000		

• 화면에 str 배열의 값인 "54321000"을 출력한다.

해설

```
char str1[20] = "KOREA";
char str2[20] = "LOVE";
char* p1 = NULL;
char* p2 = NULL;
p1 = str1;

p2 = str2;

str1[1]=p2[2];
str2[3]=p1[4];
strcat(str1, str2);

printf("%c", *(p1+2));
```

• 크기가 20인 배열 str1을 선언
• 크기가 20인 배열 str2를 선언
• 포인터 변수 p1을 선언
• 포인터 변수 p2를 선언
• p1에 str1의 시작 주솟값(&str1[0])을 저장(str1 배열을 포인터 p1에 대입하면 p1는 str1 배열처럼 사용할 수 있음)
• p2에 str2의 시작 주솟값(&str2[0])을 저장(str2 배열을 포인터 p2에 대입하면 p2는 str2 배열처럼 사용할 수 있음)
• str1[1]에 p2[2]의 값 'V'를 저장
• str2[3]에 p1[4]의 값 "A"를 저장
• strcat으로 문자열 str1에 str2를 붙임 ("KVREALOVA")
• p1은 &str1[0]이고, p1+2는 &str1[2]이다.
• p1+2가 가리키는 값인 "R"을 출력

07 다음 C언어 프로그램이 실행되었을 때, 실행 결과는?

```
#include <stdio.h>
#include <string.h>
int main(int argc, char *argv[ ]){
  char str1[20] = "KOREA";
  char str2[20] = "LOVE";
  char* p1 = NULL;
  char* p2 = NULL;
  p1 = str1;
  p2 = str2;
  str1[1]=p2[2];
  str2[3]=p1[4];
  strcat(str1, str2);
  printf("%c", *(p1+2));
  return 0;
}
```

08 다음은 C언어 코드이다. 실행 결과를 쓰시오.

```
#include <stdio.h>
int main(int argc, char *argv[ ]){
  int arr[2][3] = {1, 2, 3, 4, 5, 6};
  int (*p)[3] = NULL;
  p=arr;
  printf("%d", *(p[0]+1)+ *(p[1]+2));
  printf("%d", *(*(p+1)+0) + *(*(p+1)+1));
  return 0;
}
```

해설 • *(p[0]+1)은 2, *(p[1]+2)는 6이므로 *(p[0]+1)+ *(p[1]+2)는 8이 되고, *(*(p+1)+0)은 4, *(*(p+1)+1)은 5이므로 *(*(p+1)+0) + *(*(p+1)+1)는 9가 된다.

int arr[2][3] = {1, 2, 3, 4, 5, 6};
int (*p)[3] = NULL;
 	
p=arr;
 	
printf("%d", *(p[0]+1)+ *(p[1]+2));
 	
printf("%d", *(*(p+1)+0) + *(*(p+1)+1));
	• 2×3 크기의 2차원 배열 생성
	• p라는 배열 포인터 선언. p라는 포인터는 p[x][3] 크기의 배열을 가리킬 수 있음
	• arr 배열을 포인터 p에 대입하면 p는 arr 배열처럼 사용할 수 있음
	• *(p[0]+1)은 *(arr[0]+1)과 같은데, *(arr[0]+1)은 arr[0][0]에서 1번째 뒤에 있는 arr[0][1]의 값 2을 의미
	• *(p[1]+2)는 *(arr[1]+2)와 같은데, *(arr[1]+2)는 arr[1][0]에서 2번째 뒤에 있는 arr[1][2]의 값 6을 의미
	• *(arr+1)은 arr[1]과 같으므로 *(p+1)+0)은 *(arr[1]+0)과 같음
	• *(arr[1]+0)은 arr[1][0]의 값인 4를 의미
	• *(arr+1)은 arr[1]과 같으므로 *(p+1)+1)은 *(arr[1]+1)과 같음
	• *(arr[1]+1)은 arr[1][1]의 값인 5를 의미

주소	메모리	값
*(arr+0) == arr[0]	1	arr[0][0]
arr[0]+1	2	arr[0][1]
arr[0]+2	3	arr[0][2]
*(arr+1) == arr[1]	4	arr[1][0]
arr[1]+1	5	arr[1][1]
arr[1]+2	6	arr[1][2]

09 다음은 C언어 코드이다. 실행 결과를 쓰시오.

```c
#include <stdio.h>

int main(int argc, char *argv[]){
  int n1=1, n2=2, n3=3;
  int r1, r2, r3;

  r1=(n2<=2) || (n3>3);
  r2=!n3;
  r3=(n1>1) && (n2<3);

  printf("%d", r3-r2+r1);
  return 0;
}
```

해설 • C언어에서 0이 아니면 참, 0이면 거짓으로 인식하고, 계산한 결과는 참이면 1로, 거짓이면 0이 된다.

int n1=1, n2=2, n3=3; int r1, r2, r3;	
r1=(n2<=2) || (n3>3);	• n2<=2는 참이고, n3>3은 거짓이므로 (참 || 거짓)이기 때문에 참이 되어 r1은 1이 됨
r2=!n3;	• n3는 3이므로 참이기 때문에 !(NOT) 연산을 하면 거짓이 되므로 r2는 0이 됨
r3=(n1>1) && (n2<3);	• n1>1은 거짓이고, n2<3은 참이므로 (거짓 && 참)이기 때문에 거짓이 되어 r3는 0이 됨
printf("%d", r3-r2+r1);	• r3는 0, r2는 0, r1은 1이므로 1이 출력됨

NCS 천/기/누/설 예상문제

10 다음은 C언어 코드이다. 출력 결과를 쓰시오.

```c
#include <stdio.h>

int fn(char* a){
  int i=0;
  for(i=0; a[i] != '\0'; i++);
  return i;
}

int main() {
  char a[10] = "Hello";
  printf("%d", fn(a));
}
```

해설
- main 함수에서 "Hello"라는 문자열을 a라는 변수에 저장한 후에, fn(a)를 통해서 fn 함수에 전달한다.
- fn 함수에서 for 문은 초기식에 의해 i=0이 되고, a[i] != '\0'을 만족할 때까지 반복한다.

i	a[i]	a[i] != '\0'
0	a[0] = 'H'	참
1	a[1] = 'e'	참
2	a[2] = 'l'	참
3	a[3] = 'l'	참
4	a[4] = 'o'	참
5	a[5] = '\0'	거짓

- i가 5일 때 조건식이 거짓이 되므로 return i;에 의해 5를 반환한다.
- printf("%d", fn(a));에서 fn(a)는 5이므로 5를 출력한다.

11 다음은 C언어 코드이다. 실행 결과를 쓰시오.

```c
#include <stdio.h>
struct st{
  int a;
  int c[10];
};

int main(int argc, char *argv[]){
  int i=0;
  struct st ob1;
  struct st ob2;
  ob1.a = 0;
  ob2.a = 0;

  for(i=0; i<10; i++){
    ob1.c[i] = i;
    ob2.c[i] = ob1.c[i] + i;
  }

  for(i=0; i<10; i=i+2){
    ob1.a = ob1.a + ob1.c[i];
    ob2.a = ob2.a + ob2.c[i];
  }

  printf("%d", ob1.a + ob2.a);
  return 0;
}
```

해설

```
int i=0;
struct st ob1;
struct st ob2;
ob1.a = 0;
ob2.a = 0;

for(i=0; i<10; i++){
  ob1.c[i] = i;
  ob2.c[i] = ob1.c[i] + i;
}
for(i=0; i<10; i=i+2){
  ob1.a = ob1.a + ob1.c[i];
  ob2.a = ob2.a + ob2.c[i];
}
printf("%d", ob1.a + ob2.a);
```

- 정수형 변수 i에 0을 초기화
- ob1이라는 st 구조체 생성
- ob2라는 st 구조체 생성
- ob1 구조체 안에 a 변수를 초기화
- ob2 구조체 안에 a 변수를 초기화
- i=0부터 i=9까지 반복문을 수행하면서 ob1.c[i]라는 값에 i를 넣고, ob2.c[i]에 ob1.c[i]와 i를 더한 값을 저장
- i=0부터 i=9까지 반복문을 수행하는데, 증감식이 i=i+2이므로 i가 0, 2, 4, 6, 8일 때 반복
- i=0일 때 ob1.a는 0이고, ob1.c[0]는 0이므로 ob1.a은 0. ob2.a는 0이고, ob2.c[0]는 0이므로 ob2.a는 0이 됨
- i=2일 때 ob1.a는 0이고, ob1.c[2]는 2이므로 ob1.a은 2. ob2.a는 0이고, ob2.c[2]는 4이므로 ob2.a는 4가 됨
- i=4일 때 ob1.a는 2이고, ob1.c[4]는 4이므로 ob1.a은 6. ob2.a는 4이고, ob2.c[4]는 8이므로 ob2.a는 12가 됨
- i=6일 때 ob1.a는 6이고, ob1.c[6]는 6이므로 ob1.a은 12. ob2.a는 12이고, ob2.c[6]는 12이므로 ob2.a는 24가 됨
- i=8일 때 ob1.a는 12이고, ob1.c[8]는 8이므로 ob1.a은 20. ob2.a는 24이고, ob2.c[8]는 16이므로 ob2.a는 40이 됨

- for(i=0; i<10; i++)를 실행한 후의 ob1, ob2의 c 값은 다음과 같다.

	c[0]	c[1]	c[2]	c[3]	c[4]	c[5]	c[6]	c[7]	c[8]	c[9]
ob1	0	1	2	3	4	5	6	7	8	9
ob2	0	2	4	6	8	10	12	14	16	18

12 다음은 C언어 코드이다. 실행 결과를 쓰시오.

```
#include <stdio.h>
int f(int i);
int main( ){
  printf("%d %d %d", f(1), f(5), f(-2));
  return 0;
}
int f(int i){
  if(i<=2)
    return 1;
  else
    return f(i-1)+f(i-2);
}
```

해설

- 함수 내에 자기 자신을 두 번 호출하는 경우이다.
- 먼저 f(1)을 호출했을 경우 int f(int i)에서 i가 1이므로 (i<=2)조건을 만족해 return 1을 반환하므로 f(1)은 1을 출력한다.
- 다음으로 f(5)를 호출했을 때, int f(int i)에서 i가 5이므로 else문의 return f(i-1)+f(i-2)을 실행하므로 f(4)+f(3)을 반환하게 된다.
- 여기서 f(4)는 f라는 함수 반환 값이 f(3)+f(2)가 되는데, 여기서 f(3)은 f(2)+f(1)이 되고, f(2)일 경우 if 문을 만족하여 1을 반환하므로 1이 되고, f(1)도 마찬가지로 i가 if 문을 만족하여 1을 반환한다.
- 그러면 f(3)은 f(2)+f(1)을 반환한다고 했는데 f(2)와 f(1)이 1이므로 1+1해서 f(3)은 2를 반환한다.
- f(4)는 f(3)+f(2)를 반환한다고 했는데 f(3)은 2였고, f(2)는 1이기 때문에 2+1해서 3이 된다.
- 처음 호출했던 f(5)는 f(4)+f(3)을 반환하게 되는데 f(4)에서 3을 반환하고, f(3)은 f(2)+f(1)이므로 1+1이 되어 2 반환하므로, f(5)는 3+2가 되어 5를 반환하고, 5를 출력한다.
- 마지막으로 f(-2)를 호출했을 경우 int f(int i)에서 i가 -2이므로 (i<=2) 조건을 만족해 return 1을 반환하므로 f(-2)는 1을 출력한다.

정답

01. 4 **02.** ① n-1, ② hist[i] **03.** num[i] **04.** == **05.** ① MAX_SIZE-1 또는 9, ② -1 **06.** ch == '0'
07. R **08.** 89 **09.** 1 **10.** 5 **11.** 60 **12.** 1 5 1

CHAPTER 03 자바

1 자바 기본 구조

- Java에서 모든 소스 코드는 **클래스** 단위로 구성된다.
- 프로그램은 public static void main부터 시작한다.

개념 박살내기

■ 자바 기본 코드

[소스 코드]

```java
public class Soojebi {
  public static void main(String[] args){
    System.out.println("Hello");
  }
}
```

출력: Hello

[코드 해설]

01	• Soojebi 클래스 생성 • 클래스 이름이 Soojebi이면 소스 코드에 대한 파일 이름은 Soojebi.java가 되어야 함
02	• main 함수의 시작 부분(프로그램이 제일 처음 실행되는 부분)
03	• 수제비라는 문자열을 println이라는 함수를 이용해 출력

잠깐! 알고가기

클래스(Class)
- 객체 지향 관점에서 객체(Object)를 정의하는 틀로서 많은 객체 지향 프로그래밍 언어의 기본 구조이다.
- 클래스는 변수(Variable)와 메서드(Method)로 구성된다.

2 자료형

(1) 자료형(Data Type)의 개념

- 자료형은 프로그래밍 언어에서 실수, 정수 자료형과 같은 여러 종류의 데이터를 식별하는 형태이다.
- 메모리 공간을 효율적으로 사용하고 2진수 데이터를 다양한 형태로 사용하기 위해 존재한다.

(2) 자료형의 유형

- 자료형의 유형은 문자형, 정수형, 부동 소수점형, 논리형이 있다.

▼ 자료형 유형

유형	설명	선언 형식
문자형 (Character)	• 문자 하나를 저장하고자 할 때 사용하는 자료형 • 메모리에 저장은 숫자로 저장됨	char
문자열형 (String)	• 문자 여러 개를 저장하고자 할 때 사용하는 자료형	String
정수형 (Integer)	• 정숫값을 저장하고자 할 때 사용하는 자료형	byte, short, int, long
부동 소수점형 (Floating Point)	• 소수점을 포함하는 실숫값을 저장하고자 할 때 사용하는 자료형	float, double
논리형 (Logical; Boolean)	• 변수의 참, 거짓을 나타낼 때 사용하는 자료형 • true(참), false(거짓) 두 가지 값을 저장	boolean

> **학습 Point**
> 자바에서 byte, short, int, long의 바이트 크기는 다음과 같습니다.
>
> | 자료형 | 바이트 크기 |
> |---|---|
> | byte | 1 |
> | short | 2 |
> | int | 4 |
> | long | 8 |

3 변수 ★★

(1) 변수(Variable)의 개념

- 변수는 저장하고자 하는 어떠한 값이 있을 때, 그 값을 주기억장치에 기억하기 위한 공간이다.
- 자바의 변수는 초기화하지 않으면 정수형은 0, 실수형은 0.0, 문자형은 NULL로 초기화된다.

(2) 변수 유효범위(Variable Scope)

1 클래스 변수(Class Variable)

- 클래스 변수는 클래스 블록에 선언하는 변수이다.
- 클래스 변수는 클래스가 시작되면 변수가 생성되고, 클래스가 종료되면 변수가 소멸된다.
- 클래스 변수는 클래스 내에서 사용할 수 있다.

> **잠깐! 알고가기**
> **블록(Block)**
> 자바에서 중괄호로 묶은 부분이다.

개념 박살내기

■ 자바 클래스 변수

[소스 코드]

```java
01  public class Soojebi {
02    int a = 5;
03    void fn(){
04      a = a + 3;
05    }
06    public static void main(String[] args){
07      Soojebi s = new Soojebi();
08      s.a = s.a + 5;
09      s.fn();
10      System.out.println(s.a);
11    }
12  }
```

출력	13

[코드 해설]

02	• a라는 변수에 5를 대입 • a는 클래스 변수
06	• 프로그램은 main 함수부터 시작
07	• Soojebi 클래스를 s라는 변수에 생성
08	• s의 a는 5가 저장되어 있으므로 5+5는 10이 되고, 10을 s의 a라는 변수에 저장
09	• s의 fn 사용자 정의 함수를 호출
03	• fn 함수 호출
04	• a는 10이 저장되어 있으므로 10+3은 13이 되고, 13을 a라는 변수에 저장
10	• s의 a는 13이므로 13을 출력

2 지역 변수(Local Variable)

- 지역 변수는 블록 내에서 선언하는 변수이다.
- 중괄호가 닫히는 시점에 소멸된다.
- 지역 변수는 해당 블록 안에서만 사용할 수 있다.

💡 개념 박살내기

■ 자바 지역 변수

[소스 코드]

01	`public class Soojebi {`
02	`  public static void main(String[] args){`
03	`    int a = 3;`
04	`    System.out.println(a);`
05	`  }`
06	`}`
출력	3

[코드 해설]

02	• 프로그램은 main 함수부터 시작
03	• a라는 변수에 3을 저장 • a는 지역 변수
04	• a에 저장된 3을 출력

3 static 변수(Static Variable)

- static 변수는 변수 선언할 때 static이라는 키워드를 붙여준다.
- static 변수는 프로그램이 시작되면 변수가 생성되고, 프로그램이 종료되면 변수가 소멸된다.
- static 변수는 프로그램 전체에서 사용할 수 있다.

💡 개념 박살내기

■ 자바 static 변수

[소스 코드]

01	`class Soojebi {`
02	`  static int count = 0;`
03	`}`
04	`public class SoojebiMain {`
05	`  public static void main(String[] args){`
06	`    Soojebi s = new Soojebi();`
07	`    s.count++;`
08	`    System.out.println(s.count);`
09	`    s.count++;`
10	`    System.out.println(s.count);`
11	`  }`
12	`}`
출력	1 2

> **학습 Point**
> - 초기화는 int a = 3;과 같이 변수가 어떤 자료형을 사용하는지 선언할 때 넣어주는 값을 말하는데, 초기화는 처음 한 번만 수행합니다.
> - static 변수는 프로그램이 종료될 때까지 소멸되지 않기 때문에 예시 코드처럼 여러 번 지나는 경우가 있습니다. 이런 경우에도 초기화는 처음 한 번만 수행합니다.

학습 Point

- 초기화는 int a = 3;과 같이 변수가 어떤 자료형을 사용하는지 선언할 때 넣어주는 값을 말하는데, 초기화는 처음 한 번만 수행합니다.
- static 변수는 프로그램이 종료될 때까지 소멸되지 않기 때문에 「C언어 static 변수」 예시처럼 여러 번 지나는 경우가 있습니다. 이런 경우에도 초기화는 처음 한 번만 수행합니다.

[코드 해설]

05	• 프로그램은 main 함수부터 시작
06	• Soojebi 클래스 객체 s 생성
02	• s의 count 변수는 0으로 초기화
07	• s의 count 값을 1 증가시켜 s.count는 1이 됨
08	• 화면에 s의 count 값을 출력함
09	• s의 count 값을 1 증가시켜 s.count는 2가 됨
10	• 화면에 s의 count 값을 출력함

4 배열★★★

(1) 배열(Array) 개념

- 배열은 같은 타입의 변수들로 이루어진 집합이다.

(2) 배열 종류

1 1차원 배열

▼ 1차원 배열 선언

구분	선언
초깃값이 없는 경우	자료형 [ ]배열명 = new 자료형[배열_요소_개수];
	자료형 배열명[ ] = new 자료형[배열_요소_개수];
초깃값이 있는 경우	자료형 [ ]배열명 = {초깃값};

- 배열 요소 개수에 정의된 숫자만큼 같은 타입의 데이터 공간이 선언된다.
- 배열 요소 개수를 명시하지 않고 초깃값이 정의되어 있을 경우 초깃값 개수만큼 공간이 선언된다.
- 초깃값을 선언하지 않을 경우 정수일 때는 0, 실수일 때는 0.0, 문자열일 때는 NULL이 저장된다.
- 불린, 문자, 정수, 실수 등을 배열로 선언할 때 사용한다.
- 자바에서 배열의 크기를 구할 때는 length 속성을 사용한다.

개념 박살내기

■ 자바 1차원 배열 length 속성

[소스 코드]

01	`public class Soojebi {`
02	`  public static void main(String[] args){`
03	`    int []a = new int[3];`
04	`    System.out.println(a.length);`
05	`  }`
06	`}`
출력	3

[코드 해설]

03	int 형 변수 3개 선언
04	a 배열의 개수를 출력

2 2차원 배열

▼ 2차원 배열 선언

구분	선언
초깃값이 없는 경우	자료형 [ ][ ]배열명= new 자료형[행의 개수][열의 개수];
	자료형 배열명[ ][ ]= new 자료형[행의 개수][열의 개수];
초깃값이 있는 경우	자료형 [ ][ ]배열명 = {{초깃값}, {초깃값}, …};

개념 박살내기

■ 자바 2차원 배열 length 속성

[소스 코드]

01	`public class Soojebi {`
02	`  public static void main(String[] args){`
03	`    int [][]a = new int[3][2];`
04	`    System.out.println(a.length);`
05	`    System.out.println(a[0].length);`
06	`  }`
07	`}`
출력	3 2

[코드 해설]

03	int 형 변수 3×2개 선언
04	a 배열의 행의 개수를 출력
05	a[0] 배열의 개수를 출력

■ 자바 2차원 배열 length 속성 사용

[소스 코드]

```java
01  public class Soojebi {
02    public static void main(String[]args){
03      int [][]a = {{1, 2}, {3}, {4, 5, 6}};
04      System.out.println(a.length);
05      System.out.println(a[0].length);
06      System.out.println(a[1].length);
07      System.out.println(a[2].length);
08    }
09  }
```

| 출력 | 3
2
1
3 |

[코드 해설]

03	int 형 2차원 배열 선언
04	a 배열의 행의 개수를 출력
05	a[0] 배열의 개수를 출력
06	a[1] 배열의 개수를 출력
07	a[2] 배열의 개수를 출력

5 표준 입출력 함수 ★★

(1) 표준 출력 함수

- 표준 출력 함수는 print, println, printf 함수가 있다.

▼ 표준 출력 함수

함수	설명
System.out.print();	개행을 하지 않는 출력함수
System.out.println();	개행을 하는 출력함수
System.out.printf();	C 언어처럼 변수를 출력할 수 있는 출력 함수

개념 박살내기

■ 자바 표준 출력 함수

[소스 코드]

```java
01  public class Soojebi {
02      public static void main(String[]args){
03          int a = 100;
04          System.out.print("Hello\n");
05          System.out.println("Hello");
06          System.out.printf("%d", a);
07      }
08  }
```

| 출력 | Hello
Hello
100 |

[코드 해설]

03	변수 a에 100을 대입
04	Hello 값을 출력한 후에 이스케이프 문자인 \n을 만나고 개행
05	Hello 값을 출력하고 개행
06	a 값을 %d(10진수)로 출력

(2) 표준 입력 함수

- readLine은 입력장치(키보드)로부터 라인 전체를 읽는 표준 입력 함수이다.

```
System.in.readLine()
```

개념 박살내기

■ 자바 표준 입력 함수

[소스 코드]

```java
01  public class Soojebi {
02      public static void main(String[] args) {
03          String a = null;
04          BufferedReader r =
                    new BufferedReader(new InputStreamReader(System.in));
05          a = r.readLine();
06
07          System.out.println(a);
08      }
09  }
```

학습 Point

BufferedReader를 사용하기 위해서는 java.io.BufferedReader를 import해야하고, InputStreamReader를 사용하기 위해서는 java.io.InputStreamReader를 import해야 합니다.
또한 코드에 추가하지 않았지만 입력할 때는 예외 처리를 해줘야 해서 main 메서드 선언한 후, main 메서드 시작하기 바로 직전에 throws를 이용해 예외 처리를 해주어야 합니다.

```
public static void main(String[] args) throws IOException {
    ...
}
```

예외처리를 위한 IOException을 사용하기 위해서는 java.io.IOException을 import해야 합니다.
자바 표준 입력 함수 예제를 실제 돌려보실 분들은 [소스 코드]의 01줄 위에 다음 코드를 입력해줘야 동작하고, 04줄에 throws IOException을 추가해주셔야 합니다.

```
import java.io.BufferedReader;
import java.io.InputStreamReader;
import java.io.IOException;
```

입력	Hello
출력	Hello

[코드 해설]

03	• 문자열을 저장하는 변수 a를 선언 및 null로 초기화
04	• system.in을 통해 한 글자씩 받은 후, InputStreamReader로 문자열로 변형 • BufferedReader의 객체인 r로 결과를 받음
05	• Enter 키 입력 전까지 입력값을 a에 저장
07	• a에 저장된 값을 출력

6 문자열

(1) 문자열 생성

① 리터럴을 이용한 방식

- 리터럴을 이용한 방식은 String 변수에 문자열 리터럴을 저장한 주소를 대입하는 방식이다.

```
String 변수명 = "문자열";
```

- 리터럴 문자열은 문자열 풀에 저장되고, 같은 리터럴을 사용하는 변수는 같은 문자열 풀을 가리키게 된다.

←예

String a = "abc";
→ 리터럴 문자열 abc가 String Pool에 저장되고, a라는 변수는 String Pool에 저장된 abc를 가리킴

② new를 이용한 방식

- new를 이용한 방식은 문자열 인스턴스를 생성하여 String 변수에 주솟값을 대입하는 방식이다.

```
String 변수명 = new String("문자열");
```

- String 인스턴스는 힙(Heap)에 저장되고, 변수는 힙에 저장된 인스턴스의 주소를 대입하게 된다.

잠깐! 알고가기

리터럴(Literal)
소스 코드에서 고정된 값이나 데이터를 나타내는 방식이다.

정수 리터럴	1, 2, 3 등
문자열 리터럴	"ABC" 등

잠깐! 알고가기

문자열 풀(String Pool)
- 자바에서 문자열 리터럴을 관리하기 위한 메모리 영역이다.
- 문자열 풀은 문자열 리터럴을 저장하고 중복을 피하기 위해 사용한다.

학습 Point

인스턴스라는 말이 어렵게 다가올 수 있는데, 간단하게 얘기하면 new로 생성된 객체가 인스턴스입니다. new String("문자열")을 이용하면 객체가 만들어지는데, 그것을 인스턴스라고 보시면 되겠습니다.

개념 박살내기

■ 자바 문자열 생성

[소스 코드]

01	`public class Soojebi {`
02	`  public static void main(String[] args){`
03	`    String a = "abc";`
04	`    String b = "abc";`
05	`    String c = new String("abc");`
06	`    String d = new String("abc");`
07	
08	`    System.out.println(a);`
09	`    System.out.println(b);`
10	`    System.out.println(c);`
11	`    System.out.println(d);`
12	`  }`
13	`}`
출력	abc abc abc abc

[메모리 구조]

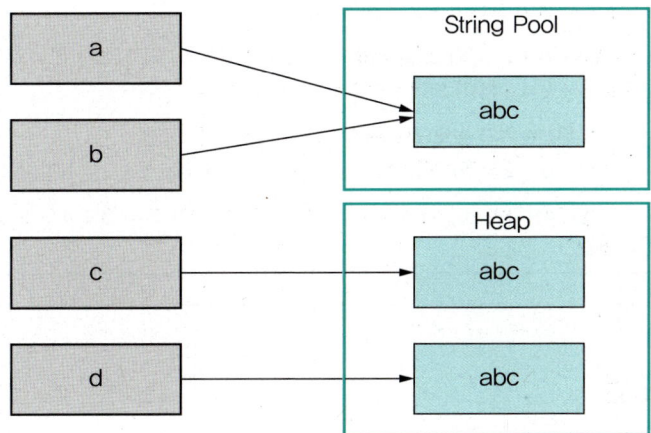

[코드 해설]

02	• main 메서드부터 실행
03~04	• a, b라는 이름의 문자열 변수에 "abc" 문자열을 저장
05~06	• c, d라는 이름의 문자열 변수에 "abc"가 저장된 문자열 객체를 생성
08~11	• a, b, c, d 변수에 저장된 문자열 출력

(2) 문자열 연결

- 문자열과 문자열, 문자열과 정수, 문자열과 실수를 더하게 되면 문자열이 된다.

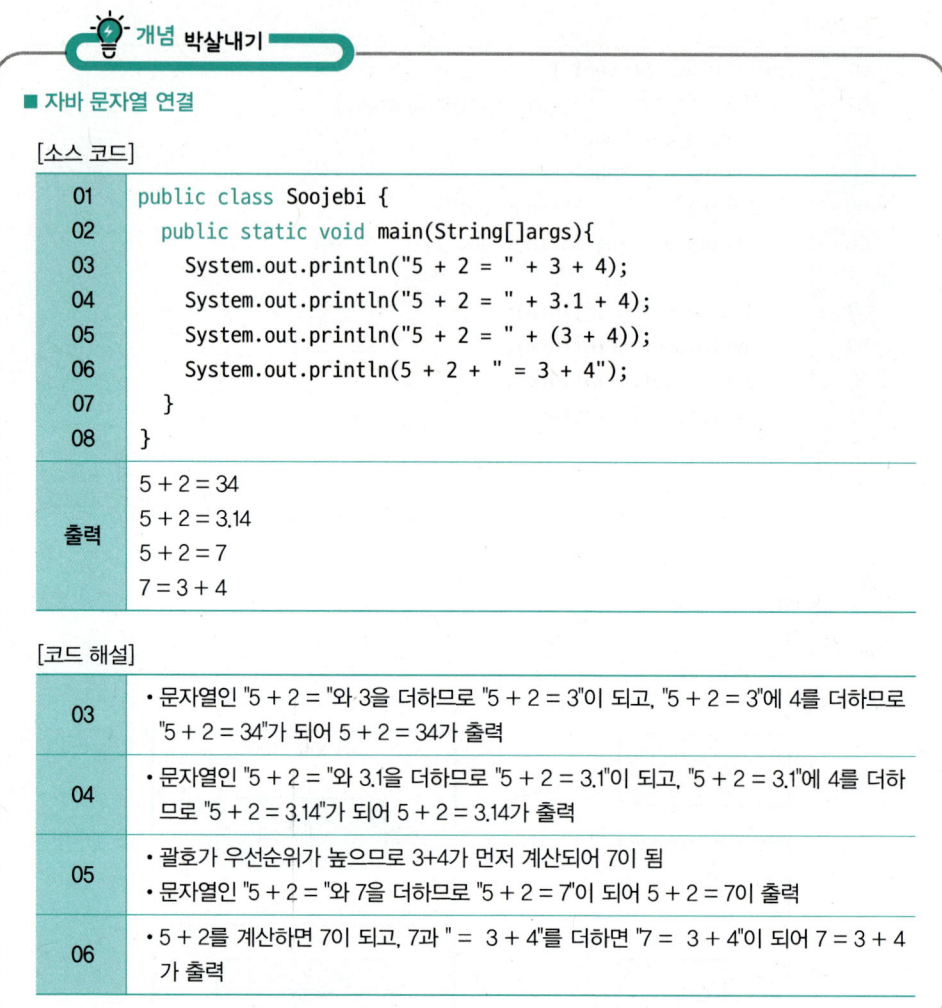

(3) 문자열 비교

① == 연산자
- == 연산자는 문자열의 주솟값을 비교하는 연산자이다.

② equals 메서드
- equals 메서드는 문자열 자체를 비교하는 메서드이다.

■ 자바 문자열 비교

[소스 코드]

```
01  public class Soojebi {
02    public static void main(String[] args){
03      String a = "abc";
04      String b = "abc";
05      String c = new String("abc");
06      String d = new String("abc");
07      String e = a;
08      System.out.println(a == b);
09      System.out.println(a == c);
10      System.out.println(b == e);
11      System.out.println(c == d);
12      System.out.println(d == e);
13      System.out.println(a.equals(b));
14      System.out.println(a.equals(c));
15      System.out.println(b.equals(e));
16      System.out.println(c.equals(d));
17      System.out.println(d.equals(e));
18    }
19  }
```

출력
```
true
false
true
false
false
true
true
true
true
true
```

[메모리 구조]

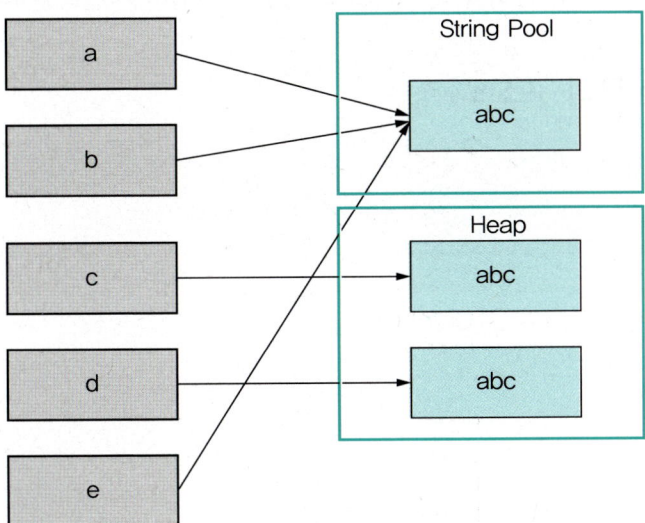

[코드 해설]

02	• main 메서드부터 실행
03~04	• a, b라는 이름의 문자열 변수에 "abc" 문자열이 가리키고 있는 주소를 저장 • a, b는 리터럴 방식이고, 같은 문자열을 가지고 있으므로 문자열 풀의 같은 곳을 가리킴
05~06	• c, d라는 이름의 문자열 변수에 "abc" 문자열이 가리키고 있는 주소를 저장 • c, d는 각각의 인스턴스를 가지므로 서로 다른 주솟값을 가짐
06~07	• e라는 이름의 문자열 변수에 a의 주솟값을 저장
08	• a와 b는 같은 주솟값을 가지므로 true가 출력됨
09	• a는 문자열 풀에 저장되어 있고, c는 힙에 저장되어 있으므로 주소가 달라 false가 출력됨
10	• b는 문자열 풀에 저장되어 있고, e도 문자열 풀에 저장되어 있으므로 주소가 같아 true가 출력됨
11	• c, d는 각각 다른 인스턴스를 가지므로 주소가 달라 false가 출력됨
12	• d는 힙에 저장되어 있고, e는 문자열 풀에 저장되어 있으므로 주소가 달라 false가 출력됨
13~17	• a, b, c, d, e 모두 "abc"라는 동일한 문자열을 가지고 있으므로 결과는 true

7 반복문 - for each 문 ★

(1) for each 문의 개념

- for each 문은 배열이나 리스트의 크기만큼 반복하는데, 반복할 때마다 배열이나 리스트의 항목을 순차적으로 변수에 대입하는 반복문이다.

(2) for each 문의 구조 [24년 1회]

```
for( 제어변수 : 배열 ) {
   문장;
}
```

개념 박살내기

■ 자바 for each 문 예시

[소스 코드]

01	`public class Soojebi {`
02	`  public static void main(String[]args){`
03	`    String[] name = {"SOO","JE","BI"};`
04	`    for( String nm : name ){`
05	`      System.out.println(nm);`
06	`    }`
07	`  }`
08	`}`

| 출력 | SOO
JE
BI |

[코드 해설]

03	"SOO", "JE", "BI" 값을 갖는 name 배열을 선언
04	name 배열의 첫 번째 요소인 "SOO"를 nm 변수에 전달
05	nm의 값인 SOO를 출력
04	name 배열의 두 번째 요소인 "JE"를 nm 변수에 전달
05	nm의 값인 JE를 출력
04	name 배열의 세 번째 요소인 "BI"를 nm 변수에 전달
05	nm의 값인 BI를 출력

8 메서드 ★★

(1) 사용자 정의 함수(메서드)

1 사용자 정의 함수(User-Defined Function) 개념

- 사용자 정의 함수는 사용자가 직접 새로운 함수를 정의하여 사용하는 방법이다.
- 사용자 정의 함수에서 매개변수나 생성된 변수는 사용자 정의 함수가 종료되면 없어진다.

2 사용자 정의 함수 문법 [24년 2회]

```
자료형 함수명(자료형 변수명, …){
  명령어;
  return 반환값;
}
```

💡 개념 박살내기

■ 자바 사용자 정의 함수

[소스 코드]

```java
01  public class Soojebi {
02    static char fn(int num){
03      if(num % 2 == 0)
04        return 'Y';
05      else
06        return 'N';
07    }
08    public static void main(String[] args){
09      char a = fn(5);
10      System.out.print(a);
11    }
12  }
```

출력	N

[코드 해설]

08	• main 함수의 시작 부분(프로그램이 제일 처음 실행되는 부분)
09	• a라는 이름의 char(문자)형 변수를 선언, a는 fn(5)가 실행한 후에 반환되는 return 값으로 초기화
02	• fn(5)에 의해 fn 함수를 실행 • fn(int num) 함수를 fn(5)로 호출했으므로 num의 값은 5 • num은 사용자 정의 함수가 끝나면 없어짐
03	• num은 5이므로, num % 2는 5%2인 1이 때문에 num % 2 == 0은 거짓이 되어 if 문을 실행하지 않음
05	• if 문이 거짓이므로 else 문을 실행
06	• N을 fn(5) 호출한 곳으로 전달 • return을 만났으므로 fn 함수는 종료
09	• fn(5)는 N이므로 a는 N이라는 문자로 초기화
10	• a의 값인 N을 출력

(2) static 메서드

- static 메서드는 클래스가 메모리에 올라갈 때 자동적으로 생성되는 메서드이다.
- 인스턴스를 생성하지 않아도 호출이 가능하게 된다.

■ 자바 static 메서드

[소스 코드]

```
01  class Soojebi {
02    static void print(){
03      System.out.println("static method");
04    }
05  }
06  public class SoojebiMain {
07    public static void main(String[] args){
08      Soojebi.print();
09    }
10  }
```

| 출력 | static method |

[코드 해설]

07	프로그램은 main 메서드부터 시작
08	인스턴스(Soojebi soo와 같은 변수 선언)를 생성하지 않고, "클래스명.메서드명" 형태로 호출
02	static으로 print 메서드 선언해서 인스턴스 없이 호출 가능
03	static method 출력

> **잠깐! 알고가기**
>
> 인스턴스(Instance)
> 클래스로부터 만들어진 객체이다.

> **학습 Point**
>
> 자바는 클래스 이름과 파일 이름이 같아야 합니다. main 메서드가 포함된 클래스를 기준으로 하는데, 자바 static 메서드 예제는 SoojebiMain 클래스에 main 메서드가 포함되어 있으므로 SoojebiMain.java 파일에 코드를 넣어서 실행해야 합니다.

9 클래스

(1) 클래스(Class) 개념

- 클래스는 객체 지향 프로그래밍(OOP; Object-Oriented Programming)에서 특정 객체를 생성하기 위해 변수와 메서드를 정의하는 틀이다.

(2) 클래스 접근 제어자

1 클래스 접근 제어자(Access Modifier) 개념
- 접근 제어자는 지정된 클래스, 변수, 메서드를 외부(같은 패키지이거나 다른 패키지)에서 접근할 수 있도록 권한을 설정하는 기능이다.

2 클래스 접근 제어자 종류

▼ 클래스 접근 제어자 종류

종류	설명
public	• 외부의 모든 클래스에서 접근이 가능한 접근 제어자
protected	• 같은 패키지 내부에 있는 클래스, 하위 클래스(상속받은 경우)에서 접근이 가능한 접근 제어자 • 자기 자신과 상속받은 하위 클래스 둘 다 접근이 가능한 접근 제어자
default	• 접근 제어자를 명시하지 않은 경우로 같은 패키지 내부에 있는 클래스에서 접근이 가능한 접근 제어자
private	• 같은 클래스 내에서만 접근이 가능한 접근 제어자

> **학습 Point**
> default는 자바에만 존재하는 접근 제어자입니다.

(3) 클래스 정의
- 클래스에서 변수는 변수 선언과 동일하고, 메서드는 사용자 정의 함수와 문법이 동일하다.
- 일반적으로 변수는 private 접근 제어자를 사용하여 외부에서 접근하지 못하게 하며, 메서드는 외부에 공개할 것만 public 접근 제어자를, 그렇지 않으면 protected나 private 접근 제어자를 사용하여 정보은닉을 한다.

```
public class 클래스명{
  private 자료형 변수명;
  public 반환_자료형 메서드명(자료형 변수명, …){
    명령어;
    return 반환값;
  }
}
```

> **잠깐! 알고가기**
> 정보 은닉(Information Hiding)
> 코드 내부 데이터와 메서드를 숨기고 공개 인터페이스를 통해서만 접근이 가능하도록 하는 코드 보안 기술이다.

(4) 클래스 변수 생성
- 클래스는 객체를 생성하기 위해 변수와 메서드를 정의하는 틀이므로 실제 변수에 들어갈 인스턴스를 new 키워드로 생성해주어야 한다.
- 변수를 이용해 클래스의 메서드에 접근한다.

```
클래스명 변수명 = new 클래스명(파라미터);
변수명.메서드명( );
```

(5) 클래스 this

- this는 현재 객체를 가리키는 키워드이다.
- 클래스 내부의 변수와 메서드를 가리킬 수 있다.

클래스 내부 변수 접근	this.변수;
클래스 내부 메서드 접근	this.메서드(매개변수);
클래스 내부 생성자 호출	this(매개변수);

 개념 박살내기

■ 자바 this

[소스 코드]

```
01  public class Soojebi {
02    private int a;
03    public void setA(int a){
04      this.a = a;
05    }
06    public int getA( ){
07      return a;
08    }
09    public static void main(String[] args){
10      Soojebi soo = new Soojebi( );
11      soo.setA(5);
12      System.out.print(soo.getA( ));
13    }
14  }
```

출력	5

[코드 해설]

09	• 프로그램은 main 메서드부터 시작
10	• soo라는 변수에 Soojebi 클래스 생성
11	• soo 클래스 변수 내의 setA라는 함수를 호출할 때 5를 넘김
03	• setA 함수에서 a라는 매개변수 받음
04	• this.a는 class 내의 a 변수, 그냥 a는 매개변수로 받은 변수 • 클래스 내의 private int a의 a에 파라미터로 받은 a 값인 5를 대입
12	• soo.getA의 반환 값을 출력 • 반환 값은 getA 메서드를 실행해야 알 수 있음
06	• getA 함수는 클래스 내의 a 변수에 저장된 5를 반환
12	• soo.getA의 반환 값은 5이므로 System.out.println(5)가 되어 5를 출력

학습 Point

setA 함수에서 a라고 하면 파라미터로 받은 int a일 수도 있고, 클래스 내에 저장된 private int a의 a일 수도 있습니다. 프로그램에서는 같은 이름일 경우 가장 가까이에 있는 변수를 지칭하게 되는데, 파라미터로 받는 int a는 함수 내에 있어서 함수 밖에 있는 private int a보다 가까우므로 a라고 지칭하면 파라미터로 받는 int a를 가리키게 됩니다. 그러면 클래스 내에 있는 private int a의 a를 가리킬 방법이 없으므로 this를 써서 가리킬 수 있습니다.

(6) 생성자(Constructor)

- 생성자는 해당 클래스의 객체가 생성될 때 자동으로 호출되는 특수한 종류의 메서드이다.
- 생성자는 일반적으로 클래스의 멤버 변수를 초기화하거나 클래스를 사용하는 데 필요한 설정이 필요한 경우 사용한다.
- 생성자는 클래스 명과 동일한 메서드명을 가지고, 반환 값이 없다.
- 생성자가 없을 경우 public 클래스명( ){ }이라는 아무 일도 하지 않는 생성자가 있는 것처럼 동작한다.

▼ 생성자

구분	코드

생성자 정의	`public class 클래스명{`
	`    public 클래스명(매개변수){`
	`        명령어;`
	`    }`
	`}`

생성자 호출	클래스명 클래스변수 = new 클래스명(매개변수);

💡 개념 박살내기

■ 자바 생성자 메서드

[소스 코드]

```
01  public class Soojebi{
02    public Soojebi( ){
03      System.out.println("A");
04    }
05    public Soojebi(int a){
06      System.out.println("B: "+a);
07    }
08    public void fn( ){
09      System.out.println("C");
10    }
11    public static void main(String[] args){
12      Soojebi s1 = new Soojebi( );
13      Soojebi s2 = new Soojebi(5);
14      s1.fn( );
15    }
16  }
```

출력	A B: 5 C

[코드 해설]

11	• 프로그램은 main 메서드부터 시작
12	• new Soojebi( )에서 파라미터가 없으므로 Soojebi( ) 생성자를 호출
02	• 매개변수가 없는 생성자를 호출
03	• A를 출력
13	• new Soojebi(5)에서 파라미터가 정수이므로 Soojebi(int a) 생성자를 호출
05	• 정수 값을 매개변수로 받는 생성자를 호출
06	• a는 5이므로 "B: "+5가 되어 B: 5가 출력
14	• s1의 fn 메서드를 호출
08	• fn 메서드 실행
09	• C를 출력

10 클래스 상속 ★★★

(1) 클래스 상속(Inheritance) 개념

- 상속은 어떤 객체가 있을 때 그 객체의 변수와 메서드를 다른 객체가 물려받는 기능이다.
- 자식 클래스를 생성하면 무조건 부모 클래스의 생성자를 실행한 후에 자식 클래스의 생성자를 실행한다.

(2) 클래스 상속 문법

▼ 상속 문법

```
class 부모_클래스명{
}
class 자식_클래스명 extends 부모_클래스명{
}
```

학습 Point

부모 클래스는 상위 클래스 슈퍼 클래스라고도 하고, 자식 클래스는 하위 클래스, 서브 클래스라고도 합니다.

> **학습 Point**
> 자바는 자식 클래스를 생성하면 부모 클래스 생성자를 먼저 방문하고, 그다음에 자식 클래스 생성자를 방문합니다. 파이썬은 자식 클래스를 생성하면 자식 클래스의 생성자만 방문합니다. 차이점을 기억해두세요.

 개념 박살내기

■ 자바 상속

[소스 코드]

01	`class A{`
02	`  public void fnA( ){`
03	`    System.out.println("A");`
04	`  }`
05	`}`
06	`class B extends A{`
07	`  public void fnB( ){`
08	`    System.out.println("B");`
09	`  }`
10	`}`
11	`public class Soojebi {`
12	`  public static void main(String[] args){`
13	`    B b = new B( );`
14	`    b.fnA( );`
15	`    b.fnB( );`
16	`  }`
17	`}`
출력	A B

[코드 해설]

12	프로그램은 main 메서드부터 시작
13	B 클래스를 b라는 변수로 생성
14	b의 fnA( ) 함수를 호출하면 B 클래스에 fnA( ) 메서드가 없으므로 부모 클래스인 A 클래스의 fnA( ) 메서드를 실행
02	fnA( ) 메서드를 실행
03	A를 출력
15	b의 fnB( ) 함수를 호출하면 B 클래스의 fnB( )를 호출
07	fnB( ) 메서드를 실행
08	B를 출력

> **학습 Point**
> 생성자와 오버라이딩을 헷갈려하는데, 생성자는 클래스명과 동일한 이름의 메서드이고, 오버라이딩은 부모, 자식 간 동일한 이름의 메서드입니다. (생성자는 오버라이딩이 안 됩니다.)

(3) 오버로딩(Overloading)

- 오버로딩은 동일 이름의 메서드를 매개변수만 다르게 하여 여러 개 정의할 수 있는 기능이다.
- 오버로딩 특징은 다음과 같다.

- 메서드 이름이 같아야 한다.
- 매개변수 개수가 달라야 한다.
- 매개변수 개수가 같을 경우 데이터 타입이 달라야 한다.
- 반환형은 같거나 달라도 된다.

개념 박살내기

■ 자바 오버로딩

[소스 코드]

```
01  class A {
02    public void fn( ){
03      System.out.println("A");
04    }
05    public void fn(int i){
06      System.out.println(i);
07    }
08    public void fn(double d){
09      System.out.println(d);
10    }
11    public int fn(int a, int b){
12      return a+b;
13    }
14  }
15  public class Soojebi{
16    public static void main(String args[]){
17      A a = new A( );
18      a.fn( );
19      a.fn(7);
20      a.fn(10.0);
21      System.out.println(a.fn(2, 3));
22    }
23  }
```

출력
```
A
7
10.0
5
```

[코드 해설]

16	• 프로그램은 main 메서드부터 시작
17	• A 클래스를 a라는 변수로 생성 • A 클래스를 a 변수에 생성하므로 A의 생성자 A( )를 호출해야 하지만, 생성자가 없으므로 클래스 생성 시 아무 일도 일어나지 않음

18	• a의 fn( ) 메서드 호출(파라미터가 없는 fn 메서드를 호출)
02	• 매개변수가 없고 반환 값도 없는 fn 메서드
03	• A를 출력
19	• a의 fn( ) 메서드 호출(하나의 정수형 매개변수를 갖고 반환 값이 없는 fn 메서드 호출)
05	• fn(int i)메서드의 i에 7을 전달
06	• i 값인 7을 출력
20	• a의 fn( ) 메서드 호출(하나의 실수형 매개변수를 갖고 반환 값이 없는 fn 메서드 호출)
08	• fn(double d)메서드의 d에 10.0을 전달
09	• d 값인 10.0을 출력
21	• a의 fn( ) 메서드 호출(두 개의 매개변수를 갖고 반환 값을 갖는 fn 메서드를 호출)
11	• fn(int a, int b)에서 a에 2를, b에 3을 전달
12	• a+b인 5를 반환
21	• println 메서드는 반환값 5를 출력

(4) 오버라이딩(Overriding) [24년 3회]

- 오버라이딩은 하위 클래스에서 상위 클래스 메서드를 재정의할 수 있는 기능이다.
- 오버라이딩 특징은 다음과 같다.

> • 오버라이드하고자 하는 메서드가 상위 클래스에 존재하여야 한다.
> • 메서드 이름은 같아야 한다.
> • 메서드 매개변수 개수, 데이터 타입이 같아야 한다.
> • 메서드 반환형이 같아야 한다.

▼ 오버라이딩 구문

```
class 부모_클래스명{
  public 반환_자료형 메서드명(자료형 변수명){  }
}
class 자식_클래스명 extends 부모_클래스명{
  public 반환_자료형 메서드명(자료형 변수명){
    // 부모 클래스의 메서드명, 매개변수가 동일해야 함
  }
}
```

 개념 박살내기

■ 자바 오버라이딩

[소스 코드]

01	`class A{`
02	`  public void fn( ){`
03	`    System.out.println("A");`
04	`  }`
05	`}`
06	`class B extends A{`
07	`  public void fn( ){`
08	`    System.out.println("B");`
09	`  }`
10	`}`
11	`public class Soojebi{`
12	`  public static void main(String args[]){`
13	`    A a = new B( );`
14	`    a.fn( );`
15	`  }`
16	`}`
출력	B

[코드 해설]

12	• 프로그램은 main 메서드부터 시작
13	• B 클래스를 a라는 변수로 생성 • B 클래스를 a 변수에 생성하므로 B의 생성자 B( )와 B의 부모인 A의 생성자 A( )를 호출해야 하지만, 둘 다 없으므로 클래스 생성 시 아무 일도 일어나지 않음
14	• a는 B 클래스이므로 B 클래스의 fn( )을 호출
07	• B 클래스의 fn( )을 호출
08	• B를 출력

■ 자바 생성자, 오버라이딩

[소스 코드]

```
01  class Parent{
02    public Parent( ){
03      System.out.print("A");
04    }
05    public Parent(int a){
06      System.out.print("B");
07    }
08    public void fn( ){
09      System.out.print("C");
10    }
11  }
12  class Child extends Parent{
13    public Child( ){
14      System.out.print("D");
15    }
16    public Child(int a){
17      super(a);
18      System.out.print("E");
19    }
20    public void fn( ){
21      System.out.print("F");
22    }
23  }
24  public class Soojebi{
25    public static void main(String args[]){
26      Parent a = new Parent();
27      Parent b = new Parent(1);
28      Parent c = new Child();
29      Parent d = new Child(1);
30      Child e = new Child();
31      Child f = new Child(2);
32      a.fn();
33      e.fn();
34    }
35  }
```

| 출력 | ABADBEADBECF |

[코드 해설]

25	• main 함수의 시작 부분(프로그램이 제일 처음 실행되는 부분)
26	• new Parent()에 의해 파라미터가 없는 Parent 생성자 호출
02~04	• Parent 생성자를 실행하여 A를 출력

학습 Point

- new Parent(); 코드에서 Parent만 봤을 때는 Parent의 부모 클래스가 없기 때문에 Parent 생성자만 호출합니다.
- new Child(); 코드에서 Child를 봤을 때 부모가 Parent이므로 Parent 생성자와 Child 생성자 모두 호출합니다.

학습 Point

Parent x = new Child();와 Child x = new Child();의 차이를 묻는 질문이 많습니다. 제대로 이해하려면 업캐스팅, 다운캐스팅 개념을 알아야 하지만, 결론만 말하자면 동작 방식은 차이가 없습니다.

[코드 해설]

27	• new Parent(1)에 의해 정수형 파라미터를 받는 Parent 생성자 호출
05~07	• a 변수에 1이 전달 • Parent 생성자를 실행하여 B를 출력
28	• new Child()에 의해 파라미터가 없는 Child 생성자 호출
13	• Child 생성자에서 부모 클래스의 생성자에 대한 명령어가 따로 없으므로 Parent 생성자는 파라미터가 없는 생성자가 호출
02~04	• 부모 클래스 생성자를 실행하여 A를 출력
13~15	• 자식 클래스 생성자를 실행하여 D를 출력
29	• new Child(1)에 의해 정수형 파라미터를 받는 Child 생성자 호출
16~17	• a 변수에 1이 전달 • Child 생성자에서 부모 클래스의 생성자에 대한 명령어 super(a)가 있으므로 Parent 생성자는 정수형 파라미터를 가지는 생성자가 호출
05~07	• a 변수에 1이 전달 • 부모 클래스 생성자를 실행하여 B를 출력
18~19	• 자식 클래스 생성자를 실행하여 E를 출력
30	• new Child()에 의해 파라미터가 없는 Child 생성자 호출
13	• Child 생성자에서 부모 클래스의 생성자에 대한 명령어가 따로 없으므로 Parent 생성자는 파라미터가 없는 생성자가 호출
02~04	• 부모 클래스 생성자를 실행하여 A를 출력
13~15	• 자식 클래스 생성자를 실행하여 D를 출력
31	• new Child(1)에 의해 정수형 파라미터를 받는 Child 생성자 호출
16~17	• a 변수에 1이 전달 • Child 생성자에서 부모 클래스의 생성자에 대한 명령어 super(a)가 있으므로 Parent 생성자는 정수형 파라미터를 가지는 생성자가 호출
05~07	• a 변수에 1이 전달 • 부모 클래스 생성자를 실행하여 B를 출력
18~19	• 자식 클래스 생성자를 실행하여 E를 출력
32	• a 변수는 Parent 클래스를 인스턴스로 가지므로 Parent 클래스의 fn 메서드를 실행
08~10	• fn 메서드를 실행하여 C를 출력
33	• e 변수는 Child 클래스를 인스턴스로 가지므로 Child 클래스의 fn 메서드를 실행
20~22	• fn 메서드를 실행하여 F를 출력

(5) 부모 클래스 접근

• 자바는 super 키워드를 이용하여 상위 클래스의 변수나 메서드에 접근할 수 있다.

▼ 부모 클래스 접근 구문

부모 클래스 내부 변수 접근	super.변수;
부모 클래스 내부 메서드 접근	super.메서드(매개변수);
부모 클래스 내부 생성자 호출	super(매개변수);

개념 박살내기

■ 자바 상위 클래스 접근

[소스 코드]

01	`class A{`
02	`  public void fn( ){`
03	`    System.out.println("A");`
04	`  }`
05	`}`
06	`class B extends A{`
07	`  public void fn( ){`
08	`    super.fn( );`
09	`    System.out.println("B");`
10	`  }`
11	`}`
12	`public class Soojebi {`
13	`  public static void main(String args[]){`
14	`    A a = new B( );`
15	`    a.fn( );`
16	`  }`
17	`}`
출력	A B

[코드 해설]

13	• 프로그램은 main 메서드부터 시작
14	• B 클래스를 a라는 변수로 생성 • B 클래스를 a 변수에 생성하므로 B의 생성자 B( )와 B의 부모인 A의 생성자 A( )를 호출해야 하지만, 둘 다 없으므로 클래스 생성 시 아무 일도 일어나지 않음
15	• a라는 변수는 B 클래스이므로 B 클래스에 있는 fn( ) 메서드를 호출
07	• B 클래스의 fn( ) 메서드 호출
08	• super 키워드가 있으므로 부모 클래스의 fn( ) 메서드를 호출
02	• A 클래스의 fn( ) 메서드 호출
03	• A를 출력
09	• super.fn( )이 끝났으므로 그 다음 코드를 실행 • B를 출력

11 추상 클래스 ☆☆

(1) 추상 클래스(Abstract Class) 개념
- 추상 클래스는 미구현 추상 메서드를 한 개 이상 가지며, 자식 클래스에서 해당 추상 메서드를 반드시 구현하도록 강제하는 기능이다.

(2) 추상 클래스 구문

▼ 추상 클래스 구문

```
abstract class 추상_클래스명 {
  abstract 자료형 메서드명( ); // 메서드 내부는 정의하지 않음
}
class 자식_클래스명 extends 추상_클래스명{
  자료형 메서드명( ){
    명령어; // 메서드를 상속받아 메서드 내부 정의
  }
}
```

> **학습 Point**
> 메서드 내부를 정의하지 않는다는 의미는 메서드 내부에 소스 코드를 이용해서 구현하지 않는다는 의미이고, 메서드 내부를 정의한다는 의미는 메서드 내부를 소스 코드를 이용해서 구현한다는 의미입니다.

개념 박살내기

■ 자바 추상 클래스

[소스 코드]

```
01  abstract class A {
02    abstract void fn( );
03  }
04  class B extends A {
05    void fn( ){
06      System.out.print("B");
07    }
08  }
09  class C extends A{
10    void fn( ){
11      System.out.print("C");
12    }
13  }
14  class Soojebi {
15    public static void main(String[ ] args){
16      A b = new B( );
17      A c = new C( );
18      b.fn( );
19      c.fn( );
20    }
21  }
```

출력 : BC

[코드 해설]

15	• main 함수의 시작 부분(프로그램이 제일 처음 실행되는 부분)
16	• B 클래스를 생성하여 b 변수에 저장(생성자가 없으므로 생성자는 따로 호출하지 않음)
17	• C 클래스를 생성하여 c 변수에 저장(생성자가 없으므로 생성자는 따로 호출하지 않음)
18	• fn 메서드는 오버라이딩 관계이므로 자식 클래스인 B 클래스의 fn 메서드 실행
05~07	• fn 메서드에 의해 B를 출력
19	• fn 메서드는 오버라이딩 관계이므로 자식 클래스인 C 클래스의 fn 메서드 실행
10~12	• fn 메서드에 의해 C를 출력

12 인터페이스 ★

(1) 인터페이스(Interface) 개념

- 인터페이스는 자바의 다형성을 극대화하여 개발코드 수정을 줄이고 프로그램 유지보수성을 높이기 위한 문법이다. (인터페이스는 일종의 추상 클래스이다.)
- 오직 추상 메서드와 상수만을 멤버로 가질 수 있으며, 그 외의 다른 어떠한 요소도 허용하지 않는다.
- 인터페이스는 구현된 것은 아무것도 없고 밑그림만 그려져 있는 '기본 설계도'라고 할 수 있다.

(2) 인터페이스 구문

▼ 인터페이스 구문

```
interface 인터페이스_클래스명 {
  자료형 메서드명( ); // 메서드 내부는 정의하지 않음
}
class 자식_클래스명 implements 인터페이스_클래스명{
  자료형 메서드명( ){
    // interface의 메서드를 상속받아 내부를 정의
  }
}
```

> **학습 Point**
> interface를 상속받을 때는 일반 상속을 받을 때 사용하는 extends가 아니라 implements 키워드를 사용한다는 것을 챙겨가시기 바랍니다.

■ 자바 인터페이스

[소스 코드]

01	`interface A{`
02	`  void fn( );`
03	`}`
04	`class B implements A{`
05	`  public void fn( ){`
06	`    System.out.print("B");`
07	`  }`
08	`}`
09	`class C implements A{`
10	`  public void fn( ){`
11	`    System.out.print("C");`
12	`  }`
13	`}`
14	`class Soojebi{`
15	`  public static void main(String args[]){`
16	`    A b = new B( );`
17	`    A c = new C( );`
18	`    b.fn( );`
19	`    c.fn( );`
20	`  }`
21	`}`
출력	BC

학습 Point

소스 코드 동작하는 것을 자세히 보시면 abstract 클래스와 차이가 없습니다.

[코드 해설]

15	• 프로그램은 main 메서드부터 시작
16	• B 클래스를 b라는 변수로 생성 • B 클래스를 b 변수에 생성하므로 B의 생성자 B( )와 B의 부모인 A의 생성자 A( )를 호출해야 하지만, 둘 다 없으므로 클래스 생성 시 아무 일도 일어나지 않음
17	• C 클래스를 c라는 변수로 생성 • C 클래스를 c 변수에 생성하므로 C의 생성자 C( )와 B의 부모인 A의 생성자 A( )를 호출해야 하지만, 둘 다 없으므로 클래스 생성 시 아무 일도 일어나지 않음
18	• b라는 변수는 B 클래스이므로 B 클래스에 있는 fn( ) 메서드를 호출
05	• B 클래스의 fn( ) 메서드 호출
06	• B를 출력
19	• c라는 변수는 C 클래스이므로 C 클래스에 있는 fn( ) 메서드를 호출
10	• C 클래스의 fn( ) 메서드 호출
11	• C를 출력

기출문제

01 다음은 자바 코드이다. 출력 결과를 쓰시오. ▶ 22년 1회

```
01  class Soojebi{
02    public static void main (String[] args){
03      int x=1;
04      int tX=0, t_X=0;
05      tX = (x>0) ? x:-x;
06      if(x>0)
07        t_X = x;
08      else
09        t_X = -x;
10      System.out.println(tX + " " + t_X);
11    }
12  }
```

해설
- 삼항 연산자는 조건이 참일 경우 물음표(?)와 콜론(:) 사이의 값을 반환하고, 조건이 거짓일 경우 콜론(:)과 세미콜론(;) 사이의 값을 반환하는 연산자이다.

  조건식 ? 참일 때 값 : 거짓일 때 값

- 문제의 코드는 다음과 같이 동작한다.

02	main 메서드부터 프로그램 시작
03	정수형 변수 x를 선언하고 1을 대입
05	정수형 변수 tX에 0을 대입, t_X에 0을 대입
05	• x가 0보다 크면 x값, 아니면 -x값을 tX에 대입 • x는 1이므로 x값인 1을 tX에 대입함
06~09	• 만약 x가 0보다 크면 t_X에 x를 대입, 아니면 -x값을 t_X에 대입함 • x는 1이기 때문에 x>0이 참이므로 t_X=x가 됨 (tX=1)
10	tX는 1, t_X도 1이므로 1 1이 출력됨

02 다음은 자바 코드이다. 출력 결과를 쓰시오. ▶ 22년 1회

```
01  class Soojebi{
02    public static void main (String[] args){
03      int a = 0;
04      int ss = 0;
05      while(true){
06        if(ss > 100)
07          break;
08        ++a;
09        ss += a;
10      }
11      System.out.print(a+ss);
12    }
13  }
```

해설

02	main 메서드부터 프로그램 시작
03	정수형 변수 a를 선언하고 0을 대입
04	정수형 변수 ss를 선언하고 0을 대입
05~08	• while반복문은 true가 되어 무한 반복함 • ss > 100이 참이 될 때 break 문을 만나 반복문을 탈출 a를 1 증가 • ss는 a 값을 누계 <table><tr><td>a</td><td>1</td><td>2</td><td>3</td><td>4</td><td>5</td><td>6</td><td>7</td><td>8</td><td>9</td><td>10</td><td>11</td><td>12</td><td>13</td><td>14</td></tr><tr><td>ss</td><td>1</td><td>3</td><td>6</td><td>10</td><td>15</td><td>21</td><td>28</td><td>36</td><td>45</td><td>55</td><td>66</td><td>78</td><td>91</td><td>105</td></tr></table> • ss가 105가 되면서 반복문을 탈출하는데, 이 때 a는 14, ss는 105이므로 a+ss는 119가 됨
11	a와 ss를 합한 119가 출력

▶ 22년 2회, 24년 2회

03 다음 자바의 출력 결과를 쓰시오.

01	class Soojebi
02	public static void main (String[] args){
03	int a = 17;
04	a += 1;
05	a -= 2;
06	a *= 3;
07	a /= 4;
08	a %= 5;
09	System.out.print(a);
10	}
11	}

해설

02	• main 메서드부터 프로그램 시작
03	• 정수형 변수 a를 선언하고 17을 대입
04	• a값 17에서 1을 더한 18을 a에 저장
05	• a값 18에서 2를 뺀 16을 a에 저장
06	• a값 16에서 3을 곱한 48을 a에 저장
07	• a값 48에서 4를 나눈 12를 a에 저장
08	• a값 12에서 5로 나눴을 때 나머지인 2를 a에 저장
09	• a값 2를 화면에 출력함

▶ 22년 2회

04 다음 자바의 출력 결과를 쓰시오.

01	class Soojebi{
02	public static void main (String[] args){
03	int a = 26;
04	int b = 91;
05	int i=0, g=0;
06	int min = a < b ? a : b;
07	for(i=2; i<min; i++){
08	if(a % i == 0 && b % i == 0){
09	g = i;
10	}
11	}
12	System.out.println(g);
13	}
14	}

해설

02	• main 메서드부터 프로그램 시작
03	• 정수형 변수 a를 선언하고 26을 대입
04	• 정수형 변수 b를 선언하고 91을 대입
05	• 정수형 변수 i를 선언하고 0을 대입, g는 0을 대입
06	• a<b는 26<91이므로 참이기 때문에 a값인 26을 min에 대입
07~11	• a가 b보다 작으면 a를 min에 대입하고 아니면 b를 대입함 • i는 2부터 26 미만까지 1씩 증가하면서 반복문을 실행 • a%i가 0이면서 b%i가 0인 조건을 만족하는 값을 g에 저장 • i가 1일 때와 13일 때 if 문을 만족하므로 최종적으로는 g에 13이 저장됨
12	• g 값인 13을 출력

기출문제

▶ 22년 3회

05 다음은 자바 코드이다. 출력 결과를 쓰시오.

```
01  class Soojebi{
02    public static void main (String[] args) {
03      int [ ]a = new int[8];
04      int i=0;
05      int n=11;
06      while(n>0){
07        a[i++] = n%2;
08        n /= 2;
09      }
10      for(i=7; i>=0; i--){
11        System.out.print(a[i]);
12      }
13    }
14  }
```

해설

03	• a 배열 선언, 자바는 정수형 배열에 초기화가 없으면 모든 값은 0이 됨
04	• i는 0으로 초기화
05	• n은 11로 초기화
06	• n은 11이므로 n>11은 참이므로 반복문 동작
07	• i는 0이므로 a[0]은 11%2인 1을 저장하고, i++에 의해 i는 1로 변경
08	• n을 2로 나눈 값인 5가 n에 저장(정수/정수=정수)
06	• n은 5이므로 n>11은 참이므로 반복문 동작
07	• i는 1이므로 a[1]은 5%2인 1을 저장하고, i++에 의해 i는 2로 변경
08	• n을 2로 나눈 값인 2가 n에 저장(정수/정수=정수)
06	• n은 2이므로 n>11은 참이므로 반복문 동작
07	• i는 2이므로 a[2]은 2%2인 0을 저장하고, i++에 의해 i는 3으로 변경
08	• n을 2로 나눈 값인 1이 n에 저장(정수/정수=정수)
06	• n은 1이므로 n>11은 참이므로 반복문 동작
07	• i는 2이므로 a[2]은 2%2인 0을 저장하고, i++에 의해 i는 3으로 변경
08	• n을 2로 나눈 값인 0이 n에 저장(정수/정수=정수)
06	• n은 0이므로 n>11은 거짓이므로 반복문 종료
10~12	• a[7], a[6], …, a[0] 값을 출력

▶ 22년 3회

06 다음은 자바 코드이다. 출력 결과를 쓰시오.

```
01  class Soojebi{
02    public static void main (String[] args){
03      int [][]arr = new int[3][3];
04      init(arr);
05      hourGlass(arr);
06      arrayPrint(arr);
07    }
08    public static void init(int arr[][]){
09      for(int i=0; i<arr.length; i++){
10        for(int j=0; j<arr[0].length; j++){
11          arr[i][j] = 0;
12        }
13      }
14    }
15    public static void hourGlass(int arr[][]){
16      int v = 0;
17      for(int i=0; i<arr.length; i++){
18        for(int j=i; j<arr[0].length; j++){
19          arr[i][j] = ++v;
20        }
21      }
22    }
23    public static void arrayPrint(int arr[][]){
24      for(int i=0; i<arr.length; i++){
25        for(int j=0; j<arr[0].length; j++){
26          if(arr[i][j] == 0){
27            System.out.print(" ");
28          }
29          else{
30            System.out.print(arr[i][j]);
31          }
32        }
33        System.out.println("");
34      }
35    }
36  }
```

▶ 17년 2회, 3회, 20년 1회

07 다음은 자바 코드이다. 출력 결과를 쓰시오.

01	public class Soojebi{
02	public static void main(String args[]){
03	int n = 10;
04	n+=2;
05	n-=3;
06	n*=5;
07	n/=7;
08	n%=11;
09	System.out.println(n);
10	}
11	}

해설

02	• main 메서드부터 시작
03	• 3×3 크기의 arr 배열 생성
04	• init 메서드 호출
08~14	• arr 배열 값을 모두 0을 대입
05	• hourGlass 메서드 호출
16	• v 변수 초기화
17	• 초깃값은 i=0이므로 i=0일 때부터 실행
18	• 초깃값은 j=0이고, arr[0].length는 3이므로 j<3을 만족할 때까지 반복
18~19	• j=0일 때 v 값을 1 먼저 증가시키고 arr[0][0]에 1을 대입
18~19	• j=1일 때 v 값을 1 먼저 증가시키고 arr[0][1]에 2를 대입
18~19	• j=2일 때 v 값을 1 먼저 증가시키고 arr[0][2]에 3을 대입
17	• i++에 의해 i는 1이고, i는 arr.length인 3 미만이므로 반복문 수행
18	• 초깃값은 j=1이고, arr[0].length는 3이므로 j<3을 만족할 때까지 반복
18~19	• j=1일 때 v 값을 1 먼저 증가시키고 arr[1][1]에 4를 대입
18~19	• j=2일 때 v 값을 1 먼저 증가시키고 arr[1][2]에 5를 대입
17	• i++에 의해 i는 2이고, i는 arr.length인 3 미만이므로 반복문 수행
18	• 초깃값은 j=2이고, arr[0].length는 3이므로 j<3을 만족할 때까지 반복
18~19	• j=2일 때 v 값을 1 먼저 증가시키고 arr[2][2]에 6을 대입
17	• i++에 의해 i는 3이므로 i<arr.length가 거짓이므로 반복문 종료
06	• arrayPrint 메서드 호출
23~35	• arr[i][j]가 0이면 띄어쓰기 1칸으로 표시하고, 그렇지 않으면 값을 출력

해설

03	• n에 10을 대입
04	• n에 2를 더함(n=n+2)
05	• n에 3을 뺌(n=n-3)
06	• n에 5를 곱함(n=n*5)
07	• n에서 7을 나눔(n=n/7) • 정수형과 정수형 연산이므로 결과는 정수형(소수점 버림)
08	• n에서 11로 나눴을 때 나머지(n=n%11)이므로 6이 됨
09	• n 값을 출력

기출문제

▶ 17년 1회, 20년 2회

08 다음은 자바 코드이다. 출력 결과를 쓰시오.

```
01  public class Soojebi{
02    public static void main(String args[]){
03      int[] a = {1, 1, 2, 1, 2, 3, 1, 2, 3, 4};
04      int b = 0;
05      for(int i=0; i<a.length; i++){
06        if(a[i] == 3){
07          b++;
08        }
09      }
10      System.out.println(b);
11    }
12  }
```

▶ 18년 2회

09 다음은 100 미만의 자연수 중 가장 큰 소수를 구하는 자바 코드이다. ( )에 들어갈 코드를 작성하시오. (단, 소수는 1과 자기 자신을 제외한 나머지 숫자로 나눠지지 않는 수이다.)

```
01  class Soojebi{
02    public static void main (String[] args){
03      int p=0;
04      for(int i=2; i<100; i++){
05        int t = (int)Math.sqrt(i);
06        for(int j=2; j<=t; j++){
07          if(i%j == 0)
08            break;
09          if(j==t)
10            p = _____ ;
11        }
12      }
13      System.out.println(p);
14    }
15  }
```

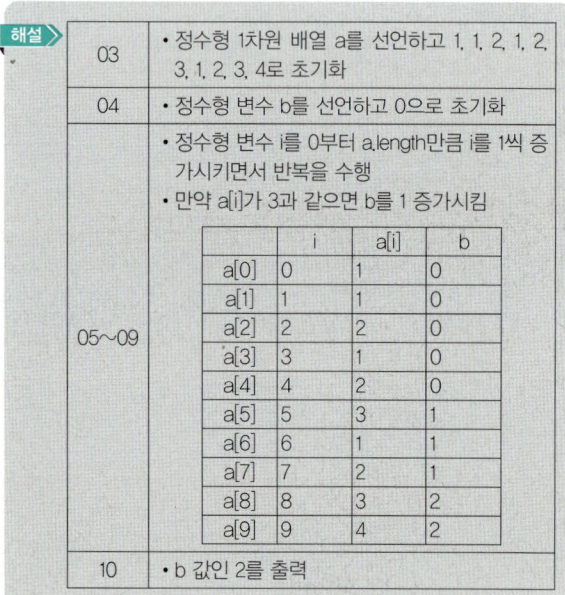

해설
- i는 구하려는 소수이고, j는 소수인지 판별하기 위해 나누어 떨어지는지 확인하는 용도로 사용하는 값이다.
- if(i%j == 0)이 참이 되면 i가 j로 나누어 떨어지기 때문에 소수가 아니다.
- if(j==t)가 참이 되는 경우는 if(i%j == 0)가 모두 거짓이라 한 번도 break가 되지 않은 경우가 되고, if(i%j ==0)가 모두 거짓이면 소수이므로 p에 구하려는 소수 값인 i를 대입해준다.

10 다음은 자바 코드이다. 출력 결과를 쓰시오. ▶ 18년 1회

```
01  class Soojebi{
02    public static void main (String[] args){
03      int[] a = {3, 2, 5, 1, 4};
04      fn(a, 5);
05      for(int i=0; i<a.length; i++){
06        System.out.print(a[i]);
07      }
08    }
09    public static void fn(int[] a, int n){
10      int i, j;
11      int min, temp;
12      for(i=0; i<n-1; i++){
13        min = i;
14        for(j=i+1; j<n; j++){
15          if(a[j] < a[min])
16            min = j;
17        }
18        temp = a[min];
19        a[min] = a[i];
20        a[i] = temp;
21      }
22    }
23  }
```

해설	
02	• main 메서드부터 프로그램 시작
03	• 1차원 정수형 배열 a를 선언하고 초깃값을 3, 2, 5, 1, 4로 함
04	• 매개변수에 배열 a와 5를 전달하여 fn 메서드를 호출함
09	• fn 메서드를 실행함
10	• 정수형 변수 i, j 선언
11	• 정수형 변수 min, temp 선언
12	• i 값은 0부터 5-1보다 작을 때 까지 1씩 증가하며 반복
13	• i 값을 min 값에 대입
14	• j 값은 i+1부터 5보다 작을 때 까지 1씩 증가하며 반복을 수행함
15~16	• 만약 a[j]가 a[min]보다 작으면 j 값을 min에 대입함
18~20	• a[min] 값을 temp에 대입 • a[i] 값을 a[min]에 대입 • temp의 값을 a[i]에 대입
22	• fn 메서드는 리턴 타입이 void이므로 리턴값 없이 리턴함
05~07	• 배열 a[i]의 각 원소값을 화면에 출력함

11 다음은 자바 코드이다. 출력 결과를 쓰시오. ▶ 23년 1회

```
01  public class Soojebi{
02    public static void main(String []args){
03      int x = 1;
04      System.out.println(!(x==1));
05      System.out.println((x!=0) || (x>0));
06      System.out.println(x << 2);
07      System.out.println(x & 2);
08      System.out.println(x %= 3);
09    }
10  }
```

기출문제

해설		
	03	• x라는 이름의 변수를 1로 초기화
	04	• x==1은 참이지만, ! 연산자에 의해 참이 거짓
	05	• x!=0은 참이고, x>0도 참이므로 || 연산한 결과도 참
	06	• x를 2비트 왼쪽으로 이동하면 을 곱한 4가 됨 (x는 2진수로 1인데, 2비트 왼쪽으로 이동시키면 2진수로 100이 되므로 10진수로 4가 됨)
	07	• x는 2진수로 1이고, 2는 2진수로 10이므로 둘을 비트 연산하면 0이 됨 　　　　1 AND　1　0 　　　0　0
	08	• x=x%3과 같은데, x는 1이므로 1%3인 1이 x에 저장되어 x값인 1을 출력

▶ 23년 3회

13 다음은 자바 코드이다. 출력 결과를 쓰시오.

01	class Berry{
02	protected String str;
03	public void meth() {
04	print();
05	}
06	public void print() {
07	System.out.print(str);
08	}
09	}
10	
11	class Apple extends Berry{
12	private String str;
13	public void print(){
14	str = "Apple";
15	super.str = "Berry";
16	super.print();
17	System.out.print(str);
18	}
19	}
20	
21	class Soojebi{
22	public static void main(String args[]){
23	Berry c = new Apple();
24	c.meth();
25	}
26	}

▶ 23년 2회

12 자바에서 메모리 관리 기법 중 하나로 프로그램이 동적으로 할당했던 메모리 영역 중에서 필요 없게 된 영역을 해제하는 기능은 (　　) 컬렉션이라고 한다. 빈칸에 들어갈 알맞은 용어를 쓰시오.

해설 • 자바에서 메모리 관리 기법 중 하나로 프로그램이 동적으로 할당했던 메모리 영역 중에서 필요 없게 된 영역을 해제하는 기능은 가비지 컬렉션이라고 한다.

해설
- JAVA 언어의 오버라이딩 문제이다.

22	• 프로그램은 main 메서드부터 시작
23	• Berry 타입의 인스턴스 c를 생성하기 위해 Apple 클래스 생성자를 호출 • Apple 클래스의 인스턴스가 c 변수에 저장
24	• c.meth 메서드는 상속 관계이므로 부모 클래스인 Berry 클래스의 meth 메서드를 호출
03~05	• meth 메서드가 실행되어 print 메서드 호출 • print 메서드는 오버라이드 관계로 부모 클래스와 자식 클래스에 동일한 이름으로 존재함 • 객체를 자식 클래스인 Apple 클래스를 이용하여 생성하였으므로 자식 클래스의 print가 호출되어 실행됨
13	• print 메서드 실행
14	• str에 "Apple"을 대입
15	• super.str에서 부모 클래스의 str에 "Berry" 대입
16	• super.print에서 부모 클래스의 print 메서드 호출
06~08	• str 값인 Berry를 화면에 출력
17	• 자식 클래스의 str인 "Apple"을 화면에 출력

▶ 23년 3회

14 다음은 자바 코드이다. 출력 결과를 쓰시오.

```
01  class Soojebi{
02    public static int a;
03    public static void main(String args[]){
04      for(int i=0; i<5; i++)
05        fn(i);
06      System.out.println(a);
07    }
08    public static int fn(int t) {
09      a = a + t;
10      return a;
11    }
12  }
```

해설
- static 변수는 변수 선언할 때 static이라는 키워드를 붙여준다.
- static 변수는 프로그램이 시작되면 변수가 생성되고, 프로그램이 종료되면 변수가 소멸한다.

02	• static 정수형 변수 a 생성
03	• 프로그램은 main 함수부터 시작
04	• i는 0부터 5보다 작을 때까지 1씩 증가하면서 for 반복문을 수행 • i는 0이므로 fn(0)을 수행
08	• 매개변수 t에 0을 전달하여 fn 함수를 실행
09	• 오른쪽 a와 t를 더한 값을 왼쪽 a에 대입 • 오른쪽 a는 0이고 t도 0이므로 둘을 더한 0을 왼쪽 a에 대입
10	• a 값 0을 호출한 곳으로 리턴함
04	• i는 1이므로 fn(1)을 수행
08	• 매개변수 t에 1을 전달하여 fn 함수를 실행
09	• 오른쪽 a와 t를 더한 값을 왼쪽 a에 대입 • 오른쪽 a는 0이고 t도 1이므로 둘을 더한 1을 왼쪽 a에 대입
10	• a의 값 1을 호출한 곳으로 리턴함
04	• i는 2이므로 fn(2)를 수행
08	• 매개변수 t에 2를 전달하여 fn 함수를 실행
09	• 오른쪽 a와 t를 더한 값을 왼쪽 a에 대입 • 오른쪽 a는 1이고 t도 2이므로 둘을 더한 3을 왼쪽 a에 대입
10	• a의 값 3을 호출한 곳으로 리턴함
04	• i는 3이므로 fn(3)을 수행
08	• 매개변수 t에 3을 전달하여 fn 함수를 실행
09	• 오른쪽 a와 t를 더한 값을 왼쪽 a에 대입 • 오른쪽 a는 3이고 t도 3이므로 둘을 더한 6을 왼쪽 a에 대입
10	• a의 값 6을 호출한 곳으로 리턴함
04	• i는 4이므로 fn(4)를 수행
08	• 매개변수 t에 4를 전달하여 fn 함수 실행
09	• 오른쪽 a와 t를 더한 값을 왼쪽 a에 대입 • 오른쪽 a는 6이고 t도 4이므로 둘을 더한 10을 왼쪽 a에 대입
10	• a의 값 10을 호출한 곳으로 리턴함
04	• i는 5가 되면 for 반복문을 종료함
06	• a의 값 10을 화면에 출력
07	• 프로그램을 종료함

기출문제

▶ 23년 3회

15 다음은 자바 코드이다. 출력 결과를 쓰시오.

```
01  public class Soojebi{
02    public static int fn(int i, int j) {
03      return i+j;
04    }
05    public static void main(String args[]){
06      int sum = fn(25, 25);
07      System.out.print(sum);
08    }
09  }
```

해설 • 매개변수로 전달된 두 개의 정숫값을 더한 결과를 출력한다.

05	• 프로그램은 main 함수부터 시작
06	• soojebi 클래스의 fn(int i, int j) 메서드를 호출 • fn(int i, int j) 메서드에 i는 25, j는 25를 전달함
01~04	• i+j인 50을 출력하고 50을 리턴함

▶ 24년 1회

16 다음은 자바 코드이다. 출력 결과를 쓰시오.

```
01  public class Soojebi{
02    public static void main(String[] args) {
03      int []n = {1, 2, 3, 4, 5, 6};
04      int s = 0;
05
06      for(int i : n) {
07        s += i;
08      }
09
10      System.out.println(s);
11    }
12  }
```

해설

03	• n이라는 배열에 1부터 6까지 저장						
	n[0]	n[1]	n[2]	n[3]	n[4]	n[5]
	1	2	3	4	5	6
04	• s 변수는 0으로 초기화
06	• n이라는 배열의 값을 하나씩 i 변수에 대입 • n[0] 값은 1이므로 i=1
07	• s에 i 값인 1을 더함(s=1)
06	• n[1] 값은 2이므로 i=2
07	• s에 i 값인 2를 더함(s=2)
	...
06	• n[4] 값은 5이므로 i=5
07	• s에 i 값인 5를 더함(s=15)
06	• n[5] 값은 6이므로 i=6
07	• s에 i 값인 6을 더함(s=21)
10	• s 값인 21을 출력

▶ 24년 2회

17 다음은 자바 코드이다. 출력 결과를 쓰시오.

```
01  class Soojebi {
02    int fn(int i, int j) {
03      System.out.print(i+j);
04      return (i*j);
05    }
06
07    public static void main(String[] args) {
08      Soojebi s = new Soojebi();
09      System.out.print(s.fn(5,5));
10    }
11  }
```

해설

07	• main 메서드부터 실행
08	• Soojebi 클래스를 생성
09	• s.fn(5, 5)를 호출
02	• fn 메서드의 i 변수에 5를, j 변수에 5를 전달
03	• i+j는 10이므로 10을 출력 • System.out.print이므로 10을 출력 후 개행하지 않음
04	• i*j 값인 25를 반환
09	• s.fn(5, 5)는 25이므로 25를 출력

▶ 24년 3회

18 다음은 자바 코드이다. 출력 결과를 쓰시오.

```
01  class A {
02    int x = 5;
03    int calculate() {
04      return x * 3;
05    }
06  }
07  class B extends A {
08    int x = 10;
09    int calculate() {
10      return super.calculate();
11    }
12  }
13  interface C {
14    int getValue();
15  }
16  class D implements C {
17    B b = new B();
18
19    public int getValue() {
20      return b.x;
21    }
22  }
23  public class Soojebi{
24    public static void main(String[] args) {
25      D obj = new D();
26      System.out.println(obj.getValue());
27    }
28  }
```

해설

24	• main 메서드부터 프로그램 시작
25	• D 클래스의 인스턴스를 obj 변수에 대입
26	• obj.getValue를 실행하면 오버라이딩 관계이므로 자식 클래스인 D 클래스의 getValue 메서드를 실행
19~21	• b 변수는 B 클래스의 인스턴스이므로 B 클래스의 x 값인 10을 반환
26	• obj.getValue()는 10이므로 10을 출력

정답

01. 1 1   02. 119   03. 2   04. 13   05. 00001011   06. 123456   07. 6   08. 2   09. i   10. 12345   11. false true 4 0 1   12. 가비지(Garbage)   13. BerryApple

14. 10   15. 50   16. 21   17. 1025   18. 10

예상문제

01 다음은 자바 코드이다. 출력 결과를 쓰시오.

```
01  public class Soojebi{
02    public static void main(String[] args){
03      int i = 3;
04      int k = 1;
05      switch(i){
06        case 0:
07        case 1:
08        case 2:
09        case 3: k=0;
10        case 4: k+=3;
11        case 5: k-=10;
12        default: k--;
13      }
14      System.out.print(k);
15    }
16  }
```

02 다음은 자바 코드이다. 다음 밑줄에 들어갈 키워드를 쓰시오.

```
01  class Parent{
02    public void show( ){
03      System.out.println("Parent");
04    }
05  }
06  class Child extends Parent{
07    public void show( ){
08      System.out.println("Child");
09    }
10  }
11  public class Soojebi{
12    public static void main(String[] args){
13      Parent pa = _____ Child( );
14      pa.show( );
15    }
16  }
```

해설

02	• main 메서드부터 실행
03	• i라는 이름의 정수형 변수를 선언하고, 3으로 초기화
04	• k라는 이름의 정수형 변수를 선언하고, 1로 초기화
05	• i는 3이므로 case 3으로 진입
09	• k=0에 의해 k는 0이 됨 • break가 없으므로 다음 명령어 실행
10	• k+=3을 실행하여 k는 3이 됨 • break가 없으므로 다음 명령어 실행
11	• k-=10을 실행하여 k는 -7이 됨 • break가 없으므로 다음 명령어 실행
12	• k--를 실행하여 k는 -8이 됨
14	• k 값인 -8을 출력

해설 자바에서 클래스를 생성하기 위해서는 new라는 키워드를 써야 한다.

03 다음은 자바 코드이다. 출력 결과를 쓰시오.

```
01  public class Soojebi{
02    public static void main(String[] args){
03      int i=0;
04      int sum=0;
05      while(i<10){
06        i++;
07        if(i%2==1)
08          continue;
09        sum += i;
10      }
11      System.out.println(sum);
12    }
13  }
```

04 다음은 n이 10일 때, 10을 이진수로 변환하는 자바 소스 코드이다. ①, ②에 알맞은 값을 적으시오.

[출력 결과]

00001010

[소스 코드]

```
01  class Soojebi{
02    public static void main (String[] args) {
03      int []a = new int[8];
04      int i=0;
05      int n=10;
06      while(  ①  ){
07        a[i++] =  ②  ;
08        n /= 2;
09      }
10      for(i=7; i>=0; i--){
11        System.out.print(a[i]);
12      }
13    }
14  }
```

①

②

해설

02	main 메서드부터 실행
03~04	i, sum이라는 정수형 변수에 0을 초기화
05	i=0이므로 i<10은 참
06	i++에 의해 i=1이 됨
07~08	i를 2로 나눴을 때 1이면(i가 홀수이면) 참 i=1이므로 if 문이 참이기 때문에 continue를 실행
05	i=1이므로 i<10은 참
06	i++에 의해 i=2가 됨
07~08	i=2이므로 if 문이 거짓이므로 if 문 안의 명령어인 continue를 실행하지 않음
09	sum 변수에 i 값인 2를 더해 sum은 2가 됨 sum 변수는 i 값이 짝수일 때 더해지게 됨
...	
05	i=9이므로 i<10은 참
06	i++에 의해 i=10이 됨
07~08	i=10이므로 if 문이 거짓이므로 if 문 안의 명령어인 continue를 실행하지 않음
09	sum 변수에 i 값인 10을 더함 i가 2, 4, 6, 8, 10일 때 sum += i;를 실행하게 되므로 2+4+6+8+10=30이 됨
05	i=10이므로 i<10은 거짓
11	sum 변수의 값인 30을 출력

해설
- 십진수 n을 a의 배열을 이용해 2진수 값으로 저장한 후 출력을 하는 프로그램이다.
- 코드의 for 문을 보면 a[7] 번지부터 a[0] 번지 순으로 출력하기 때문에 a[0] 번지가 1의 자리가 된다.

02	main 메서드부터 실행
03	정수형 8개짜리 a 배열 생성 a 배열 안의 값은 전부 0으로 초기화
04	i라는 이름의 변수를 선언 및 0으로 초기화
05	n이라는 이름의 변수를 선언 및 10으로 초기화
06	while 문 안에서 a[i++]이라는 코드를 보면 while 문이 a의 개수인 8번 이내로 반복해야 하므로 조건식은 i<8이 가능 n 값으로 a[i] 값을 계산하므로 n이 0보다 클 때 반복할 수 있도록 조건식은 n>0이 가능
07	a[i]에는 0과 1의 값이 들어가야 함(a는 2진수 값을 저장하기 때문에 0과 1만 값이 있어야 함) n을 2로 나눴을 때 나머지가 이진수 변환하는데 필요로 하는 값이므로 ②에는 n%2가 됨
08	n을 2로 나눔
10~12	a[7] 번지부터 a[0] 번지 순으로 출력

예상문제

05 다음은 자바 소스코드이다. 출력 결과를 보고, ①, ②에 알맞은 값을 적으시오.

[출력 결과]
```
1 4 7 10 13
2 5 8 11 14
3 6 9 12 15
```

```
01  class Soojebi{
02    public static void main(String[] args) {
03      int[ ][ ] a = new int[  ①  ][  ②  ];
04      for(int i=0; i<3; i++){
05        for(int j=0; j<5; j++){
06          a[i][j] = j*3+(i+1);
07          System.out.print(a[i][j] + " ");
08        }
09        System.out.println( );
10      }
11    }
12  }
```

① _____

② _____

해설

02	• main 메서드부터 실행
03	• a 배열은 2차원 배열 • for 문에서 a[i][j]에서 i는 0, 1, 2이고, j는 0, 1, 2, 3, 4이므로 int[3개][5개]가 되어야 하므로 int [ ]a = new int[3][5];가 되어야 함
04	• i=0, 1, 2일 때 반복
05	• j=0, 1, 2, 3, 4일 때 반복

		j=0	j=1	j=2	j=3	j=4
06	i=0	a[0][0]= 0*3+0+1=1	a[0][1]= 1*3+0+1=4	a[0][2]= 2*3+0+1=7	a[0][3]= 3*3+0+1=10	a[0][4]= 4*3+0+1=13
	i=1	a[1][0]= 0*3+1+1=2	a[1][1]= 1*3+1+1=5	a[1][2]= 2*3+1+1=8	a[1][3]= 3*3+1+1=11	a[1][4]= 4*3+1+1=14
	i=2	a[2][0]= 0*3+2+1=3	a[2][1]= 1*3+2+1=6	a[2][2]= 2*3+2+1=9	a[2][3]= 3*3+2+1=12	a[2][4]= 4*3+2+1=15

07	• a[i][j] 값 출력
09	• 개행

06 다음은 자바 소스 코드이다. 출력 결과를 쓰시오.

```
01  class Parent{
02    public int compute(int num){
03      if(num <= 1) return num;
04      return compute(num-1)+compute(num-2);
05    }
06  }
07  class Child extends Parent{
08    public int compute(int num){
09      if(num <= 1) return num;
10      return compute(num-1)+compute(num-3);
11    }
12  }
13  class Soojebi{
14    public static void main(String[] args){
15      Parent obj = new Child( );
16      System.out.print(obj.compute(4));
17    }
18  }
```

해설

14	• main 함수부터 실행
15	• Child 클래스의 인스턴스를 생성하고, obj 변수에 저장
11	• obj의 compute 메서드 호출 • compute 메서드는 오버라이딩 관계이므로 자식 클래스인 Child 클래스의 compute 메서드가 실행
08~12	• num이 4일 때 if 문이 거짓이므로 compute(3)+compute(1);를 실행
08~12	• num이 3일 때 if 문이 거짓이므로 compute(2)+compute(0);를 실행
08~12	• num이 2일 때 if 문이 거짓이므로 compute(1)+compute(-1);를 실행
08~12	• num이 1일 때 if 문이 참이므로 1을 반환
...	
16	• compute(4)의 반환값은 1이므로 1을 출력

• 4를 매개변수로 넘겨주어 soojebi 함수를 호출하고, 매개변수에 n-1값과 n-3값을 각각 재귀 호출한 값을 더하여 화면에 출력한다.

compute(n)	리턴값
compute(4)	compute(3)+compute(1) = 0 + 1 = 1
compute(3)	compute(2)+compute(0) = 0 + 0 = 0
compute(2)	compute(1)+compute(-1) = 1 - 1 = 0
compute(1)	1
compute(0)	0
compute(-1)	-1

- 최종적으로 compute(4)은 compute(3)+compute(1)이고, compute(3)은 0, compute(1)는 1이 되어 0과 1을 더한 1이 화면에 출력된다.

정답

01. -8 02. new 03. 30 04. ① n>0 또는 n>=1 또는 i<8 또는 i<=7, ② n%2 또는 n&1 05. ① 3, ② 5 06. 1

CHAPTER 04 파이썬

1 파이썬 기본 구조

- 파이썬은 사용자 정의 함수, 클래스가 먼저 정의되고, 그다음에 실행 코드가 나온다.
- 파이썬은 가독성을 위해 들여쓰기를 한다.

개념 박살내기

■ 파이썬 기본 구조

- def 키워드로 시작되는 명령어는 사용자 정의 함수이고 class 키워드로 시작되는 명령어는 클래스이다.
- 사용자 정의 함수, 클래스를 제거했을 때 남아있는 명령어들을 순차적으로 실행한다.

[소스 코드]

```
01  def fn(num):
02    if num % 2 == 0:
03      return 'Y'
04
05  class A:
06    def fn(self):
07      print('A')
08
09  print('Hello')
```

출력	Hello

[코드 해설]

09	Hello를 출력

학습 Point

파이썬은 들여쓰기가 강제되어 있습니다. 파이썬 기본 구조 코드에서 def fn(num) : 안에 들여쓰기 되어 있는 명령어(if num % 2 == 0과 return 'Y')는 def fn(num)에 속하는 명령어들입니다. 마찬가지로 def fn(self):와 print('A')는 class A: 속하는 명령어입니다.

2 자료형 ☆☆☆

(1) 자료형 유형

▼ 자료형 유형

유형	설명	세부 유형
기본 자료형 (Primitive Data Type)	• 직접 자료를 표현하는 자료형	숫자형(Number) 논리형(Logical)
컬렉션 자료형 (Collection Data Type)	• 다수의 데이터를 효과적으로 처리할 수 있는 자료형	문자열형(String) 리스트형(List) 튜플형(Tuple) 딕셔너리형(Dictionary) 세트형(Set)

(2) 기본 자료형(Primitive Data Type)

- 기본 자료형은 직접 자료를 표현하는 자료형이다.
- 기본 자료형에는 숫자형, 논리형이 있다.

▼ 기본 자료형

유형	설명
숫자형(Number)	• 숫자를 저장하고자 할 때 사용하는 자료형 • 정수형(int), 실수형(float)이 있음
논리형(Logical; Boolean)	• 변수의 참, 거짓을 나타낼 때 사용하는 자료형 • True(참), False(거짓)를 저장

학습 Point

자바는 참과 거짓을 나타낼 때 전부 소문자(true/false)이지만, 파이썬은 앞 글자가 대문자(True/False)라는 것을 눈여겨 보세요.

개념 박살내기

■ 파이썬 기본 자료형

[소스 코드]

01	`print(31+2.7)`
02	`print(True)`
출력	33.7 True

[코드 해설]

| 01 | 정숫값인 31과 실숫값인 2.7을 더한 33.7을 출력 |
| 02 | 참값인 True를 출력 |

(3) 컬렉션 자료형(Collection Data Type)

- 컬렉션 자료형은 시퀀스 자료형과 비시퀀스 자료형이 있다.
- 시퀀스 자료형은 문자열형, 리스트형, 튜플형이 있고, 비시퀀스 자료형은 세트형, 딕셔너리형이 있다.

▼ 컬렉션 자료형

구분	유형	설명
시퀀스 자료형	문자열형(String)	• 문자를 한 개 또는 여러 개 저장하고자 할 때 사용하는 자료형 예) s = "Soojebi"
	리스트형(List)	• 크기가 가변적으로 변하는 선형리스트의 성질을 가지고 있는 자료형 • 읽기, 쓰기가 모두 가능 예) l = [1, 2, 3]
	튜플형(Tuple)	• 초기에 선언된 값에서 값을 생성, 삭제, 수정할 수 없는 형태의 자료형 • 읽기 전용이며 속도가 빠름 예) t = (1, 2, 3)
비시퀀스 자료형	세트형(Set)	• 중복된 원소를 허용하지 않는 집합의 성질을 가지고 있는 자료형 예) s = {1, 2, 3}
	딕셔너리형(Dictionary)	• 키와 값으로 구성된 객체를 저장하는 구조로 되어 있는 자료형 예) d = {'s':1, 'j':2, 'b':3}

> **학습 Point**
> 시퀀스 자료형은 순서가 있는 자료형이고 비시퀀스 자료형은 순서가 없는 자료형입니다.

> **학습 Point**
> 파이썬의 세트형은 자바의 Set 클래스(HashSet)와 비슷하고, 파이썬의 리스트형은 자바의 List 클래스(ArrayList, LinkedList)와 비슷하고, 파이썬의 딕셔너리형은 자바의 Map 클래스(HashMap)와 비슷합니다.

1 시퀀스 자료형 구조

- 시퀀스 자료형은 순서가 존재하는 자료형으로 순서가 중요하다.
- 시퀀스 자료형에는 문자열형, 리스트형, 튜플형이 있다.

① 시퀀스 자료형 종류

㉮ 문자열형(String) [22년 1회]

- 문자열형은 문자를 한 개 또는 여러 개 저장하고자 할 때 사용하는 자료형이다.

개념 박살내기

■ 파이썬 문자열형 출력

[소스 코드]

01	print("Soojebi")
02	print("Soojebi", "World")
03	print("\""Soojebi\"")
04	print("Soojebi"*3)
출력	Soojebi Soojebi World "Soojebi" SoojebiSoojebiSoojebi

[코드 해설]

01	문자열 Soojebi 출력
02	문자열 Soojebi World를 출력
03	큰따옴표 포함하여 문자열 "Soojebi" 출력
04	문자열 Soojebi에 곱하기 3을 하면 Soojebi 문자열을 세 번 출력

학습 Point

- 파이썬에서 print 안에 콤마(,)로 구분될 경우 띄어쓰기가 됩니다. 그래서 print("Soojebi", "World")는 Soojebi World가 됩니다.
- 파이썬에서 문자열은 큰따옴표로 나타내기 때문에 큰따옴표를 사용하고 싶은 경우 C언어처럼 이스케이프 문자인 \를 사용하여 \"로 씁니다.
- 문자열에 곱하기를 하게 되면 문자열은 곱한 수만큼 출력합니다.

• 파이썬 문자열은 포맷스트링을 이용하여 문자열을 출력할 수 있다.

개념 박살내기

■ 파이썬 문자열 포맷스트링 출력

[소스 코드]

01	a = "soojebi"
02	print("%s" % a)
03	b = "%s" % " world"
04	print(a + b)
05	c = 123
06	print("%s %d" % (a, c))
출력	soojebi soojebi world soojebi 123

[코드 해설]

01	"soojebi" 문자열을 a에 대입
02	포맷 스트링 %s에 a 문자열 "soojebi"를 전달하여 출력
03	%s와 문자열 " world"를 b에 대입
04	a와 b를 연결한 "soojebi world"를 화면에 출력
05	c에 정수 123을 대입
06	%s에는 a, %d에는 c가 매핑되어 soojebi 123이 화면에 출력됨

학습 Point

- 수제비 카페(cafe.naver.com/soojebi) 질문 중에 파이썬의 출력 결과에 괄호가 들어가는지 안들어가는지가 많은 수험생들이 헷갈려합니다.
- 파이썬에서 컬렉션 자료형 변수를 그냥 출력했을 때는 괄호가 표시되지만, 문자열 변수를 출력했을 때 괄호가 표시되지 않습니다. 기억해두세요.

- 파이썬 문자열에서는 in 연산자를 이용하여 찾고자 하는 문자열이 존재하면 True, 없으면 False를 리턴한다.

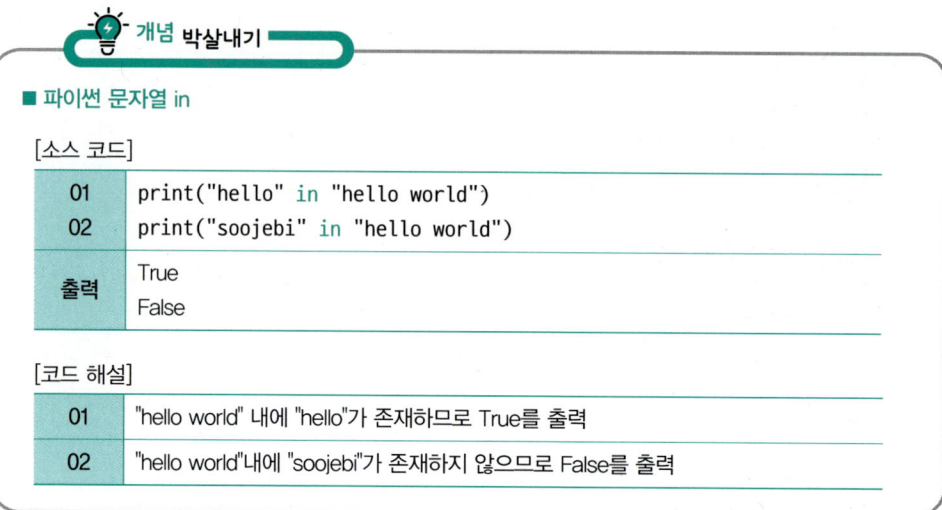

■ 파이썬 문자열 in

[소스 코드]

01	`print("hello" in "hello world")`
02	`print("soojebi" in "hello world")`
출력	True False

[코드 해설]

01	"hello world" 내에 "hello"가 존재하므로 True를 출력
02	"hello world"내에 "soojebi"가 존재하지 않으므로 False를 출력

- 문자열 대소문자 변경 등 문자열 관련 메서드는 다음과 같다.

▼ 문자열 관련 메서드

함수	설명
upper( )	• 문자열을 대문자로 변환하는 메서드
lower( )	• 문자열을 소문자로 변환하는 메서드
isalnum( )	• 문자열이 알파벳 또는 숫자로만 구성되어 있으면 True, 아니면 False를 리턴하는 메서드
isalpha( )	• 문자열이 알파벳으로만 구성되어 있으면 True, 아니면 False를 리턴하는 메서드
isdecimal( )	• 문자열이 정수이면 True, 아니면 False를 리턴하는 메서드
isdigit( )	• 문자열이 숫자이면 True, 아니면 False를 리턴하는 메서드
isspace( )	• 문자열이 공백으로만 구성되어 있으면 True, 아니면 False를 리턴하는 메서드
split( )	• 문자열을 매개변수로 전달된 문자(구분자)로 나누어 리스트로 변환하는 메서드 　　sep　　• 구분자(기본값 ' ')

■ 파이썬 문자열(str) 메서드

[소스 코드]

| 01<br>02<br>03<br>04 | ```
a = "Soojebi 123"
print(a.upper())
print(a.lower())
print(a.isalnum())
print(a.isalpha())
print(a.isdecimal())
print(a.isdigit())
print(a.isspace())
print(a.split())
print(a.split(sep='1'))
str = "1,2,3".split(",")
print(str)
``` |
|---|---|
| 출력 | SOOJEBI 123
soojebi 123
False
False
False
False
False
['Soojebi', '123']
['Soojebi ', '23']
['1', '2', '3'] |

[코드 해설]

01	• a라는 이름의 변수에 문자열 "Soojebi 123"을 대입
02	• a를 대문자로 변환한 값을 출력
03	• a를 소문자로 변환한 값을 출력
04	• a는 알파벳, 숫자, 공백으로 구성되어 있으므로 False를 출력
05	• a는 알파벳, 숫자, 공백으로 구성되어 있으므로 False를 출력
06	• a는 정수가 아니므로 False를 출력
07	• a는 숫자가 아니므로 False를 출력
08	• a는 공백으로만 구성되어 있지 않으므로 False를 출력
09	• a를 구분자로 분리(구분자가 지정되어 있지 않으므로 띄어쓰기를 기준으로 분리)
10	• a를 구분자인 '1'을 기준으로 분리
11	• 문자열 "1,2,3"에서 콤마(",")를 기준으로 나눠서 리스트로 생성
12	• str을 화면에 출력
```

④ 리스트형(List) [24년 1회]
- 리스트는 크기가 가변적으로 변하는 선형리스트의 성질을 가지고 있는 자료형이다.
- [,]를 이용하여 리스트형을 선언한다.

  리스트명 = [요소1, 요소2, …]

- 리스트형 메서드에는 append, insert, remove 등이 있다.

▼ 리스트형 메서드

메서드	설명
append(x)	• 리스트 마지막 요소 뒤에 값 x를 추가하는 메서드
clear( )	• 리스트의 모든 항목을 삭제하는 메서드
copy( )	• 리스트를 복사하는 메서드
count(x)	• 리스트에서 x 항목의 개수를 알려주는 메서드
extend(i)	• 리스트 마지막에 컬렉션 자료형 i를 추가하는 메서드
index(x)	• 값 x와 같은 값을 가지고 있는 인덱스 번호를 알려주는 메서드
insert(i, x)	• 리스트의 i 번지 위치에 값 x를 삽입하는 메서드
pop( )	• 마지막 항목을 삭제하고 값을 꺼내오는 메서드
remove(x)	• 리스트에서 해당하는 값 x를 제거하는 메서드 • 해당하는 값이 여러 개 있을 경우 가장 앞에 있는 값을 제거
reverse( )	• 리스트의 위치를 전부 역순으로 바꿔주는 메서드
sort( )	• 리스트의 항목들을 정렬하는 메서드

개념 박살내기

■ 파이썬 리스트형 메서드

[소스 코드]

01	`a = [20, 10, 30]`
02	`print(a)`
03	`a.extend(a)`
04	`print(a)`
05	`a.pop()`
06	`print(a)`
07	`a.reverse()`
08	`print(a)`

출력	[20, 10, 30] [20, 10, 30, 20, 10, 30] [20, 10, 30, 20, 10] [10, 20, 30, 10, 20]

> **학습 Point**
> 파이썬에서 문자열형을 뺀 컬렉션 자료형들은 변수를 그냥 출력할 경우 괄호가 포함됩니다. 예시에서도 a 변수는 리스트형인데, print(a)하면 괄호도 같이 출력된다는 것을 기억해두세요.

[코드 해설]

01	리스트 a 선언 및 20, 10, 30으로 초기화
02	리스트 a에 저장된 [20, 10, 30] 을 출력
03	리스트 확장, 20, 10, 30을 한 번에 추가함
04	리스트 a에 저장된 [20, 10, 30, 20, 10, 30] 을 출력
05	리스트 마지막 또는 지정 요소를 삭제하고 그 값을 반환함
06	[20, 10, 30, 20, 10] 리스트 a 출력
07	리스트를 역순으로 뒤집음
08	[10, 20, 30, 10, 20] 리스트 a 출력

- 리스트에서 append, index 메서드를 이용하여 리스트에 값을 추가하고 remove 메서드를 이용하여 삭제한다.

개념 박살내기

■ 파이썬 리스트형 메서드

[소스 코드]

01	l = [3, 5, 7]
02	l.append(3)
03	print(l)
04	l.insert(2, 4)
05	print(l)
06	l.remove(3)
07	print(l)

출력	[3, 5, 7, 3] [3, 5, 4, 7, 3] [5, 4, 7, 3]

[코드 해설]

01	l이라는 변수에 3, 5, 7 값을 리스트형으로 초기화
02	l의 맨 뒤에 3을 추가
03	3, 5, 7 뒤에 3이 추가되어 [3, 5, 7, 3]을 화면에 출력
04	l의 2번지에 4라는 값을 추가(2번지는 세 번째 값이므로 세 번째에 4 추가)
05	l을 화면에 출력
06	l에서 3을 제거하는데 3은 두 개이므로 앞의 3이 지워짐
07	l을 화면에 출력

- 리스트를 2차원으로 만들 수 있고, 2차원 리스트는 [와]사이에 [와]를 중첩하여 사용한다.

■ 파이썬 2차원 리스트

[소스 코드]

01	a = [[1, 2], [3, 4], [5, 6]]
02	print(a)
03	print(a[0])
04	print(a[1][0])
05	b = [[1, 2, 3], [4, 5], [6, 7, 8, 9]]
06	print(b[0])

| 출력 | [[1, 2], [3, 4], [5, 6]]
[1, 2]
3
[1, 2, 3] |

[코드 해설]

01	• 2차원 리스트 a를 선언 및 초기화
02	• 2차원 리스트 a를 출력
03	• a[0]는 [1, 2], a[1]는 [3, 4], a[2]는 [5, 6]을 가리킴 • a[0]인 [1, 2]를 출력
04	• a[1][0] 값인 3을 출력
05	• 2차원 리스트 b를 선언 및 초기화
06	• b[0]인 [1, 2, 3] 을 출력

㉢ 튜플형(Tuple)
- 튜플형은 초기에 선언된 값에서 값을 생성, 삭제, 수정이 불가능한 형태의 자료형이다.
- (,)를 이용하여 튜플형을 선언한다.

튜플명 = (요소1, 요소2, …)

■ 파이썬 튜플

[소스 코드]

| 01 | t = ('s', 'j', 'b') |
| 02 | print(t) |

| 출력 | ('s', 'j', 'b') |

[코드 해설]

01	튜플 변수 t에 's', 'j', 'b'로 초기화
02	튜플 변수 t를 화면에 출력

② **시퀀스 자료형 요소 접근 방법 – 인덱싱(Indexing)**
- 인덱싱은 시퀀스 자료형에서 특정 요소에 접근하는 방법이다.
- 시퀀스 자료형이 n개의 값을 가질 때 인덱스는 다음과 같다.

첫 번째 요소	두 번째 요소	…	뒤에서 두 번째 요소	뒤에서 첫 번째 요소
0	1	…	(n-2)	(n-1)
-n	-(n-1)		-2	-1

예) a = [4, 2, 7, 3, 5]

4	2	7	3	5
a[0]	a[1] a[-4]	a[2] a[-3]	a[3] a[-2]	a[4] a[-1]

- 인덱싱은 문자열, 리스트 같은 자료구조에서 사용한다.
- 문자열 인덱싱은 문자열에 부여된 번호로 원하는 문자를 가리킬 때 사용한다.
- 문자열 앞에서부터 시작하면 인덱스는 0부터 시작하고, 뒤에서부터 시작하면 -1 부터 시작한다.

💡 **개념 박살내기**

■ 파이썬 문자열 인덱싱

[소스 코드]

01	`print("soojebi"[3])`
02	`print("soojebi"[-7])`
03	`str = "soojebi"`
04	`print(str[1])`

출력	j s o

[코드 해설]

01	문자열 soojebi에서 3번째 문자인 j를 화면에 출력						
	문자열	s	o	o	j	e	b	i
	인덱스	[0]	[1]	[2]	[3]	[4]	[5]	[6]
		[-7]	[-6]	[-5]	[-4]	[-3]	[-2]	[-1]
02	문자열 soojebi에서 -7번째 문자인 s를 화면에 출력
03	문자열 soojebi를 str이라는 변수에 대입
04	문자열 str은 문자열 soojebi이므로 1번째 문자인 o를 화면에 출력

- 튜플의 요소 접근을 위해 인덱싱을 사용한다.

💡 개념 박살내기

■ 파이썬 튜플 인덱싱

[소스 코드]

01	t = ('s', 'j', 'b')
02	print(t[0])
출력	s

[코드 해설]

01	튜플 변수 t에 's', 'j', 'b'로 초기화
02	t의 0번째 값을 화면에 출력

> **학습 Point**
> 인덱싱으로 접근했을 때는 출력 결과에 괄호가 없다는 것을 확인해두세요.

③ 시퀀스 자료형 요소 접근 방법 – 슬라이싱(Slicing)

- 슬라이싱은 시퀀스 자료형에서 여러 개의 데이터에 동시에 접근하는 기법이다.

시퀀스변수명[시작 : 종료 : 스텝]	
형태	설명
시작	• 슬라이싱을 시작할 인덱스 • 생략할 경우 '시퀀스변수명[: 종료]' 또는 '시퀀스변수명[: 종료 : 스텝]' 형태가 됨 • 생략할 경우 처음부터 슬라이싱
종료	• 슬라이싱을 종료할 인덱스 • 종료 인덱스에 있는 인덱스 전까지만 슬라이싱 • 생략할 경우 '시퀀스변수명[시작 :]' 또는 '시퀀스변수명[시작 : : 스텝]' 형태가 됨 • 생략할 경우 마지막까지 슬라이싱

형태	설명
스텝	• 몇 개씩 끊어서 슬라이싱을 할지 결정하는 값 • 생략할 경우 '시퀀스변수명[시작 : 종료]' 또는 '시퀀스변수명[시작 : 종료 :]' 형태가 됨 • 생략할 경우 1이 기본값

㉮ 문자열 슬라이싱

• 문자열 슬라이싱은 문자열에서 부분 문자열을 추출할 수 있다.

 개념 박살내기

■ 파이썬 문자열 슬라이싱

[소스 코드]

01	print("soojebi"[1:])
02	print("soojebi"[2:4])
03	print("soojebi"[:3])

출력	oojebi oj soo

[코드 해설]

01	시작 위치만 지정하면 oojebi가 출력
02	2번째부터 시작해서 3번째(4-1번째)까지 출력하며, step은 생략되므로 1이 되어 oj가 출력
03	시작 인덱스는 생략되어 있고, 종료 인덱스만 명시된 형태로 2번째까지 출력

학습 Point

슬라이싱을 통해 출력할 때는 괄호가 표시됩니다. 다만, 문자열 슬라이싱은 다른 시퀀스 자료형과 다르게 출력 결과에 괄호가 표시되지 않습니다.

㉯ 리스트 슬라이싱

• 리스트 슬라이싱은 리스트의 원하는 부분을 추출할 수 있다.

 개념 박살내기

■ 파이썬 리스트 슬라이싱

[소스 코드]

01	a = [4, 2, 7, 3, 5]
02	print(a[0 : 4 : 2])

출력	[4, 7]

[코드 해설]

01	리스트 a에 4, 2, 7, 3, 5로 초기화
02	0번지부터 4번지 바로 전 인덱스인 3번지 인덱스까지 2개씩 끊어서 슬라이싱

㉓ 튜플 슬라이싱
- 튜플 슬라이싱은 튜플의 원하는 부분을 추출할 수 있다.

■ 파이썬 튜플 예제

[소스 코드]

01	t = ('s', 'j', 'b')
02	print(t[1:])
출력	('j', 'b')

[코드 해설]

| 01 | 튜플 변수 t에 's', 'j', 'b'로 초기화 |
| 02 | 튜플 변수 t를 슬라이싱하여 화면에 출력 |

④ 시퀀스 자료형 연산자

㉮ 연결, 반복 연산자

▼ 연결, 반복 연산자

연산자	설명
+	• 두 시퀀스 자료형을 연결하는 연산자
*	• 시퀀스 자료형을 반복하는 연산자

■ 리스트 연결, 반복 연산자

[소스 코드]

01	a = [1, 2, 3]
02	b = [4, 5, 6]
03	print(a + b)
04	print(a*3)
출력	[1, 2, 3, 4, 5, 6] [1, 2, 3, 1, 2, 3, 1, 2, 3]

[코드 해설]

01	• a 변수에 리스트 [1, 2, 3]을 대입
02	• b 변수에 리스트 [4, 5, 6]을 대입
03	• 연산자 +를 사용하여 a 리스트와 b 리스트를 연결한 값인 [1, 2, 3, 4, 5, 6]을 출력
04	• 연산자 *를 사용하여 a 리스트를 3번 반복하여 출력

④ in, not in 연산자

- 특정 값이 시퀀스 자료형 내부에 있는지 확인하기 위해서 in 연산자를 활용한다.

▼ in, not in 연산자

연산자	설명
in	• 리스트 내부의 특정 값이 존재하는지 확인하는 연산자
not in	• 리스트 내부의 특정 값이 존재하는지 않는지 확인하는 연산자

개념 박살내기

■ 리스트 in, not in 연산자

[소스 코드]

01	a = [1, 2, 3, 4, 5]
02	1 in a
03	7 in a
04	8 not in a

| 출력 | True
False
True |

[코드 해설]

01	• a 변수에 리스트 [1, 2, 3, 4, 5]를 대입
02	• a 리스트 내부에 1이 있으므로 True를 반환
03	• a 리스트 내부에 7이 없으므로 False를 반환
04	• a 리스트 내부에 8이 없으므로 True를 반환

2 비시퀀스 자료형 구조

- 비시퀀스 자료형은 순서가 존재하지 않는 자료형으로 순서가 중요하지 않다.

① 세트형

㉮ 세트형(Set) 개념

- 세트형은 중복된 원소를 허용하지 않는 집합의 성질을 가지고 있는 자료형이다.
- set라는 키워드로 세트형을 초기화하거나 {, }를 이용하여 세트형을 선언한다.

```
세트명 = set([요소1, 요소2, …])
세트명 = {요소1, 요소2, …}
```

㉴ 세트형 메서드
- 세트형 메서드는 add, update, remove 등이 있다.

▼ 세트형 메서드

메서드	설명
add(값)	값을 1개 추가하는 메서드
update([값1, 값2, …])	여러 개의 값을 한꺼번에 추가하는 메서드
remove(값)	특정 값을 제거하는 메서드

 개념 박살내기

■ 파이썬 세트형

[소스 코드]

01	`s = {1, 5, 7}`
02	`s.add(3)`
03	`print(s)`
04	`s.add(5)`
05	`print(s)`
06	`s.update([1, 2, 3, 4])`
07	`print(s)`
08	`s.remove(1)`
09	`print(s)`
출력	{1, 3, 5, 7} {1, 3, 5, 7} {1, 2, 3, 4, 5, 7} {2, 3, 4, 5, 7}

[코드 해설]

01	s라는 변수에 1, 5, 7 값을 세트형으로 초기화
02	s에 3이 없으므로 3이 추가
03	s를 화면에 출력함
04	s에 5를 추가하지만 이미 5가 있으므로 변화 없음
05	s를 화면에 출력함
06	s에 1, 2, 3, 4를 한 번에 추가하지만 1과 3은 이미 있으므로 2, 4만 추가
07	s를 화면에 출력함
08	s에서 1을 제거
09	s를 화면에 출력함

② 딕셔너리

㉮ 딕셔너리형(Dictionary) 개념
- 딕셔너리형은 키와 값으로 구성된 객체를 저장하는 구조로 되어 있는 자료형이다.

㉯ 딕셔너리형 요소 생성/변경/삭제

▼ 딕셔너리형 요소 생성/변경/삭제

구분	문법	설명
생성	딕셔너리명 = {키1:값1, 키2:값2, …}	• { , }안에 콜론(:)을 이용하여 키와 값을 구분하여 선언
변경	딕셔너리명[키] = 값	• 기존 변수에 키와 값을 추가 • 기존 변수에 해당 키에 해당하는 값이 있었으면 값을 변경
삭제	del 딕셔너리명[키]	• 기존 변수에서 해당 키와 키에 해당하는 값을 삭제

개념 박살내기

■ 파이썬 딕셔너리형

[소스 코드]

01	`d = {'A':5, 'C':4}`
02	`print(d)`
03	`d['K'] = 7`
04	`print(d)`
05	`del d['C']`
06	`print(d)`
07	`d['K'] = 6`
08	`print(d)`
출력	{'A': 5, 'C': 4} {'A': 5, 'C': 4, 'K': 7} {'A': 5, 'K': 7} {'A': 5, 'K': 6}

[코드 해설]

01	d라는 변수에 키가 'A'일 때 값을 5로, 'C'일 때 값을 4로 초기화
02	d 출력
03	d라는 변수에 키가 'K'일 때 값을 7로 저장
04	d 출력
05	d라는 변수에 키가 'C'에 해당하는 값을 삭제
06	d 출력
07	d라는 변수에 키가 'K'일 때 값을 6으로 저장(기존에 키가 'K'일 때 값이 7에서 6으로 변경)
08	d 출력

(5) 자료형 함수

1 type 함수 [22년 1회]

- type 함수는 자료형을 확인하는 함수이다.

▼ type 함수

유형	세부 유형	출력
기본 자료형 (Primitive Data Type)	정수형(Integer)	⟨class 'int'⟩
	실수형(Floating Point)	⟨class 'float'⟩
	논리형(Logical)	⟨class 'bool'⟩
컬렉션 자료형 (Collection Data Type)	문자열형(String)	⟨class 'str'⟩
	리스트형(List)	⟨class 'list'⟩
	튜플형(Tuple)	⟨class 'tuple'⟩
	딕셔너리형(Dictionary)	⟨class 'dict'⟩
	세트형(Set)	⟨class 'set'⟩

> **학습 Point**
> 숫자형(Number)에 정수형과 실수형이 있습니다. 잘 기억해두세요.

개념 박살내기

■ 파이썬 type 함수 자료형 확인

[소스 코드]

```
01  print(type(31))
02  print(type(2.7))
03  print(type(True))
04  print(type('Soojebi'))
05  print(type([1, 2, 3]))
06  print(type((1, 2, 3)))
07  print(type({1, 2, 3}))
08  print(type({'s':1, 'j':2, 'b':3}))
```

출력:
⟨class 'int'⟩
⟨class 'float'⟩
⟨class 'bool'⟩
⟨class 'str'⟩
⟨class 'list'⟩
⟨class 'tuple'⟩
⟨class 'set'⟩
⟨class 'dict'⟩

[코드 해설]

01	31은 정수형이므로 ⟨class 'int'⟩를 출력
02	2.7은 실수형이므로 ⟨class 'float'⟩를 출력
03	True는 논리형이므로 ⟨class 'bool'⟩를 출력

[코드 해설]

04	'Soojebi'는 문자열형이므로 〈class 'str'〉을 출력
05	[1, 2, 3]은 리스트형이므로 〈class 'list'〉을 출력
06	(1, 2, 3)은 튜플형이므로 〈class 'tuple'〉을 출력
07	{1, 2, 3}은 세트형이므로 〈class 'set'〉을 출력
08	{'s':1, 'j':2, 'b':3}은 딕셔너리형이므로 〈class 'dict'〉을 출력

2 len 함수

- len 함수는 컬렉션 자료형의 크기를 계산하는 함수이다.

개념 박살내기

■ 파이썬 len 함수

[소스 코드]

01	print(len('Soojebi'))
02	print(len([1, 2, 3]))
03	print(len((1, 2, 3)))
04	print(len({1, 2, 3}))
05	print(len({'s':1, 'j':2, 'b':3}))

출력	7 3 3 3 3

[코드 해설]

01	'Soojebi' 문자열의 길이가 7이므로 len('Soojebi')은 7이 됨
02	[1, 2, 3]은 요소의 개수가 3개이므로 len([1, 2, 3])은 3이 됨
03	(1, 2, 3)은 요소의 개수가 3개이므로 len((1, 2, 3))은 3이 됨
04	{1, 2, 3}은 요소의 개수가 3개이므로 len({1, 2, 3})은 3이 됨
05	{'s':1, 'j':2, 'b':3}은 요소의 개수가 3개이므로 len({'s':1, 'j':2, 'b':3})은 3이 됨

3 입출력 함수

(1) 표준 출력 함수(print)

- print 함수는 화면에 출력하기 위해 표준 출력 함수이다.

1 단순 출력 및 개행

print(문자열, end)

파라미터	설명
end	print 함수가 완료될 때 추가할 문자(기본값 '\n')

- print 함수를 쓰면 함수가 종료된 후에 기본으로 개행(줄바꿈) 된다.

> **학습 Point**
> print('ABC')일 경우 end 값을 따로 지정해주지 않았으므로 end='\n'이 생략된 형태입니다. 그래서 ABC를 출력한 후에 개행을 하게 됩니다.

💡 개념 박살내기

■ 파이썬 단순 출력

[소스 코드]

01	`print('Hello', end='')`
02	`print('Soojebi')`
03	`print('Hello', end='!')`
04	`print('Soojebi')`
출력	HelloSoojebi Hello!Soojebi

[코드 해설]

01	• end에 아무 값도 없으므로 Hello 출력하고 개행하지 않음
02	• Soojebi 출력 후 개행
03	• end에 !가 있으므로 Hello 출력하고 개행 대신 !를 출력
04	• Soojebi 출력 후 개행

2 변수 출력

- print 함수로 변수를 출력하고자 할 때 매개변수에 출력하고자 하는 변수명만 넣어주면 된다.

print(변수명)

개념 박살내기

■ 파이썬 변수 출력

[소스 코드]

01	a = 5
02	print(a)
03	b = 3
04	print('a=', a, 'b=', b)
출력	5 a= 5 b= 3

[코드 해설]

01	a라는 변수에 5 대입
02	변수 a를 출력
03	b라는 변수에 3 대입
04	문자열 'a='을 출력하고 a 값인 5를 출력, 문자열 'b='를 출력하고 b 값인 3을 출력함

(2) 표준 입력 함수(input)

- input 함수는 문자열 또는 숫자를 입력받을 수 있는 파이썬 표준 입력 함수이다.
- 파이썬에서는 정수형과 실수형과 같은 숫자를 입력받을 때는 문자열로 저장한 후에 eval 함수를 써서 숫자로 변환해 주어야 한다.

▼ 표준 입력 함수

구분	코드
문자열 입력	변수명 = input( )
숫자 입력	변수명 = input( ) 변수명 = eval(변수명)

- eval 매개변수를 숫자로 변환할 수 없는 형태의 문자열일 경우 에러가 발생한다.

개념 박살내기

■ 파이썬 input 함수

[소스 코드]

01	s = input( )
02	s = eval(s)
03	print(s)
입력	1
출력	1

[코드 해설]

01	s 변수에 값 입력(문자로 저장)
02	s 변수를 숫자로 변환(만약 입력값을 숫자로 변환할 수 없을 경우 에러가 발생)
03	s 화면에 출력

4 연산자★★

(1) 연산자(Operator) 개념
- 연산자는 프로그램 실행을 위해 연산을 표현하는 기호이다.

(2) 연산자 종류

1 Swap 연산자
- Swap 연산자는 두 변수의 값을 교환하는 연산자이다.
- 콤마를 기준으로 두 값을 교환한다.

> 개념 박살내기

■ 파이썬 Swap 연산자

[소스 코드]

01	a, b = 10, 20
02	print(a)
03	print(b)
04	a, b = b, a
05	print(a)
06	print(b)
출력	10 20 20 10

[코드 해설]

01	a에 10을 대입, b에 20을 대입
02	a에 있는 값인 10을 출력

학습 Point
- 파이썬 연산자는 대부분 C언어 연산자가 동일합니다. 연산자 종류가 많기 때문에 C언어에 없는 연산자만 다루도록 하겠습니다.
- 파이썬은 증감 연산자인 ++, --를 지원하지 않습니다. 참고해두세요.

[코드 해설]

03	b에 있는 값인 20을 출력
04	a에 있는 값과 b에 있는 값을 교환
05	a에 있는 값인 20을 출력
06	b에 있는 값인 10을 출력

2 산술 연산자

- 산술 연산자는 두 수의 수치 계산을 위한 연산자이다.
- 산술연산자에는 사칙 연산(+, -, *, /, //), 지수 연산(**), 나머지 연산(%)이 있다.

개념 박살내기

■ 파이썬 산술 연산자

[소스 코드]

01	print(3 / 2)
02	print(3 // 2)
03	print(3 ** 2)
04	print(3 % 2)

출력	1.5 1 9 1

[코드 해설]

01	3/2한 결과인 1.5를 출력
02	3/2한 결과에서 몫인 1을 출력
03	3의 제곱인 9를 출력
04	3을 2로 나머지 연산한 1을 출력

학습 Point

C언어, 자바에서 //는 주석(실제 실행되지 않는 코드)이지만, 파이썬에서는 몫을 계산하는 연산자입니다.

3 비교 연산자

- 비교 연산자는 두 피연산자가 같은지 다른지를 비교하는 연산자이다.

개념 박살내기

■ 파이썬 비교 연산자

[소스 코드]

01	print(3==3)
02	print(5==3)

출력	True False

학습 Point

C는 참일 때 1, 거짓일 때 0, 자바와 파이썬은 참/거짓을 출력하는데, 2021년 3회 시험 때 파이썬에서 결과를 출력하는 문제가 시험에 나왔습니다. 자바는 true/false가 소문자로만 이루어져 있고, 파이썬은 True/False에서 앞 글자가 대문자라는 것을 꼭 기억해두세요.

[코드 해설]

01	관계 연산 결과가 참일 때 True를 출력
02	관계 연산 결과가 거짓일 때 False를 출력

4 대입 연산자

- 대입 연산자는 변수에 값을 할당하는 연산자이다.
- '+=', '-=', '*=', '/='은 C나 Java와 동일하며, 파이썬에는 추가적으로 '**='와 '//=' 연산자를 제공한다.

▼ 대입 연산자

연산자	내용
**=	왼쪽의 변수 값을 오른쪽 수의 제곱한 후 왼쪽 변수에 재할당
//=	왼쪽의 변수 값을 오른쪽 수로 나눈후 내림한 값을 왼쪽 변수에 재할당

> 💡 개념 박살내기

■ 파이썬 대입 연산자

[소스 코드]

01	a, b = 3, 2
02	a *= b
03	print(a)
04	a **= b
05	print(a)
06	a /= b
07	print(a)
08	a //= b
09	print(a)
10	a %= b
11	print(a)

출력	6 36 18.0 9.0 1.0

> **학습 Point**
> a /= b를 하는 순간 a는 소수점으로 계산됐기 때문에 a는 실수형으로 바뀌게 됩니다.
> 그래서 18.0부터 a 값을 출력하면 계속 실수형으로 출력이 됩니다.

[코드 해설]

01	a에는 3, b에는 2를 대입
02	a 값 3과 b 값 2를 곱하고 그 결과인 6을 a에 대입
03	a 값 6을 화면에 출력
04	a 값 6과 b 값 2를 거듭제곱하고 그 결과인 36을 a에 대입

[코드 해설]

05	a 값 36을 화면에 출력
06	a 값 36을 b 값 2로 나누고 그 결과인 18을 a에 대입
07	a 값 18.0을 화면에 출력
08	a 값 18.0을 b 값 2로 나누고 그 몫인 9.0을 a에 대입
09	a 값 9.0을 화면에 출력
10	a 값 9.0과 b 값 2를 나머지 연산하고 그 결과인 1.0을 a에 대입
11	a 값 1.0을 화면에 출력

5 조건문 - if 문 ★

(1) if 문 개념
- if 문 조건이 참인지 거짓인지에 따라 경로를 선택하는 명령문이다.

(2) if 문 문법 [24년 1회]
- if의 조건문이 참일 경우 if 안에 있는 명령문을 실행한다.
- if 문의 조건이 거짓이면서 elif 문의 조건이 참일 경우 elif 안에 있는 명령문이 실행한다.
- else는 if 문의 조건문이 거짓이고 여러 개의 elif 문이 모두 거짓일 때 else 안에 있는 명령문이 실행한다. (else는 사용하지 않거나 한 번만 사용)
- elif는 여러 개 사용이 가능하다.

▼ if 문 문법

```
if 조건문 :
    명령문;
elif 조건문 :
    명령문;
else :
    명령문;
```

학습 Point

파이썬은 C, 자바와 달리 switch 문이 없습니다.

■ 파이썬 if 문

[소스 코드]

01	`score = input( )`
02	`score = eval(score)`
03	`if score >= 90:`
04	`    print("A")`
05	`elif score >= 80:`
06	`    print("B")`
07	`elif score >= 70:`
08	`    print("C")`
09	`else:`
10	`    print("F")`
입력	60
출력	F

[코드 해설]

01	score 변수에 값 입력("60"이라는 문자형으로 저장)
02	문자로 저장된 score를 정수로 변환 후 score에 저장
03	score가 90보다 작으므로 거짓이 되어 if 문 안의 명령어를 실행하지 않고, 다음 elif를 실행
05	score가 80보다 작으므로 거짓이 되어 elif 문 안의 명령어를 실행하지 않으므로, 다음에 있는 elif를 실행
07	score가 70보다 작으므로 거짓이 되어 elif 문 안의 명령어를 실행하지 않으므로, 다음에 있는 else를 실행
09	if, elif 조건이 모두 만족하지 않았으므로 else 안의 명령어를 실행
10	F를 화면에 출력

6 반복문

(1) while 문

- while 문은 조건문이 참일 경우 명령문을 반복하여 수행한다.
- 조건문 뒤에는 반드시 콜론(':')을 붙인다.

```
while 조건문 :
    명령문
```

개념 박살내기

■ 파이썬 while 문

[소스 코드]

```
01  i = 0
02  sum = 0
03  while i < 4:
04    i=i+1
05    sum = sum + i
06
07  print(sum)
```

| 출력 | 10 |

[코드 해설]

01	i 선언 및 0으로 초기화
02	sum 선언 및 0으로 초기화
03	i는 0이므로 i<4는 참
04	i를 1 증가
05	sum은 0이고, i는 1이므로 0+1 값을 sum에 저장
03	i는 1이므로 i<4는 참
04	i를 1 증가
05	sum은 1이고, i는 2이므로 1+2 값을 sum에 저장
03	i는 2이므로 i<4는 참
04	i를 1 증가
05	sum은 3이고, i는 3이므로 3+3 값을 sum에 저장
03	i는 3이므로 i<4는 참
04	i를 1 증가
05	sum은 6이고, i는 4이므로 6+4 값을 sum에 저장
03	i는 4이므로 i<4는 거짓(반복문 종료)
07	sum을 화면에 출력

> **학습 Point**
> 파이썬은 do-while 문을 지원하지 않습니다.

(2) for 문

- for 문은 in 연산자 뒤에 range 함수를 사용하여 반복의 범위를 지정하거나 리스트 개수만큼 반복을 수행한다.

1 일반 for 문

- range 함수는 범위를 지정하는 함수이다.
- range 함수에서 시작을 생략하면 0, 스텝 값을 생략하면 1이 자동으로 들어간다.

| for 변수 in range(시작, 종료, 스텝):
　명령문 | (시작) 값부터 for 문을 반복할 때마다 (스텝) 수만큼 값을 증가시키고 변숫값이 (종료) 값 이상이면 반복문을 종료 |

- range 함수에 값이 하나일 경우 시작 = 0, 스텝 = 1이 자동으로 들어가고, range 함수에 값이 두 개일 경우 스텝 = 1이 자동으로 들어간다.

개념 박살내기

■ 파이썬 for 문

[소스 코드]

01	i = 0
02	sum = 0
03	for i in range (1, 4) :
04	sum = sum + i
05	print(sum)
출력	6

[코드 해설]

01	• i를 0으로 초기화
02	• sum을 0으로 초기화
03	• range에 매개변수가 2개이므로 스텝=1이 자동으로 들어감 • i는 1부터 3까지 반복
04	• i 값을 sum에 더함(for 문이 돌고난 후에 sum은 6이 됨)
05	• sum을 출력

2 for each 문 [24년 2회]

- for each 문은 시퀀스 자료형의 요소들을 차례대로 변수에 대입하면서 반복하는 명령어이다.

| for 변수 in 시퀀스자료형:
　명령문 |

개념 박살내기

■ 파이썬 for each 문

[소스 코드]

01	li = [1, 2, 3, 4, 5]
02	for a in li:
03	print(a)

출력	1 2 3 4 5

[코드 해설]

01	리스트 li에 1, 2, 3, 4, 5로 초기화함
02	리스트 li에서 하나씩 a에 대입함
03	a를 화면에 출력함

개념 박살내기

■ 파이썬 이중 for each 문

[소스 코드]

```
01  li = [[1, 2], [3, 4, 5]]
02  for a in li:
03      for b in a:
04          print(b, end='')
```

출력	12345

[코드 해설]

01	• li를 2차원 리스트 [[1, 2], [3, 4, 5]]로 초기화함 • li 리스트 안에는 [1, 2]와 [3, 4, 5] 2개의 1차원 리스트로 구성되어 있음
02	• 바깥쪽 for 문은 첫 번째이므로 li의 첫 번째 리스트인 [1, 2]를 a에 저장(a=[1, 2])
03	• 안쪽 for 문은 첫 번째이므로 a의 첫 번째 값인 1을 b에 저장
04	• b를 출력, end=' '이 있으므로 개행하지 않음
03	• 안쪽 for 문은 두 번째이므로 a의 두 번째 값인 2를 b에 저장
04	• b를 출력, end=' '이 있으므로 개행하지 않음
02	• 바깥쪽 for 문은 두 번째이므로 li의 두 번째 리스트인 [3, 4, 5]를 a에 저장(a=[3, 4, 5])
03	• 안쪽 for 문은 첫 번째이므로 a의 첫 번째 값인 3을 b에 저장
04	• b를 출력, end=' '이 있으므로 개행하지 않음
03	• 안쪽 for 문은 두 번째이므로 a의 두 번째 값인 4를 b에 저장
04	• b를 출력, end=' '이 있으므로 개행하지 않음
03	• 안쪽 for 문은 세 번째이므로 a의 세 번째 값인 5를 b에 저장
04	• b를 출력, end=' '이 있으므로 개행하지 않음

7 함수 ★★

(1) 사용자 정의 함수 [22년 3회]

1 사용자 정의 함수(User-Defined Function) 개념
- 사용자 정의 함수는 사용자가 직접 새로운 함수를 정의하여 사용하는 방법이다.
- 사용자 정의 함수에서 매개변수나 생성된 변수는 사용자 정의 함수가 종료되면 없어진다.

2 사용자 정의 함수 선언

```
def 함수명(변수명, …) :
    명령어
    return 반환값
```

> **학습 Point**
> 파이썬도 자바나 C처럼 재귀 함수를 사용할 수 있습니다.

개념 박살내기

■ 파이썬 사용자 정의 함수

[소스 코드]

01	`def fn(num):`
02	`    if num % 2 == 0:`
03	`        return 'Y'`
04	`    else:`
05	`        return 'N'`
06	
07	`a = fn(5)`
08	`print(a)`
출력	N

[코드 해설]

07	fn(5) 함수를 호출하고 반환 값을 a라는 변수에 저장
01	함수명은 fn이고, 입력값은 num이라는 정수형 변수에 저장되어 num에 5가 저장
02	num은 5이므로 2로 나눈 나머지가 0이 아니라 if 문 내의 명령어는 실행하지 않음
04	if 문이 거짓이므로 else 안의 명령어를 실행
05	N 값을 반환함
07	fn(5) 함수를 호출한 반환 값이 'N'이므로 a에 'N'을 저장
08	a 값인 'N'을 출력

3 디폴트 매개변수 [22년 3회]

- 디폴트 매개변수는 기본값이 정의된 매개변수이다.
- 함수를 호출할 때, 매개변수가 명시되어 있지 않으면 디폴트 매개변수 값이 전달된다.

```
def 함수이름(매개변수=디폴트값):
    명령문
```

개념 박살내기

■ 파이썬 디폴트 매개변수

[소스 코드]

01	`def soojebi(num1, num2=2):`
02	`  print('a=', num1, 'b=', num2)`
03	
04	`soojebi(20)`
05	`soojebi(20, 3)`

| 출력 | a= 20 b= 2
a= 20 b= 3 |

[코드 해설]

04	soojebi 함수 호출할 때 매개변수로 20을 전달
01	파라미터를 한 개를 전달했으므로 num1은 전달받은 20을 대입, num2에는 디폴트 매개변수로 지정되어 있는 2를 대입
02	num1은 20, num2는 2로 'a= 20 b=2'를 출력
05	soojebi 함수를 호출할 때 매개변수로 20과 3을 전달
01	파라미터를 두 개를 전달했으므로 num1은 전달받은 20을 대입, num2는 전달받은 3을 대입
02	num1은 20, num2는 3으로 'a= 20 b=3'을 출력

(2) 람다 함수

1 람다 함수(Lambda Function) 개념

- 람다 함수는 함수 이름 없이 동작하는 함수이다.
- 매개변수에 값을 전달하면 표현식에서 연산을 수행한다.

2 람다 함수 문법 [22년 3회]

① 일반 람다 함수

`lambda 매개변수 : 표현식`

- 람다 함수는 콜론(:) 앞에서 매개변수를 입력받고, 콜론 뒤에서 표현식을 처리한다.

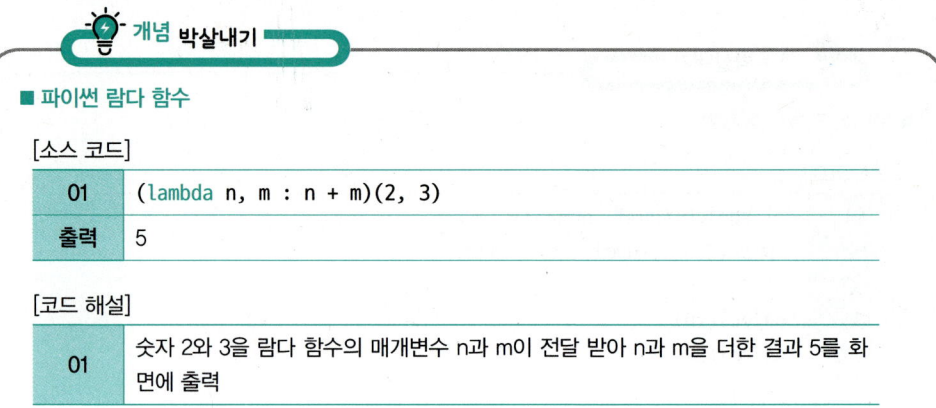

■ 파이썬 람다 함수

[소스 코드]

01	`(lambda n, m : n + m)(2, 3)`
출력	5

[코드 해설]

01	숫자 2와 3을 람다 함수의 매개변수 n과 m이 전달 받아 n과 m을 더한 결과 5를 화면에 출력

② 변수를 이용한 람다 함수

- 람다 함수를 변수에 할당하여 재사용할 수 있다.

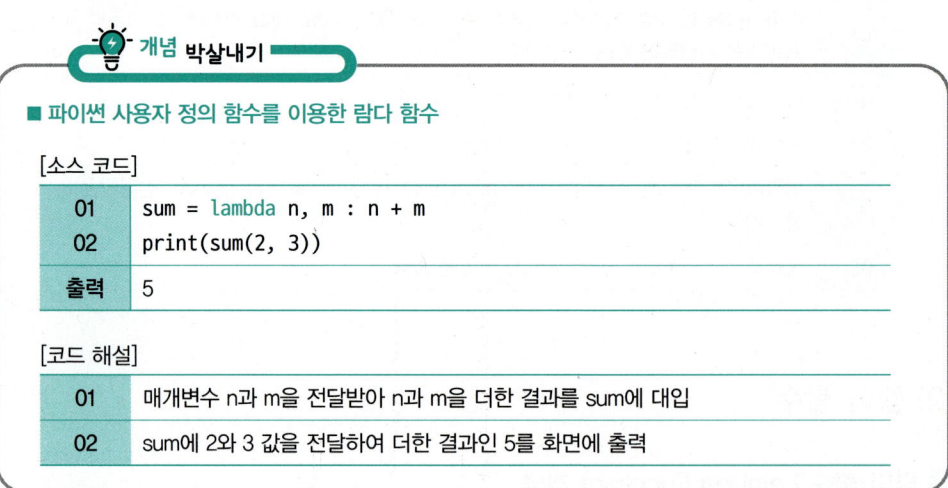

■ 파이썬 사용자 정의 함수를 이용한 람다 함수

[소스 코드]

01 02	`sum = lambda n, m : n + m` `print(sum(2, 3))`
출력	5

[코드 해설]

01	매개변수 n과 m을 전달받아 n과 m을 더한 결과를 sum에 대입
02	sum에 2와 3 값을 전달하여 더한 결과인 5를 화면에 출력

③ 사용자 정의 함수를 이용한 람다 함수

- 람다 함수는 사용자 정의 함수로 구현할 수 있다.

 개념 박살내기

■ 파이썬 변수를 이용한 람다 함수

[소스 코드]

01	`def f(n):`
02	`    return lambda a:a*n`
03	`k = f(3)`
04	`print(k(10))`
출력	30

[코드 해설]

03	• f(3)을 호출하면 f 함수를 호출하고 호출한 결과를 k에 저장 • f(3)이 lambda a:a*3이므로 k는 람다 함수인 lambda a:a*3을 저장
04	• k(10)이므로 k가 저장하고 있는 람다 함수에 10을 넣게 되면 a가 10이 되어 10*3인 30을 반환하여 30을 출력
01	• f(3)에 의해서 호출되었기 때문에 n은 3이 됨
02	• n이 3이므로 return 값인 lambda a:a*3을 반환

④ 내장 함수를 이용한 람다 함수

- 람다 함수는 파이썬 map 함수, filter 함수와 같이 사용할 수 있다.

▼ 내장 함수를 이용한 람다 함수

함수	형태	설명
map	map(함수, 리스트)	• 첫 번째 매개변수에는 함수, 두 번째 매개변수에는 리스트를 전달 • 리스트 요소를 함수에 전달하여 반복을 수행하는 함수
filter	filter(함수, 리스트)	• 첫 번째 매개변수에는 함수, 두 번째 매개변수에는 리스트를 전달 • 리스트 요소를 함수에 전달하여 조건이 참인 값을 반환하는 함수

개념 박살내기

■ 파이썬 map을 이용한 람다 함수

[소스 코드]

01	`a = [1,2,3,4,5]`
02	`m = list(map(lambda num : num + 100, a))`
03	`print(m)`
출력	[101, 102, 103, 104, 105]

[코드 해설]

01	• 리스트 a을 선언하고 1, 2, 3, 4, 5로 초기화
02	• num : num + 100에서 매개변수인 왼쪽 num 값으로 리스트 a의 값이 순차적으로 전달되며, 이 값은 오른쪽의 num + 100에 전달되어 연산 • 1 + 100, 2 + 100, 3 + 100, 4 + 100, 5 + 100이 실행되어 101, 102, 103, 104, 105가 계산됨 • list 함수 매개변수에 101, 102, 103, 104, 105가 전달되며, 리스트로 변환한 결과를 a에 대입
03	• print 함수에서 리스트 l을 출력

개념 박살내기

■ 파이썬 filter를 이용한 람다 함수

[소스 코드]

01	a = [1,2,3,4,5]
02	m = list(filter(lambda num : num > 2, a))
03	print(m)
출력	[3, 4, 5]

[코드 해설]

01	• 리스트 a를 선언하고 1, 2, 3, 4, 5로 초기화
02	• num : num > 2 에서 매개변수인 왼쪽 num 값으로 리스트 a의 값이 순차적으로 전달되며, 이 값은 오른쪽의 num > 2 에 전달됨 • 1, 2, 3, 4, 5가 순차적으로 전달 되어 2보다 큰 값을 list 함수 매개변수로 전달 • 리스트로 변환한 결과를 m에 대입
03	• print 함수에서 리스트 m을 출력

8 클래스 ★★

(1) 클래스(Class) 개념

- 클래스는 객체 지향 프로그래밍(OOP; Object-Oriented Programming)에서 특정 객체를 생성하기 위해 변수와 메서드를 정의하는 틀이다.

(2) 클래스 정의

- 클래스에서 변수는 변수 선언과 동일하고, 메서드는 사용자 정의 함수와 문법이 동일하다.

```
class 클래스명:
    def 메서드명(self, 변수명, …):
        명령어
        return 반환값
```

- 파이썬에서는 함수명에 입력받을 값(매개변수) 앞에 self라는 키워드를 적어야 한다.

```
class Soojebi:
    def fn(self):  #입력받는 값이 없을 경우 self만 사용
        print(5)
```

> **학습 Point**
> 소스 코드 중간에 보시면 #이 있는데, #은 주석이라고 부르고, # 뒤에 있는 문장은 프로그램 동작에 영향을 주지 않습니다.

(3) self

- self는 현재 객체를 가리키는 키워드이다.
- 클래스 내부의 변수와 함수를 가리킬 수 있다.

▼ 파이썬 self

```
self.변수명
self.함수명(매개변수)
```

개념 박살내기

■ 파이썬 self

[소스 코드]

01	`class Soojebi:`
02	`    def setS(self, a):`
03	`        self.a = a`
04	`    def getS(self):`
05	`        return self.a`
06	`a = Soojebi( )`
07	`a.setS(5)`
08	`print(a.getS( ))`
출력	5

[코드 해설]

06	• a 변수에 Soojebi 클래스 생성
07	• a 변수(Soojebi 클래스 타입)의 setS 메서드에 5를 전달
02	• setS 메서드에서 self는 현재 객체이고, a 변수에 전달받은 5를 대입
03	• self.a는 클래스 내의 변수이고, a는 매개변수 • a는 전달받은 5가 저장되어 있고, 5를 self.a에 대입
08	• a 변수(Soojebi 클래스 타입)의 getS 메서드로부터 값을 받아서 출력
04	• getS 메서드에서 self는 현재 객체
05	• self.a는 클래스 내의 변수로 5가 저장되어 있었으므로 5를 반환

(4) 생성자(Constructor)

- 생성자는 해당 클래스의 객체가 생성될 때 자동으로 호출되는 특수한 종류의 메서드이다.
- 생성자는 __init__이라는 메서드 명을 사용하고, 첫 번째 매개변수로 self를 작성하며, 반환 값이 없다.

▼ 생성자

구분	코드

생성자 정의	```class 클래스명:```
	``` def __init__(self, 매개변수):```
	``` 명령어```

생성자 호출	클래스변수 = 클래스(매개변수)

(5) 소멸자(Destructor)

- 소멸자는 객체의 수명이 끝났을 때 객체를 제거하기 위한 목적으로 사용되는 메서드이다.
- 소멸자는 __del__이라는 메서드명을 사용하고, 첫 번째 매개변수에 self를 작성하며, 반환 값이 없다.

▼ 소멸자

구분	코드

소멸자 정의	```class 클래스명:```
	``` def __del__(self):```
	``` 명령어```

소멸자 호출	del 클래스변수

```
클래스변수 = 클래스(매개변수) # 생성시
del 클래스변수 # 소멸시
```

■ 파이썬 생성자/소멸자

[소스 코드]

01	`class Soojebi:`
02	`  def __init__(self):`
03	`    print("생성자1")`
04	`  def __init__(self, a):`
05	`    print("생성자2")`
06	`  def __del__(self):`
07	`    print("소멸자")`
08	`  def fn(self):`
09	`    print("일반함수")`
10	
11	`s = Soojebi(5)`
12	`s.fn( )`
13	`del s`

| 출력 | 생성자2
일반함수
소멸자 |

[코드 해설]

11	• Soojebi 클래스를 생성하고, 생성한 클래스를 변수 s에 저장
04	• 매개변수 1개를 받을 수 있는 생성자가 호출됨
05	• "생성자2"를 화면에 출력
12	• s의 fn 메서드 호출
08	• 일반 메서드 fn가 호출됨
09	• "일반함수"를 화면에 출력
13	• del 키워드를 이용해서 소멸자 호출
06	• 소멸자 호출
07	• "소멸자"를 화면에 출력

(6) 클래스 접근 제어자

- 파이썬은 private, public 등의 접근제어자 키워드가 존재하지 않고 작명법(Naming)으로 접근제어를 한다.

▼ 클래스 접근 제어자

종류	규칙	설명
public	• 밑줄이 접두사에 없어야 함	• 외부의 모든 클래스에서 접근이 가능한 접근 제어자
protected	• 한 개의 밑줄 _이 접두사여야 함	• 같은 패키지 내부에 있는 클래스, 하위 클래스 (상속받은 경우)에서 접근이 가능한 접근 제어자 • 자기 자신과 상속받은 하위 클래스 둘 다 접근이 가능한 접근 제어자
private	• 두 개의 밑줄 __이 접두사여야 함	• 같은 클래스 내에서만 접근이 가능한 접근 제어자

 개념 박살내기

■ 파이썬 self

[소스 코드]

```
01  class Soojebi:
02      def __init__(self):
03          self.public = "PUBLIC"
04          self._protected = "PROTECTED"
05          self.__private = "PRIVATE"
06      def fn(self):
07          print(self.public)
08          print(self._protected)
09          print(self.__private)
10  
11  s = Soojebi()
12  s.fn()
13  print(s.public)
14  print(s._protected)
15  # print(s.__private)
```

출력:
PUBLIC
PROTECTED
PRIVATE
PUBLIC
PROTECTED

학습 Point

파이썬에서 #은 주석으로 주석 뒤에 문장은 실행하지 않습니다. [소스 코드]에서 # print(s.__private) 코드의 주석을 풀면(#을 제거하면) 에러가 발생합니다.

[코드 해설]

11	• Soojebi() 클래스 객체인 s를 생성
02	• Soojebi 클래스의 __init__() 메서드 호출
03	• self.public에 "PUBLIC" 값을 대입
04	• self._protected에 "PROTECTED" 값을 대입
05	• self.__private에 "PRIVATE" 값을 대입
12	• s의 메서드 fn()을 호출
6	• fn 메서드 실행

7	• self.public 값인 "PUBLIC"을 출력
8	• self._protected 값인 "PROTECTED"를 출력
9	• self.__private 값인 "PRIVATE"를 출력
13	• s의 public 변수 접근 시 public 값인 "PUBLIC"을 출력
14	• s의 _protected 변수 접근 시 _protected 값인 "PROTECTED" 출력
15	• s의 __private 변수는 접근할 수 없음 • #은 주석으로 주석 뒤에 문장은 실행하지 않음

9 클래스 상속

(1) 클래스 상속(Inheritance) 개념

- 상속은 어떤 객체가 있을 때 그 객체의 변수와 메서드를 다른 객체가 물려받는 기능이다.

```
class 부모_클래스명:
    ...
class 자식_클래스명(부모_클래스명):
    ...
```

개념 박살내기

■ 파이썬 상속

[소스 코드]

01	`class A:`
02	`    def fnA(self):`
03	`        print('A')`
04	`class B(A):`
05	`    def fnB(self):`
06	`        print('B')`
07	
08	`b = B( )`
09	`b.fnA( )`
10	`b.fnB( )`
출력	A B

> **학습 Point**
> 파이썬은 오버로딩이 정식으로 지원하지 않습니다. 오버로딩은 메서드명은 동일하지만 매개변수의 타입이 달라지는 형태인데, 파이썬은 변수의 타입을 실행시간(Run Time)에 검사하기 때문에 오버로딩이 지원되지 않습니다.

[코드 해설]

08	• b라는 이름의 클래스 B에 대한 변수 설정 • B 클래스와 부모 클래스인 A 클래스에 생성자인 __init__이 없으므로 건너뜀
09	• b라는 변수로 fnA 메서드에 접근 • b의 fnA( ) 함수를 호출하면 B 클래스에 fnA( ) 메서드가 없으므로 부모 클래스인 A 클래스의 fnA( ) 메서드를 실행
02	• fnA( ) 메서드를 실행
03	• A를 출력
10	• b의 fnB( ) 함수를 호출하면 B 클래스의 fnB( )를 호출
05	• fnB( ) 메서드를 실행
06	• B를 출력

(2) 메서드 오버라이딩(Overriding)

- 오버라이딩은 하위 클래스에서 상위 클래스 메서드를 재정의할 수 있는 기능이다.
- 오버라이딩 특징은 다음과 같다.

> • 오버라이드하고자 하는 메서드가 상위 클래스에 존재하여야 한다.
> • 메서드 이름은 같아야 한다.
> • 메서드 매개변수 개수, 데이터 타입이 같아야 한다.

▼ 오버라이딩 구문

```
class 부모_클래스명:
    def 메서드명(self, 변수명):
        명령어
class 자식_클래스명(부모_클래스명):
    def 메서드명(self, 변수명): #부모 클래스와 메서드명, 매개변수가 같아야 함
        명령어
```

개념 박살내기

■ 파이썬 오버라이딩

[소스 코드]

01	`class A:`
02	`    def fn(self):`
03	`        print('A')`
04	`class B(A):`
05	`    def fn(self):`
06	`        print('B')`
07	`a = B( )`
08	`a.fn( )`
출력	B

[코드 해설]

07	a 변수에 B 클래스 생성
08	a 변수는 B 클래스이므로 B 클래스의 fn 메서드를 호출
05	fn 메서드에서 self는 현재 객체
06	B를 출력

> **학습 Point**
> 파이썬은 상속을 받는 경우 자바와 다르게 부모 클래스 생성자를 호출하지 않습니다. 호출을 해야 하는 경우 super().__init__() 와 같이 직접 호출해야 합니다.

개념 박살내기

■ 파이썬 생성자/오버라이딩

[소스 코드]

```
01  class A:
02      def __init__(self):
03          print('A')
04      def fn(self):
05          print('B')
06  class B(A):
07      def __init__(self):
08          print('C')
09      def fn(self):
10          print('D')
11  
12  a = A( )
13  b = B( )
14  b.fn( )
```

출력	A C D

[코드 해설]

12	• A 클래스를 생성
02	• A 클래스의 생성자가 호출됨
03	• A를 출력
13	• B 클래스를 생성
07	• B 클래스의 생성자가 호출됨
08	• C를 출력
14	• b 변수는 B 클래스이므로 B 클래스의 fn 메서드를 호출
09	• fn 메서드 실행
10	• D를 출력

(3) 부모 클래스 접근

- 파이썬은 super 키워드를 이용하여 상위 클래스의 변수나 메서드에 접근할 수 있다.

super( ).메서드명( )

 개념 박살내기

■ 파이썬 부모 클래스 접근

[소스 코드]

01	`class A:`
02	`  def fn(self):`
03	`    print('A')`
04	`class B(A):`
05	`  def fn(self):`
06	`    super( ).fn( )`
07	`    print('B')`
08	`a = B( )`
09	`a.fn( )`
출력	A B

[코드 해설]

08	a 변수에 B 클래스 생성
09	a 변수는 B 클래스이므로 B 클래스의 fn 메서드를 호출
05	B 클래스의 fn 메서드에서 self는 현재 객체
06	B의 부모 클래스는 A이므로 super( ).fn( )에 의해 A 클래스의 fn 메서드를 호출
02	A 클래스의 fn 메서드에서 self는 현재 객체
03	A를 출력한 후 A 클래스 fn 메서드 호출한 부분으로 이동
07	B를 출력

NCS 지/피/지/기 기출문제

01 다음은 파이썬 코드이다. 밑줄 친 ㉠, ㉡에 들어갈 출력 결과를 쓰시오. ▶ 22년 1회

```
01  a=10
02  b='text'
03  print(type(a))
04  print(type(b))
```

| 출력결과 |
〈class ' ㉠ '〉
〈class ' ㉡ '〉

㉠ _____

㉡ _____

해설 • a는 10이라는 정수값이므로 int 형, b는 text라는 문자/문자열을 저장하고 있으므로 str 형이다.
• 파이썬 타입은 다음과 같다.

int	정수값
float	실수값
str	문자 또는 문자열

02 다음 파이썬 출력 결과를 쓰시오. ▶ 22년 3회

```
01  def f(n):
02    return lambda a:a*n
03  k = f(3)
04  print(k(10))
```

해설

03	• f(3)을 호출하면 f 함수를 호출하고 호출한 결과를 k에 저장
01	• f(3)에 의해서 호출되었기 때문에 n은 3이 됨
02	• n이 3이므로 return 값인 lambda a:a*3을 반환
03	• f(3)이 lambda a:a*3이 므로 k는 람다 함수인 lambda a:a*3을 저장
04	• k(10)이므로 k가 저장하고 있는 람다식에 10을 넣게 되면 a가 10이 되어 10*3인 30을 반환하여 30을 출력

03 다음 파이썬 출력 결과를 쓰시오. ▶ 22년 3회

```
01  def af(a, b):
02    return a+b
03  def sf(a, b):
04    return a-b
05  print(sf(af(4, 5), 6))
```

해설

05	• af(4, 5)를 호출
01~02	• af(4, 5)에 의해서 a는 4, b는 5가 되므로 4+5는 9를 반환
05	• af(4, 5)가 9이므로 sf(9, 6)를 호출
03~04	• sf(9, 6)에 의해서 a는 9, b는 6이 되므로 3을 반환
05	• sf(9, 6)은 3이므로 print(3)이 되어 3을 출력

04 다음은 파이썬 코드이다. 밑줄친 곳에 알맞은 키워드를 쓰시오. ▶ 23년 1회

```
pocket = ['credit', 'id']
card = True
if('cash' in pocket):
  print('택시')
  ___card:
  print('버스')
else:
  print('도보')
```

해설 • 파이썬에서의 if 문은 다음과 같다.

if 조건문 : 명령문	• if의 조건문이 참일 경우 if 안에 있는 명령문이 실행
elif 조건문 : 명령문	• if 문의 조건이 거짓이면서 elif 문의 조건이 참일 경우 elif 안에 있는 명령문이 실행(elif는 여러 개 사용 가능)
else : 명령문	• else는 if 문의 조건문이 거짓이고 여러 개의 elif 조건문이 모두 거짓일 때 else 안에 있는 명령문이 실행

기출문제

▶ 23년 2회

05 다음 중 파이썬에 대해서 옳게 설명한 것을 [보기]에서 고르시오

| 보기 |
㉠ 변수 선언 시 자료형 작성은 필수이다.
㉡ 세미콜론(;)을 사용하지 않아도 된다.
㉢ 하나의 변수에 연속하여 값을 저장할 수 있다.
㉣ 같은 수준의 코드는 반드시 동일한 여백을 가져야 한다.
㉤ 인터프리터 언어에 해당하지 않는다.

해설
- 파이썬은 다음과 같은 특징을 가지고 있다.
  - 파이썬은 변수 선언 시 자료형을 명시적으로 사용할 필요가 없다.
  - 파이썬은 인터프리터 언어로 분류된다.
  - 세미콜론(;)을 사용하지 않아도 된다.
  - 하나의 변수에 연속하여 값을 저장할 수 있다.
  - 같은 수준의 코드는 반드시 동일한 여백을 가져야 한다.

▶ 24년 1회

06 다음은 파이썬 코드이다. 출력 결과를 쓰시오.

```
01  score= [1, 2, 3, 4, 5]
02  print(score.pop( ))
03  print(score.pop( ))
04  print(score.pop(1))
```

해설

01	• 리스트 [1, 2, 3, 4, 5]를 score라는 변수에 대입				
	score[0]	score[1]	score[2]	score[3]	score[4]
	1	2	3	4	5

02	• pop 함수를 이용하면 score의 리스트 맨 뒤에서 0번째 있는 값(맨 뒤의 값)인 5가 빠지면서 5가 출력됨			
	score[0]	score[1]	score[2]	score[3]
	1	2	3	4

03	• pop 함수를 이용하면 score의 리스트 맨 뒤에서 0번째 있는 값(맨 뒤의 값)인 4가 빠지면서 4가 출력됨		
	score[0]	score[1]	score[2]
	1	2	3

04	• pop(1)을 하게 되면 score의 리스트 맨 뒤에서 1번째 있는 값(맨 뒤에서 두 번째 값)인 2가 빠지면서 2가 출력됨	
	score[0]	score[2]
	1	3

▶ 24년 2회

07 다음은 파이썬 코드이다. 출력 결과를 쓰시오.

```
01  li = [1, -1, 0, 1, -1]
02
03  for a in li:
04      if(a == -1):
05          continue
06      print(a, end='')
```

해설

01	• li 변수에 리스트 [1, -1, 0, 1, -1]를 대입
03	• li 변수의 0번지 값부터 차례대로 a 변수에 대입하면서 반복문 실행 • li[0] 값인 1을 a 변수에 대입
04	• a는 1이므로 a == -1은 거짓
06	• a 변수 값인 1을 출력하고, end=''이므로 개행하지 않음
03	• li[1] 값인 -1을 a 변수에 대입
04	• a는 -1이므로 a == -1은 참
05	• continue를 만나 for 문 시작점으로 이동
03	• li[2] 값인 0을 a 변수에 대입
04	• a는 0이므로 a == -1은 거짓
06	• a 변수 값인 0을 출력하고, end=''이므로 개행하지 않음
03	• li[3] 값인 1을 a 변수에 대입
04	• a는 1이므로 a == -1은 거짓
06	• a 변수 값인 1을 출력하고, end=''이므로 개행하지 않음
03	• li[4] 값인 -1을 a 변수에 대입
04	• a는 -1이므로 a == -1은 참
05	• continue를 만나 for 문 시작점으로 이동
03	• li 변수에 더 이상 값이 없으므로 for 문 종료

정답

01. ㉠ int, ㉡ str 02. 3 03. 3 04. elif 05. ㉡, ㉢, ㉣ 06. 5
4
2 07. 101

예상문제

01 다음은 파이썬 코드이다. 출력 결과를 쓰시오.

```
01  class Soojebi:
02    li = [ "Seoul", "Kyeonggi", "Inchon",
03           "Daejeon", "Daegu", "Pusan"]
04  s = Soojebi()
05  str01 = ''
06  for i in s.li:
07    str01 = str01 + i[0]
08  print(str01)
```

해설

04	• s 변수에 Soojebi 클래스의 인스턴스를 저장
05	• str01은 비어 있는 문자열을 대입
06	• for 문에서 s.li에 있는 값을 하나씩 i 변수에 저장하면서 반복 • i에 s.li의 0번지 값인 "Seoul"을 대입
07	• str01은 비어있는 문자열이고, i[0]은 i 0번지 문자인 S이므로 '' + 'S'는 'S'가 되어 str01에 저장됨
06	• i에 s.li의 1번지 값인 "Kyeonggi"을 대입
07	• str01은 'S'이고, i[0]은 i 0번지 문자인 K이므로 'S' + 'K'는 'SK'가 되어 str01에 저장됨
06	• i에 s.li의 1번지 값인 "Inchon"을 대입
07	• str01은 'SK'이고, i[0]은 i 0번지 문자인 I이므로 'SK' + 'I'는 'SKI'가 되어 str01에 저장됨
06	• for 문에서 s.li에 있는 값을 하나씩 i 변수에 저장하면서 반복 • i에 s.li의 0번지 값인 "Daejeon"을 대입
07	• str01은 'SKI'이고, i[0]은 i 0번지 문자인 D이므로 'SKI' + 'D'는 'SKID'가 되어 str01에 저장됨
06	• i에 s.li의 1번지 값인 "Daegu"을 대입
07	• str01은 'SKID'이고, i[0]은 i 0번지 문자인 D이므로 'SKID' + 'D'는 'SKIDD'가 되어 str01에 저장됨
06	• i에 s.li의 1번지 값인 "Pusan"을 대입
07	• str01은 'SKIDD'이고, i[0]은 i 0번지 문자인 D이므로 'SKIDD' + 'P'는 'SKIDDP'가 되어 str01에 저장됨
08	• str01 값인 문자열 'SKIDDP'를 출력

02 다음은 파이썬 코드이다. 출력 결과를 쓰시오.

```
01  a=100
02  i=0
03  result=0
04  for i in range(1, 3):
05    result = a >> i
06    result += 1
07  print(result)
```

해설

01	• a 변수에 100을 대입
02	• i 변수에 0을 대입
03	• result 변수에 0을 대입
04	• for 문에서 i는 1 이상 3 미만일 때 반복 • i=1부터 시작
05	• i가 1일 때 a >> i는 100 >> 1이므로 result에는 50이 저장됨
06	• result에 1을 더하면 51이 됨
04	• i=2가 됨
05	• i가 2일 때 a >> i는 100 >> 2이므로 result에는 25가 저장됨
06	• result에 1을 더하면 26이 됨
07	• result 값인 26이 출력됨

03 다음은 파이썬 코드이다. 출력 결과를 쓰시오.

```
a = 10
b = 15
if a>b:
    m = b
else:
    m = a

for i in range(m, 0, -1):
    if a % i == 0 and b % i == 0:
        print(i)
        break
```

해설

코드	설명

a = 10
b = 15
if a>b:
    m = b
else:
    m = a
	• 변수 a에 10, b에 15를 저장
	• 10>15는 거짓이므로 else에 있는 m = a를 실행

for i in range(m, 0, -1):
    if a % i == 0 and b % i == 0:
        print(i)
        break
	• for 문에서 i 값을 m인 10부터 1까지 1씩 감소하면서 반복
	• a가 i로 나누어 떨어지고, b가 i로 나누어 떨어지면 i 값을 출력하고, break 문을 통해 반복문 탈출

04 다음은 파이썬 코드이다. 출력 결과를 쓰시오.

```
temp = 0
min_index = 0
a = [4, 2, 3, 5, 1]
for i in range(0, 4):
    min_index = i

    for j in range(i+1, 5):
        if a[j] < a[min_index]:
            min_index = j

    temp = a[min_index]
    a[min_index] = a[i]
    a[i] = temp

print(a)
```

해설 — 선택 정렬을 구현한 코드이다.

코드	설명
temp = 0 min_index = 0 a = [4, 2, 3, 5, 1]	• 정렬되지 않은 곳 중 최솟값 위치 • 정렬되지 않은 배열
for i in range(0, 4): min_index = i	• for 문을 통해 i 값이 0부터 3까지 1씩 증가하면서 반복 • min_index 변수를 정렬되지 않은 곳을 시작 위치로 지정

for j in range(i+1, 5):
    if a[j] < a[min_index]:
        min_index = j
	• 정렬되지 않은 부분에서 최솟값을 찾음

temp = a[min_index] a[min_index] = a[i] a[i] = temp	• 최솟값이 있는 인덱스와 정렬된 배열의 다음 요소를 교환
print(a)	• 0번째에서 4번째 값을 출력

예상문제

05 다음은 파이썬 코드이다. 출력 결과를 쓰시오.

```
a = ['Hello', 'Python', "World"]
print(a[0][3:], a[2][:-3])
```

> **해설**
> - a는 리스트 변수로 다음과 같이 저장된다.
>
> | a[0] | Hello |
> | a[1] | Python |
> | a[2] | World |
>
> - a[0][3:]은 a[0]인 'Hello'이고, [3:]은 3번지 문자부터 끝까지 슬라이싱하므로 lo가 출력된다.
> - a[2][:-3]은 a[2]인 'World'이고, [:-3]은 처음부터 뒤에서 3번지 문자 전까지 슬라이싱하므로 Wo가 출력된다.

06 다음은 파이썬 코드이다. 출력 결과를 쓰시오.

```
class A:
  a = 0
  def __init__(self):
    self.a += 2
  def fn(self):
    self.a += 3

class B(A):
  def __init__(self):
    self.a += 5
  def fn(self):
    self.a += 7

a = B( )
a.fn( )
print(a.a)
```

> **해설**
>
> | class A: | |
> | a = 0 | |
> | def __init__(self): | |
> | self.a += 2 | |
> | def fn(self): | |
> | self.a += 3 | |
> | class B(A): | |
> | def __init__(self): | ② B 클래스 생성자를 실행 |
> | self.a += 5 | ③ a 변수는 A 클래스에서 0으로 초기화 했으므로 0에서 5를 더한 5가 a 변수에 저장됨 |
> | def fn(self): | ⑤ B 클래스의 fn 메서드 호출 |
> | self.a += 7 | ⑥ a 값에 7을 더하므로 5+7인 12가 a에 저장됨 |
> | a = B( ) | ① B 클래스의 생성자를 a 변수에 저장 |
> | a.fn( ) | ④ B 클래스를 저장하고 있는 a 변수의 fn 호출 |
> | print(a.a) | ⑦ a 변수의 a 값을 출력하므로 12가 출력됨 |

07 다음은 파이썬 코드이다. 출력 결과를 쓰시오.

```
d = {'A':5, 'B':4}
d['B'] = 7
d['C'] = 6
print(d)
```

> **해설**
>
> | d = {'A':5, 'B':4} | • d라는 변수에 키가 'A'일 때 값을 5로, 'B'일 때 값을 4로 초기화 |
> | d['B'] = 7 | • d라는 변수에 키가 'B'일 때 값이 이미 있으므로 'B'일 때 값을 7로 변경 |
> | d['C'] = 6 | • d라는 변수에 키가 'C'일 때 값을 6으로 저장 |
> | print(d) | • d 출력 |

정답
01. SKIDDP 02. 26 03. 5 04. [1, 2, 3, 4, 5] 05. lo Wo 06. 12 07. {'A': 5, 'B': 7, 'C': 6}

단원종합문제

01 다음은 C언어 코드이다. 출력 결과를 쓰시오.

```c
#include <stdio.h>
int main( ){
  if(0.5){
    printf("A");
  }
  else{
    printf("B");
  }
}
```

해설
- C언어에서 0이 아니면 참이고, 0이면 거짓이다.
- 0.5는 0이 아니므로 참이 되어 A를 출력한다.

02 다음은 C언어 코드이다. 출력 결과를 쓰시오.

```c
#include <stdio.h>
int main( ){
  int a = 1, b = 3;
  switch(++a + b){
  case 3: printf("A");
  case 4: printf("B");
    break; case 5: printf("C");
  default: printf("E");
  }
}
```

해설
- switch에서 ++a + b는 연산자 우선순위에 따라서 ++이 가장 먼저 실행된다.
- ++a이므로 a는 2가 되고, a 값인 2와 b 값인 3을 더한 5가 되어 case 5로 이동한다.
- switch 문은 break를 만날 때까지 순차적으로 실행하게 되는데 case 5 뒤에는 break가 없으므로 case 5부터 switch 문이 끝나는 곳까지 모두 실행한다.
- case 5 뒤에 있는 명령어인 printf("C");와 printf("E");를 실행하므로 CE가 출력된다.

03 다음은 C언어 코드이다. 출력 결과를 쓰시오.

```c
#include <stdio.h>
int main( ){
  int i=2;
  while ( --i ){
    printf("%d", i);
  }
}
```

해설
- while이 참인 동안 반복되는데, 0이 아니면 참이고, 0이면 거짓이므로 0이 되면 반복문을 종료한다.
- --i에 의해 i는 1이 되고, 1은 참이므로 while 내의 문장을 실행하여 i 값인 1을 출력한다.
- --i에 의해 i는 0이 되고, 0은 거짓이므로 while 문을 빠져나온다.

i	조건식
1	참
0	거짓

04 다음은 C언어 코드이다. 결과를 보고 밑줄 친 곳에 알맞은 코드를 쓰시오.

```c
#include <stdio.h>
int a(int i){ return i;}
int b(int i, int j){ return i-j; }

int main(){
  int (*p)(int);
  int (*pf)(int, int);
   ①   ;
  printf("%d", p(5));
   ②   ;
  printf("%d", pf(5, 4));
}
```

[출력 결과]

51

단원종합문제

해설 • p, pf는 함수 포인터로 p는 int 형 변수 1개를 사용하는 사용자 정의 함수를, pf는 int 형 변수 2개를 사용하는 사용자 정의 함수를 대신할 수 있다.
• p=a를 하게 되면 a 함수를 p라는 이름으로 호출할 수 있고, pf = b를 하게 되면 b 함수를 pf라는 이름으로 호출할 수 있다.

06 다음은 C언어 코드이다. 출력 결과를 쓰시오.

```c
#include <stdio.h>

int fn(char* a){
    int i=0;
    for(i=0; a[i] != '\0'; i++);
    return i;
}

int main() {
    char a[10] = "Hello";
    printf("%d", fn(a));
}
```

05 다음은 C언어 코드이다. 출력 결과를 쓰시오.

```c
#include <stdio.h>
int Soojebi(int base, int exp){
    int i, result = 1;
    for(i=0; i<exp; i++){
        result *= base;
        return result;
    }
}

int main(){
    printf("%d", Soojebi(2, 10));
}
```

해설

| int fn(char* a){
  int i=0;
  for(i=0; a[i] != '\0'; i++);

  return i;
}

int main() {
  char a[10] = "Hello";
  printf("%d", fn(a));
} | ③ a라는 문자열 포인터는 Hello 라는 문자열을 가리킴
④ for 문 뒤에 세미콜론이 있으므로 for 문 내에 명령어가 없는 것과 동일하게 동작. a[i]가 NULL이 아닐 때까지 반복하면서 반복할 때마다 i 값이 1씩 증가
⑤ i 값인 5를 반환

① a에 Hello라는 문자열을 저장
② fn 함수에 a라는 문자열 포인터를 전달 |

a[0]	a[1]	a[2]	a[3]	a[4]	a[5]
H	e	l	l	o	\0

• i가 5일 때 a[5] == '\0'이 되어 조건식인 a[i] != '\0'가 거짓이 된다.
• i 값인 5를 반환하므로 fn(a)는 5가 되어 5를 출력한다.

해설 • main 함수에서 Soojebi(2, 10)을 호출한다.
• Soojebi 함수에서 2, 10을 각각 base와 exp에 전달한다.
• for(i=0; i<10; i++)에서 i=0으로 초기화하고, i<10이 만족할 때까지 반복한다.
• result에 base 값인 2를 곱하므로 result는 2가 된다.
• 사용자 정의 함수는 return을 만나면 바로 함수가 종료되는데, result 값인 2를 Soojebi(2, 10)을 호출한 곳에 반환한다.
• Soojebi(2, 10)는 2가 되므로 2를 출력한다.

07 다음은 C언어 코드이다. 실행 결과를 쓰시오.

```c
#include <stdio.h>
int main(int argc, char *argv[]){
    int a = 5, b = 3, c = 12;
    int t1, t2, t3;
    t1 = a && b;
    t2 = a || b;
    t3 = !c;
    printf("%d", t1 + t2 + t3);
    return 0;
}
```

해설
- C언어에서 0이 아니면 참, 0이면 거짓으로 인식하고, 계산한 결과는 참이면 1로, 거짓이면 0이 된다.

int a = 5, b = 3, c = 12; int t1, t2, t3;	
t1 = a && b;	• a는 5이므로 참, b는 3이므로 참이기 때문에 (참 && 참)은 참이므로 t1은 1
t2 = a || b;	• a는 5이므로 참, b는 3이므로 참이기 때문에 (참 || 참)은 참이므로 t2는 1
t3 = !c; printf("%d", t1 + t2 + t3);	• c는 12이므로 참이지만 !(NOT) 연산에 의해 참은 거짓이 되므로 t3는 0

08 다음은 C언어 코드이다. 실행 결과를 쓰시오.

```c
#include <stdio.h>

int main(){
    int a=0, i=3;
    for( ; i<100; i*=3)
        a += i;
    printf("%d", i);
}
```

해설

int a=0, i=3;
for(; i<100; i*=3)
    a += i;
printf("%d", i);
	• i<100을 만족할 때까지 for 문을 반복
	• a에 a+i 값을 저장
	• i 값을 출력

i	a	i<100
3	3	참
9	12	참
27	39	참
81	120	참
243	363	거짓

• i가 243일 때 for 문의 조건식이 거짓이 되므로 i 값인 243이 출력된다.

09 다음은 자바 코드이다. 출력 결과를 쓰시오.

```java
public class Soojebi{
    public static void main(String args[]){
        System.out.println("" + 1 + 2);
        System.out.println(1 + 2 + "");
    }
}
```

해설
- System.out.println 메서드는 문자열 다음에 숫자가 '+'연산자로 연결되면 숫자를 문자열로 처리한다.
- 숫자 다음에 문자열이 '+'연산자로 연결되면 숫자를 먼저 계산하고 그 다음 문자열과 '+'로 연결한다.

public class Soojebi{
  public static void main(String args[]){
    System.out.println("" + 1 + 2);
	• ""와 1을 더하면 "1"이 되고, "1"에 "2"를 더하면 "12"가 됨

System.out.println(1 + 2 + ""); } }	• 1과 2를 더하면 3이 되고, 3에 ""를 더하면 "3"이 됨

10 다음은 자바 코드이다. 출력 결과를 쓰시오.

```java
class Parent{
  public Parent( ){
    System.out.print("A");
  }
  public void fn( ){
    System.out.print("B");
  }
  public void fnA( ){
    System.out.print("C");
  }
}
class Child extends Parent{
  public Child( ){
    System.out.print("D");
  }
  public void fn( ){
    System.out.print("E");
  }
  public void fnB( ){
    System.out.print("F");
  }
}
public class Soojebi{
  public static void main(String args[]){
    Child c = new Child();
    c.fn();
    c.fnA();
  }
}
```

해설 자식 클래스 객체가 생성될 때, 부모 클래스의 생성자가 먼저 호출되고 자식 클래스의 생성자가 호출된다.

코드	설명

class Parent{
  public Parent( ){
    System.out.print("A");
  }
	• 부모 클래스인 Parent 클래스 선언
	• Parent 클래스의 생성자 메서드 선언
	• "A"를 화면에 출력

public void fn( ){
    System.out.print("B");
  }
	• fn 메서드 선언
	• "B"를 화면에 출력

public void fnA( ){
    System.out.print("C");
  }
}
	• fnA 메서드 선언
	• "C"를 화면에 출력

class Child extends Parent{	• Child 클래스는 Parent 로 부터 상속(extends) 받음

public Child( ){
    System.out.print("D");
  }
	• Child 클래스의 생성자 메서드 선언
	• "D"를 화면에 출력

public void fn( ){
    System.out.print("E");
  }
	• fn 메서드 선언
	• "E"를 화면에 출력

public void fnB( ){
    System.out.print("F");
  }
}
	• fnB 메서드 선언
	• "F"를 화면에 출력

public class Soojebi{
  public static void main(String args[]){
    Child c = new Child();
	• Soojebi 클래스 선언
	• Child 클래스 객체 c 생성하고 부모 클래스의 생성자에서 'A', 자식 클래스에서 'D' 출력

c.fn();
    c.fnA();
  }
}
	• c.fn 메서드 호출하여 'E' 출력
	• 부모 클래스의 fnA 메서드 접근하여 호출하여 'C' 출력

11 다음은 자바 코드이다. 출력 결과를 쓰시오.

```java
public class Soojebi{
  public static int fn(int key, int[] arr, int cnt) {
    int mid;
    int low = 0, high = cnt-1;
    int i=0;

    while(low <= high){
      i++;
      mid = (low + high) / 2;

      if(key == arr[mid]) {
        return i;
      }
      else if(key < arr[mid]) {
        high = mid - 1;
      }
      else {
        low = mid+1;
      }
    }

    return -1;
  }

  public static void main(String []args){
    int [ ]a = {92, 100, 215, 341, 625, 716, 812, 813, 820, 901, 902};
    int cnt = fn(92, a, 11);
    System.out.println(cnt);
  }
}
```

단원종합문제

12 다음은 자바 코드이다. 밑줄친 곳에 알맞은 키워드를 쓰시오.

```
class Parent{
  String className = "Parent Class";
  public void info( ){
    System.out.println(className);
  }
}
class Child   ①   Parent{
  String className = "Child Class";
  public void info( ){
    super.info( );
    System.out.println( className );
  }
}

public class Soojebi{
  public static void main(String args[]){
    Parent p =   ②   Parent( );
    p.info( );
    Child c =   ②   Child( );
    c.info( );
  }
}
```

해설
- Child 클래스는 자식 클래스로 Parent 클래스를 상속받기 위해 extends를 쓴다. (자바에서는 인터페이스 상속 시에만 implements를 사용)
- super는 부모 클래스 접근할 때 사용한다.
- Parent 클래스와 Child 클래스의 객체를 생성하기 위해 new 키워드를 사용한다.

13 다음은 자바 코드이다. 출력 결과를 쓰시오.

```
public class Soojebi{
  public static void main(String[] args){
    int n = 10;
    increase(n);
    System.out.println(n);
  }

  static void increase(int n){
    n = n+1;
  }
}
```

해설
- 자바에서 소스 코드는 main 함수부터 시작한다.
- n=10이고 increase 메서드에 매개변수로 n의 값인 10을 넘긴다.
- increase 메서드 안에서 사용하는 n이라는 변수에 10을 받아서 n 값을 1 증가시키지만 반환을 따로 하지 않으므로 increase 변수 내의 n 값은 사라진다.
- main 함수의 n은 바뀐적 없이 10이었으므로 println 함수에 의해 10이 출력된다.

14 다음은 100 이하의 자연수 중 가장 큰 소수를 구하는 자바 코드이다. 빈칸에 들어갈 코드를 작성하시오.(단, 소수는 1과 자기 자신을 제외한 나머지 숫자로 나눠지지 않는 수이다.)

```
class Soojebi{
  public static void main (String[] args){
    int p=0;

    for(int i=2; i<100; i++){
      int t = (int)Math.sqrt(i);
      for(int j=2; j<=t; j++){
        if(i%j == 0)
          break;

        if(j==t)
          p = ___ ;
      }
    }
    System.out.println(p);
  }
}
```

해설
- i는 구하려는 소수이고, j는 소수인지 판별하기 위해 나누어 떨어지는지 확인하는 용도로 사용하는 값이다.
- if(i%j == 0)이 참이 되면 i가 j로 나누어 떨어지기 때문에 소수가 아니다.
- if(j==t)가 참이 되는 경우는 if(i%j == 0)가 모두 거짓이라 한 번도 break가 되지 않은 경우가 되고, if(i%j == 0)가 모두 거짓이면 소수이므로 p에 구하려는 소수 값인 i를 대입해준다.

15 다음은 자바 코드이다. 출력 결과를 쓰시오.

```
public class Soojebi{
  public static void main(String []args){
    int i=0, j=0;
    for(int k = 0; k < 3; k++){
      if((++i > 1) && (++j > 1)){
        i++;
      }
    }
    System.out.println(i + " " + j);
  }
}
```

해설

int i=0, j=0;	• 정수형 변수 i, j를 선언하고 0으로 초기화
for(int k = 0; k < 3; k++){	• k값을 0부터 3보다 작을 때까지 1씩 증가함
if((++i > 1) && (++j > 1)){ i++; }	• i값을 1 증가시키고 i가 1보다 크면서 j값을 1 증가시킨 후 j가 1보다 크면 i값을 1증가 시킴
} System.out.println(i + " " + j);	• i와 j 값을 화면에 출력함

- for 문은 k 값이 0, 1, 2로 증가하면서 i와 j 값이 다음 표와 같이 변화한다.

k	i	j	설명
0	1	0	if 문의 ++i가 실행되어 i 값은 1이 되고 i>1에서 i 값이 1이므로 거짓이 되어 전체 if 문에서 ++j는 실행이 되지 않음(따라서 j는 0)
1	2	1	if문의 ++i가 실행되어 i값은 2가 되고 i>1은 참이 되어 ++j가 실행이 되어 j는 1이 되고 j>1에서 j값은 1이므로 거짓이 되어 전체 if문은 거짓이 되어 다음 반복을 수행함
2	4	2	if문의 ++i가 실행되어 i값은 3이 되고 i>1은 참이 되고, ++j가 실행이 되어 j>1에서 j값인 2이므로 참이되어 전체 if문은 참이 되어 i++이 실행이 되어 i값은 4가 됨

단원종합문제

16 다음은 파이썬 코드이다. 출력 결과를 쓰시오.

```
a = ["Hello", "Python", "World"]
for i in a:
    print("abc")
```

해설

a = ["Hello", "Python", "World"] for i in a: 　print("abc")	• 리스트 a 선언 및 초기화 • 리스트 a에서 첫번째 부터 마지막 요소까지 차례로 i 변수에 대입하며 반복 • abc를 화면에 출력

17 다음은 파이썬 코드이다. 출력 결과를 쓰시오.

```
a=[10,20,30,40,50,60,70,80,90]
print(a[3])
print(a[-5])
print(a[:7:2])
print(a[3:])
print(a[:5])
```

해설

print(a[3])	• a[3]은 3번지 요소인 4번째 값인 40을 출력
print(a[-5])	• a[-5]는 뒤에서 5번째 값인 50을 출력
print(a[:7:2])	• a[:7:2]는 처음부터 7번지 전인 6번지까지 인덱스 2칸씩 건너뛰어 접근
print(a[3:])	• a[3:]은 3번지 요소부터 끝까지 출력
print(a[:5])	• a[:5]는 처음부터 5번지 전인 4번지까지 출력

18 다음은 파이썬 코드이다. 출력 결과를 쓰시오.

```
sum=0
a=[1, 2, 3, 4, 5, 6, 7, 8]
b=a[ : : 2]
for i in range(0, 3):
    sum += b[i]
print(sum)
```

해설
• 리스트 슬라이싱은 다음과 같다.

리스트명[시작: 종료 : 스텝]

• 시작 인덱스를 생략할 경우 처음부터 슬라이싱하고, 종료 인덱스를 생략할 경우 마지막까지 슬라이싱하는데, 스텝(몇 개씩 끊어서 슬라이싱을 할지 결정하는 값)이 2이므로 b는 [1, 3, 5, 7]이 된다.
• for 문을 통해 b의 0번지부터 2번지까지 요소를 더하게 되므로 1+3+5=9가 된다.

19 다음은 파이썬 코드이다. 출력 결과를 쓰시오.

```
def fn(x):
    n = len(x)

    for i in range(1, n):
        now = x[i]
        j = i - 1
        while j >= 0 and x[j] > now:
            x[j + 1] = x[j]
            j -= 1
        x[j + 1] = now

x = [5, 8, 2, 1, 4, 3]
fn(x)
print(x)
```

> **해설**
>
> ```
> def fn(x):
>   n = len(x)
>
>   for i in range(1, n):
>     now = x[i]
>     j = i - 1
>     while j >= 0 and x[j] > now:
>
>       x[j + 1] = x[j]
>       j -= 1
>     x[j + 1] = now
>
> x = [5, 8, 2, 1, 4, 3]
>
> fn(x)
> print(x)
> ```
>
> - fn 선언
> - x의 길이를 n에 대입
> - 1부터 n-1까지 반복
> - x[i]를 now에 대입
> - i에서 1 뺀 값을 j에 대입
> - j가 0보다 크거나 같으면서 x[j]가 now보다 크면 반복
> - x[j]를 x[j+1]에 대입
> - j값을 1 감소시킴
> - now 값을 x[j+1]에 대입
> - x선언 및 5, 8, 2, 1, 4, 3 로 초기화
> - fn 호출 및 x으로 매개변수 전달
> - x을 화면에 출력

정답

01. A 02. CE 03. 1 04. ① p=a ② pf=b 05. 2 06. 5 07. 2 08. 243 09. 12 3 10. ADEC 11. 3 12. ① extends, ② new 13. 10 14. i

15. 4 2 16. abc 17. 40 18. 9 19. [1, 2, 3, 4, 5, 8]
　　　　　abc　　　50
　　　　　abc　　　[10, 30, 50, 70]
　　　　　　　　　[40, 50, 60, 70, 80, 90]
　　　　　　　　　[10, 20, 30, 40, 50]